HISTOIRE DE LA LITTÉRATURE FRANÇAISE CONTEMPORAINE

(DE 1870 A NOS JOURS)

DU MÊME AUTEUR

Chez le même éditeur

Défense de l'Homme.
Le Clavecin non tempéré.
Le Roman français depuis 1900 (Collection « Que sais-je ? »).
Les Etapes de la Poésie française (Collection « Que sais-je ? »).
La Littérature anglaise (Collection « Que sais-je ? »).
Le Théâtre en France depuis 1900 (Collection « Que sais-je ? »).
Les plus beaux poèmes français (Collection « La lyre d'Orphée »).
Les plus beaux poèmes anglais (Collection « La lyre d'Orphée »).

Chez d'autres éditeurs

Vers une Alchimie lyrique (Œuvres représentatives).
Panorama de la Littérature anglaise contemporaine (Sagittaire).
Les Prosateurs romantiques (Trianon).
André Gide (Heissler).
Roger Martin du Gard (Gallimard).
Textes choisis de Jean Giraudoux (Grasset).
Maurice Barrès (Hachette).
Le Chef (épuisé).
Saül d'Israël (épuisé).

TRADUCTIONS

SHAKESPEARE : *Troïlus et Cressida* (Belles-Lettres).
EDGAR POE : *Trois Manifestes* (Charlot).
JOHN KEATS : *Poèmes et Lettres* (Sorlot).

En collaboration avec Mme Christine Lalou

GEORGE MEREDITH : *Un de nos Conquérants* (Gallimard).
SHAKESPEARE : *Œuvres complètes* (en cours de publication, aux éditions de Cluny).

HISTOIRE
DE LA
LITTÉRATURE FRANÇAISE CONTEMPORAINE
(DE 1870 A NOS JOURS)

par

RENÉ LALOU

Tome I

PRESSES UNIVERSITAIRES DE FRANCE
108, BOULEVARD SAINT-GERMAIN, PARIS

1953

VINGT-CINQUIÈME MILLE

DÉPOT LÉGAL
1re édition .. .. .. 1re trimestre 1941
5e — .. .. .. 2e — 1953

À la mémoire de
GEORGES CRÈS

PRÉFACE

Des préfaces aux précédentes éditions de ce livre je ne retiendrai qu'une citation, cette formule de Knut Hamsun : « une subjectivité désintéressée ». Je ne crois pas, en effet, qu'il existe une meilleure définition de la véracité à laquelle doit prétendre un historien, par respect pour lui-même et pour le public. Si je n'ai jamais tenté de dissimuler mes convictions personnelles, je me suis toujours efforcé, en revanche, de peindre loyalement chaque période et chaque mouvement dans son élan vital afin d'exposer sans les déformer quelles idées ou quelles passions avaient provoqué la naissance d'œuvres souvent contradictoires. La critique mérite d'être appelée un art précisément parce qu'elle dispose, pour éclairer ces beaux et salubres conflits, de toutes les ressources de l'intelligence, de la sympathie aussi bien que du jugement esthétique.

Essayer d'être impartial n'apparaît plus une entreprise chimérique dès que l'on a refusé ce dilemme : adhésion totale ou refus massif. Envers un ouvrage qui date déjà de quelques années il me semble que l'on approche de la véritable impartialité quand on a honnêtement estimé son importance à l'heure où il parut, son intérêt actuel et ses chances de survie. Pour les plus récents, nous possédons d'autres moyens de contrôler nos impressions : ainsi nous est-il maintes fois permis d'anticiper la postérité, voire de lui éviter des erreurs de perspective. En ce sens, la critique du contemporain et l'histoire du passé, bien loin de s'opposer, se complètent et se relayent au service de la vérité.

Certains s'étonneront que je parle seulement des œuvres, comme si j'oubliais les hommes. J'avoue donc que j'ai délibérément adopté le point de vue des milliers de lecteurs pour lesquels l'homme de lettres s'efface derrière l'écrivain. Je n'ai plus le droit de dire, comme en 1922, que je ne connais personnellement aucun de ceux dont les noms figurent dans ces pages ; du moins n'y en a-t-il aucun envers lequel je me sente lié par les chaînes de quelque animosité individuelle. Reste le danger qui naît d'une entente, plus profonde que leurs divergences, entre les hommes d'une même époque : solidaires, embarqués ensemble, on risque de se comprendre trop vite, d'accorder à d'audacieuses explorations l'ampleur de conquêtes durables. Si j'ai ainsi péché par excès d'optimisme, que cela me soit pardonné !

***

La première édition de cette *Histoire de la Littérature Française Contemporaine* fut publiée en novembre 1922. Ainsi que Georges Crès me le disait dès 1920, de nombreux lecteurs sentaient alors qu'une révision des valeurs littéraires s'était opérée au cours des dernières années. Ils souhaitaient le voir affirmer dans un tableau d'ensemble. D'où le succès de ce panorama auquel les circonstances prêtaient l'allure d'un manifeste. Les reproches que lui adressèrent ceux qu'inquiétaient les nouvelles tendances ne furent pas non plus inutiles : l'édition de 1923 permit de corriger une erreur et de réparer quelques omissions. En 1928, un « supplément » y fut adjoint à titre provisoire.

Il n'en était pas moins clair à mes yeux que ces additions aggravaient le défaut initial de l'ouvrage : désaccord entre ses deux parties dont l'une offrait une construction et l'autre un simple inventaire. A cela on ne pouvait remédier qu'avec la collaboration du temps. Je me suis remis au travail, en 1936, quand j'ai pensé que le moment était venu de reprendre complètement ce livre. Non seulement il devenait facile d'introduire dans le premier volume les quelques ajustements qui s'imposaient avec le recul du temps, mais il n'était plus présomptueux de poursuivre dans un second tome le même essai de mise en place et d'architecture. Les grandes lignes de « l'entre deux guerres » étaient maintenant dégagées ; quinze années de critique militante autorisaient à unir intimement au panorama un témoignage. Sous sa nouvelle forme, l'ouvrage était prêt à paraître à l'automne de 1939 ; quelques mois plus tard, les événements lui assignaient ses limites en marquant tragiquement le terme d'un cycle de notre histoire nationale (1).

On trouvera donc ici retracées l'évolution, la magnifique floraison, de la pensée et de la littérature françaises depuis la guerre de 1870-71, en passant par la guerre de 1914-1918, jusqu'à la guerre de 1939-1940. En multipliant les dates, les notes et les références, j'ai voulu répondre à un désir qui m'avait été souvent exprimé et rendre cette *Histoire* plus commode pour les étudiants de tous pays qui l'utilisent comme un manuel. Mais je me suis surtout appliqué à mieux réaliser le dessein que je me proposais dès l'origine : donner à une histoire littéraire une forme artistique, celle d'un récit orchestral. Si le mot de Mallarmé demeure vrai, si « toute âme est une mélodie », l'âme d'une époque ne peut se traduire fidèlement que par une symphonie de sensations, d'émotions et d'idées.

R. L.

(1) Pour en marquer cependant la continuité, j'ajoute à cette nouvelle édition un premier tableau de l'activité littéraire pendant l'occupation et après la libération.

CHAPITRE PREMIER

LES INFLUENCES LITTÉRAIRES EN 1871

§ 1. — La liquidation du romantisme

Si la guerre franco-allemande de 1870-71 marque dans l'histoire politique de la France la fin d'une période et le commencement d'une autre, la cassure est moins nette en ce qui concerne l'histoire de la littérature.

C'est que la guerre de 1870 a été plutôt militaire qu'économique ; toute la nation ne s'y est pas trouvée engagée ; certains détails en ont bien pu frapper l'imagination des écrivains ; sa durée a été trop brève pour qu'elle leur inspirât mieux que des œuvres de circonstance, leur arrachât autre chose que des échos sans prolongement. *L'Année terrible* n'ajoute rien de plus à l'œuvre de Hugo que *le Dormeur du Val* à celle de Rimbaud : que la réaction soit un livre ou un sonnet, elle reste dans tous les cas momentanée, limitée à quelques poèmes ou pièces patriotiques. L'importance idéologique de cette guerre, comme celle de la Commune, ne se révèlera qu'au XXe siècle.

La Restauration et la Monarchie de Juillet avaient vu naître et triompher le Romantisme, bouleversant la littérature classique comme la Révolution avait bouleversé la politique traditionnelle. Sous le second Empire, Baudelaire, Leconte de Lisle, Taine, Renan, Flaubert, si différents qu'ils fussent par ailleurs, s'accordaient pour réagir contre ce romantisme. Avec la chute de l'Empire coïncide la disparition de plusieurs des noms représentatifs du romantisme : Lamartine et Sainte-Beuve meurent en 1869, Mérimée et Dumas en 1870, Gautier en 1872. C'est parmi les adversaires du Romantisme que la génération qui accède à la vie littéraire vers 1871 a choisi ses maîtres. La guerre, la défaite même, ne lui a rien fait perdre de sa lucidité artistique : la plus urgente nécessité lui paraît d'achever le travail commencé par ses guides, de poursuivre la liquidation du romantisme.

On liquide le romantisme, mais on encense, on déifie presque le plus illustre et le dernier de ses chefs. La gloire de HUGO après 1870, comme la gloire de Voltaire en ses dernières années, n'est pas purement littéraire. Le poète qui avait incarné la résistance irréductible à l'usurpation impériale est rentré en France dans une apothéose : il lui reste quinze ans pour aller de l'Arc de Triomphe au Panthéon.

Mais son influence sur l'esprit de ses contemporains est plutôt due à l'admiration qu'ils éprouvent pour la personne d'un génie reconnu et patenté, d'une manière de chantre officiel, de gigantesque survivant d'une époque disparue, qu'à l'émerveillement de nouvelles conquêtes poétiques dans les œuvres qui se multiplient sous sa plume. Dans *les Contemplations*, *les Châtiments* et la première série de *la Légende des siècles*, Hugo avait atteint les trois sommets, lyrique, satirique et épique de son génie. Les poèmes des quinze dernières années orchestrent les mêmes thèmes avec une virtuosité toujours renouvelée mais n'apportent, ni pour le fonds ni pour la forme, aucune affirmation nouvelle. Plus que jamais le moi s'y étale sans réserve, sans discipline, sans choix, qu'il s'agisse des incidents puérils que conte *l'Art d'être grand-père* ou des prophéties par où s'achève *la Légende des siècles*. Plus que jamais les livres de Hugo — qu'ils s'intitulent romans comme *Quatre-vingt-treize* ou drames comme *Torquemada* — sont de vastes monologues où le poète bénit et maudit.

Car le trait essentiel de cette poésie, c'est de prendre parti.

Avec les années la vision de Hugo s'est, sinon élargie, du moins simplifiée : l'Ombre s'efforce par tous les moyens de retenir une humanité en marche vers la Lumière, telle est sa métaphysique ; les tenants de la Lumière sont saints, diaboliques sont les partisans de l'Ombre, telle est sa psychologie. *Le Pape* est construit sur une telle série d'antithèses forcenées et naïvement évidentes : elles inspirent à Hugo tour à tour des méditations qui touchent au grotesque *(En voyant une nourrice)* et d'admirables mouvements lyriques *(En voyant passer des brebis tondues)*. *La Pitié suprême* développe le même évangile d'universelle pitié — il faut tout plaindre, jusqu'aux tyrans — et d'amour. C'est cette même conception du monde que *l'Ane* expose à Kant en une suite de coq-à-l'âne que le titre ne suffit pas à justifier et qui pourtant demeurent un des traits essentiels de Hugo. On trouve dans *Religions et Religion*, à côté de prétentions apocalyptiques dont la bonne foi désarme toute ironie, un réveil de la vieille verve picaresque qui créa Don César de Bazan :

> Dieu s'est laissé tomber dans son fauteuil Voltaire
> . . . .
> Et n'étant plus bon Dieu tâche d'être bon diable.

Il ne faut pas blâmer ce sans-gêne énorme qui préserve Dieu et son mage de la niaiserie.

Les Quatre vents de l'esprit forment l'apogée de cette dernière période et le testament poétique de Hugo. On y retrouve toutes ses faiblesses qui tiennent essentiellement à la philosophie antithétique et simpliste qu'il ne peut se retenir de prêter à tous ses personnages, à l'incapacité où il est de voir, ailleurs qu'en lui-même, le centre du monde. Sa poésie est donc presque toujours une poésie de circonstance, que ce soit dans le sens élevé du mot lorsqu'il entreprend de dénoncer les crimes de l'humanité, la peine de mort par exemple, ou les responsables de l'esclavage humain, rois et prêtres pour la plupart, que ce soit sous un aspect plus mesquin lorsque, répondant à des ennemis personnels, il entame d'interminables polémiques et de copieuses justifications bourrées d'allusions à l'actualité qui déjà réclament un glossaire.

Mais jusqu'au bout Hugo garde ses prodigieuses qualités; il reste le « génie sans frontières » qu'admirait Baudelaire, le créateur de mythes dont *la Fin de Satan* (1886) rivalise dignement avec *le Paradis Perdu* de Milton. Sous son regard les objets s'animent, fécondant en retour son cerveau d'une moisson d'images, de métaphores, de comparaisons, de symboles, où les traits sublimes et bouffons s'enchevêtrent inextricablement. L'ironie s'épanche dans *le Livre satirique* avec la même abondance que le développement oratoire dans *le Livre lyrique.* On peut sourire du tour mélodramatique des *Deux trouvailles de Gallus :* on ne peut nier la puissance verbale qui gonfle ces tirades, suppléant à l'étude des caractères, créant une atmosphère où ne se posent plus ni la question de la vérité, ni même celle de la vraisemblance, où la voix humaine semble égaler ces grandes voix de la nature, murmures de la mer, souffles du vent, qui sont moins les musiques d'une époque ou d'un pays que des manières d'hymnes confus à toutes les beautés de la terre.

Aucun des jeunes poètes du temps ne refusait son encens au « Père » Hugo, mais c'est à LECONTE DE LISLE qu'ils allaient demander des leçons, au poète dont l'œuvre et la pensée leur offraient un modèle de dévouement à l'art pur, d'obéissance à des principes invariables. Vingt ans après, il n'avait rien à retrancher à la préface des *Poèmes antiques* où, dès 1852, il jugeait le romantisme « un art de seconde main, hybride et incohérent... comédie bruyante jouée au profit d'une autolâtrie d'emprunt » ; il en annonçait dès lors l'agonie. « Nous sommes une génération savante », disait-il encore : « l'art et la science doivent tendre à s'unir étroitement, si ce n'est à se confondre ». Présentant au public des *Poèmes antiques*, il opposait aux déchaînements lyriques de ses rivaux « l'impersonnalité et la neutralité de ces études ».

Il n'était d'ailleurs point aussi neutre qu'il le prétendait. Revenant, en 1855, dans la préface de *Poèmes et Poésies*, sur ses déclarations antérieures, dans le dessein de les confirmer, de les aggraver au besoin, il écrivait que l'ère moderne ne laisse aux poètes d'autre choix que le silence ou la nécessité « d'annihiler leur nature au profit de je ne sais quelle alliance monstrueuse de la poésie et de l'industrie » : c'est pour cela, concluait-il, « que je hais mon temps ». Malgré son souci d'objectivité, cette haine se trahissait dans ses poèmes et sa « neutralité » était plutôt une partialité à rebours. Mais elle lui permettait de garder une attitude digne en face des chefs du romantisme qu'il détrônait : on savait qu'aucune basse jalousie ne le faisait parler quand il reprochait à Vigny d'avoir conçu son Moïse comme un symbole sans s'inquiéter de la vraisemblance historique ; il n'était pas suspect de dénigrement en affirmant que Lamartine eût été grand s'il ne lui avait manqué « l'amour et le respect religieux de l'art ». Son œuvre créatrice tenait en trois minces volumes ; néanmoins il aurait le droit, en 1887, remplaçant Hugo à l'Académie, de traiter d'égal à égal avec le Titan : notant d'un trait sûr que l'auteur de *la Légende des siècles* « n'emprunte à l'histoire et à la légende que des cadres plus intéressants en eux-mêmes où il développera les passions et les espérances de son temps », il précisait par le rapprochement sa propre conception de l'art, diamétralement opposée à celle de Hugo ; elle satisfaisait des esprits lassés par le déferlement d'égotisme verbal qui submergeait l'Europe depuis un demi-siècle.

Non que Leconte de Lisle apportât, lui non plus, aucune surprise à ses admirateurs. Les *Poèmes tragiques* continuaient les *Antiques* et les *Barbares*, avec la même magnificence de forme, les mêmes visions farouchement sereines *(l'Albatros, la Chasse de l'aigle)* exprimées en vers marmoréens. A peine si l'on pouvait parfois discerner un attendrissement dans cette impassibilité *(les Roses d'Ispahan, le Parfum impérissable)*. Peut-être un critique malicieux se fût-il plu à souligner la rancune du vieux démocrate ennemi de l'obscurantisme qui, tout en empruntant au Moyen Age son pittoresque *(Doña Blanca, Hiéronymus, le Lévrier de Magnus)*, en dénonçait les cruautés avec une violence égale à celle de Hugo *(les Siècles maudits)*. Mais l'essentiel de ce troisième volet du triptyque n'était pas plus cette révolte que les vers de circonstance sur le *Sacre de Paris*. Ce que les disciples de Leconte de Lisle souhaitaient apprendre à son école, c'était l'art de la plénitude, l'art du vers définitif :

> Qu'est-ce que tout cela qui n'est pas éternel ?

ou :

> La honte de penser et l'horreur d'être un homme.

et de la stance parfaite où l'affirmation pèse moins par sa valeur intellectuelle que par son rythme souverain :

> Soit ! La poussière humaine en proie au temps rapide,
> Ses voluptés, ses pleurs, ses combats, ses remords,
> Les Dieux qu'elle a conçus et l'univers stupide,
> Ne valent pas la paix impassible des morts.
>
> *(L'Illusion suprême.)*

Il ne serait d'ailleurs pas juste d'attribuer à tous les romantiques le mépris pour la syntaxe d'un Lamartine et les négligences poétiques d'un Musset. Théophile Gautier, peintre-poète, avait exalté l'art éternel et poussé le culte de la forme aussi loin que Leconte de Lisle lui-même. Mais déjà son disciple Banville avait montré le fossé où risquait de verser la poésie ainsi comprise. La chasse à la rime riche, non point peut-être en dépit du sens, mais pour les sens imprévus qu'elle suggère au poète aventureux, Hugo s'y était parfois amusé, en manière de passe-temps ; elle devient la préoccupation unique de Banville et prête à ses poèmes un air d'improvisation souvent clownesque.

Avertis par cet exemple, les jeunes poètes, après un hommage formel à Hugo, gardent vis-à-vis des maîtres de la précédente génération une réserve qui ne va pas sans hostilité ; leur sympathie et leur confiance, ils ne les accordent pleinement qu'au seul Leconte de Lisle qui, vingt ans auparavant, a défini leurs aspirations et déclaré la guerre, en leur nom, à toutes les formes de la grandiloquence romantique.

§ 2. — Les influences nouvelles

Mais si les « jeunes » de 1870 écartent délibérément des noms tenus pour glorieux, ils se passionnent, en revanche, pour des écrivains que leurs contemporains avaient méconnus ou auxquels, à tout le moins, ils n'avaient pas rendu suffisamment justice.

Pour les poètes du dernier quart du XIXe siècle, CHARLES BAUDELAIRE a été le précurseur. Tous ont pu, tour à tour, revendiquer pour un des leurs l'auteur des *Fleurs du Mal.* Parce qu'il a été passionnément moderne, parce qu'aucun raffinement de son époque ne l'a laissé indifférent, Baudelaire a vu venir à lui les esprits les plus divers : il n'est pas grand par l'abondance de son œuvre mais par le nombre de points d'aboutissement et de départ qu'elle renferme. D'un thème donné, Hugo vise à tirer le plus grand nombre possible de variations ; Baudelaire, à l'inverse, s'efforce d'évoquer en quelques accords, en une quintessence de musique, le plus grand nombre possible de thèmes intellectuels ou sentimentaux. Il reprend le développement classique sur l'immortalité poétique *(Je te donne ces vers)* et le renouvelle par la suggestion d'un étrange mysticisme.

Bénédiction traite le motif romantique de l'artiste incompris, mais, au lieu de la révolte attendue, s'achève en suaves balancements d'encens. S'il sait vanter le paganisme et les « époques nues », il n'ignore rien du christianisme : il en a gardé les prières élancées, les retours de conscience, les combats avec le Malin où le corps à corps est si dur et si plaisant à la fois ; il en a conservé l'amour de la belle hiérarchie éployée, des hymnes dans un latin passionné de décadence *(Franciscœ meœ laudes)*, et le goût sensuel des griseries de nard, d'encens, de myrrhe. Gautier n'a pas exalté plus haut la Beauté, reine du monde ; Leconte de Lisle et les Parnassiens n'ont rien produit qui soit d'une facture plus impeccable que le *Chant d'Automne ;* le poème : *la Servante au grand cœur* unit au sentiment le plus profond la forme de la conversation la plus aisée. A l'heure où le réalisme et l'idéalisme allaient engager une nouvelle partie dont l'enjeu serait la suprématie artistique, Baudelaire avait écrit *la Charogne* où les deux inspirations se mêlaient si curieusement ; les poèmes maladifs qui parurent ajouter une corde à la lyre et un frisson à l'âme n'étaient pas les plus réellement révolutionnaires du recueil. Il faut, en effet, réserver ce titre pour ceux où, à propos d'une impression d'art *(Une martyre)*, d'une rencontre banale *(Une passante)*, d'une heure de rêverie *(Recueillement)*, il illumine brusquement les recoins les plus secrets du cœur humain ; pour ceux où sa pensée retrouve *(la Chevelure, Correspondances)*, sous les divers aspects symboliques de la Beauté, les voies qui mènent l'esprit à d'autres symboles encore ; pour ceux enfin où il prélude par la perfection du rythme *(Harmonie du soir)* ou par son originalité *(Invitation au voyage)* à la musique tour à tour précise et élusive qu'éliront deux générations de poètes.

Sans doute ce sont là des cimes et on a pu adresser à Baudelaire des critiques qui ne sont pas injustifiées : malgré la probité de son travail, les défaillances abondent, abus de lieux communs (la rhétorique détonne plus encore chez lui que chez tout autre), vers plats, obscurités, corrections indigentes. On l'a accusé de n'être point né poète, alléguant que certains de ses *Poèmes en prose* étaient supérieurs aux poèmes qui versifient le même sujet. La vérité est que, dans les deux domaines, il se crée, à chaque instant, son instrument : cet effort explique bien des inégalités. Un reproche plus grave est le manque de souffle si caractéristique dans ses œuvres : un sonnet comme *Correspondances*, après le plus admirable début, tourne court ; l'idée de l'unité de la vie qui s'exprime en correspondances rythmées emplit l'esprit d'un tel sublime que l'exemple des parfums semble un peu mièvre pour couronner la vision d'un univers élargi.

Mais cette discrimination, — qui a d'ailleurs laissé Baudelaire au premier rang des poètes français, — on ne pouvait l'exiger de ceux qui, vers 1870, saluèrent en lui un maître. Fêté par les Parnassiens, il fut l'initiateur des premiers symbolistes. Son influence n'a pas cessé d'être agissante. A être analysé comme un des classiques de notre littérature, il est apparu de plus en plus ressemblant au portrait qu'il avait lui-même tracé du poète ;

> Et les vastes éclairs de son esprit lucide...

ont épandu toute leur lumière. Son entière lucidité, la sûreté de son jugement, les *Phares* ou ses études sur Edgar Poe en avaient témoigné amplement. Ses *Lettres* en ont multiplié les preuves. Il fut le premier Français à situer intelligemment Wagner, et ses articles sur ce sujet demeurent des modèles. Dans les plus inspirés de ses poèmes, les plus « vastes éclairs » sont toujours d'un « esprit lucide » qui ne s'est penché sur aucun sentiment sans le parfumer d'intelligence, soit qu'il mêlât, dans ses invitations aux départs, l'attrait de la double aventure du cœur et de l'esprit, soit qu'il opposât les deux ordres de beauté

> Berçant notre infini sur le fini des mers,

soit qu'il laissât macérer l'image dans l'idée jusqu'à les identifier (1), soit enfin que dans des vers synthétiques tels

O serments, ô parfums, ô baisers infinis

il déployât en un éventail la pensée faite vocalement matérielle, la matière la plus délicatement proche de la pensée, la chair enfin symboliquement élue pour gage d'une espérance idéale. De telles régions lui appartiennent en propre : il y a devancé tous ses contemporains ; dénonçant les artifices de Hugo et de Leconte de Lisle, il a éclairé d'un jour nouveau les subtilités de Sainte-Beuve et les livres où Gérard de Nerval avait entrelacé les fils du rêve et de la vie (2) ; il n'est pas un des émois de la sensibilité artistique pendant un demi-siècle dont Baudelaire n'ait au moins indiqué le premier frisson.

« Je serai compris vers 1880 » avait dit STENDHAL : l'échéance fixée par lui approchait et son influence grandissait, exactement comme il l'avait annoncé dans cette boutade où se mêlaient un peu de dépit et beaucoup de lucidité. Les romans de Stendhal consentent en effet bien des concessions au romantisme ambiant : fouillis d'aventures romanesques, coups de théâtre multipliés, digressions désordonnées, enthousiasme napoléonien, choix de sujets et de caractères exceptionnels surtout. Mais ces traits extérieurs ne suffirent pas à leur donner un visage vraiment romantique : on sentait trop que l'esprit qui les animait se rattachait à une tradition différente, sinon opposée.

(1) Comparez les trois états successifs de ce vers :

Un ciel *plein* de rose et de bleu mystique
Un ciel *teint* de rose et de bleu mystique
Un ciel *fait* de rose et de bleu mystique

(2) Pour l'histoire de cet affranchissement de la poésie auquel collaborèrent Sainte-Beuve, Nerval et Baudelaire, je prie le lecteur de se reporter à mon livre sur *Une Alchimie Lyrique.*

Il ne faut pas s'étonner de leur peu de succès parmi les contemporains, Balzac et Mérimée exceptés.

Il ne faut pas non plus s'étonner de l'admiration qu'ils excitèrent chez Taine que suivit ici la nouvelle génération. Par son culte de l'individualisme et de l'énergie, Stendhal ne sauvait-il point tout ce qui, dans le romantisme, n'était pas caprice momentané et faux affranchissement, mais bien revendication d'un droit humain inaliénable ? A tous ceux à qui un demi-siècle de culte du moi avait donné pour jamais la hantise de l'originalité humaine, il apparaissait comme un précurseur, un guide auquel on pouvait d'autant mieux se confier qu'il avait vêtu cette exaltation d'une forme froide, détachée de son thème, objective comme le Code civil, et qu'on pouvait, dans le langage littéraire, appeler scientifique.

C'est une fortune singulière que celle de ce disciple attardé des idéologues, médiocre ou grand écrivain selon le point de vue de l'arbitre, profond connaisseur du cœur humain ou psychologue à soi-même borné suivant l'angle d'où on le considère, capable d'ironie indifférente envers les chefs-d'œuvre et de ravissement puéril pour un médiocre opéra, prodigieux mystificateur dupé à ses propres pièges dans l'art comme dans la vie, et dont on ne sait, en définitive, s'il doit plus de disciples à son dilettantisme ou à sa naïveté : car si ces contradictions l'ont desservi à son époque, il en a su merveilleusement user pour préparer sa renommée, au point de recruter ses admirateurs les plus fervents parmi ceux-là qui ont le mieux percé son jeu et d'imposer à ses vrais dévots un lien flatteur de complicité.

Car il est très grand : nul homme n'a mis plus d'orgueil à voir clair, mais nul homme n'a porté plus de soin à décrire exactement ce qu'il voyait. S'il est resté, lui aussi, un des maîtres de la pensée française, si sa gloire est devenue européenne, c'est parce que, dans le plus romantique des cadres, il a possédé la plus précieuse des qualités classiques : la discipline, avec une soumission patiente à la vérité. Analyste minutieux, il n'a pas eu honte des brusques volte-face par où les héros vraiment humains échappent, imprévisiblement, à leur créateur même. Si diversement qu'aient pu être interprétés les enseignements de son œuvre, aucune équivoque n'est possible sur la leçon de lucidité intellectuelle qu'il donnait à ses successeurs lorsqu'il écrivait : « Je conçois qu'on n'aime pas à regarder le réel, mais alors il ne faut pas en raisonner. Il ne faut pas surtout faire des objections avec les diverses pièces de son ignorance. »

Le réel. C'est à représenter le réel, scrupuleusement, patiemment, que GUSTAVE FLAUBERT s'est consacré, avec une passion qui mettait aux prises les deux hommes en lui : « Il y a en moi, écrivait-il, deux bonshommes distincts, un qui est épris de gueulades, de lyrisme, de grands vols d'aigle, de toutes les sonorités de la phrase et des sommets de l'idée ; un autre qui creuse et qui fouille le vrai tant qu'il peut, qui aime à accuser le petit fait aussi puissamment que le grand, qui voudrait vous faire sentir presque matériellement les choses qu'il reproduit. » (Correspondance, janvier 1852, à Mme X.) Or, dans *Madame Bovary*, publié en 1857, cette peinture presque matérielle, accusée d'indécence, l'avait fait déférer aux tribunaux de son pays. En 1870, il n'avait plus à redouter un pareil danger : *l'Éducation sentimentale* trouvait un public prêt à l'accueillir avec enthousiasme. « Accuser le petit fait aussi puissamment que le grand » pourrait être l'épigraphe de ce roman dont les héros et les lecteurs attendent, du début à la fin, un grand événement qui n'advient jamais, tandis que s'écoule, minutieusement, inexorablement, le flot des actions banales qui constituent le médiocre ordinaire de la plupart des vies. Nul ouvrage n'a eu plus d'influence sur les romanciers contemporains : on peut dire sans exagération que cette parfaite réussite les a obsédés, que pendant un temps, au moins, *l'Éducation sentimentale* a été tenue pour le type du roman réaliste, c'est-à-dire du roman moderne, où la peinture du monde atteint à une exactitude quasi scientifique (1).

En 1874, selon le rythme à double battement qui lui est cher, Flaubert publiait la troisième — et définitive — version de la *Tentation de saint Antoine*. Le romantique en lui avait pris sa revanche de lyrisme et de sublimes envols : devant le solitaire de la Thébaïde, il avait déployé le défilé de toutes les tentations, le cortège des désirs de la chair, la meute des hallucinations de l'esprit. Mais le réaliste était intervenu dans cette suite de visions. Le cauchemar n'était qu'une apparence : la composition d'ensemble était ordonnée par une main sûre ; rien, dans le détail, n'était laissé à l'improvisation ; cette prose magnifiquement musicale recouvrait le travail d'érudition le plus scrupuleux, comparable aux patientes recherches dont s'enorgueillissait Leconte de Lisle et exposé aux mêmes critiques.

Car si l'idéalisation d'une société actuelle encourt les reproches des contemporains de l'artiste, la peinture réaliste d'une époque passée risque de paraître bien naïve aux générations futures et mieux renseignées. Aussi n'est-ce point sur cette partie de son œuvre que les fervents systématiques de Flaubert fondent sa plus sûre gloire. Et cependant toute image de Flaubert est injustement fausse qui isole l'un de ses deux visages : il faut tenir unis les deux aspects de ce grand travailleur, harmonieusement réconciliés comme ils le sont dans les pages maîtresses, dans le dialogue du Sphinx et de la Chimère où tant de précision aboutit à suggérer tant de mystère. Ce même caractère, l'épanouissement en rêve illimité d'une description complète et qui, de toute autre plume, serait fastidieuse, distingue *Hérodias* entre les *Trois Contes* (1877) : les symbolistes de la littérature et de la peinture ont été hantés par l'image de

(1) Sur cette dernière partie de la carrière de Flaubert, consulter les travaux de René Dumesnil et de Gérard-Gailly qui nous a livré les « clés » de *L'Éducation sentimentale*.

la Salomé autant que Zola et les naturalistes par les descriptions achevées de *Madame Bovary* et de *l'Éducation.*

Les écrivains les plus opposés ont un droit égal à se prétendre les peintres du « réel » si on reconnaît que le réel a plusieurs faces. Décrire le réel était pour Stendhal représenter des âmes réagissant contre des événements ; pour Flaubert c'est plutôt représenter des événements agissant sur des âmes. Et chacun bientôt épouse, ouvertement ou secrètement, le point de vue où il s'est placé, peut-être à l'origine par désir d'impartialité. Stendhal prend parti pour Julien Sorel et pour le comte Mosca qui calculent leurs actes ; Flaubert prend parti — au moins artistiquement — pour la vie qui banalise Emma Bovary et Frédéric Moreau. Si son portrait d'un siècle qu'il détestait reste si admirable, cela tient en bonne partie à cette haine qui a imprimé une unité aux mille touches que son pinceau juxtaposait. Les chefs-d'œuvre de Flaubert sont des miracles d'équilibre entre les « deux bonshommes » ; *Bouvard et Pécuchet* (1881), d'ailleurs inachevé, n'est si décevant que parce qu'il unit les deux défauts, la truculence du romantique et la pesanteur du réaliste à propos d'un sujet où lyrisme et documentation sont également monotones. Bien avant Zola et l'expérience naturaliste, l'exemple de Flaubert avait prouvé que le réalisme est grand surtout lorsqu'il cède à sa pente naturelle et s'achève en épopée.

Les théories scientifiques ne fécondent la littérature que si elles touchent les écrivains par un rayonnement de grandeur et de beauté. Dans l'orientation générale des esprits vers un désir de précision scientifique, on a pu relever l'influence d'Auguste Comte (1), de Darwin (dont l'*Origine des Espèces*

(1) Dans une histoire de la littérature contemporaine, nous ne pouvons retenir d'AUGUSTE COMTE que son influence doctrinale qui s'est exercée sur Taine et Littré. On sait l'étendue de son influence pratique et qu'on la retrouve dans les révolutions brésiliennes, turques, portugaises, et même chinoises. Son importance dans la pensée contemporaine sera rappelée à propos de Bourget, de Maurras et d'Alain.

est traduite en 1862), de Claude Bernard qui publie en 1865 son *Introduction à l'étude de la médecine expérimentale.* Mais dans cette réconciliation de la science et de la littérature deux hommes ont joué un rôle prépondérant parce qu'ils étaient en même temps que des savants précis deux grands écrivains : Renan et Taine ont été les maîtres à penser de la génération 1870-90.

Il suffit de relire dans un esprit sympathique les *Souvenirs d'enfance et de jeunesse* pour sentir renaître le charme dont RENAN ensorcelait alors ses auditeurs. Il y avait une irrésistible fascination dans le spectacle qu'il leur offrait : l'érudit auteur de ce monument : *les Origines du Christianisme*, le savant qui semblait avoir ravi à Tubingue la suprématie en matière d'études bibliques, s'épanchait en drames, dialogues et rêveries philosophiques où les idées se heurtaient dans des tournois plutôt que dans de vrais combats. Et l'habile metteur en scène de cette fantasmagorie, équivoquement conjurée aux confins de la science et du mythe, ne cachait pas son amusement devant le désarroi dans lequel un tel jeu plongeait maint spectateur de ce théâtre intime où un éclairage raffiné déformait en mélanges déconcertants les contours des vertus et des vices. Ce Breton n'avait-il pas écrit : « la grande profondeur de notre art est de savoir faire de notre maladie un charme » ? Chateaubriand n'avait pas justifié plus pleinement cette affirmation ; représentant attitré de la méthode objective, de l'esprit scientifique, de la « concrétion impersonnelle », Renan séduisait les regards d'une génération en leur étalant avec une ironique candeur les variations d'humeur et les boutades d'un vieil homme narquois.

De ce paradoxe, personne n'avait mieux conscience que lui : dans la suprême intimité, il s'en excusait probablement à ses propres yeux sur le nombre et la valeur des idées que le goût de sa personne faisait pénétrer chez ses disciples ; il croyait assez aux voies détournées pour s'en féliciter et conclure que, de ce point de vue encore, sa promenade à travers le siècle n'aurait pas été décevante. Admettant la nécessité d'achever l'œuvre renanienne par une peinture inoubliable de M. Renan, il consacra à ce portrait une bonne part de ses dernières années. L'histoire littéraire n'a, pour adopter cette image, que très peu de retouches à lui faire subir : ni addition, ni suppression, rien qu'une répartition imperceptiblement différente des lumières et des ombres. Et d'abord elle souligne pour un de ses traits significatifs un certain manque d'abandon qu'il voile, lui, sous un couvert de politesse et de modestie, mais que nous appelons de son vrai nom, qui est sécheresse : il n'est bien à l'aise que devant un public — un public de gens bien élevés qui n'interrompent jamais le conférencier ; le contact avec la vraie foule, en 1870, n'a servi qu'à renforcer son confortable pessimisme ; car, s'il est resté romantique au fond du cœur, il hait et méprise le romantisme de la forme. Il n'a aucun goût pour l'excessif, sauf celui qui se laisse décrire dans un *Antéchrist* lointain. Si ses défauts sont, lui-même l'a noté, d'un prêtre, en deux grandes occasions il sut courageusement souffrir pour ses convictions ; mais avec l'âge sa prudence affecte une onction ecclésiastique : son libéralisme ne ferait point obstacle à l'avènement d'un despote intelligent ou d'une oligarchie tyrannique présidée par le directeur de l'Institut. Les écrivains ont pu lui reprocher d'affadir certaines grandeurs par des affirmations que diminue aussitôt la comparaison avec d'autres, bientôt mises en doute à leur tour, pour aboutir à une manière de scepticisme artistique, à un « après tout... » plus admissible chez un habitant de Sirius que chez un homme humain. Les mêmes coups de griffe, justifiés lorsqu'il disqualifie Auguste Comte qui n'écrit pas en français ou Flaubert qui ignore ce que sont les natures abstraites, les savants se sont plaints qu'il ne les épargnât point à cette science dont il faisait son idéal : il la sert, mais il sent quel charme on trouverait à la trahir. Ce maître de la critique objective insinuera parfois le conseil de « solliciter les faits » ; son dévouement à la vérité sert quelquefois de masque à l'orgueil le moins impersonnel, le plus franchement artistique.

Si l'homme est par-dessus tout ondoyant, nul n'offrit de l'humanité une plus juste image stylisée. A condition qu'on tienne compte de la stylisation par lui-même accomplie sur son propre portrait. Les deux instincts séculaires des départs vers un espoir nouveau et des repos à une étape du progrès, il les retrouve dans sa foi libérale luttant avec ses rêveries au son des cloches d'Is. Il accuse son siècle de n'être point assez sérieux pour la vérité nue : cela justifie ses détentes ironiques. Au terme d'une vie consacrée à un monument de pensée, il craint d'avoir eu trop étroitement raison ; il se demande — ou feint de se demander — s'il ne s'est pas fourvoyé, si la sagesse ne réside pas, en définitive, parmi les frivoles ; il revendique son droit à sourire.

Mais il a, au préalable, octroyé très largement à son lecteur le droit de le lire *cum grano salis.* S'y tromper serait le plus maladroit contre-sens : dans le fond, aucune faiblesse ne diminue sa force. S'il s'amuse à chanceler, c'est que, comme il l'a dit, « sa morale est à toute épreuve ». Il est facile de le traiter en cathédrale désaffectée, de rappeler ses propres paroles : « Ma vie est toujours gouvernée par une foi que je n'ai plus. » Il ne l'a plus : entendons qu'il en a modifié la forme et l'objet : « Je suis sorti de la spiritualité pour rentrer dans l'idéalité », c'est-à-dire pour occuper, au service de la même cause, une position plus forte. Il ne croit plus au catholicisme, il croit plus ferme que jamais à la beauté et à la science ; en publiant en 1890 *l'Avenir de la Science* écrit en 1848, il précisait que ces affirmations demeuraient la chair de sa chair. Si l'amoureux de la beauté raisonnable et le Celte mystique se heurtent dans la *Prière sur l'Acropole*, c'est pour qu'une harmonie naisse de ce conflit : du fond d'une volupté jaillit pour lui non point l'amertume mais le pressentiment d'une plus exquise jouissance. Car il possède, comme Athéné, dans un lieu élu, sa citadelle inexpugnable : « J'ai toujours cru à l'esprit humain. » Là est sa véritable foi, il l'a prouvé en lui sacrifiant l'autre foi. Lorsqu'il jouait sa vie présente et future sur les contradictions entre les Synoptiques et le quatrième Évangile, il prenait, contre tous ses détracteurs, le parti de l'intelligence humaine. Jamais il ne s'est renié sur ce point : s'il doit l'éclat de sa gloire à son charme mouvant, il en doit la durée à cette indéracinable conviction.

Le contraste entre Renan et Taine fut dès l'origine un lieu commun de la critique ; bien loin de le nier, il conviendrait plutôt de le renforcer : il est d'usage de souligner l'opposition, dans leurs œuvres, entre les hésitations capricieuses de Renan et le ferme progrès de Taine ; il serait moins banal mais aussi vrai à coup sûr d'insister sur les différences plus intimes entre la satisfaction complaisante où s'arrête assez vite Renan et l'inquiétude de Taine partagé entre la critique et la création (1).

L'influence de TAINE sur la jeunesse de 1870-1880 fut immense : les œuvres de Barrès et Bourget en apportent l'éloquent témoignage. On pouvait songer à couronner de roses un Renan quelque peu grisé de son propre scepticisme ; la dignité de M. Taine excluait toute familiarité de ce genre : il était le philosophe. Qu'on compare dans *les Déracinés* l'hommage qui lui est rendu et celui dont Hugo est honoré, on appréciera la différence entre l'influence qu'exerce un penseur et le culte qui se rend à un héros à demi légendaire.

En 1870 avaient paru les deux volumes *De l'Intelligence* où Taine exposait, avec ses idées philosophiques, sa méthode de travail. « De tout petits faits, disait-il, bien choisis, importants, significatifs, amplement circonstanciés et minutieusement notés, voilà aujourd'hui la matière de toute science. » D'accord avec Renan il fixait pour tâche à son siècle l'établissement d'une série de monographies détaillées et précises, bases indispen-

(1) ANDRÉ CHEVRILLON a montré (cf. *Taine, formation de sa pensée*) quel élan de vie personnelle contenaient les constructions systématiques de ce penseur que l'on regarde trop souvent comme un froid théoricien.

sables à tout essai de généralisation. Mais il voyait et dénonçait le danger de prendre ce travail de taupe pour la fin de la science : il proclamait la nécessité des vues d'ensemble, même hasardeuses, et que le reste ne vaut que pour permettre d'atteindre à ce « haut belvédère ».

Critique d'art et critique littéraire, il avait appliqué cette méthode, persuadé que l'histoire naturelle des esprits est une science aussi féconde que la zoologie, obéissant aussi à des lois qu'il n'est point impossible de découvrir. Le contact quotidien avec la littérature anglaise dont il s'était fait l'historien avait affranchi son esprit de plusieurs préjugés classiques et oratoires, l'avait accoutumé à trouver le lyrisme ailleurs que dans la rhétorique, à concevoir d'autres mesures du génie que le bon goût affiné à égale distance des extrêmes. Et il était demeuré assez largement compréhensif pour oublier parfois son point de départ et les théories qu'il désirait vérifier, pour donner tout son effort à peindre fidèlement l'animal humain qu'il rencontrait sur sa route.

La guerre de 1870, la Commune et le triomphe de la démocratie le bouleversèrent : l'ordre nouveau semblait si incertain ! Il lui parut qu'il s'éclairerait lui-même et apporterait une lumière à ses contemporains en sollicitant les leçons du passé. Il se fit historien pour se faire une opinion politique et entreprit de débrouiller les origines de la France contemporaine : *l'Ancien Régime* et *la Révolution* comptent parmi les plus admirables fresques de notre littérature. La documentation en est énorme, elle a fourni un arsenal de raisons aux contre-révolutionnaires ; une réaction s'est produite depuis et, sans incriminer l'honnêteté de Taine, on a discuté ses témoins et ses conclusions. Ces querelles de spécialistes écartées, les *Origines* ont la grandeur d'une épopée aux cent faces. Seuls Carlyle et Michelet peuvent lui être comparés pour l'intensité et la vie : mais ils lui sont bien inférieurs pour les dessous de l'œuvre, pour l'application et la méthode. Si Taine appuie son édifice sur un amas de petits faits, à chaque pas il transcende ce domaine. Il a protesté avec une hauteur dédaigneuse contre les parti pris dont on l'accusait ; il a réclamé seulement pour l'historien les privilèges du naturaliste ; il a visé à être devant son sujet « comme devant la métamorphose d'un insecte ». Passionnément il a souhaité comprendre : pour démêler la vérité des événements, il a accueilli les témoignages les plus contradictoires d'une époque troublée ; pour atteindre à cette vérité supérieure qui est l'explication des événements il a sollicité l'aide de tous ceux qui ont étudié et révélé les lois du cœur humain. Si, dans ses notes, le lecteur rencontre côte à côte une citation d'archives et une invocation à l'expérience de Balzac, Flaubert ou Browning, c'est qu'en différenciant inoubliablement Montesquieu, Voltaire et Rousseau il apporte sa contribution à la psychologie ; la science vise au général : en Danton il faut voir le Barbare ; en Napoléon l'Artiste. Après quoi il faut franchir le dernier degré pour découvrir les véritables héros de cette tragédie à laquelle nulle pourpre n'a manqué, de cette épopée intellectuelle : voici le Classique, voici l'Idéologue, voici le Jacobin, voici l'Homme...

S'en plaindre serait mutiler et méconnaître Taine. Il semblerait paradoxal, ayant loué la force de Renan, de parler de la faiblesse de Taine : il y a cependant, au fond de sa vie intellectuelle, un drame. Dans les notes personnelles de 1862, il s'assignait ce but : « peindre l'homme à la façon des artistes et, en même temps, le reconstruire à la façon des raisonneurs ». Son *Étienne Mayran* inachevé prouve qu'il avait renoncé au rôle de créateur, avec une modestie peut-être exagérée, non sans un regret mélancolique. Toute sa vie il garda la tristesse de n'avoir été qu' « un découpeur, un analyste (1) ». Il crut devoir ce sacrifice au souci de son hygiène morale : « il ne faut pas se détruire », déclarait-il. Cette résignation double d'une nuance pathétique la beauté vigoureuse de ses pages les plus achevées : c'est peut-

(1) Voir sa lettre à Maupassant du 2 mars 1882.

être d'un animateur réduit volontairement au silence qu'est fait le talent de ce grand reconstructeur.

. . . .

Leconte de Lisle et Baudelaire en poésie ; Stendhal et Flaubert dans le roman ; Taine et Renan pour la philosophie : telles seront les influences dominantes après 1870. Ils diffèrent tous par les croyances et les scepticismes ; ils sont unis dans une même réaction contre le romantisme, dans un même appel à la réalité objective (1).

(1) Pour être complet, rappelons au point de départ que l'influence ds Félibrige, avec Roumanille, Aubanel et Frédéric Mistral, est depuiu *Mireille* (1859) demeurée agissante sur un certain nombre de poètes et de prosateurs.

CHAPITRE II

LE PARNASSE

De 1866 à 1876, parurent, chez l'éditeur Lemerre, les trois séries du « Parnasse contemporain » : ces anthologies contenaient des poèmes de Leconte de Lisle, Sully-Prudhomme, Villiers de l'Isle-Adam, Hérédia, Coppée, Dierx, Verlaine, Mallarmé, Mendès, Glatigny, Jean Lahor, Armand Silvestre. Aucun lien entre tous ces poètes sinon leur respect pour leur chef de file et ce que Mendès appelle « la haine du débraillé poétique ». Comme il était normal dans un groupement aussi occasionnel, les divergences se manifestèrent bientôt : perceptibles déjà dans la période d'imitation, elles se précisèrent à mesure que chacun affirmait son originalité. Les héritiers de Baudelaire — Villiers de l'Isle-Adam, Verlaine et Mallarmé — suivirent la pente naturelle de leur génie et devinrent, à des titres divers, les maîtres du symbolisme. L'épithète de Parnassiens — aussi fortuite que le fut, pour un autre groupement artistique, celle d'« Impressionnistes » — reste attachée à ceux de ces écrivains qui, sans programme littéraire commun, demeurèrent, dans leurs différentes voies, fidèles à l'influence de Gautier, Banville et Leconte de Lisle, unis dans la même obéissance à une beauté d'exactitude formelle sans défaillance. Quand on a fait la part d'une généralisation, sommaire peut-être mais non absolument injuste, on peut retenir ce culte de la forme et de l'objectivité pour le trait caractéristique du « Parnasse » (1).

(1) Sans négliger pourtant les influences philosophiques, notamment celle de Schopenhauer. Le meilleur guide est ici *le Parnasse* d'ANDRÉ THÉRIVE.

§ 1. — Les Maîtres du Parnasse

Dans ce sens conventionnel du mot nul ne fut plus Parnassien que José Maria de Hérédia. Cubain élevé en France, on peut rapporter à son origine l'amour des magnificences sans ombre ; « élève bien-aimé » de Leconte de Lisle, héritier de son idéal littéraire mais non de son pessimisme, il a poussé jusqu'à ses extrêmes limites l'art de l'évocation. Son ambition a été d'écrire à son tour une Légende des Siècles dont chaque épisode fût enclos dans les lignes rigoureuses d'un sonnet. Le recueil de ces poèmes précieux, *les Trophées*, est une réussite unique, admirable et sans prolongements (1893).

L'imitation du maître y est parfois trop évidente ; ce n'est point par des pastiches comme *la Mort de l'aigle* que vivra la renommée de Hérédia. Ce n'est pas non plus par cette affectation de couleur locale où il renchérit sur Leconte de Lisle qui lui-même corrigeait Hugo : le plus sûr effet du *Romancero* est probablement de nous ramener avec complaisance à l'Espagne idéalisée de Corneille. Il faut chercher ailleurs l'originalité de Hérédia ; et d'abord dans une certaine pureté fluide par laquelle il prend rang dans une chaîne de poètes vraiment français : *le Naufrage*, *Vendange* ou *Sur un marbre brisé* rappellent la souple aisance d'André Chénier et ont fourni des modèles aux meilleurs poèmes d'Henri de Régnier.

Dans la peinture des paysages il n'apparaît point uniformément heureux : les procédés qui lui permettent de rendre avec une intensité si précise les impressions splendidement accablantes des Tropiques s'adaptent moins à traduire les grises rêveries indéterminées qui s'éveillent sur la terre bretonne. Mais Hérédia reprend l'avantage lorsqu'il s'agit de fixer en un sonnet une époque, ou mieux, la figure la plus héroïque d'une époque dressée à la cime de son destin : que ce soit Hannibal ou Antoine, ou le conquérant-type, ou encore un de ces Samouraïs ou de ces Daïmios représentatifs de toute une civilisation. Quand la description pittoresque d'un être impersonnel suffit à suggérer un ensemble d'idées et de sentiments, Hérédia est sans rival.

Aussi ses chefs-d'œuvre sont-ils les sonnets où il peint un objet d'art qui enferme entre ses lignes strictes la représentation d'un monde : vase antique, vitrail médiéval, estoc ouvré, médaille sicilienne ou de la Renaissance, reliure de vélin doré, émail achevé, les vers de Hérédia participent, en les décrivant, à leur pérennité. Il excelle dans les épigraphes, épigrammes et résumés d'une œuvre entière en quatorze vers, comme en témoignent les sonnets inspirés par Ronsard et Du Bellay ; mais sa maîtrise souveraine consiste à transformer le mouvant en immobile, à le fixer dans une attitude qu'il peint alors minutieusement. Rien de surprenant à ce que son regard transforme en écusson le ciel : ce fécond appauvrissement du réel est la condition même de son art, d'un art qu'il a lui-même parfaitement défini et incarné en l'un de ses personnages, digne devancier de son poète :

> Le jeune Cellini, sans rien voir, ciselait
> Le combat des Titans au pommeau d'une dague.

Le livre unique que J. M. de Hérédia consacra à la peinture du monde entier forme le plus parfait contraste avec l'œuvre abondante de François Coppée, que l'on peut résumer en une phrase : il naquit, vécut et mourut « vieux Parisien » ; son unique originalité tient dans l'exactitude avec laquelle sa poésie reflète les émotions d'un bourgeois flâneur de la capitale. Lui-même n'en prit pas pleinement conscience tout d'abord et les influences d'illustres devanciers le détournèrent de sa voie naturelle. Dans son premier recueil, *le Reliquaire*, il imite Hugo (début du *Justicier*) dont il s'essouffle à reproduire les procédés antithétiques ; il imite Leconte de Lisle, c'est-à-dire qu'il se hausse à faire rimer Astracan et caïmacan ; il imite même Baudelaire *(Solitude, la Bouquetière)*, tout aussi conventionnellement d'ailleurs et ses oppositions de pureté et de satanisme *(Rédemption)* font sourire. Mais il y annonce déjà ce que sera la poésie de François Coppée : émotion facile à propos d'un sujet banal *(Adagio)*, images assez plates *(l'Étape)*, lieux communs amoureux traités sans goût *(la Trêve)*. *Ritournelle* et *une Sainte* révèlent déjà tout Coppée : prosaïque en vers parnassiens, sentimental comme une manière de Chaminade de la poésie, personnellement niais, supportable seulement dans les petits tableaux de genre à la mode flamande, tel celui-ci :

> Car tu n'as pour amant qu'un bourgeois de Harlem
> Et, dans la serre chaude, ainsi qu'en un harem,
> S'exhalent sans parfum tes ennuis de sultane.
> *(A une tulipe.)*

Face à face avec sa première œuvre, Coppée se découvrit : il en ressentit quelque effroi et voulut, avant de poursuivre, dire adieu à la poésie. Dans les *Intimités*, à travers les réminiscences de Joseph Delorme et du Baudelaire familier :

> O les premiers baisers à travers la voilette !...
> Le logis était plein d'une odeur de baiser.

on trouve quelques vers personnels et pénétrants :

> Quelque chose comme une odeur qui serait blonde...
> Le crépuscule est triste et doux comme un adieu.

et les regrets touchants du Parisien de Paris pour qui le monde s'arrête à la banlieue. « Au fond je suis resté naïf », ajoute-t-il assez comiquement : on ne sait si c'est là une excuse ou une circonstance aggravante.

La même année (1869) vit paraître deux œuvres de Coppée. Son *Passant* connut un immense succès sur la scène de l'Odéon : cette histoire d'un grand amour qui surgit, évolue et se sacrifie en vingt minutes dans une Italie de fantaisie contenait l'exacte dose de sentimentalité morale qui est souhaitable dans un théâtre subventionné ; elle indiquait une veine que Coppée continua d'exploiter dans des piécettes dont *le Luthier de Crémone* est le type. Mais son vrai talent se faisait jour dans les *Poèmes modernes* parmi lesquels il faut citer *l'Angelus*, histoire d'un vieux curé et d'un vieux soldat qui adoptent un enfant et le laissent mourir faute de mère ; *le Banc*, « idylle parisienne » entre une bonne et un militaire ; *le Père*, où un ivrogne n'ose plus battre sa femme parce qu'il a peur de réveiller leur enfant, et enfin cet abominable mélo qui s'intitule *la Grève des Forgerons*. Coppée avait ainsi accompli ce miracle de séduire à la lecture d'œuvres rimées la clientèle ordinaire des romans-feuilletons : sans effort apparent, cet ancien élève du hautain Leconte de Lisle avait atteint les bornes de la platitude.

Il mit son point d'honneur à les affermir et publia *les Humbles* dont le titre renfermait une habile équivoque. Qu'on ne s'y trompe point en effet : Coppée n'est pas, au noble sens du mot, un poète populaire. Le poète qui aime vraiment le peuple est celui qui, en connaissant les souffrances et la misère, se penche sur lui pour le consoler et le guider fraternellement vers un idéal plus haut, celui dont l'art n'est qu'un apostolat. Rien de semblable chez Coppée : *les Humbles* offrent cent exemples de fausse littérature, nulle trace de sympathie profonde. Il ne s'intéresse à la pitoyable bêtise de la nourrice exilée ou du « mobile breton » que comme prétextes à des chromos d'une haïssable niaiserie sentimentale. Aussi a-t-il mérité que le petit épicier de Montrouge, pris entre sa femme et sa mère, qui

> ... Partage le lit d'une femme insensible
> Et tous les deux ils ont froid au cœur, froid aux pieds

demeurât son plus célèbre héros et, par une juste vengeance, son lecteur le plus assidu.

Même dans les mieux venues de ces descriptions, dans les croquis de la rue parisienne, Coppée ne mérite pas les éloges de

Zola qui le félicitait d'avoir levé « le drapeau du naturalisme en poésie ». On s'explique la tendresse de Zola pour une œuvre où il retrouvait « un écho du roman contemporain », mais on peut être sûr que les scènes de *Promenades et Intérieurs* auraient été jugées par lui sans indulgence si elles n'avaient pas eu à ses yeux le mérite d'une révolution dans la poésie. Car dans les nombreux contes en prose qu'il a laissés, Coppée a traité les mêmes sujets et la banalité en apparaît à plein : gens du peuple conventionnels, hommes du monde sensibles, coquins sentimentalement repentis, patrons et ouvriers mélodramatiquement réconciliés dans un patriotisme de retraite aux flambeaux, derrière une musique militaire, on ne sait si tout cela est plus plat ou plus malhonnête. Au mieux, des récits comme *Une Idylle pendant le siège* gardent la valeur du témoignage, sur la guerre et la Commune, d'un petit bourgeois parisien qui oppose aux grands événements l'impudique étalage de son incompréhension. Et les notes de voyage, celles sur la Bretagne en particulier, achèvent la démonstration de cette stérilité.

Après le succès des *Humbles*, Coppée se survécut, tant au théâtre que dans divers volumes de vers où quelques mignardises assez jolies *(le Menuet)* ne rachètent ni les diverses improvisations de circonstance qu'il crut devoir publier, ni les *récits épiques* où il ramasse les miettes de Hugo et de Leconte de Lisle, ni les poèmes de faux amour construits en séries, mécaniquement, sur des gradations de mots (voir, dans *l'Exilée*, *l'Écho*, *le Lied* et *Trois Oiseaux*), ni ces multiples idylles ébauchées, longues de la durée d'une cigarette, où il délaye inlassablement le divin sonnet de Baudelaire *A une passante*, ni cet ambitieux *Olivier* qu'on dirait d'un Musset attardé et sans flamme. Jamais on n'entassa plus péniblement tant de petitesses et le suprême titre de gloire de ce Parnassien restera d'avoir parfois tenu en échec la renommée poétique du « barde » Paul Déroulède.

Plus abondante encore que celle de François Coppée est

l'œuvre poétique de CATULLE MENDÈS, l'un des instigateurs « du Parnasse », épigone de Gautier et Banville dont il a hérité une extraordinaire souplesse de forme. Cette virtuosité, Mendès l'a mise pendant un demi-siècle au service de la plus incroyable absence de pensée profonde. Le pastiche chez lui est naturel, quasi inconscient : il peint tour à tour avec la même conviction superficielle la Grèce de *Penteleïa*, l'Espagne des *Sérénades*, l'Inde de *Pagode ;* il s'assimile avec une égale aisance le faux satanisme baudelairien *(le Bénitier)*, les effets théâtraux de Hugo *(Contes épiques)*, les acrobaties de Banville *(Canidie)*. Ses longs poèmes, le swedenborgien *Hesperus* ou *le Soleil de minuit*, témoignent encore de sa redoutable facilité à rimer n'importe quoi.

Son originalité tient dans la vulgarisation d'un certain artificiel libertin de second plan, où la littérature fait tort à la franche sensualité. Les meilleures pièces de ce genre (en particulier, dans *Philomela*, *Intermède* et *Rondels*) rappellent les estampes du XVIIIe siècle ; celles qui peuvent passer pour des impromptus gardent un certain charme mignard. Mais là encore l'abondance verbale gâte tout : dans un poème tel que son *Ariane*, Mendès entasse 41 stances comme :

> Les chats-tigres félons
> Baisent avec délices
> Les lisses
> Rougeurs de tes talons.

On se lasse vite de cette incontinence rimée, de cette mièvrerie soutenue (les *Contes* en prose attestent sur ce point la fâcheuse fidélité de Mendès à lui-même). Même ceux qui seraient le plus prêts à admirer une ardente sensualité ou une perversité subtile sont rebutés par cette monotone dépravation de cabinet de toilette et ces mornes vignettes

> D'un monde où l'action n'est pas la sœur du rêve !

Bien qu'une dizaine d'années aient séparé leurs débuts littéraires, il n'en convient pas moins de rapprocher de Mendès cet autre improvisateur : JEAN RICHEPIN. Une extrême facilité de pastiche, une remarquable truculence verbale, un sens très juste du genre de violence que le public moyen souhaite se laisser faire, ces qualités se révélaient déjà toutes dans les deux volumes : *Chanson des gueux* et *Caresses* qui firent le succès de Richepin, succès de scandale et succès de virtuosité aussi, mais que légitimait une sincère révolte juvénile contre les conventions et les entraves.

Jules Lemaître a noté qu'il y avait deux hommes en Richepin : un Touranien rebelle, sympathique à tous les hors la loi commune, à Villon, aux chemineaux, aux saltimbanques, à l'océan en qui il croit reconnaître diverses images de la liberté sans frein ; s'il a parfois inspiré à Richepin les grotesques pages des *Blasphèmes* où l'auteur fait la parade pour inciter les dieux à une lutte à main plate, c'est pourtant ce Touranien qui lui a inspiré ses meilleurs poèmes, les plus aérés, les plus originaux. Mais le « très grand rhétoricien » que Lemaître dénonçait déjà en lui a vite pris le dessus ; le poète de *la Mer*, le romancier de *Miarka*, se fiant à sa prodigieuse facilité, a entrepris de se faire le fournisseur attitré d'une clientèle nombreuse et riche, aux prétentions littéraires arrogantes, aux besoins poétiques médiocres : il faut regretter que Richepin ait si tôt et si complètement réussi à la satisfaire.

* * *

Sous des aspects différents, l'exemple de Coppée, Mendès et Richepin montre l'un des périls auquel étaient exposés les Parnassiens : emploi mécanique de qualités formelles à la fabrication « par séries » de contrefaçons de leurs propres œuvres. C'est en disciplinant leur inspiration aux lois d'une pensée noble et hautaine qu'échappèrent à cette vulgarisation d'eux-mêmes les deux vrais poètes parnassiens, Léon Dierx et Sully Prudhomme.

Lorsqu'après la mort de Verlaine de nombreux suffrages désignèrent LÉON DIERX comme prince des poètes français, son œuvre était encore peu connue de la foule. Originaire de l'île Bourbon (dont *les Filaos* et d'autres poèmes rappellent le souvenir), ami de Leconte de Lisle à qui furent dédiés les *Poèmes et Poésies*, Léon Dierx s'imposa dès son premier recueil au goût d'une élite. Sans doute pouvait-on encore reprocher à la *Vision d'Ève* des souvenirs bien directs du maître ; le tragique de *la Prophétie* ou de *Henrick le Veuf* n'allait pas sans un tour mélodramatique, et il y avait quelque convention dans l'exotisme de *Souré-Ha*. Mais le pessimisme de *la Prison* ou *le Vieux Solitaire*, l'orgueilleux désespoir de l'*In Extremis* annonçaient un successeur, un continuateur de Vigny et Leconte de Lisle ; mais déjà apparaissait le charme personnel de Dierx, une alternance de douces mélodies limpides *(Après le Bain)* et de graves méditations où, dans la lumière indécise, le voyant regarde passer les êtres symboliques qui portent toutes les douleurs injustes dont souffre l'humanité.

Cette originalité s'affirma dans les *Lèvres closes*, beau titre noblement soutenu. Ce volume est le plus complet et le plus significatif de l'œuvre. Il s'ouvre par un *Prologue* où le poète rapporte quel effort paradoxal d'impassibilité il tenta :

> J'ai détourné mes yeux de l'homme et de la vie...

Isolement inhumain, attitude insoutenable :

> Mais le sépulcre en moi laissa filtrer ses rêves
> Et, vivant, j'ai vécu du souci des vieux morts.

Toute l'inquiétude du monde a revécu en lui, elle a rempli son âme, elle ne l'a pas submergée. Loin de chercher à établir un stérile compromis, partagé entre l'amour et l'orgueil, Dierx a exprimé la puissance des deux aspirations contraires. *L'Odeur sacrée, la Nuit de juin* disent magnifiquement quelle contagion d'amour émane de la nature pour troubler le cœur. Parfois même, en de rares minutes de détente *(les Rythmes)*, il chante l'extase d'une beauté pure d'amertume. Mais sa saison préférée est l'automne ; son séjour d'élection est un grand bois jaunissant ; son heure aimée, le crépuscule ; là seulement il goûte la joie de la mélancolique harmonie qui lui a inspiré le *Soir d'octobre*, chef d'œuvre de calme recueillement.

Mais ce repos n'est qu'une halte provisoire. La détresse métaphysique qui est à la fois son mal et sa dignité ne permet pas à Dierx de s'y attarder. C'est elle, avant tout, qu'il lui faut traduire, que ce soit en accents personnels ou par la création d'êtres symboliques, tel ce *Lazare*, frère du poète, condamné à mourir deux fois, attestant la force de l'*Invisible Lien*, car

> L'invisible lien, de la mort à la vie,
> Fait refluer sans cesse, avec le long passé,
> La séculaire angoisse en notre âme assouvie
> Et l'amour du néant malgré tout repoussé.

L'homme est le champ clos d'un duel immense que dans le *Rêve de la Mort*, le corps et l'âme se disputent encore,

> Tout n'est que doute, énigme, illusion, mystère...

et le volume s'achève sur une *Marche funèbre* qui est le chœur des derniers hommes.

Aux *Lèvres closes* s'ajoutèrent plus tard les *Paroles d'un vaincu* et *Amants* qui précisent et complètent l'enseignement de Léon Dierx ; les deux livres qui renferment toute son œuvre contiennent quelques-unes des méditations poétiques, tendres et viriles, éloquentes et intimes, qui firent le plus honneur à la pensée et à l'art contemporains.

Du premier recueil de Sully Prudhomme, les *Stances et*

Poèmes, le public adopta aussitôt une pièce, *le Vase brisé*, qui connut vite la popularité. Pendant que ces stances d'une aimable mignardise et d'un sentiment délicat se récitaient dans les salons, l'auteur préparait une traduction de Lucrèce dont il publia le premier livre avec une préface où se révèlent ses véritables préoccupations. Après avoir discuté les plus graves questions de psychologie et de méthode scientifique, après avoir interrogé l'expérience externe et l'expérience interne, il conclut : « Les spiritualistes sont certainement fondés à soutenir que les phénomènes moraux n'ont pas leurs principes dans les phénomènes physiques bien qu'ils y aient leurs conditions, mais les matérialistes ont raison d'affirmer que rien n'autorise à distinguer en substance le monde moral du monde physique... nous sommes quant à nous portés à penser que ces deux ordres de phénomènes sont irréductibles l'un à l'autre, en tant qu'ils relèvent de deux modes distincts de l'être universel. » Il faut donc, ajoutait-il, « une théorie de la curiosité », il faut « multiplier incessamment les données des deux expériences en les analysant toujours davantage ». Par là nous arriverons à « nous comprendre » ; de cette manière, la philosophie « au lieu de recommencer dans chaque esprit, à chaque génération, pourra léguer des résultats admis et se continuer de siècle en siècle, ce qui sera le signe certain de son organisation scientifique ».

C'est donc seulement leur commune foi en la valeur de l'expression poétique qui réconciliait ces deux Sully Prudhomme : le successeur du Musset confidentiel, celui dont l'opinion avait salué les débuts ; l'esprit philosophique et scientifique, ambitieux de « donner quelque fondement incontesté à la philosophie », de devenir le Lucrèce français. Et sans doute n'estimait-il les succès du premier que dans la mesure où ils rendaient les oreilles attentives aux vérités qu'allait énoncer le second.

Car Sully Prudhomme n'est pas tour à tour un poète et un philosophe ; il est toujours un poète-philosophe. De sorte que son œuvre, si peu autobiographique d'un point de vue extérieur, retrace l'histoire de son esprit où l'intelligence. de jour en jour plus affermie dans son idéal de beauté sévère, prit peu à peu le pas sur sa sensibilité, la réduisant au soin de parer d'un vêtement nouveau la vérité mise à nu par le chercheur patient. Dans les premiers recueils, au contraire, il s'abandonnait parfois au simple plaisir de sentir, qui lui inspirait de rapides élégies modernes, telle la *Prière*, ou de jolies et fines notations :

Un voyage ! telle est la vie
Pour ceux qui n'osent que rêver...

Mais déjà il exprimait sa haute conception du rôle du poète :

Car si l'humanité tolère encor nos chants,
C'est que notre élégie est son propre poème,

et ce sens du devoir, ce perpétuel souvenir que noblesse oblige, explique les poèmes les plus faibles, glorification un peu évidente de l'amour maternel, apostrophes morales de *la Vertu*, symbolisme assez facile de *l'Étranger*. Il chantait encore les *Vaines tendresses ;* mais déjà il avait pris position et, parmi les sonnets des *Épreuves*, on lisait un portrait complet en quatorze vers de Spinoza, tour de force qui honorait plutôt le critique que le poète.

Le témoignage le plus discret et le plus révélateur de cette double inspiration, Sully Prudhomme nous l'a offert en réunissant dans *le Prisme* des poèmes composés à diverses époques. Une fois éliminés les vers de circonstance, chacun y peut préférer, selon son goût propre, les charmants madrigaux mondains comme *l'Éventail*, ou les rêveries de tendresse délicate *(le Soir)*, ou les hymnes à l'effort philosophique *(les Chercheurs) ;* tous les lecteurs s'arrêteront et méditeront sur ce beau vers qui n'est qu'un cri sincère :

Que ne puis-je endormir par mon cœur ma pensée !

Souhait chimérique et dont le poète n'eût d'ailleurs pas accepté la réalisation sans y éprouver une déchéance. Avant *le Prisme*, Sully Prudhomme avait publié *Justice* et avoué ses inquiétudes. Dans la préface il déclare que les événements de 1870-71 l'ont fait pencher vers le pessimisme ; mais « un coin d'azur et quelques cimes blanches ont reparu... il a bien fallu espérer encore ». *Justice* est l'histoire d'un chercheur qui a imposé silence au cœur et voulu s'orienter avec sa seule raison ; en vain cherche-t-il la justice entre espèces et entre états, puis dans l'espèce et dans l'état ; nulle part il ne la trouve. Mais une voix en lui interdit le désespoir ; il découvre que cette voix est celle du cœur et se décide à l'écouter. Dans sa conscience il retrouve, inébranlable, l'idée de Justice, liée à la plus intime essence de l'humanité, dont l'histoire de la cité montre les progrès, lents mais sûrs ; cette idée s'impose au monde comme la vraie dignité propre de l'homme, par la sympathie qui unit les êtres au fur et à mesure que la développent la compréhension et la science. Et il est fondé à la définir : « le terme idéal de la science étroitement unie à l'amour ».

Il ne sert à rien de nier qu'un tel poème est d'un abord difficile. Sully Prudhomme le savait, mais il croyait « qu'on peut confier au vers, outre tous les sentiments, presque toutes les idées ». S'il termine son œuvre sur une invocation à Chénier, c'est parce que ce précurseur lui donne l'assurance que, tout en étant un penseur-poète, il demeure un patriote, qu'il unit

> Le laurier du poète à la palme du juste.

Et sans doute mérite-t-il les deux, malgré l'étrange mélange de prosaïsme et d'idéalisme imagé de vers comme :

> Nuire à l'humanité c'est rompre la spirale
> Où se fait pas à pas l'ascension morale
> Dont les mondes sont les degrés...

Mais cette victoire ne s'obtient pas sans une rançon : il n'y a plus place pour le lyrisme dans une poésie ainsi comprise. A côté d'analyses fines, les réussites y ont un accent oratoire plutôt que vraiment inspiré ;

Quand Horace a chanté Lydie,
Mon siècle n'avait point pensé

s'écrie-t-il, et la valeur de l'argument l'emporte sur le charme de l'expression ; bien plus, s'il est probant, il sonne le glas de la poésie purement philosophique : était-il possible, au déclin d'un siècle qui avait tant pensé, de retrouver le grand élan qui anime Lucrèce, l'enthousiasme joyeux de la découverte et de la certitude absolue ?

Sully Prudhomme était trop loyal pour forcer ses convictions et pour affirmer poétiquement une foi que sa pensée philosophique n'avait point trouvée. Après *Justice*, cependant, il lui sembla qu'il pouvait, sans forfaire à sa sincérité, exprimer hautement son espoir en la destinée humaine. Tel est le sujet du *Bonheur*. Faustus, après sa mort, se réveille dans une autre vie où l'accueille son amie terrestre, Stella, qui le convie à un délicieux festin céleste et le mène au défilé des sages de la terre et des artistes devenus les bienheureux dans la pure beauté ; les deux amants s'unissent en un sublime hymen harmonieux. Mais ces ivresses n'ont pas endormi en Faustus la pensée ; insatisfait, il prétend connaître le secret de l'Être ; il interroge la philosophie antique, puis la moderne, puis les sciences, enfin Pascal qui noie le doute dans la foi. Déçu, il se retourne vers Stella. Cependant les voix de la terre qui n'ont cessé d'accompagner son anxieuse quête le pressent, tel un aiguillon. Stella refuse de l'abandonner ; ils se décident au sacrifice et reviennent sur la terre. La terre est vide ; la mort a tué l'homme ; Faustus et Stella s'offrent à refaire une humanité — pour recommencer l'histoire pathétique. La volonté divine intervient : un ange les enlève et les apporte triomphalement au vrai paradis, à la source du monde.

Les mêmes raisons qui ont découragé maints lecteurs de *la Justice* les ont écartés aussi du *Bonheur* : et il convient ici encore de faire la part de l'exposé dogmatique assez aride et la part du roman astral à la Flammarion ; Sully Prudhomme n'a pas toujours échappé aux deux écueils de son sujet. Mais il y a dans *le Bonheur*, outre les qualités de précision philosophique qui distinguaient *la Justice*, une inspiration plus vibrante que dans le précédent poème ; la pensée quitte plus volontiers la zone abstraite pour s'incarner en portraits vivants de philosophes, elle se laisse infléchir en beaux appels de tendresse humaine et d'amour chaste ; jusqu'au sacrifice, les voix de la terre soutiennent la course de Faustus et Stella par leurs cantiques frémissants. *Le Bonheur* contient les pages où Sully Prudhomme a le mieux atteint son ambition de poésie méditative et fraternelle.

§ 2. — Autour du Parnasse

Une revue de la poésie à l'époque parnassienne serait incomplète qui ne ferait pas leur place à un certain nombre de poètes plus ou moins directement rattachés au Parnasse.

Mme Ackermann avait débuté par un recueil de *Contes* où elle affectait un ton avantageux bien déplaisant et transformait les récits légendaires en médiocres gauloiseries de pastiche. Rien ne permettait d'y discerner le présage des futures *Poésies philosophiques*, amères et révoltées, dont la vigueur et l'éloquence désespérée évoquent souvent le souvenir du glorieux Leopardi.

Compagnon des premiers Parnassiens, mort trop jeune pour avoir pu se dégager de l'imitation de Banville, Albert Glatigny a laissé une légende plutôt qu'une œuvre. Il faut sans doute déplorer que la même bonne fortune ne soit pas advenue à Armand Silvestre dont les premiers poèmes où il chantait la volupté permettaient quelque illusion vite dissipée par vingt volumes épais de *contes grassouillets*, d'*histoires inconvenantes*, de *contes au gros sel*, monotonement affligeants.

Sous le pseudonyme de JEAN LAHOR, Henri Cazalis, nourri de science et de pensée orientale, a célébré en vers majestueux l'universelle Illusion et la Gloire du Néant ; à l'opposé de ce poète dédaigneux, LÉON CLADEL, l'auteur des *Va-Nu-Pieds*, chantait les gueux avec une exubérance que la discipline baudelairienne n'avait pas toujours assagie.

Parmi les survivants de l'époque précédente, de ces « plastiques » qui avaient assuré la liaison entre les romantiques et les parnassiens, on peut retenir JOSÉPHIN SOULARY, maître sonnettiste à qui les anthologies sont demeurées accueillantes.

JEAN AICARD est l'auteur de nombreux poèmes sans ombre comme le ciel de Provence, d'une clarté où certains ont cru reconnaître la tradition des épigrammes grecques, où d'autres n'ont trouvé qu'une facilité morne ; son *Père Lebonnard* (une pièce en vers à rendre jaloux Eugène Manuel) et son *Jésus* se recommandent aux familles pour leurs excellentes leçons de morale théorique et pratique.

ANDRÉ THEURIET est surtout connu par ses récits en prose : ses vers ont le même parfum de nature forestière et d'intimité avec la vie rustique. De PAUL ARÈNE aussi certaines pièces ont survécu, chants de cigale qui gardent un peu de l'aisance parisienne et de la souplesse provençale dont le mélange fait le charme des *Contes*.

MAURICE BOUCHOR s'est consacré, avec une belle abnégation personnelle, à une noble tâche d'enseignement populaire : il a entrepris de révéler à la foule les grandes œuvres du Moyen Age et Shakespeare par des adaptations ingénieuses ; il n'a jamais séparé la pensée de l'action immédiate. Son ami GABRIEL VICAIRE, le poète de la Bresse, a cherché son inspiration dans les richesses de notre folklore et renouvelé l'art des vieux « fableurs » avec une plaisante bonhomie, voire des qualités de parodiste qui trouvèrent leur emploi dans les *Déliquescences d'Adoré Floupette*.

Le baudelairianisme exaspéré de MAURICE ROLLINAT marque une des limites du Parnasse ; tout ce que contient d'artificiel le satanisme littéraire se laisse voir dans les *Névroses :* le spleen, Edgar Poe, les chats et le serpent sont les idoles de ce poète pour qui

> La vie est un cloaque où tout être patauge,
> La femme avec son cœur, l'homme avec sa raison.

Quelques doux murmures de confidence :

> Un parfum chante en moi comme un air obsédant...
> Avec je ne sais quoi d'infiniment navré...
> Sa colère se fond dans la douceur des choses...

qui annoncent les élégies de Samain, sauveront ce volume de l'oubli. Mais ce pessimisme acharné, monotone et puéril, est un aussi sûr indice de décadence poétique que le sont, à l'autre extrémité du clavier, les pitreries d'ÉMILE BERGERAT où la musique de Banville agonise avec des hoquets.

On ne peut clore cette revue sans dire quelques mots du théâtre en vers qui ne connut, durant cette période, ni la grandeur de la tragédie classique, ni l'éclat du drame romantique. On y relève tour à tour des succès d'actualité comme *la Fille de Roland*, d'HENRI DE BORNIER (1), des drames pseudo-historiques comme les *Jacobites* et *Pour la Couronne* de COPPÉE, des fantaisies d'un romantisme flamboyant comme *Gringoire* et le *Baiser* de BANVILLE. Dans tous les genres, depuis le drame antique jusqu'au livret d'opéra, MENDÈS déploya son habileté d'improvisateur et *la Reine Fiammette* est probablement le plus représentatif de ses ouvrages. JEAN RICHEPIN servit les goûts

(1) Une reprise en 1923 de la *Rome Vaincue* d'ALEXANDRE PARODI a d'ailleurs prouvé que, par la solidité de la construction et l'honnêteté de l'émotion, la tragédie patriotique continuait à porter sur le public français.

du public dans des pièces dont les plus célèbres furent *le Flibustier* et *le Chemineau*, exercices d'une adroite rhétorique qui dose avec sûreté l'apparence de rébellion et l'obéissance aux préjugés. Nous verrons plus tard comment Edmond Rostand recueillit, à leur grande surprise, l'héritage des Parnassiens.

CHAPITRE III

LE RÉALISME

§ 1 — Réalisme et naturalisme

Le mouvement parnassien ne marquait point, ne pouvait marquer une rupture complète avec le romantisme ; il en évitait seulement certaines exubérances qui n'étaient pas toujours déplaisantes. Quelles qu'aient été les exagérations des romantiques, il faut bien reconnaître qu'ils ont renouvelé la sensibilité poétique si profondément qu'aucun poète depuis n'est parvenu à se dégager entièrement et dans toute son œuvre de leur influence. C'est seulement dans la prose que la réaction anti-romantique pouvait atteindre toute son ampleur. Rien n'y prêtait mieux que ce genre entre tous plastique, le roman.

Réalistes, les romans de Balzac ne l'avaient été qu'en un sens ; il y avait entassé tous les détails de ses observations, il y avait poussé loin parfois les scrupules de la documentation. En revanche, ce visionnaire s'était complu à « idéaliser en sens inverse, dans leur laideur ou leur bêtise », les héros magnifiés de drames exceptionnels. Flaubert lui-même n'avait pas été un réaliste serein : dans *Salammbô* l'équilibre était souvent rompu au profit du lyrisme ; dans les sujets contemporains, une amertume révoltée perçait qui transformait parfois le roman en pamphlet. Les naturalistes prétendent remplacer cette dualité de l'observation et de l'imagination par une unité : la peinture de « la vie vraie ». L'affirmation capitale de la nouvelle école est formulée ainsi par les Goncourt : « Le roman actuel se fait avec des documents racontés ou relevés d'après nature, comme l'histoire se fait avec les documents écrits. Les historiens sont des raconteurs du passé, les romanciers des raconteurs du présent. » (*Journal*, 24 oct. 1864.)

§ 2. — Le roman naturaliste : les Goncourt

Conséquents avec leurs principes, LES GONCOURT sont à la fois des historiens et des romanciers. Mais, dans leurs œuvres historiques comme dans leurs romans et dans leur vie même, ils ont été avant tout des écrivains et au sens le plus noble du mot, de parfaits « hommes de lettres ».

Si la langue française le permettait, il faudrait parler des Goncourt au singulier, tant la dualité de leurs personnes s'est fondue en l'unité de l'écrivain. Bien que Jules, le cadet, soit mort dès 1870, mort en soldat de la littérature, et que son frère, Edmond, lui ait survécu vingt-six ans, ils demeurent inséparables, toutes leurs œuvres maîtresses ayant été achevées ou conçues dans cette union fraternelle. L'aîné a donné (*Journal*, 27 déc. 1895) des détails sur leur collaboration : Jules était « une nature gaie, verveuse, expansive, un styliste plus exercé, passionné de style ». Edmond était « une nature mélancolique, songeuse, concentrée, ayant surtout travaillé à l'architecture des livres. Mon frère, ajoute-t-il, avait pris plus spécialement la direction du style, et moi la direction de la création de l'œuvre ». Mais cela, c'était le point de départ : leur but était la recherche « d'un seul style, bien personnel, bien Goncourt ». Cet instrument original, l'écriture artiste, comme on l'a appelé, nul ne saurait leur refuser de l'avoir façonné.

Traduire dans une forme neuve ce qu'ils voyaient, éprouvaient ou pensaient ne fut pas seulement le but de leur art, ce fut le but même de leur vie. Sans doute, d'un certain biais, cette ambition prêtera toujours à sourire, et la légende de Jules de Goncourt martyr a provoqué des haussements d'épaules. On rappelle que le *Journal* ne devait paraître que vingt ans après la mort du dernier des deux frères ; on souligne que « la Veuve » n'a pas pu résister au désir de lire imprimée cette prose intime et en a livré au public tout ce qu'il osait révéler de son vivant. Mais ces contradictions n'importent guère, lorsqu'on a compris que ce *Journal* était la vie même d'un Goncourt : non point le cahier confidentiel où il relatait pour lui-même les bavardages des contemporains, ses propres impressions, ses prophéties aiguisées, ses révoltes, ses jugements, mais bien un livre où il s'efforçait de créer un genre nouveau, de photographier la réalité avec le maximum d'exactitude possible. Que ces souvenirs sont bien de la littérature, nous en sommes avertis dès la préface où Edmond de Goncourt réclame l'indulgence du lecteur pour les premières années « où nous n'étions que d'assez imparfaits rédacteurs de la note d'après nature ». La question ainsi est franchement posée ; il ne s'agit pas d'impartialité : « Nous ne nous cachons pas d'avoir été des créatures passionnées, nerveuses, maladivement impressionnables et par là quelquefois injustes » ; l'essentiel est peut-être moins la chose vue que la manière dont elle est rendue : « Nous avons toujours préféré la phrase et l'expression qui émoussaient et *académisaient* le moins le vif de nos sensations, la fierté de nos idées. »

Le *Journal* est le chef d'œuvre des Goncourt ; ce n'est pas une épigramme que d'ajouter qu'il est leur meilleur roman si l'on accepte leur propre définition : « Un des caractères particuliers de nos romans, ce sera d'être les plus historiques de ce temps-ci, les romans qui fourniront le plus de faits et de vérités vraies à l'histoire morale de ce siècle. » (*Journal*, janv. 1861.) Le *Journal* montre leur entier oubli d'eux-mêmes dans leur travail, l'« enfoncement spirituel dans leur œuvre » qui leur fait s'interdire de vivre pour mieux se plonger dans leur *Histoire de la société pendant la Révolution* (fin févr. 1854). Il apporte de précieux témoignages sur leurs desseins : « Les romans de mon frère et de moi ont cherché, avant tout, à tuer l'aventure dans le roman »

(7 sept. 1895) ; sur leurs procédés aussi : « placer dans un roman un chapitre sur l'œil et l'œillade de la femme », écrivent-ils le 26 mars 1855, « un chapitre fait avec de longues et sérieuses observations », note qui laisse voir à plein combien le réalisme ainsi entendu est extérieur, plaqué et arbitraire. Réalisme qui n'est point, malgré tant de manifestes théoriques, leur vrai titre de gloire ; où ils sont grands c'est par cette conquête dont le *Journal* permet de suivre tous les progrès, par leur élaboration d'un style fiévreux, nerveux, papillotant, ennemi du développement oratoire et dont la souple démarche brise les syntaxes traditionnelles, devance les raffinements impressionnistes. Cet instrument, ils l'ont mis au service d'une subtilité presque maladive, d'une curiosité toujours en éveil qui autorisait Edmond de Goncourt à parler de lui-même comme « d'un homme assis sur 40 volumes, un peu en avant de tout ce qui a été fait ou écrit avant lui » (*Journal*, 26-1-93).

Historiens, les Goncourt sont demeurés des artistes. Dans leur province préférée, le XVIIIe siècle français, ils se sont surtout efforcés de faire revivre de pittoresques figures de femmes (l'héroïne abstraite du plus impersonnel de ces ouvrages s'appelle encore « la femme ») dans le cadre qu'évoquaient autour d'elles la littérature et l'art. Résurrections brillantes où se marque toutefois cette indifférence à la musique qui est une des caractéristiques négatives de leur forme et de leur pensée. Pour la peinture, ils l'ont aimée passionnément, sous tous ses aspects : *Manette Salomon* en est un vibrant témoignage, comme aussi leur biographie de Gavarni et ces études sur Outamaro et Hokusaï par où Edmond de Goncourt a popularisé en France le génie des maîtres de l'estampe japonaise.

Mais c'est dans le roman que les Goncourt se flattent d'avoir été vraiment des révolutionnaires. En 1865, dans la préface de *Germinie Lacerteux*, ils déclaraient : « Le public aime les romans faux : ce roman est un roman vrai. Il aime les livres qui font semblant d'aller dans le monde : ce livre vient de la rue. Qu'il ne s'attende point à la photographie décolletée du plaisir : l'étude qui suit est la clinique de l'amour. » Ces trois phrases agressives contiennent si bien toute la théorie naturaliste que les Goncourt eux-mêmes n'y ont rien pu ajouter que des commentaires. Il faut peindre la vie vraie : en effet « aujourd'hui que le roman s'est imposé les études et les devoirs de la science, il peut en revendiquer les libertés et les franchises » (Préface de *Germinie Lacerteux*). Le romancier sera un observateur qui travaillera d'après nature : Renée Mauperin sera décrite d'après un modèle, une tante des Goncourt servira d'original à Mme Gervaisais, le lecteur retrouvera dans les romans les notes du *Journal* et le Masson de *Charles Demailly* répétera les mots de Théophile Gautier. Guerre aux héros d'exception ; les Goncourt, au mépris de leurs tendances aristocratiques, peindront le peuple : « Vivant au XIXe siècle, dans un temps de suffrage universel, de démocratie, de libéralisme, nous nous sommes demandé si ce qu'on appelle les basses classes n'avait pas droit au Roman » (Préf. *Germinie Lacerteux*). Revendication justifiée, mais les Goncourt n'orientent-ils pas le roman vers un autre arbitraire ? Ils parlent d'une « clinique de l'amour », ils voient dans le roman « une histoire morale contemporaine ». De telles analogies ont leur danger : l'historien se défend mal de juger, le savant de conclure au moins provisoirement. Le romancier a tôt fait de généraliser ses personnages. *Charles Demailly* s'est d'abord appelé « Les Hommes de Lettres » ; en 1875, relisant *Renée Mauperin*, Edmond de Goncourt se demandait si son titre n'eût pas dû être « la Jeune Bourgeoisie ». En fait tous les romans se présentent comme la peinture d'un certain milieu. Est-il bien loyal de « prévenir le lecteur que la fabulation d'un roman à l'instar de tous les romans n'est que secondaire dans cette œuvre » (Préf. de *Renée Mauperin*), si l'intrigue conventionnelle n'a disparu que pour laisser le champ libre à un parti pris scientifique assez spécieux ? Dès la première profession de foi naturaliste, on comprend pourquoi les romans des Goncourt seront sauvés par le style, ceux de Zola par l'intensité visionnaire et pourquoi ceux de leurs imitateurs apparaîtront mort-nés.

Que reste-t-il des romans des Goncourt ? Il est difficile de prétendre opérer un choix là où les préférences personnelles jouent si insidieusement. On peut toutefois affirmer que la postérité n'a pas retenu les romans proprement naturalistes où Edmond de Goncourt appliqua rigoureusement ses principes, pas plus qu'elle n'a retenu leurs essais de théâtre réaliste. *Charles Demailly*, histoire d'un homme de lettres que les corsaires du journalisme et une femme médiocre acculent à la folie n'a gardé qu'une valeur de document ; les longues tirades où se manifeste peut-être l'influence prépondérante de Jules de Goncourt y étouffent l'action. *Sœur Philomène*, tableau de la vie d'un hôpital où les Goncourt se rendaient dévotement afin de « peindre sur le saignant », rebute un peu par la même monotonie qui pèse sur *Germinie Lacerteux*, servante hystérique et ivrogne ; dans ces deux livres les Goncourt sont parvenus, par obéissance à leurs principes, à ce triomphe paradoxal d'une atmosphère antigoncourtienne. *Renée Mauperin* est le plus populaire de leurs romans : ce succès s'explique par l'attrait d'une intrigue dramatique et d'une héroïne touchante. L'étude de l'âme mystique de *Madame Gervaisais* offrait aux Goncourt une occasion de déployer toutes les qualités subtiles de leur style et leur finesse d'investigation psychologique : malgré leur insistance un peu lourde sur la partie pathologique du caractère au détriment de son humanité, c'est là une de leurs meilleures réussites.

Mais il convient de tirer hors de pair le roman dans lequel toutes leurs diverses tendances se fondent le plus harmonieusement, *Manette Salomon*. C'est d'abord une évocation complète et forte du monde des peintres ; tous les personnages y sont vivants depuis Garnotelle, prix de Rome et peintre officiel, Crescent, robuste paysagiste, Chassagnol, théoricien stérile, Anatole, raté blagueur, jusqu'aux deux protagonistes : Coriolis, artiste de talent qui se laisse décapiter, annihiler dans la platitude, par le redoutable charme de son modèle, Manette Salomon, Juive complexe qui, après une période de mystérieux culte de sa propre beauté, révèle soudain une implacable soif d'argent et de considération bourgeoise. Or, à chaque page, les Goncourt font craquer le cadre de ce poignant récit et entrechoquent en phrases colorées tous les idéals artistiques qui depuis un siècle ont donné à la peinture française sa fécondité sans cesse renouvelée. Ici presque rien n'a vieilli ; certaines pages sont, au contraire, d'une actualité frappante. Dans *Manette Salomon* les Goncourt se sont, autant que dans leur *Journal*, confessés publiquement : c'est par les livres où ils sont ainsi allés jusqu'au bout d'eux-mêmes qu'ils séduiront toujours les lecteurs pour qui la personnalité de l'écrivain importe plus que l'esprit de système.

§ 3. — Alphonse Daudet

Si l'on ne considérait que les théories, les vues neuves qu'un écrivain apporte sur son art, ALPHONSE DAUDET serait seulement le fidèle disciple des Goncourt ; il leur a emprunté leur conception du roman, récit longuement préparé par un carnet de « notes d'après nature ». Or, ici joue l'ironie du destin : cette popularité que les Goncourt ont, sans l'oser courtiser par une infidélité à leurs principes, secrètement désirée en vain, Daudet l'a conquise facilement. Cela tient à ce qu'aucun naturaliste n'a laissé à travers son œuvre l'image d'une personnalité plus accueillante, plus vivement émue par les aventures qui devaient émouvoir son lecteur.

On a répété que Daudet était le Dickens français. Il en évoque en effet souvent le souvenir ; *le Petit Chose* est son *David Copperfield* et *Tartarin* son *Pickwick*, deux exemples qui précisent leurs ressemblances. Parvenus au succès par un effort pénible, les deux romanciers ont gardé pour le monde des humbles d'où ils sont sortis une pitié sympathique ; mais l'un et l'autre ont aiguisé, au contact populaire, leurs qualités d'humoristes. Le rapprochement des livres rend aussi le lecteur plus sensible à leurs différences : Daudet n'a pas l'exubérance, l'ampleur, le talent de peindre les foules grouillantes par où Dickens se montre le digne successeur de Fielding ; il possède, en revanche, une tendresse plus délicate,une certaine aristocratie naturelle, une tradition latine qui affine son humour en esprit.

Il avait débuté par un volume de poèmes, *les Amoureuses*, où se marque sa sentimentalité et qui est, pour l'analyste, aussi prophétique que les premiers vers, robustes et creux, de Maupassant. Son premier roman, *le Petit Chose*, fut une autobiographie, attendrissante avec des coins de malice, dans laquelle on ne doit point chercher le relief des souvenirs de Michelet ou de Vallès, mais une aisance de conteur sympathique. De ses débuts difficiles Daudet gardera toujours une compassion pour les enfants malheureux (il a repris ce thème dans *Jack*), pour la population besogneuse des faubourgs parisiens *(Fromont jeune et Risler aîné)*, pour les dévoyés et les ratés, tel ce Delobelle dont il a fait le type même du « cabot », bref pour tous les personnages que le romancier peut, en grand frère attendri, éclairer d'ironie affectueuse. Avec les *Lettres de mon moulin* Daudet inaugura la série des livres qu'il a consacrés à la Provence et qui sont la partie la plus durable de son œuvre. Descriptions de paysages, évocations des Félibres et de Mistral, légendes et ballades en prose, histoires naïves pour les petits enfants, dans tous ces genres Daudet montre la même grâce souple ; le conteur est d'autant plus persuasif qu'il se passionne lui-même pour l'intérêt de ses récits. Daudet a profondément aimé sa province natale ; il l'a connue et décrite sous tous ses aspects ; les thèmes qu'il annonçait dans les *Lettres* avec une fraîcheur juvénile, il les a, plus tard, développés en œuvres puissantes. Son *Arlésienne* (inséparable de l'ardente atmosphère musicale de Bizet) s'est maintenue au répertoire théâtral : elle le méritait par sa peinture fidèle d'une farouche passion méridionale où la poésie double l'angoisse dramatique, où gronde un sourd écho de la fatalité antique. L'autre face du caractère provençal, les mirages d'une imagination prompte à traiter ses rêves comme réalités, Daudet les a incarnés en un héros symbolique, l'immortel Tartarin. Il serait oiseux de prétendre analyser cette trilogie (*Tartarin de Tarascon*, *Tartarin sur les Alpes*, *Port-Tarascon*) où la charge bouffonne, toute en dehors, ne doit pas faire méconnaître la finesse de l'observation, où la bonhomie retrouve le ton épique des *Papiers du Club Pickwick*. Dans *Numa Roumestan*, le Nîmois et l'ancien secrétaire du duc de Morny s'unissent pour représenter les ravages de la politique locale dans un cerveau provençal, dans une famille de là-bas. Tout entier construit sur l'antithèse du succès extérieur et de la ruine intime, *Numa*, s'il n'est point le chef-d'œuvre de Daudet, demeure peut-être son œuvre la plus caractéristique.

Il garda jusqu'au bout la nostalgie de sa chère Provence et se considéra toujours comme un exilé à Paris. Il consacra cependant plusieurs romans à décrire les mœurs de la capitale. Ce ne sont pas en général ses ouvrages les plus réussis. Ses défauts s'y découvrent plus apparents : manque de composition dans le récit, de fouillé dans les caractères, de raffinement dans les intrigues ; abus surtout du prétendu « document », du carnet de notes vidé dans le roman, de la juxtaposition des petites touches sans lien, des procédés de l'écriture artiste employés sans nécessité profonde. L'aimable laisser aller, qui le servait si bien dans les *Lettres de mon moulin* ou les *Contes du Lundi*, aboutit à l'émiettement ; sa pitié sincère tourne à l'affectation, à la sensiblerie trépidante, au pastiche parodique de soi-même. *Fromont*, *le Nabab*, *les Rois en exil*, fresques hâtives, s'écaillent bien vite ; dans *l'Immortel*, satire des mœurs académiques, l'humoriste de *Tartarin* hausse ambitieusement le ton, gâte par un mélodrame noir un excellent sujet comique. De la série parisienne deux livres seulement s'imposent sans défaillance : *l'Évangéliste*, étude psychologique intense et sobre ; *Sapho*, tableau émouvant d'un amour moderne où, dans la mesquinerie d'une vie contemporaine, passe un souffle de tragique éternel. Mais, même dans ses livres de second ordre, Daudet, dont une cruelle maladie surexcita encore le talent d'impressionniste, conserve ce charme de sensibilité émue ou railleuse qui avait assuré le succès de ses premiers contes.

§ 4. — Émile Zola

Lorsqu'en 1880 parurent *les Soirées de Médan*, recueil de six nouvelles par Zola, Maupassant, Huysmans, Paul Alexis, Céard et Hennique, ZOLA était déjà considéré comme le chef du groupe et le porte-parole de l'école naturaliste (1). Dès 1868 sa *Thérèse Raquin* avait soulevé des protestations contre « la littérature putride » qu'il offrait au public. Dans une préface ,à la seconde édition il avait donc été contraint d'expliquer son but : « Dans *Thérèse Raquin*, écrivait-il, j'ai voulu étudier des tempéraments et non des caractères. Les amours de mes deux héros sont le contentement d'un besoin ; le meurtre qu'ils commettent est une conséquence de leur adultère, conséquence qu'ils acceptent comme les loups acceptent l'assassinat des moutons ; enfin ce que j'ai été obligé d'appeler leur remords, consiste en un simple désordre organique, en une rébellion du système nerveux tendu à se rompre. » Il serait difficile d'analyser plus fidèlement cette œuvre âcre. Quel dessein Zola poursuivait-il en l'écrivant ? Lui-même répond : « Mon but a été un but scientifique avant tout... J'ai montré les troubles profonds d'une nature sanguine au contact d'une nature nerveuse... j'ai simplement fait sur deux corps vivants le travail analytique que les chirurgiens font sur des cadavres. »

Persuadé qu'il obéissait à des préoccupations uniquement scientifiques, qu'il annexait le roman à l'histoire naturelle et à la médecine, Zola fut étonné, raconte-t-il, par l'unanimité des

(1) Pour une étude complète de ce groupe lire *le Groupe de Médan* de LÉON DEFFOUX et EMILE ZAVIE.

critiques répétant : « L'auteur de *Thérèse Raquin* est un misérable hystérique qui se plaît à étaler des pornographies. » On peut, sans mettre en doute sa bonne foi, comprendre la vanité de sa surprise et de ses révoltes. Dès le premier livre important qu'il publiait, ce malentendu apparaissait qui devait exciter pendant sa carrière littéraire tant d'inutiles tempêtes. L'œuvre d'art demeure, quand tout est dit et de si près qu'elle puisse s'en approcher, irréductible à aucune loi scientifique. L'œuvre d'art est un choix ; l'écrivain prend toujours parti. Zola lui-même : « Je n'ai eu qu'un désir : étant donné un homme puissant et une femme inassouvie, chercher en eux la bête, ne voir même que la bête... »

Incapable de nier le choix, Zola a prétendu l'expliquer par une analogie avec la science : « Le romancier, dit-il dans le *Roman expérimental*, est fait d'un observateur et d'un expérimentateur. L'observateur, chez lui, donne les faits tels qu'il les a observés, pose le point de départ, établit le terrain solide sur lequel vont marcher les personnages et se développer les phénomènes. Puis l'expérimentateur paraît et institue l'expérience, je veux dire fait mouvoir les personnages dans une histoire particulière pour y montrer que la succession des faits y sera telle que l'exige le déterminisme des phénomènes mis à l'étude. » Ses adversaires choisissaient mal leur terrain lorsqu'ils accusaient Zola d'obscénité : ils lui ménageaient un facile succès en lui permettant d'affirmer la chasteté de ses études d'anatomie et leur nécessité en « un siècle de science et de démocratie ». La vraie, l'unique objection à lui adresser — mais capitale et qui ruine l'échafaudage de son système — c'est que son « expérimentateur » n'est rien autre qu'un créateur, que *Thérèse Raquin* est tout aussi arbitraire qu'*Adolphe* ou *Obermann*.

De ce point de vue Lanson a pu traiter dédaigneusement son œuvre de « science en trompe-l'œil ». Zola, imagination enfiévrée, méridionale (son origine italienne compte dans la formation de son esprit), était incapable de la prudente patience objective du chirurgien. Lui-même n'était pas aveugle sur cette contradiction. Il a prêté au romancier Sandoz, un des personnages de l'*Œuvre*, plusieurs traits de sa propre image. Sandoz ambitionne, lui aussi, de peindre « des bonshommes physiologiques évoluant sous l'influence des milieux » ; il aurait souhaité que la critique se fâchât « pour ses audaces, non pour les saletés imbéciles qu'on lui prêtait ». Zola pourtant dénonce avec clairvoyance sa faiblesse : « lui aussi se lamentait d'être né au confluent d'Hugo et de Balzac ». Qu'on écoute cette déclaration de Sandoz : « Oui, notre génération a trempé jusqu'au ventre dans le romantisme et nous avons eu beau nous débarbouiller, prendre des bains de réalité violente, la tache s'entête. » Ici Zola rend justice au romantique qu'il ne cessa jamais d'être.

Ce romantique, avide de vastes constructions, a dicté, au moins autant que le prétendu clinicien, le plan des *Rougon-Macquart*, « histoire naturelle et sociale d'une famille sous le second Empire ». C'est l'œuvre monumentale de Zola, la plus audacieuse entreprise du naturalisme. Zola en a précisé le sens dans une brève préface qui est le plus significatif de ses nombreux manifestes littéraires : « Je veux expliquer comment une famille, un petit groupe d'êtres, se comporte dans une société, en s'épanouissant pour donner naissance à dix ou vingt individus, qui paraissent au premier coup d'œil profondément dissemblables, mais que l'analyse montre intimement liés les uns aux autres. L'hérédité a ses lois comme la pesanteur. » La série des Rougon-Macquart, où les romans ne sont que le développement de l'arbre généalogique dressé par l'auteur, emprunte son unité à cette loi de l'hérédité : « Physiologiquement, ils sont la lente succession des accidents nerveux et sanguins qui se déclarent dans une race à la suite d'une première lésion organique et qui détermine, selon les milieux, toutes les manifestations humaines, naturelles et instinctives, dont les produits prennent les noms convenus de vertus et de vices. » Il importe de souligner cette expression « selon les milieux » et d'y ajouter que cette famille « a pour caractéristique le débordement des appétits, le large soulèvement de notre âge, qui se rue aux jouissances ». On voit comment Zola élargit son cadre, comment cete histoire d'une famille devient la description d'une époque entière, comment « partis du peuple, ils s'irradient dans la société contemporaine, ils racontent le second Empire ».

Cette profession de foi n'ajoute rien à celle qui précédait *Thérèse Raquin* : elle annonce seulement une peinture plus ample, plus méthodique, elle prête le flanc aux mêmes objections. Zola se flattait cependant, non seulement de n'avoir point déformé la vérité, mais même d'avoir été confirmé par elle dans l'expérience qu'il instituait : « Depuis trois années je rassemblais les documents de ce grand ouvrage, lorsque la chute des Bonaparte, dont j'avais besoin comme artiste, et que toujours je trouvais fatalement au bout du drame, sans oser l'espérer si prochaine, est venue me donner le dénoûment terrible et nécessaire de mon œuvre. » Le lecteur d'aujourd'hui se laisserait volontiers aller à trouver dans ce simple aveu : « dont j'avais besoin comme artiste » une révélation plus précieuse que dans le pénible échafaudage de théories pseudo-scientifiques. Elles ont cependant soutenu Zola et lui ont permis de publier infatigablement, de 1871 à 1893, les vingt volumes de ses *Rougon-Macquart*, que Lemaître définissait justement : « une épopée pessimiste de la nature humaine ».

L'œuvre a connu des succès de librairie énormes : on a quelquefois accusé Zola de les avoir courtisés ; il est hors de doute que les *Rougon-Macquart* n'ont jamais été lus comme des études scientifiques. Au moment où paraissait le dernier volume, *le Docteur Pascal*, on tirait seulement le 24e mille du premier de ces livres, *la Fortune des Rougon*, clef de voûte de l'œuvre, que l'auteur appelait de son titre scientifique : *les Origines*, indispensable à quiconque se souciait de comprendre le sens de la fresque totale ; mais *Nana*, qu'entourait une gloire obscène, atteignait le 166e mille. Les livres de Zola ont perdu ce prestige d'immoralité ; la plupart d'entre eux sont complètement délaissés par le public bien que tous ne méritent pas cet oubli. Zola est trop souvent lourd, pédantesquement puéril, inutilement grossier, consciencieux sans goût ; ses personnages vivent d'une vie lamentablement incomplète ; son style pesant crée autour d'eux une atmosphère étouffante ; il semble parfois à l'antipode non seulement de la discipline classique, mais encore de tout le génie français.

Aucun de ses livres n'est entièrement admirable ; tous provoquent, en certains chapitres au moins, le ridicule ou l'ennui. Certains toutefois restent puissants et, dans le même moment où ils excitent la répugnance, forcent l'attention. Si artificielles que soient ces vastes constructions, elles s'imposent chaque fois qu'un souffle évocateur les traverse, quand la multitude de détails concourt et s'unit — sinon s'harmonise — en une impression d'ensemble. Tel est le cas pour *la Faute de l'abbé Mouret* où la description d'un jardin, le Paradou, obstinément reprise, se glisse par tous les interstices du récit, l'envahit, l'inonde et le supplante. Zola échoue dans les romans politiques (voir *Son Excellence Eugène Rougon*) qui réclament une psychologie déliée, comme aussi dans les récits naïfs, témoin ce *Rêve* dont Lemaître disait qu'un enfant l'aurait mieux conté. Mais même dans ses livres les plus confus, dans *le Ventre de Paris*, ou *Pot-Bouille*, il prête aux objets déformés des apparences hallucinantes. *L'Assommoir*, tableau de folie alcoolique, a des passages saisissants ; *Germinal* peint la vie dramatique des mineurs avec une puissance brutale ; de *la Terre*, dont les paysans ne sont pas plus vrais que ceux de George Sand, s'exhale une odeur sensuelle, un trouble physique dont la force est indéniable. *L'Œuvre*, le plus soigné de ses romans, celui où, utilisant ses souvenirs de Manet et Cézanne, il a tenté de tracer une psychologie d'artiste, n'échappe point aux critiques habituelles : la fatalité physique qui pèse sur Claude et Christine affaiblit l'intérêt de l'intrigue, et on partage la révolte de Cézanne devant l'absurdité du dénoûment ; malgré ces réserves, *l'Œuvre* demeure probablement celui des livres de Zola qui rebute le moins le lecteur actuel. Moins assurément que la *Débâcle*, récit de la chute de l'Empire, de la guerre et de la Commune, où, à travers mille longueurs, le roman naturaliste se change en épopée boueuse.

Zola est un visionnaire : il faut toujours en revenir là, pour expliquer ses faiblesses comme pour rendre hommage à sa puissance. Cette hantise imaginative, encore contenue dans les *Rougon-Macquart*, il devait plus tard lui donner libre cours dans les *Trois Villes* et la série inachevée des *Quatre Évangiles*. Il avait toujours pensé que certaines idées politiques étaient l'inséparable corollaire des principes scientifiques auxquels il croyait. Dès 1892, Edmond de Goncourt notait son désir d'agir sur la foule plus directement qu'en écrivain. L'affaire Dreyfus devait lui fournir l'occasion d'une œuvre de propagande où l'observateur et l'expérimentateur s'effacèrent enfin devant le visionnaire romantique sur lequel Zola n'avait, au fond, jamais pu donner le change ni aux autres ni peut-être à lui-même.

§ 5. — Guy de Maupassant

« Maupassant est un très remarquable novelliere, un très charmant conteur de nouvelles, mais un styliste, un grand écrivain, non, non ! » Quelles que soient les rancunes qui ont inspiré cette phrase à Edmond de Goncourt, et même si on l'accuse à cette date (9 janvier 1892) d'une jalouse cruauté, il n'en faut pas moins avouer que la postérité a en somme ratifié ce jugement. Si, du vivant de Maupassant, le succès de ses romans éclipsa parfois celui des nouvelles, le novelliere a pris une ample revanche depuis et nul ne lui conteste sa place parmi les grands conteurs français.

Il est impossible de passer sous silence les influences qui

ont aidé le talent de Maupassant à dégager très tôt son originalité. Il naquit en Normandie, y passa toute son enfance, y prit l'habitude d'observer minutieusement les personnages pittoresques qui l'entouraient, de collectionner les types et les anecdotes dans sa mémoire où il retrouva plus tard, nullement déformés, ces matériaux de son œuvre. On ne saurait trop insister sur ce point. Maupassant est l'un des écrivains qui ont le plus protesté contre toute ingérence de la critique dans sa vie personnelle ; il allait jusqu'à refuser de livrer son portrait au public ; néanmoins la plupart de ses récits sont des descriptions fidèles de ses propres expériences ou de rapports recueillis par lui. Son enfance en Haute Normandie, ses passages comme employé aux ministères de la Marine et de l'Instruction publique, ses voyages en France et à l'étranger, ses inquiétudes devant la maladie menaçante ont marqué fortement une œuvre qu'il voulait strictement impersonnelle.

C'est un lieu commun que de rappeler l'influence de Flaubert sur Maupassant qui n'était d'ailleurs ni son neveu, ni son filleul, mais qui fut en effet le plus fidèle disciple de « l'irréprochable maître ». Flaubert voulut faire bénéficier le jeune homme de son expérience, il l'associa à ses recherches pour la documentation de *Bouvard et Pécuchet ;* il le contraignit, « en pion », à la dure discipline du style, lui apprenant à aller faire un tour dans la campagne, à regarder un arbre jusqu'à ce qu'il lui apparût différent de tous les autres arbres et, une fois rentré, à raconter en cent lignes ce qu'il avait vu. Mais on ne doit pas oublier que Maupassant avait subi aussi l'influence de Louis Bouilhet ; à trente ans il hésitait encore entre la poésie et le roman ; la même année il publia le volume intitulé *Des Vers* et dans *les Soirées de Médan*, la première de ses grandes nouvelles : *Boule de Suif*.

Le succès mit fin à ses indécisions et lui montra clairement sa voie. Flaubert déclarait que *Boule de Suif* était un chef-d'œuvre qui « écrasait » le reste du volume. *Des Vers* renfermait quelques poèmes ingénieux et robustes mais rien n'y décelait une originalité poétique. Au contraire, *Boule de Suif* révélait de si rares qualités d'observateur inflexible, de narrateur sobre et puissant que cette nouvelle rendit célèbre le nom du débutant. Maupassant entrait dans la vie littéraire, ainsi qu'il l'a dit lui-même, « en météore ». Sûr de lui, il publia, pendant les dix années qui suivirent, une foule de nouvelles parues d'abord dans les journaux, réunies aussitôt en recueils, où la vie des paysans normands, des filles, des petits bourgeois, des étudiants, était peinte avec une fidélité si crue qu'elle provoquait parfois les protestations de ceux qui avaient servi de modèles au conteur. Les héros de *la Maison Tellier*, de *Mlle Fifi*, des *Contes de la Bécasse*, de *Miss Harriett*, des *Sœurs Rondoli*, défilaient devant les yeux du lecteur sous un éclairage si habilement impersonnel que cet art paraissait seulement la reproduction de la réalité, qu'on oubliait le style tant il semblait naturel et que depuis lors plus d'un écrivain étranger, de Tchekhov à Galsworthy, a trouvé dans ces récits des modèles de composition.

Dans le même temps, Maupassant inaugurait avec *Une Vie* et *Bel-Ami* la série de ses romans. Il y apportait la même inspiration et les mêmes dons : *Une Vie*, fidèle à son épigraphe, « l'humble vérité », racontait le calvaire d'une femme qui, torturée par son mari, puis par son fils, retrouvait chez ceux qu'elle révérait le plus les mêmes faiblesses et les mêmes tares ; *Bel-Ami* étalait le cynisme égoïste de l'homme à femmes. Maupassant amplifiait sa manière dans ces livres qu'on pouvait considérer comme formés de plusieurs nouvelles adroitement unies ; la psychologie y demeurait assez extérieure à l'œuvre, la pitié restait plutôt sous-entendue qu'exprimée. Fier d'une fécondité en apparence inépuisable (quatre volumes en 1884, cinq en 1885), Maupassant donnait l'impression d'une force naturelle, d'un robuste pommier normand qui porte régulièrement ses fruits.

Tous ses lecteurs pourtant n'étaient pas également satisfaits. Une lettre de Taine, du 2 mars 1882 (1), en fournit le témoignage. Après avoir loué le jeune talent de Maupassant, « à beaucoup d'égards le vrai et l'unique successeur de Flaubert », Taine dénonçait, avec autant de clairvoyance que de tact, les deux points faibles de ses œuvres. D'abord le choix des personnages : « Il ne me reste qu'à vous prier d'ajouter à vos observations une autre série d'observations. Vous peignez des paysans, des petits bourgeois, des ouvriers, des étudiants et des filles. Vous peindrez sans doute un jour la classe cultivée, la haute bourgeoisie... A mon sens la civilisation est une puissance. » On voit comment Taine indiquait délicatement ce qu'offraient d'incomplet les ouvrages qui, prétendant « mirer » toute la vie, en peignaient surtout les aspects jusqu'alors voilés ou dédaignés.

La seconde critique de Taine ne touchait pas moins juste. Maupassant se targuait d'impartialité ; seul un observateur superficiel pouvait le croire sur parole. Par le choix de ses héros, par son insistance sur les laideurs de la vie, il prenait parti. Taine l'en avertissait, lui refusant le bénéfice de l'équivoque : « Une seconde remarque, poursuivait-il, est que le point de vue critique et pessimiste est, comme tout point de vue, arbitraire... *En famille* est cruellement vrai ; mais si nous revenions de Bulgarie, ou même de Sicile, l'horreur et le dégoût feraient place à l'estime et peut-être à l'admiration ; nous trouverions très belle une famille où l'on vole si peu et où l'on ne tue pas. Tout jugement dépend de l'idéal qu'on s'est fait ; vous placez le vôtre très haut, de là vos sévérités. Notre grand maître Balzac était plus indulgent parce qu'il procédait par la sympathie... » Interprétons ces dernières lignes : au travers d'inévitables précautions oratoires Taine invitait Maupassant

(1) Déjà citée p. 20 ; cette lettre a été publiée dans la *Revue des Deux Mondes* du 15 octobre 1920, par Louis Barthou qui a, maintes fois, servi les lettres en délicat collectionneur-critique.

à s'affranchir de toutes les influences qui pesaient sur lui, voire même celle de Flaubert, à prendre pour son modèle la vaste création de Balzac, à transformer enfin son naturalisme étroit en un réalisme plus compréhensif.

Ces conseils de Taine contribuèrent-ils à l'évolution de Maupassant, ou ne la faut-il attribuer qu'au progrès de sa seule réflexion ? Quoi qu'il en soit, l'évolution se produisit — dans le sens indiqué par le critique-philosophe. Si Maupassant ne renonça jamais à exploiter la veine du novelliere impassible, si *Toine*, *Yvette* et *la Main gauche* continuèrent *la Maison Tellier* et *Mlle Fifi*, une autre inspiration apparut qui lui suggéra des œuvres assez différentes des premières. Le roman de *Mont-Oriol*, simple histoire d'amour, où l'auteur avoue une émotion jusqu'alors soigneusement contenue, marque cette époque de transition. Dépouillant son attitude de détachement serein, Maupassant y confiait au lecteur certains aveux personnels, sur cette passion de la solitude, notamment, qu'il devait encore célébrer dans *Sur l'eau*.

En 1888, il publia *Pierre et Jean* qui est, historiquement, son œuvre la plus significative puisque les deux tendances s'y heurtent. Le roman est en effet précédé d'une préface où les idées exposées « entraîneraient plutôt la critique du genre d'étude psychologique entrepris dans *Pierre et Jean* ». Après avoir constaté l'impossibilité de donner du roman une définition qui convienne à la fois à *Don Quichotte*, à *le Rouge et le Noir*, à *Salammbô* et à *Monte-Cristo*, Maupassant étudie les deux genres opposés du roman psychologique et du roman objectif ; il affirme qu'on trouve dans le roman réaliste un gain en vie et en sincérité et que « les réalistes de talent devraient s'appeler plutôt des illusionnistes » car « le réaliste, s'il est un artiste, cherchera, non pas à nous montrer la photographie banale de la vie, mais à nous en donner la vision plus complète, plus saisissante, plus probante que la réalité même ». Par cette liberté en face de la vérité qu'il prétend corriger au nom de la vraisemblance, par sa revendication du pouvoir de choix que possède l'artiste, Maupassant se sépare de Zola ; il s'oppose aux Goncourt par son amour du style clair, en répudiant « le vocabulaire bizarre, compliqué, nombreux et chinois qu'on nous impose aujourd'hui sous le nom d'écriture artiste ».

Et, ces principes posés, il écrit un roman psychologique. Le drame de *Pierre et Jean*, où l'aîné des deux frères découvre peu à peu que le cadet n'est que son demi-frère, se passe tout entier dans la conscience de la mère et de ses deux fils. Les deux derniers romans de Maupassant accentuèrent encore cette évolution ; un nouveau public, celui que n'avait point conquis *Ce cochon de Morin*, se laissait toucher par l'amertume de *Fort comme la Mort* et la sobriété tragique de *Notre Cœur*. Par la psychologie Maupassant s'évadait du réalisme.

Il y échappait encore par une autre voie. Les historiens de la littérature n'auraient pas le droit d'insister sur la cruelle maladie où devait sombrer la raison de Maupassant (1) si elle n'avait laissé dans son œuvre des traces profondes. On a signalé qu'une douzaine au moins de ses nouvelles traitaient le même sujet : l'horreur de la mort et le sentiment de la peur, la peur irrésistible qui est « comme une décomposition de l'âme », dit-il dans la nouvelle intitulée *la Peur*. Bien plus, dans trois nouvelles, *Lui* (1884), *le Horla* (1887), *Qui sait ?* (1890), il s'est servi de ses propres expériences pour étudier la perte de la personnalité et l'hallucination, y retraçant des phénomènes sur lesquels on a pu mettre des noms médicaux. Ici nous entrons en plein fantastique, depuis l'autoscopie externe jusqu'à la folie pure : jamais pourtant son art ne fut plus âprement, plus impitoyablement précis que dans ces descriptions de l'invisible, de l'inexistant, des fantômes évoqués par un cerveau dément, angoissant mélange de lucidité et de délire. Quelle

(1) Pour tout ce qu'il est nécessaire de savoir à ce sujet, voir EDOUARD MAYNIAL, *la Vie et l'Œuvre de Guy de Maupassant*.

qu'ait été l'horreur de sa ruine physique, la suprême déchéance lui a été épargnée : « Je ne veux pas me survivre, disait-il à un ami, en novembre 1891. Je suis entré dans la vie littéraire comme un météore, j'en sortirai comme un coup de foudre. » Ce vœu-là, du moins, fut exaucé : que le reste soit silence.

§ 6. — J.-K. Huysmans

C'est à Joris Karl Huysmans que s'applique le mieux l'épigramme de Thibaudet sur les naturalistes : « La plus médiocre de leurs œuvres, c'est assurément eux-mêmes. » Aucun rapport, en effet, sinon d'ironique contraste, entre la vie bourgeoise de Huysmans, chef de bureau à l'Instruction publique, et les évocations furibondes qui emplissent ses livres. Si un goût persistant, acharné, pour la traduction en images et en phrases concrètes des réalités les plus spirituelles a permis de classer jusqu'au bout Huysmans parmi les naturalistes, on doit aussitôt ajouter que nul ne fut moins objectif. Toute son œuvre enregistre le déroulement d'une imagination matérielle forcenée, les fureurs d'un Verhaeren qu'aucune poésie n'a libéré, qui n'a jamais connu d' « heures claires », qui n'a pu s'élever jusqu'à contempler « la multiple splendeur ».

Ses premières œuvres révèlent le déséquilibre qui menace toute création naturaliste : *le Drageoir aux épices* n'y échappe pas plus que *les Sœurs Vatard*. *En ménage*, le plus important de ses romans naturalistes, le démontre abondamment. Huysmans y a prétendu peindre la vie contemporaine par l'histoire de deux amis : un écrivain, André, et un peintre, Cyprien. André, personnage assez falot (« il avait été sans interruption passable, il avait été M. Tout le monde ») épouse une femme, Berthe, qui le vaut sensiblement. L'ayant surprise avec un amant, il réussit à reprendre sa liberté qu'il aliène aussitôt aux mains d'une vieille bonne, puis d'une fille, enfin d'une ancienne maîtresse retrouvée. Lorsque celle-ci l'a lâché il ne lui reste d'autre recours que de rappeler Berthe de chez les grotesques parents où elle attendait. Cyprien pendant ce temps a, lui aussi, succombé, victime d'un vulgaire « collage » et formule la conclusion : « Au fond, le concubinage et le mariage se valent puisqu'ils nous ont, l'un et l'autre, débarrassés des préoccupations artistiques et des tristesses charnelles. Plus de talent et de la santé, quel rêve ! » Le pessimisme, latent chez Zola, s'affirme ici. Huysmans déclare bien, par endroits, que la vie moderne a des beautés inconnues : cela demeure une profession de foi théorique. Ce qui suinte de tout le livre, c'est la misanthropie, la haine pour ce monde incurablement vulgaire, laid et bête : « Ce n'est pas mauvais d'être vidés comme nous le sommes, murmure Cyprien, car maintenant que toutes les concessions sont faites, peut-être bien que l'éternelle bêtise de l'humanité voudra de nous. » Le roman naturaliste serait-il donc un perpétuel recommencement de *Bouvard et Pécuchet*, une machine de guerre par où l'artiste se venge ?

Conscient de cette faillite en face de la société de son temps, Huysmans en accusait le romantisme : « Ah ! si tous tant que nous sommes, nous n'étions pas gangrenés par le romantisme ; si, au lieu de guérir notre infection, nous ne nous bornions pas à la blanchir, nous verrions bien d'autres beautés modernes qui nous échappent ! » Ce romantique-naturaliste en fut réduit à l'évasion : il produisit ainsi son livre le plus curieux, *A rebours*, vitrail de réalisme flamboyant. Son héros, Des Esseintes, est persuadé de cette vérité que « la nature a fait son temps, elle a définitivement lassé, par la dégoûtante uniformité de ses paysages et de ses ciels, l'attentive patience des raffinés » ; il importe donc de « substituer le rêve de la réalité à la réalité même ». Des Esseintes se crée un paradis artificiel, déconcertant mélange d'ingéniosité et de puérilité. Il appelle à lui tous les excitants, se donne des symphonies de couleurs, de pierreries, de liqueurs, de parfums, de maquillages, de fleurs, dont il chérit surtout les naturelles qui ont l'air artificielles, de musiques, n'admettant que celles « qui triturent ses nerfs » ; une heure à la Bodega lui tient lieu de voyage à Londres ; un aquarium l'aide à transfigurer sa salle à manger en illusion maritime. La peinture, avec Gustave Moreau, lui est un précieux adjuvant. Plus encore, la littérature : la latine qu'il fait commencer à Pétrone ; la française dont il retient Villon, quelques orateurs sacrés et écrivains théologiques, quelques modernes enfin, Baudelaire, Barbey d'Aurevilly, Flaubert, Goncourt, Zola, Villiers de l'Isle-Adam, Verlaine, Corbière et Mallarmé ; encore salue-t-il dans les derniers une décadence, non une aurore. Il atteint son triomphe suprême le jour où son médecin lui ordonne un lavement nourrissant à la peptone, y voyant « une décisive insulte jetée à la vieille nature ». Bref apogée ; condamné à reprendre la vie normale, Des Esseintes rentre à Paris sans autre espoir de salut contre « le raz de marée de la médiocrité humaine » que la lueur dans son âme de la croyance en une vie future.

A rebours marque le point tournant dans la vie et l'œuvre de Huysmans : tout le livre est traversé d'appels au catholicisme. Il se sent attiré par les subtilités et les arguties des doctrines théologiques, il leur trouve une communauté avec ses spéculations excentriques ; il aime les monuments catholiques, les meubles et les vêtements ecclésiastiques. Seule la médiocrité humaine forme encore obstacle entre la foi et lui : les « bondieuseries du quartier Saint-Sulpice » lui lèvent le cœur ; il est exaspéré par la langue des écrivains catholiques, « cette langue blanche, ce flux de la phrase qu'aucun astringent n'arrête ». Il se débat donc et, pour échapper à la religion, se jette dans la magie qui en est la parodie sacrilège ; mais la messe noire de *Là-bas* n'est qu'une étape dans la voie marquée.

Depuis lors les ouvrages de Huysmans, ouvrages aux titres significatifs, ne furent plus que la description fidèle du chemin suivi jusqu'à la conversion totale. De ce point de vue, *En route* et *l'Oblat* apportent au psychologue des renseignements utiles ;

Huysmans donna encore maintes preuves de son zèle par des récits de sainteté ou des études de monuments religieux ; son dernier livre fut dédié à la glorification de Lourdes et, comparé à celui de Zola, montre la route parcourue par chacun de ces deux naturalistes depuis *les Soirées de Médan*. Un intérêt plus vif s'attache à *la Cathédrale*. Le protagoniste, Durtal-Huysmans, y confesse littérairement son horreur de la vie provinciale, ses révoltes devant la banalité de certains prêtres, ses repentirs humiliés. *La Cathédrale* offre aussi une peinture vivante du monde ecclésiastique, depuis l'abbé Gévresin, habile directeur de conscience, et le savant abbé Plomb, jusqu'à la sainte simplicité de Mme Bavoil et aux commérages niais « de la bourgeoisie dévote où se recrute la fleur des pharisiennes ». Et surtout ce livre renferme une description, sans cesse amoureusement reprise, à la fois littérale et symbolique, complétée par des comparaisons multiples avec les autres cathédrales françaises, du chef-d'œuvre de l'architecture médiévale, de Notre-Dame de Chartres que Huysmans, même si on peut le chicaner sur certaines interprétations archéologiques, a réussi à évoquer vivante dans un prestige d'envoûtement sacré.

Car, si courte que soit la pensée de Huysmans, si enfantine qu'apparaisse sa conception du monde, le style sauve toujours son œuvre de la médiocrité. Dans la littérature moderne il estimait par-dessus tout « le style tacheté et superbe des Goncourt et le style faisandé de Verlaine et de Mallarmé » ; son style personnel est à la mesure de ses admirations. Violent, chargé de détails matériels, avec de brusques rebondissements sarcastiques, il demeure toujours également imaginatif ; on peut le détester, mais qui le goûte y trouvera rarement une défaillance car il s'impose à l'écrivain, aussi concret et verveux, à propos des sujets les plus divers. Voici un tableau de genre : « Presque guillerets, ils passèrent pour se livrer au sommeil, ce symbole de la mort, comme l'appelait M. Désableau, dans leur chambre à coucher et, là, après avoir remonté sa montre, le mari se débarrassa de son habit et de son gilet, et montra un dos qu'écartelaient d'une croix de Saint-André deux bretelles roses. » (*En ménage*, p. 99.) Voici un commentaire artistique : « Seul, en effet, le XVIIIe siècle a su envelopper la femme d'une atmosphère vicieuse, contournant les meubles selon la forme de ses charmes, imitant les contractions de ses plaisirs, les volutes de ses spasmes, avec les ondulations, les tortillements du bois et du cuivre, épiçant la langueur sucrée de la blonde, par son décor vif et clair, atténuant le goût salé de la brune par des tapisseries aux tons douceâtres, aqueux, presque insapides. » (*A rebours*, p. 87.) Voici une description psychologique : « Le bilan qu'il pouvait établir de sa personne se soldait par des dégâts intérieurs et d'intimes noises ; si l'âme était gourde et contuse, l'esprit n'était ni moins endolori, ni moins recru. Il paraissait s'être émoussé. Ces biographies de saints que Durtal projetait d'écrire, elles gisaient à l'état d'esquisses, s'effumaient dès qu'il s'agissait de les fixer. » (*La Cathédrale*, p. 111.) Même si les livres de Huysmans devaient tomber dans l'oubli public, les lettrés s'y attarderaient toujours comme à ces auteurs de la décadence latine qu'il aima si passionnément (1).

§ 7. — Jules Renard

D'un point de vue strictement chronologique on s'étonnerait que le nom de JULES RENARD suive immédiatement celui de Huysmans. Mais nous avons vu que le naturalisme aboutissait toujours à une évasion hors du naturalisme : la peinture brute de la vérité nue, les Goncourt y échappent par leur mobilité impressionniste, Daudet par la fraîcheur de sa fantaisie provençale, Zola par son imagination lyrique, Maupassant par la psychologie et le fantastique, Huysmans par un art où le

(1) A preuve les *Entretiens sur J.-K. Huysmans* de FRÉDÉRIC LEFÈVRE et le *J.-K. Huysmans et son œuvre* d'ANDRÉ THÉRIVE.

« faire » importe infiniment plus que le « motif ». Je ne saurais mieux compléter cette démonstration qu'en étudiant le naturalisme épigrammatique de Jules Renard.

La qualité par où s'impose d'abord Jules Renard est la loyauté. Cette vertu de conscience a un double aspect, positif et négatif. Elle explique la forme adoptée par lui, son souci du fini. Elle explique aussi son refus de généraliser aucune expérience, sa volonté, peignant les paysans, de ne jamais outrepasser ce qu'il avait vu, de seulement « reproduire quelques traits de cette figure farouche et primitive, à peine douloureuse et plutôt rassurante ». Son œuvre de romancier et d'essayiste est assez brève ; ce qu'il en avait publié était moindre encore : il n'avait pas donné au public son premier roman, *les Cloportes*, qui est déjà le livre de son village, où s'attestent sa haine des intrigues romanesques et son désir d'affiner jusqu'à la perfection l'écriture artiste des Goncourt. *L'Œil clair* est aussi une publication posthume ; on y trouve réunis, à côté de fragments plus négligeables, des documents où l'artiste se définit familièrement, où il nous met, par exemple, en garde contre « l'entraînement professionnel de l'humoriste », où nous voyons agir l'écrivain, le campagnard et le républicain dans une triple unité. Il faut en citer plus particulièrement les curieuses *Lettres à l'Amie*, mélange de subtilités et de brutalités également stylisées jusqu'au tarabiscotage, avec leurs alternatives d'abandon et d'ironie à soi-même impitoyable, où lui-même note un de ses traits caractéristiques : « une sorte de délicatesse à rebours ».

Cette « délicatesse à rebours » qui l'empêchait d'épargner à Daudet l'effort douloureux de ramasser sa canne afin de ne point augmenter la gêne morale que causait cette peine physique, Jules Renard l'a portée dans toute son œuvre (1). Il reste encore du romantique en Jules Renard, si l'on considère

(1) Par elle s'explique sa volonté de créer une « littérature contre la littérature », selon l'heureuse formule de Léon Guichard dans son importante thèse sur *L'Œuvre et l'Ame de Jules Renard* (1864-1910).

comme une marque du romantique l'incapacité d'accepter la vie simplement et sans adopter en face d'elle une attitude concertée. Cela apparaît déjà dans *l'Écornifleur* où le récit pousse son allure de détachement hautain jusqu'à l'invraisemblance. La clairvoyance sur soi-même tourne à l'aigreur ; cette prétendue confession devient une planche d'anatomie pessimiste. Le héros, faux homme de lettres, faux ami, faux amant, demeure en tout un écornifleur. Mais est-il bien naturel qu'il dévoile ainsi son parasitisme? Des mots à ironie double comme : « le bourgeois est celui qui n'a pas mes idées », ou : « ai-je fait mes frais ? je ne me rappelle pas avoir été au-dessous de moi-même » jurent un peu dans la bouche d'un aussi piètre individu. Les personnages secondaires paraissent plus vrais : M. Vernet qui n'est peut-être qu'un Lepic enrichi et béat, Mme Vernet, bourgeoise sentimentale, et leur nièce Marguerite qui s'éveille si curieusement. Mais quelle que soit l'habileté de la description de la petite plage normande, ce livre si court n'est pas exempt de longueurs ; surtout il est trop visiblement un exercice, une construction sur le thème littéraire fourni par les Goncourt : « A céder, un parasite qui a déjà servi. »

Poil de Carotte est l'ouvrage le plus célèbre de Jules Renard. L'humoriste n'en est pas absent, qui donne le coup de pouce aux mots de ses personnages, ni le styliste épris de raffinement. Mais ce livre, où l'observation est si drue qu'on hésite à l'appeler un roman, vaut par la création d'un type et l'évocation d'un milieu. En Poil de Carotte, si vite devenu populaire, Jules Renard a tracé le portrait de l'enfant malheureux et maladroit, opprimé à divers degrés par une mère acariâtre, un père égoïste, un frère et une sœur profiteurs. L'image aurait risqué de tomber dans le conventionnel : elle demeure admirablement véridique parce que, en contre-partie, elle implique chez Poil de Carotte une série de sournoises revanches ; victime de sa famille, il n'est pas un enfant martyr, littérairement idéalisé ; il est rusé, peureux, aussi cruel envers les bêtes que ses parents le sont envers lui ; le drame reste latent, le pessimisme inexprimé, le comique rétablit l'équilibre sain. Non que l'analyse abdique jamais : avec une pointe d'outrance caricaturale, Mme Lepic est terriblement vraie ; rien ne nous est dissimulé des dessous malpropres de la pension Saint-Marc. Mais une fois de plus se reconnaît en ce livre le pouvoir de suggestion que possèdent les lignes rigides ; de cette description réaliste émane un mystère : le caractère le plus fouillé et le plus original du livre, M. Lepic, n'est pas une énigme pour son fils seulement ; en lui comme en Poil de Carotte, d'étranges choses confuses s'agitent dont ils ne réussiront jamais à prendre conscience ; mais sous les phrases ridicules qu'ils prononcent, cela prête à leurs entretiens une manière de poésie rudimentaire qui force finalement l'émotion.

Cette poésie particulière à Jules Renard, poésie à rebours comme sa délicatesse, se retrouve dans un ouvrage qui présente réunis les divers aspects de son talent, *le Vigneron dans sa vigne*. Il y confesse ses croyances personnelles, son sincère amour du peuple paysan qui ne l'aveugle pourtant pas sur les différences entre eux et lui ; *les Tablettes d'Éloi* renferment le plus vigoureux réquisitoire contre les hypocrisies de la vie moderne et prêchent, par l'exemple, la nécessité d'un examen de conscience impitoyable. *Le Vigneron* offre maints traits d'observation aisée, de ces dialogues campagnards, plus stylisés que ceux de Maupassant, qui ont fait le succès de *Ragotte ;* il contient des notes de voyage pleines de croquis prestement enlevés et d'exercices de virtuosité verbale. Il s'achève par des *Histoires naturelles* qui sont les plus parfaites réussites de l'auteur, l'aboutissement logique de son idéal littéraire. Comme les Goncourt qu'il admirait, Jules Renard en effet s'est mis tout entier au service de son art : non qu'il y vît, à la manière romantique, un sacerdoce ; mais il trouvait une beauté et une grandeur dans les vertus de conscience et de discipline qu'exige chez un honnête homme le titre d'écrivain : « Oui, homme de lettres, écrit-il dans *le Vigneron.* Je le serai jusqu'à ma mort... Et si, par hasard, je suis éternel, je ferai, durant l'éternité, de la littérature. Et jamais je ne me fatigue d'en faire, et toujours j'en fais, et je me f... du reste, comme le vigneron qui trépigne dans sa cuve. »

Le sujet même des *Histoires naturelles* enferme l'écrivain dans les limites exactes que Jules Renard a voulues : observer un objet et le rendre ; art de peintre si l'on veut, mais de peintre littéraire qui doit évoquer plutôt que représenter. Toute l'œuvre de Jules Renard tend vers cette simplification parce qu'il vise à cette simplicité : offrir de la nature et des hommes des apparences de photographies instantanées qui expriment à la fois l'objet et la réaction du cerveau. Le procédé le plus commode est celui qui ajoute à la description une image littérale : « Ce soir, le soleil couchant est d'un jaune malpropre. On dirait qu'il a mangé de l'œuf. » Un pas de plus et la comparaison va s'élargir : « La verdure de ces jardins réjouit mon œil comme l'étalage d'une coutellerie. Sur toutes ces pointes appliquons-nous à lancer des anneaux. » Avançant encore, Jules Renard supprime tous les rapports qui sous-tendent deux idées : « — Ah! je respire ici ! — Oui, c'est le climat préféré des scrofuleux. » Enfin, suprême raffinement, l'idée intellectuelle prend cette forme concrète : « Je n'écris que d'après nature et j'essuie mes plumes sur un caniche vivant. » Le succès de ce réalisme épigrammatique est l'impossibilité pour le lecteur de décider où finit la pensée et où commence l'image tant elles sont engagées l'une dans l'autre.

On conçoit que les portraits d'animaux aient offert une matière adéquate à tous ses dons d'humour, de fantaisie, de précision et de patience : car cette illusion d'instantané est le prix d'une longue gestation inconsciente et d'un labeur méthodique. Pittoresque et poésie sont les deux qualités des *Histoires naturelles* et Maurice Ravel ne s'est pas trompé en découvrant à ces proses si achevées une valeur de suggestion musicale. Sur un instrument qu'on eût pu croire monotone, Jules Renard joue des airs subtilement variés. Il passe de la satire comique *(la Pintade)* au calembour inattendu *(les Fourmis)*, au lyrisme mi-railleur, mi-sincère, du *Cygne ;* de la mystification *(le Serpent)* ou du raccourci évocateur (*le Cafard* « noir et collé comme un trou de serrure ») aux grands tableaux ordonnés *(la Vache)* et à la plus fraîche poésie : « Je ne respirais plus, tout fier d'être pris pour un arbre par un martin-pêcheur. Et je suis sûr qu'il ne s'est pas envolé de peur, mais qu'il a cru qu'il ne faisait que passer d'une branche à une autre. » *(Le Martin-Pêcheur.)* Lorsqu'il atteint à une telle perfection, l'art de Jules Renard évoque le souvenir des estampes japonaises où un animal, un arbre, une branche fait tout le tableau, comblant l'esprit d'une mystérieuse joie ; l'influence des Goncourt aidant le penchant naturel de son génie, Jules Renard a évité le naturalisme de Zola pour rejoindre le réalisme d'Hokusaï.

Enfin, et surtout peut-être, Jules Renard nous a légué un témoignage incomparable, ce *Journal* qui constitue un véritable film de la vie littéraire de 1887 à 1910. Ce n'est pas seulement, en effet, un recueil de portraits verveux et d'anecdotes pittoresques ; il fourmille de jugements et de comparaisons qui stimulent l'esprit en même temps qu'ils l'éclairent ; il apporte les plus précieuses confidences sur la méthode de Jules Renard. « Je regarde la nature, écrit-il, jusqu'à ce qu'il me semble que tout pousse en moi » : n'évoque-t-il point ainsi la communion passionnée avec son objet qui est la première démarche du grand artiste ? Car il se gardait bien de confondre cet effort de vivante sympathie avec l'observation intéressée et la recherche documentaire : « Me traite-t-on assez d'observateur ! proteste-t-il. Et rien ne m'ennuie autant que d'observer. » Trois jours plus tôt, il nous livrait cet admirable aveu que devraient méditer tous les écrivains qui bâtissent des romans à coups de raisonnements : « Je sens que je deviens de plus en plus artiste et de moins en moins intelligent. Certaines choses que je comprenais, je ne les comprends plus, et, à chaque instant, de nouvelles m'émeuvent. »

Sans doute la vie de Jules Renard, si jalousement dédiée à l'expression littéraire, représente-t-elle un cas limite, celui de l'Écrivain avec une majuscule. Lui-même, dans une heure de découragement, admettait que ce *Journal* ne pourrait être lu que par son fils et encore à la condition que ce fils eût « l'âme trouble de l'homme de lettres. » Pourtant, qui n'approuve Carlyle d'avoir consacré un chapitre de son *Culte des Héros* au « héros comme homme de lettres » ? Les biographes de Mallarmé, commentant son abnégation devant son œuvre, ont parlé d'une sorte de sainteté. Ne mérite-t-il pas une égale louange celui qui déclarait avec une si pudique justesse : « ces notes sont ma prière quotidienne » ?

D'un autre point de vue encore, le *Journal* est significatif. Pour dévoué qu'il fût à son art, Jules Renard n'a point cru que le devoir de l'intellectuel était de se réfugier dans une tour d'ivoire pour s'abstenir de participer à la lutte quand s'affrontaient le juste et l'injuste. On ne saurait relire sans une profonde émotion les lignes indignées qu'il écrivit, en février 1898, en apprenant la condamnation de Zola : « A partir de ce soir, je tiens à la République qui m'inspire un respect, une tendresse que je ne me connaissais pas. Je déclare que le mot Justice est le plus beau de la langue des hommes, et qu'il faut pleurer si les hommes ne le connaissent plus. » Quand il accepta de collaborer à *l'Humanité* de Jaurès, Renard ne faisait que tenir l'engagement qu'il avait pris envers lui-même, six ans plus tôt, dans son *Journal*. Qui oserait accuser d'égoïsme ce généreux serviteur d'un idéal ?

Au reste, il était trop clairvoyant pour ne pas apprécier l'immense valeur de cet examen de conscience quotidien « C'est tout de même ce que j'aurai fait de mieux et de plus utile dans ma vie », disait-il après avoir relu quelques pages de ce

Journal. Car il y apportait dans tous les domaines l'incoercible loyauté qui lui faisait écrire à propos des polémiques théâtrales : « Il ne faut pas que l'auteur s'en tire toujours en disant que le critique ne comprend jamais. » Le lecteur le plus indifférent à l'histoire littéraire recueillerait encore dans le *Journal* une belle moisson pour enrichir son esprit et son âme. Comment n'aimerait-il pas l'exigeante sincérité de Jules Renard, son mépris des équivoques, sa volonté de totale franchise ? Elle s'exprime dans ses cruelles boutades aussi bien que dans les douloureux aveux qui rappellent le Baudelaire de *Mon cœur mis à nu.* Quant à ces milliers de « prises de vues » sur les êtres et sur la nature qui comptent parmi les merveilles de la prose française, il suffit de dire qu'elles justifient amplement cette phrase du *Journal :* « Je ramasse tout ce que les hommes de lettres laissent perdre de la vie et ça fait de la beauté. »

§ 8. — Le naturalisme au théâtre

Pour des raisons évidentes c'est surtout dans le roman que le naturalisme a triomphé. En poésie on peut tout au plus retrouver son influence dans les tableaux familiers de Coppée et d'Aicard. Mais il a fait un grand effort pour conquérir le théâtre et, s'il a échoué, du moins cette tentative a-t-elle laissé quelques traces que l'on ne saurait dédaigner.

La scène française continuait d'être alimentée par les écrivains qui avaient obtenu leurs premiers succès sous le second Empire. J'ai parlé déjà du théâtre en vers. La comédie gaie était représentée par MEILHAC et HALÉVY et, avec une verve plus fine, mais moins jaillissante, par ÉDOUARD PAILLERON dont *le Monde où l'on s'ennuie* accommode *les Femmes savantes* au goût des salons de 1880. Avec une habileté très souple, VICTORIEN SARDOU triompha dans la comédie amusante comme dans le drame, voire même le mélodrame : il ne prétendit qu'à intéresser le public et y réussit. Les deux maîtres du théâtre jusqu'en 1880 restèrent Émile Augier et Alexandre Dumas fils.

Le contraste entre ces deux rivaux, qui ne furent pourtant pas sans s'influencer mutuellement, est passé en lieu commun. L'un et l'autre réalisèrent assez bien la pièce bourgeoise, la comédie sérieuse, telle que l'avait conçue Diderot, mais avec des idées et par des moyens souvent opposés. AUGIER ne tenta jamais de scandaliser la bonne bourgeoisie à laquelle il appartenait ; sans doute après la période de tâtonnements, de pastiches néo-classiques, avait-il renoncé à l'héritage de Ponsard et abordé le genre de la comédie de mœurs. Mais il persistait dans son conservatisme, dans la défense de la famille, du foyer, de la tradition, que menaçaient, lui semblait-il, la dissolution des mœurs, l'effronterie contemporaine et la blague qui sapait insidieusement l'ordre établi. Il mena sa lutte en des pièces solides, bien charpentées, sans verve excessive, intéressantes par ces qualités de saine pondération mais où l'uniformité provoque assez vite l'ennui. Augier s'adressait au public moyen : celui-ci a besoin que les vérités qu'il considère comme éternelles lui soient redites à chaque génération dans la langue exacte de son temps. N'ayant point visé à retenir l'attention du lecteur curieux qu'aucun obstacle ne rebutera dans l'œuvre où il a découvert quelque originalité, Augier a passé tout entier avec son auditoire.

Il n'en est point de même pour DUMAS. Avec une fougueuse ardeur, il s'est attaqué à tous les préjugés que flattait Augier ; même lorsqu'il eut abjuré le romantisme flamboyant de *la Dame aux Camélias*, il garda toujours quelques traits du prédicateur, qui aime appeler le péché par son nom et le décrire avant de le flétrir. Au théâtre il prétendit poursuivre une croisade, prêchant la sainteté de l'amour sous toutes ses formes, l'égalité de la femme et de l'homme, le caractère sacré de l'union, la lâcheté des mille hypocrisies qui n'empruntent de la vraie passion que son masque. Hanté par ses propres visions, il tourna vers la fin au prophète apocalyptique. Si *Une Visite de noces* forme un acte réaliste assez réussi, *la Femme de Claude* n'est guère qu'un sermon porté à la scène. Malgré tous ses défauts, ceux qui aiment qu'un écrivain soit d'abord un tempérament original pardonneront beaucoup à Dumas à cause d'un certain goût du paradoxe dans le fond et la forme qui empêche son œuvre de trop vieillir. Si les saillies brutales, les mots à l'emporte-pièce grâce auxquels Dumas domptait les résistances de son public, nous paraissent aujourd'hui artificiels, si les longues tirades où il se substitue à ses protagonistes nous agacent par leur invraisemblance, la lecture des pièces de Dumas — et surtout de leurs truculentes préfaces — reste néanmoins très amusante, au point de donner parfois une impression de vie que ne confirme point toujours la représentation.

Cette comédie sociale de Dumas et d'Augier ne constituait pas un théâtre naturaliste. Les romanciers naturalistes estimèrent qu'il était indispensable de faire triompher leurs théories sur la scène comme dans le roman : nul ne leur paraissait mieux qualifié qu'eux-mêmes pour cette entreprise. Il est de fait que l'idée du théâtre les a hantés : tour à tour Goncourt, Zola, Daudet, Maupassant et Renard s'y sont essayés ; *l'Arlésienne* a joui d'une faveur durable qu'elle doit à des qualités sentimentales sans rien de proprement réaliste ; une fois dépouillées de l'imagination qui sous la forme romanesque dissimulait leur indigence, les intrigues des pièces de Zola n'ont fourni que de piteux mélodrames, très inférieurs à ceux de d'Ennery. Seuls *Poil de Carotte* et *le Pain de ménage* se sont imposés incontestablement grâce au souple talent de Jules Renard.

Un nom de véritable écrivain théâtral marque pourtant l'époque réaliste, celui d'Henry Becque. Après avoir été injustement repoussé de toutes les scènes, le théâtre de Becque a été exalté assez inconsidérément. Becque a laissé deux pièces importantes : *les Corbeaux*, où la veuve d'un industriel se débat parmi les fripons avec ses trois filles dont l'une est réduite à épouser le pire gredin ; *la Parisienne*, qui montre comment une petite bourgeoise peut vivre sereinement entre son mari et son amant. Intéressantes, ces deux pièces le sont surtout par leur arbitraire, par une manière de stylisation à rebours. Becque élimine tout parti pris, il transporte au théâtre des scènes de vie quotidienne minutieusement observées et cruellement reproduites ; il réduit l'intrigue à un rôle de simple lien. Mais ici encore il y a choix : la vie réelle n'a pas cette méchanceté soutenue ni cette égalité de platitude qu'il lui prête ; son point de vue amer se révèle dans la férocité de certains mots, dans le contraste entre les situations et les paroles de ses acteurs. L'art de Becque est indéniable : on en éprouve vite les limites.

Il y avait cependant pour le théâtre une leçon à retirer du mouvement naturaliste : Dumas et Augier étaient prisonniers de maintes conventions ; le besoin se faisait sentir d'un retour à la vérité. La création du Théâtre Libre répondit à cette nécessité : son fondateur, Antoine, fit appel aux auteurs de comédies « rosses » et de « tranches de vie ». Que ces exercices, utiles à l'origine en tant que réaction, soient vite devenus factices, que les auteurs qui, comme Georges Ancey, sont demeurés emprisonnés dans la formule du Théâtre Libre n'aient jamais produit une œuvre maîtresse, on n'en saurait disconvenir. Mais il ne faut pas oublier que c'est au Théâtre Libre qu'ont débuté Curel, Brieux, Courteline et d'autres qui devaient compter parmi les meilleurs dramaturges contemporains. Ici le naturalisme, contre-balançant l'influence romantique, a ouvert la porte à toutes les initiatives libres (1).

(1) On trouvera dans un excellent précis — *Le Naturalisme Français* de Pierre Martino — l'historique complet du mouvement naturaliste, accompagné de notes biographiques et bibliographiques. *Le Naturalisme* de Léon Deffoux offre une remarquable étude d'ensemble, appuyée sur de nombreuses citations.

CHAPITRE IV

LA RÉACTION ANTINATURALISTE

§ 1. — Les Influences. — Barbey d'Aurevilly

L'histoire littéraire s'accommode mal de démarcations brusques ; en les y introduisant pour la clarté du récit on ne doit pas perdre de vue qu'il y a toujours une manière de chevauchement entre deux époques successives. Une génération arrivée produit ses œuvres les plus caractéristiques dans le même temps où débute celle qui la doit supplanter. *Sapho* et *A rebours* paraissent en 1884, *Germinal* et *Bel-Ami* en 1885 : le roman semble être devenu le fief des naturalistes. Quatre ans après, Jules Huret pourra ouvrir une enquête sur le déclin du naturalisme. Pendant les dix années que couvre la carrière de Maupassant des influences s'étaient exercées, des œuvres s'étaient accomplies, qui avaient profondément modifié la mentalité des écrivains et du public.

Il existe dans l'effort de la plupart des penseurs une période en quelque sorte négative, durant laquelle ils déblayent le terrain et cherchent le sol résistant où fonder leur vérité : dans cette première partie de leur travail, Taine et Renan avaient, jusqu'à un certain point, pu paraître les alliés des réalistes. Mais lorsque la question se posa pour chacun de construire son propre édifice dogmatique (il n'est pas besoin de forcer les mots pour parler du dogmatisme de Renan), on vit que l'auteur des *Origines* et celui du *Prêtre de Némi* n'avaient de commun avec Zola que quelques ennemis. De même pour Stendhal que certains naturalistes avaient cru s'annexer : ses admirateurs eurent bientôt démêlé que chez lui le psychologue l'emportait infiniment sur le réaliste, que son œuvre était moins un tableau de mœurs françaises ou italiennes que l'inlassable analyse abstraite des mouvements secrets du cœur humain.

Limité au seul Stendhal, ce revirement eût été taxé de superficiel, attribué à certaines ressemblances entre Julien Sorel ou Fabrice del Dongo et les adolescents d'un autre lendemain de guerre. Mais tous les signes s'accordaient à montrer que les descriptions extérieures des naturalistes avaient lassé, qu'elles provoquaient un retour vers ces psychologues qui avaient étudié l'âme et ses ressorts, les conflits intérieurs, de préférence aux décors collectifs. *Adolphe*, *Obermann*, tous les héros de la méditation solitaire, jouirent d'un regain d'actualité. En 1883-84 parurent les deux volumes du *Journal intime* d'Henri-Frédéric Amiel. Malgré les protestations de Brunetière qui dépistait le vieil ennemi romantique dans cet observateur minutieux, acharné, quasi maladif, de sa propre conscience, maints contemporains retrouvèrent là l'écho de leurs propres préoccupations, une image fidèle de la crise spirituelle qu'ils traversaient. Paul Bourget traduit ainsi leur impression : « Comme Taine et comme Renan, Amiel fut imbu des idées germaniques et tenta de les accommoder aux exigences de son éducation toute latine. Comme Stendhal, comme Flaubert, comme tant d'autres moins illustres, il subit les conséquences de l'abus de l'esprit d'analyse. Comme Leconte de Lisle et comme Baudelaire, il tenta de s enfuir dans le rêve, ayant trop souffert de l vie. »

Le premier acte de cette génération à qui Stendhal, Baudelaire, Amiel, avaient, par des voies différentes, enseigné le culte du moi, fut de rendre hommage à un écrivain jusqu'alors injustement méconnu. Quarante ans après la publication de son premier livre, Jules Barbey d'Aurevilly ne semblait rien de plus à Zola qu' « un grotesque de notre littérature..., une gargouille de sculpture grimaçante et très travaillée, sans humanité aucune d'ailleurs, perdue dans un coin de cathédrale ». Quelques années plus tard, Zola pouvait entendre la plupart des jeunes gens prononcer ce nom comme celui d'un maître respecté. Leur admiration s'adressait, d'ailleurs, comme la nôtre, plus encore à l'homme qu'à l'œuvre. Les écrits de Barbey ne justifient pas toujours, à première vue, sa renommée. Pour les apprécier pleinement il faut évoquer la silhouette du fier mousquetaire qui traversa le XIXe siècle en gentilhomme royaliste et catholique, toujours prêt à saluer du feutre et à défendre par la plume ou l'épée sa double foi, affermissant son chapeau sur sa tête quand passait le cortège d'un des faux dieux que son temps encensait. En une phrase heureuse, Lamartine l'avait surnommé « le duc de Guise de notre littérature ».

On s'explique mieux, lorsqu'on garde présente cette image de l'homme, que les préférences d'un lecteur contemporain n'aillent pas aux œuvres les plus travaillées de Barbey. Un mystère entoura longtemps ces poèmes que l'auteur gardait jalousement, n'en livrant que son intention de les intituler : *Poussières*. Titre qui ne nous paraît aujourd'hui que trop justifié : on y trouve tout l'héritage romantique, attitudes et gestes théâtraux, véhémence facilement oratoire ; les sentiments en sont peu variés : la conscience de la mortelle menace qui plane sur l'amour et une inflexible hauteur orgueilleuse en forment le monotone refrain. Il en est de même pour les poèmes en prose, avec ce bavard *Amaïdée*, écrit avant 1840, publié par Bourget en 1889, et qui ne mérite de vivre que par la note caractéristique que Barbey y ajouta alors : « Quand il écrivait ces pages, l'auteur ignorait tout de la vie. L'âme très enivrée alors de ses lectures et de ses rêves, il demandait aux efforts de l'orgueil humain ce que seuls peuvent et pourront éternellement — il l'a su depuis — deux pauvres morceaux de bois mis en croix. »

Quels que soient les mérites d'*Une Vieille Maîtresse*, de

l'Ensorcelée, du *Chevalier Destouches* et des *Diaboliques*, ce n'est point dans la fiction qu'excelle Barbey d'Aurevilly. Il a pris position à l'opposé du réalisme : « Qu'importe, écrit-il dans la préface de *l'Ensorcelée*, la vérité exacte, *pointillée*, méticuleuse des faits, pourvu que les horizons se reconnaissent ! » Malheureusement, s'il est affranchi du souci de copier servilement la réalité, il n'en est pas moins prisonnier de certains partis pris personnels. D'abord une haine méprisante contre « l'effroyable mouvement de la pensée moderne » ; dans ses romans la satire nuit au récit sans oser s'y substituer pleinement. Son catholicisme militant produit une autre rupture de l'équilibre artistique entre l'auteur et l'œuvre. Sans doute il s'est efforcé d'être impartial et complet : « L'auteur a usé de cette grande largeur catholique qui ne craint pas de toucher aux passions humaines lorsqu'il s'agit de faire trembler sur leurs suites. » Mais, chez lui comme chez Baudelaire, l'imagination a été surtout émue par le côté satanique qui est l'ombre de la pure lumière chrétienne : on comprend la fascination de l'orthodoxie conçue comme une route étroite, à gauche et à droite de laquelle nous guettent tous les péchés, dont le démon de l'orgueil, si invitant aux natures altières. Néanmoins, cette attitude qui prête une âcre arrière-douleur aux chants du poète ne va pas sans affecter de quelque monotonie les créations du romancier. Barbey enfin a entrepris la réhabilitation des chouans du Cotentin ; mais l'histoire ici intervient moins comme explication psychologique des personnages que comme prétexte à périodes oratoires : « Pendant que les Vendéens, ces hommes de la guerre de grande ligne, dorment, tranquilles et immortels, sous le mot que Napoléon a dit d'eux, et peuvent attendre, couverts par une telle épitaphe, l'historien qu'ils n'ont pas encore, les Chouans, ces soldats du buisson, n'ont rien, eux, qui les tire de l'obscurité et les préserve de l'insulte. » Alourdi par tant d'arrière-pensées, le récit ne s'anime guère que dans les passages tragiques où des héros mystérieux comme le chevalier Destouches, M. Jacques et l'abbé de la Croix-Jugan peuvent déployer toutes les violences de corsaires byroniens. Ailleurs il est trop manifeste que la personnalité de l'écrivain étouffe la vie de l'œuvre.

Ceux qui ont approché Barbey s'accordent sur ce point qu'il fut un merveilleux causeur. « Il n'a pas seulement le mot, disait Paul Bourget, il a le style dans le mot, et la métaphore, et la poésie. » Le charme sous lequel il tenait ses auditeurs, Barbey d'Aurevilly l'exerce encore sur les lecteurs de ses ouvrages de critique et d'analyse dont on a pu extraire une étincelante anthologie sous ce titre, *l'Esprit de Barbey d'Aurevilly*. Là, plus d'obstacle entre l'auteur et son public ; il se livre à nous dans son orgueilleuse humilité : « Un homme qui écrit doit prendre virilement et silencieusement son parti d'être jugé de travers. En défendant sa propre pensée, on défend toujours son amour-propre, et c'est inférieur, cela. L'homme y perd sa fierté. » Rien de plus légitime pour Barbey que cette distinction entre l'amour-propre et la fierté. Il revit sous nos yeux dans ce double idéal monastique et guerrier qui motivait son admiration pour Bossuet, lequel « relève sa soutane violette jusqu'au genou et marche militairement dans tous ses récits » et son indulgence envers Stendhal qui « avait gardé dans la pensée je ne sais quoi de militaire ». Quant au brillant causeur, on croit entendre sa voix dans les pages qu'il a consacrées à Brummel ou à Mme de Sévigné, « Elmire et Célimène » curieusement unies.

De plus cette partie de son œuvre demeure un précieux témoignage sur son époque. Sans doute ici encore ses partis pris jouent un rôle important et il méprise ce temps « qui trempe par un bout dans l'athéisme, par l'autre bout dans un christianisme ramolli ». Mais son propre catholicisme ne lui enlève aucune clairvoyance ; il note finement, à propos de Schopenhauer, qu'« il lui aura certainement plus servi d'avoir lu Chamfort que d'avoir médité sur Kant ». Parfois même la religion aiguise en lui une vision prophétique : en 1884, après *A rebours*, il offrait à Huysmans comme jadis à Baudelaire le dilemme du pistolet et de la croix. Sa haine contre le réalisme n'allait pas sans des différenciations fort justes : il savait et disait que « les Goncourt ne sont écrivains que pour la seule volupté de mettre une phrase qui brille, n'importe sur quoi ». Tout le poids de ses brutales attaques, il le réservait à Zola, « cet Hercule souillé qui remue le fumier d'Augias et qui y ajoute ». Dès 1877, il annonçait la mort du naturalisme, par épuisement, car « quelle marche d'infamie et de saletés resterait à descendre ?... La boue, ce n'est pas infini ». Cette défaite du naturalisme, ses livres et son influence personnelle y ont largement contribué ; Barbey d'Aurevilly a laissé une leçon et un exemple de très viril idéalisme ; nul portrait de lui ne serait plus fidèle que celui qu'il en a donné dans ces vers :

Je me nomme le Sagittaire !
Je suis né sous ce signe et je le mets partout !
Et dans ce monde inepte, ennuyeux et vulgaire,
J'aime à lancer ma flèche à tout.

§ 2. — L'idéalisme. — Villiers de l'Isle-Adam

Idéalisme militant, bien éloigné du prétendu « idéalisme » fade des romans d'Octave Feuillet : tel est aussi le trait dominant des ouvrages de VILLIERS DE L'ISLE-ADAM. Mais ici, pour attachante que soit la figure de l'écrivain, l'œuvre mérite de demeurer au premier plan, les goûts personnels de son auteur retenus seulement comme fils conducteurs qui permettront une étude plus vivante de ces livres touffus et harmonieux (1). Vue avec le recul nécessaire, l'œuvre de Villiers se présente donc comme une ample symphonie dont quelques motifs facilement

(1) Sur l'homme comme sur l'œuvre la meilleure étude est sans conteste le *Villiers de l'Isle-Adam* de MAX DAIREAUX.

discernables assurent la souple unité ; car eux-mêmes dérivent tous d'un accord unique et fondamental que, le dépouillant pour un instant de son multiple pouvoir de créations sonores, le critique pourrait formuler en ces trois affirmations : Breton, gentilhomme et catholique.

Les deux derniers termes de cette définition éliminent le souvenir du Breton Renan avec qui Villiers ne partage en effet que l'amour de la rêverie illimitée. Ils laissent subsister un rapprochement avec Chateaubriand dont Villiers est bien le successeur, leurs différences étant justifiées suffisamment par le déroulement entre eux du romantisme dont l'un fut le premier, l'autre le dernier grand prosateur. Hautain romantisme désabusé qui n'était peut-être pour Chateaubriand qu'une attitude empruntée, mais qui a pénétré l'âme de Villiers, idéal auquel il a prêté tout le raffinement de son génie avant de l'ensevelir sous les cryptes du burg d'Auërsperg.

Lui-même est sorti victorieux de cette tentation, sauvé par sa foi. On peut discuter le catholicisme de Chateaubriand ; celui de Villiers est inexpugnable ; il a médité les paroles de l'archidiacre d'*Axël* : « Je la crois douée du don terrible, l'Intelligence. — Alors qu'elle tremble, si elle ne devient pas une sainte ! La rêverie a perdu tant d'âmes. » Le péché d'orgueil peut frapper de stérilité l'œuvre la plus féconde en son origine : sa religion l'en protège ; elle met au centre de ses aspirations mystiques une certitude, elle maintient humaine une satire du monde moderne qui eût risqué de verser dans le forcené monotone.

De toutes ses forces Villiers a détesté l'univers qui l'entourait et où ni les idéals qu'il servait ni lui-même ne trouvaient la place qui leur était due. Il avait gardé un sens très vif de sa noblesse, et revendiquait fièrement sa qualité de gentilhomme, tantôt dans le silence mystique de son Axël, tantôt à la façon du commandeur Kaspar qui « prononce ce mot presque à tout propos, comme un bourgeois ». Or, la société égalitaire, pratique et sceptique parmi laquelle il vivait incarnait précisément le triomphe apparent de ce qu'il tenait pour du « Nul ». On conçoit qu'il l'ait bafouée sans merci dès qu'il eut dégagé son originalité. Ses premières poésies, malgré la sincérité de leur appel chrétien :

Comme un dernier flambeau gardons au moins la Croix

n'étaient, avec leurs épigraphes tirées de Shakespeare et du *Faust*, que des imitations adroites de Musset, Vigny et Lamartine. Le vers ne se prêtait ni aux grands élans ni aux âpres vengeances distillées qu'il méditait ; il se créa son instrument, une prose poétique dont la musique a tour à tour des duretés marmoréennes et des suavités de roses effeuillées. Ironiste, il fit porter tout le poids de ces périodes graves, lourdes comme des lances féodales, contre les vices contemporains ; somptueusement il ridiculisa la croyance à l'égalité et au talent général ; avec un tragique humour il montra « de quelle atroce tristesse est fait le rire moderne » ; longuement il stigmatisa « la sentimentalité moderne », fouaillant sans relâche « une espèce où le dépérissement de toute foi, de tous désintéressés enthousiasmes, de tout amour noble ou sacré, menace de devenir endémique. » Ainsi que dans un champ clos, il heurta son romantisme argumentatif contre « tout le clinquant intellectuel de la science » dont se réclament les éternels philistins. Ses haines, il leur donna un corps dans ce qu'il a défini « une bouffonnerie énorme et sombre, couleur du siècle », *Tribulat Bonhomet* dont le héros, professeur agrégé de physiologie, qui tue les cygnes pour ouïr leur chant de mort, est « un de ces élus de la vie qui se sentent le corps lesté, l'esprit éclectique, le cœur à jamais libre, les convictions éventuelles — et la conscience vacante ». Sans doute dans ce portrait de « l'archétype de son siècle » le trait est parfois trop appuyé ; Villiers s'emporte, on reconnaît que dans la littérature anglaise qu'il aimait il a goûté plutôt la rhétorique et les invectives de Byron que le pur lyrisme de Shelley. Mais souvent, qans les *Contes*, dans *les Demoiselles de Bienfilâtre* ou *l'Amour sublime*, l'ironie procède par sous-entendus, l'art s'affine et la flèche invisible, reconnaissable à sa seule vibration indignée, atteint l'adversaire en plein cœur.

Cela n'est que l'aspect négatif du génie de Villiers. S'il détruit, c'est au nom d'une construction : il nie la prétendue réalité parce qu'il croit à tout l'incorporel. Accoutumée aux régions mystérieuses où les rapports habituels desserrent ces concaténations qui ne sont adamantines que pour leurs dupes, une imagination vraiment catholique se meut avec aisance dans l'inexpliqué. Il n'est pas nécessaire d'invoquer l'influence d'Edgar Poe pour justifier la fascination sur Villiers de certains sujets macabres ou baroques, dignes cadres des phénomènes étranges qui surgissent dans la brume indécise aux confins du monde connu. L'énigmatique *Claire Lenoir* et de nombreux contes relèvent de cette inspiration. Sa position à cet égard, Villiers l'a très précisément définie dans une des histoires de *l'Amour suprême :* « Je ne parle ici qu'au seul point de vue de la foi chrétienne, ne reconnaissant la valeur d'aucun autre point de vue, d'ailleurs, en cette question, comme en toutes autres. » Mais il estimait aussi que le catholicisme ne doit point redouter de suivre la science sur les plus bizarres terrains où il lui plaît de s'aventurer. Ainsi justifiait-il intellectuellement son goût pour l'occultisme ou pour les phénomènes de dépersonnalisation. *L'Ève future* est le plus imposant témoignage de cet effort. « J'interprète, dit-il dans sa préface, une légende moderne au mieux de l'œuvre d'art métaphysique dont j'ai conçu l'idée. » L'une des héroïnes, Alicia, exemple de « non-correspondance du physique et de l'intellectuel », est « atteinte de ce prétendu bon sens négatif dérisoire qui rétrécit simplement toutes choses ». Edison entreprend d'« ôter cette âme de ce corps », de « tirer la vivante à un second exemplaire » incarné dans l'Andréide Hadaly. Ici Villiers utilise les progrès de cette science dont il a si souvent dénoncé la vanité ; et brusquement, par un de ces retours où le génie s'atteste en signifiant plus qu'il ne dit ,il rend hommage à la splendeur de son Ennemie : « Vous avez, dit Ewald à Edison, un genre de positivisme à faire pâlir l'imaginaire des Mille et une Nuits. »

Car Villiers ne refuse aucune des voies qui mènent à l'affranchissement. Sans doute il convient, dans ses nombreux contes, de faire la part de tout ce qui, simples récits de voyage, parodies momentanées, polémiques sur des événements du temps, a vieilli déjà. On peut négliger certaines histoires qui sont uniquement cruelles ou insolites ; même ainsi, il en reste assez qui demeurent indiscutablement souveraines : hallucination de *Vera*, grandiose fresque comme l'*Impatience de la foule*, délicate analyse d'orgueil et de spiritualité de *l'Amour suprême*, symbole harmonieux de l'*Aventure de Tsé-i-la*. Parmi les purs chefs-d'œuvre figurent indéracinablement les poétiques nouvelles où Villiers a réalisé le suprême idéal exprimé dans *la Maison du bonheur :* « Oh ! s'exiler en quelque nuptiale demeure, pour sauver du désastre de leurs jours au moins un automne, une délicieuse échappée de bonheur aux teintes adorablement fanées, nue mélancolique embellie ! » Dans cette veine nul récit ne dépasse *Akédysséril* où, dans un décor prestigieux, parmi toutes les magnificences de l'orgueil, de la gloire, de la beauté, du mystère, Villiers a chanté en une prose orchestrale le plus profond désir de son cœur : transcender la vie, être fixé par la mort dans l'attitude sublime du plein amour.

Dans tout écrivain romantique se débat un orateur emprisonné. La forme théâtrale — plus exactement, parce que moins rigoureusement, la forme dialoguée — ne pouvait manquer de séduire Villiers. Il l'avait tentée avec *la Révolte*, altière revendication, dans l'exaltation et dans les larmes, des droits imprescriptibles du Rêve, pièce en un acte après laquelle *Maison de Poupée* semble bien fade. Il y revint avec le *Nouveau Monde* (drame tout spécial puisque composé en vue d'un concours) où pourtant apparaissent quelques-uns de ses thèmes favoris : « conception littéraire » du caractère de Mistress Andrews, légende sinistrement fantastique des Evandale, éloquente rêverie de Lord Cecil au dernier acte. Dès 1865, le troisième acte d'*Elën* avait prouvé l'intensité dramatique où pouvait atteindre ce rêveur hégélien ; mais tout disparaît dans le rayonnement de sa création suprême, du féerique *Axël*.

Axël n'est pas seulement l'œuvre la plus caractéristique et la plus complète de Villiers de l'Isle-Adam : c'est encore la dernière expression du romantisme européen, le *Faust* du XIXe siècle finissant. Mais, entre Gœthe et Villiers, Wagner s'est interposé. Maints passages des *Contes* montrent combien le triomphe du grand musicien avait parlé à l'imagination de Villiers : Wagner, dont la volonté tenace avait brisé tous les obstacles et conquis son Bayreuth, représentait la revanche de l'artiste sur un monde ennemi de l'art. Les proportions gigantesques des ouvrages qui provoquaient vers son temple bavarois l'enthousiaste exode des pèlerins accentuaient encore la portée de cette victoire. *Axël* garde un reflet de cette inspiration : Axël et Sara, ayant subi comme les héros de la *Tétralogie* l'épreuve de l'amour et de l'or, meurent comme mourraient Tristan et Isolde s'ils osaient éterniser leur extase du 2e acte. Mais en son chef-d'œuvre ésotérique, Villiers n'est pas écrasé par cette comparaison avec le maître du philtre et de l'anneau. Son œuvre demeure intensément personnelle : l'antithèse entre Axël qui incarne tout ce qu'il aime et Kaspar en qui revit tout ce qu'il déteste, le parallélisme qui met face à face le renonciateur et la renonciatrice, l'ineffable sérénité de la scène finale où les amants, affranchis de leurs deux vêtements corporels, retrouvent leur âme qui est une seule âme purifiée, ces motifs de l'ultime symphonie, glorification du Rêve jusqu'au point où l'esprit est incapable de le décider « inhumain ou surhumain », on les a entendus résonner dans toute l'œuvre de Villiers. S'ils semblent parfois nouveaux, ils doivent ce privilège à la forme définitive dont le poète les a revêtus : « Sur votre visage toujours pâle brille le reflet d'on ne sait quel orgueil ancien... Vous serez la fiancée amère de ce soir nuptial... Les années, ce sont des souffles, et nous sommes les feuilles qu'elles emportent... Cendres, je suis la veille de ce que vous êtes... » Admirables harmonies qui communiquent à l'âme un ébranlement sacré aussi enivrant que les plus parfaites pages de Wagner. On sait que Villiers doutait du dénouement d'*Axël*, craignant qu'il n'apparût point satisfaisant à l'orthodoxie : scrupules de conscience justifiés ou non, — du point de vue de l'Art, un tel final couronne dignement l'œuvre de celui qui écrivit : « Moi, je ne daigne punir les gouffres — qu'avec mes ailes. »

§ 3. — Le Roman psychologique, Paul Bourget

L'évolution littéraire de PAUL BOURGET s'est déroulée avec cette régularité consciencieuse qu'on observe aussi dans chacun de ses livres. Esprit ouvert à de multiples influences mais préoccupé d'ordre et de clarté, son analyse a toujours prétendu pousser jusqu'en leurs dernières conséquences systématiques les pensées des maîtres qu'il se choisissait. Son œuvre a toujours comporté, plus ou moins ouvertement, une part didactique. Sa récompense fut de se trouver considéré, à deux étapes de son développement, comme le guide d'une partie de l'opinion française, sans que ceux-là qui refusaient de le suivre missent jamais en doute son dessein d'honnêteté.

Paul Bourget a débuté par plusieurs volumes de vers, influencés par Musset, Baudelaire et l'idée qu'on se faisait vers 1875 des Lakistes anglais. Leur valeur poétique est assez mince, leur intérêt psychologique très grand. Bourget s'efforçait d'y concilier son admiration pour le flamboyant de Byron et de Barbey d'Aurevilly, avec son goût personnel d'analyse minutieuse appliquée à la vie moderne. Les titres des deux premiers recueils — *Au bord de la mer* et *la Vie inquiète* —

résument assez bien cette dualité, son désir de découvrir sous la vie mondaine la plus factice une base psychologique profonde. Besogne de désenchevêtrement dont le poème s'accommode mal : aussi *Edel* est-il déjà une manière de roman. Le vers n'a guère été pour Bourget qu'un moyen de préciser par la netteté rythmique ses conclusions sur l'état d'esprit de sa génération débutante :

> Je suis un homme né sur le tard d'une race,
> Et mon âme, à la fois exaspérée et lasse
> Sur qui tous les aïeux pèsent étrangement,
> Mêle le scepticisme à l'attendrissement.

Cette enquête, il la poursuivit sous la forme d'études critiques ; les *Essais de Psychologie contemporaine* inaugurèrent la série d'ouvrages de recherches et de mises au point qui forme dans son œuvre totale une chaîne continue, parallèle à celle des romans et des nouvelles : discussions théoriques et fictions se rejoignent dans l'unité d'une doctrine qui donne à cette œuvre française une allure, familière aux écrivains anglais, de *criticism of life*. Dès ces essais de 1883, Bourget fixe son attitude envers les maîtres de la jeunesse contemporaine. En les étudiant il se définit lui-même avec les trois influences essentielles qui ont agi sur lui, qui ont déterminé, en se contrariant ou en s'unissant, la courbe de son développement : Baudelaire dont il alourdit l'inquiétude raffinée et les aspirations mystiques ; Stendhal, le précurseur des analyses psychologiques les plus fouillées ; Taine enfin, représentant d'un positivisme nourri de faits et ambitieux de larges synthèses constructrices. Bourget n'aura rien à renier de ce triple enseignement pour s'affirmer successivement romancier psychologique, romancier social, catholique et conservateur.

Les premiers romans de Bourget le montrent à la recherche de son expression personnelle. Il a choisi le roman, comme il l'écrit au subtil Henry James, parce que cet art est « le plus moderne de tous, le plus souple, le plus capable de s'accommoder aux nécessités variées de chaque nature humaine », ajoutant que « les lois imposées au romancier par les diverses esthétiques se ramènent en définitive à une seule : donner une impression personnelle de la Vie ». *Cruelle Énigme* cependant ne remplit pas tout l'objet que lui assigne cette préface : malgré certains nuancés délicats dans l'observation, cette psychologie mondaine manque d'originalité, tient de l'exercice ingénieux plutôt que d'une nécessité du cœur humain. De même les *Profils perdus* qui représentent « l'indéfini, c'est-à-dire le possible, c'est-à-dire la réparation de la douloureuse réalité », et *Crime d'Amour* et *Mensonges* ont prêté quelque vraisemblance à l'image conventionnelle d'un Bourget snob, désireux avant tout de se concilier les suffrages d'un auditoire élégant. Contre cette mièvrerie, *André Cornélis*, « planche d'anatomie morale », réagissait avec une rigueur qui dépassait la mesure : transporter dans un milieu contemporain le drame de Hamlet pour l'étudier à la loupe, avec un déploiement de science puérile, cette affectation donnait à l'ouvrage un air d'arbitraire dont il était facile de sourire.

De cette période de tâtonnements Bourget sortit définitivement avec le premier de ses grands romans, *le Disciple.* Ce livre a été âprement discuté, certains admirateurs actuels de Bourget n'ayant pas été des moins ardents à le lui reprocher. Il demeure pourtant représentatif, aussi indispensable que *l'Étape* à l'intelligence de son auteur : il commande un carrefour de la pensée de Bourget, résumant les idées qui avaient dominé son esprit pendant vingt ans, annonçant celles qui allaient désormais prendre l'ascendant. La préface a la gravité d'accent d'un moraliste sur qui pèsent des responsabilités incalculables : elle s'adresse aux jeunes hommes nés au lendemain de la guerre, dont l'écrivain voudrait mériter la confiance et l'amour. Au seuil de ce roman hardi qu'on a maladroitement accusé d'immoralité et de défi, Bourget exhorte son jeune frère au sérieux et à l'idéal. Il dénonce, au même titre de périls nationaux, le suffrage universel, le *struggle-for-lifer* et le nihiliste délicat. Prêche un peu confus d'orateur animé d'une sincère bonne volonté, mais qui ne distingue pas toujours les réalités essentielles et les manifestations passagères qu'a grossies son analyse. Il importe de souligner cette profession de foi : elle laisse voir à plein l'honnêteté convaincue qui est la plus haute caractéristique de Bourget, et aussi sa tendance à édifier sur des bases fragiles, sur des rapprochements artificiels, l'édifice où il enfermera un homme, voire une société entière.

Le récit confirme cette impression de malaise. Les deux figures principales, celles du philosophe moderne Adrien Sixte (qui est un Taine romancé) et de son disciple Robert Greslou, sont étudiées avec une abondance et une persévérance parfois lourdes, mais à la longue puissantes et effectives, cette réserve faite que le lecteur ne sait plus démêler si de tels personnages vivent par leur propre relief, ou par la volonté obstinée de l'écrivain. Il en va de même pour le conflit psychologique très exceptionnel et dont on peut douter qu'il présente la signification cruciale que l'auteur lui attribue. L'œuvre manque d'équilibre : la complaisance de Bourget pour les milieux aristocratiques qu'il décrit affadit un peu les théories contre-révolutionnaires qu'il a empruntées à Taine et qui ne gagnent point à être dépouillées de la vie combative que leur donne l'atmosphère agressive de l'*Ancien Régime ;* dans sa déformation des principes du Spinoza moderne, le « disciple » se montre ou trop ingénieux ou trop naïf pour satisfaire soit les partisans, soit les adversaires du philosophe. *Le Disciple* manifeste déjà la coexistence en Bourget d'un effort sympathique pour appréhender loyalement la pensée de son contradicteur et d'une incapacité fondamentale à y totalement réussir.

Le Disciple s'achève sur un appel qui, sous son apparence d'hypothèse, affirme déjà une foi : « Tu ne me chercherais pas si tu ne m'avais trouvé. » Bourget cite la phrase de Pascal, qu'il dit admirable et qui l'est doublement puisqu'elle exprime à la fois qu'aux convaincus tout est sujet de conviction et que ceux-là qui n'ont rien trouvé encore ne se mettent pas en route pour chercher. Effrayé lui-même des conséquences où pouvait entraîner le positivisme qu'il avait décrit — et partiellement imaginé — Bourget ne voit de secours certain que dans le retour à la religion chrétienne qu'il associe déjà aux idées d'ordre et de hiérarchie. Bientôt, avec *Cosmopolis*, il parut revenir à ses premiers romans de psychologie mondaine : ce n'était qu'une apparence ; en son esprit le travail se poursuivait qui devait le conduire au doctrinarisme de *l'Étape*. Car si la clarté de l'exposition nous force à distinguer dans le temps deux Bourget, il n'y a bien eu dans la durée vivante qu'une seule pensée évoluant vers la demeure marquée dès 1889.

§ 4. — Maurice Barrès et le culte du Moi

« Je dois tout à cette logique supérieure d'un arbre cherchant la lumière et cédant avec une sincérité parfaite à sa nécessité intérieure » : ainsi Barrès déclinait-il hautainement les éloges de ceux qui félicitaient l'écrivain du *Culte du Moi* d'avoir évolué pour devenir l'auteur du *Roman de l'Énergie nationale*. Néanmoins, dans le travail d'examen personnel auquel il s'était soumis, Barrès, répondant encore à René Doumic, distinguait deux moments : « Ayant longuement creusé l'idée du « moi » avec la seule méthode des poètes et des mystiques, par l'observation intérieure, je descendis parmi des sables sans résistance jusqu'à trouver au fond et pour support la collectivité. » Si l'on ajoute que cette enquête coïncida avec une crise de la conscience française, laquelle précipita au moins l'affirmation explicite de la seconde réalité que découvrit Barrès, on gardera le droit d'étudier successivement en lui, selon l'ordre où ils se sont révélés, l'individualiste et le nationaliste.

« Je n'ai jamais écrit qu'un livre, *un Homme libre*, et, à 24 ans, j'y indiquais tout ce que j'ai développé depuis. » Barrès y reprenait même des idées déjà exprimées puisque *Un Homme libre* est la deuxième des idéologies passionnées qui composent la trilogie du *Culte du Moi :* ce titre équivoque a valu à l'écrivain des adhésions, des attaques et des parodies souvent injustifiées dans la forme, presque toujours significatives néanmoins, car elles reflétaient les réactions instinctives d'une conscience humaine devant une autre conscience intimement dévoilée. Résolument égotiste, Maurice Barrès a connu l'altière satisfaction de se voir adoré ou détesté sans raison raisonnée, selon l'attraction ou l'agacement que ses confessions stylisées excitaient en chaque lecteur. Et pourtant ces livres du premier Barrès réservent la jouissance la plus aiguë à qui sait les aborder en égal, sans rien farder de leur orgueil, sans mésestimer sa propre capacité de comprendre.

Sous l'œil des Barbares raconte la naissance violente d'une personnalité : « tout le livre c'est la lutte de Philippe pour se maintenir au milieu des Barbares qui veulent le plier à leur image ». Le moi est l'unique réalité, puisqu'il crée l'univers. Quiconque s'oppose à la libre croissance d'un être est impardonnable. Au moi qui se cherche, toutes les armes sont permises, le mépris étant la plus efficace. Affirmation d'un individualisme effréné ? Non, car ce droit à véritablement vivre entraîne un devoir sacré ; il y a nécessité impérieuse de se trouver. La génération dont Barrès est le porte-parole se révolte contre l'idée pseudo-scientifique que l'on peut penser en gros et par masses. Chacun doit se découvrir irréductible aux autres : le héros de *Sous l'œil des Barbares* ne parvient point encore à concilier l'action, son désir d'idéologie et son goût de « tâter le pouls aux émotions ». Son individualisme n'entend point être anarchie ; il vise à la sérénité de Gœthe. Il n'atteint que rarement à ces cimes ; il faiblit, perd pied, avoue sa lassitude, sa peur. Parfois même il semble près de sombrer dans le nihilisme dilettante, probablement l'unique tentation qui ait sérieusement menacé la pensée de Barrès ; il capitule dans le silence : « Nos mots, qui sont des empreintes d'efforts, évoqueraient-ils la furtive félicité de cette âme en dissolution, heureuse parce qu'elle ne sentait que le moins possible ? »

Ce n'était là qu'une coquetterie : Barrès s'est toujours senti assez sûr de sa force pour goûter le charme d'évoquer dans son œuvre les vies qui se défont, trait persistant d'une intelligence inlassablement curieuse qui éperonne une sensibilité assez courte. Barrès s'est efforcé à toutes les époques de maintenir l'équilibre entre ce qu'il devait à sa doctrine inflexible et ce qu'il devait à la souplesse de la vie. En 1904, ajoutant une préface à son *Homme libre*, il le jugeait ainsi : « J'ai péché contre ma pensée par trop de scrupule. J'ai craint d'introduire mon didactisme en supplément aux faits... En 1890, je sentais mon abondance, je ne me possédais pas comme un être intelligible et cerné. » Déclarations qui ne sont contradictoires qu'en apparence, le didactisme étant chez lui un mouvement spontané, la vraie sensibilité de cette intelligence. *L'Homme libre* maintient le terrain conquis : « C'est en m'aimant infiniment, c'est en m'embrassant que j'embrasserai les choses et les redresserai selon mon rêve. » L'homme libre s'est défini son but : « sentir le plus possible pour analyser le plus possible » ; il y atteindra par une discipline. Il la cherche dans des retraites spirituelles, dans des méditations, véritables exercices d'ascétisme intellectuel où le soutiennent ses intercesseurs : Loyola, le maître psychologue ; Constant, « dilettante et fanatique » ; le Sainte-Beuve de *Volupté*. Il veut comprendre la Lorraine et sentir Venise qui lui livreront, l'une après l'autre, les clefs de ce « moi » qu'il assiège.

Dans sa certitude de victoire, il s'accorde les vacances d'un feint éparpillement : en réalité il ne touche à rien qui ne le ramène à la conquête de son égotisme. Dans la comparaison avec ses divers maîtres, de Disraëli à Renan, il se fortifie ; il s'accroît de tous les résultats qu'ont obtenus ses amis : mysticisme de Guaïta, éloquence de Jules Tellier, analyses de Bourget.

« Une force s'était amassée en moi, dit-il au seuil du *Jardin de Bérénice*, dont je ne connaissais que le malaise qu'elle y mettait. » Malaise qui annonce une proche libération. Cette force, Philippe la dépense dans une activité politique nuancée d'idéologie et de sensualité mélancolique. Il s'accorde une retraite encore dans Aigues-Mortes, ville élue pour « sa consonnance d'une désolation incomparable ». Là, au sommet de la tour Constance, entre Bérénice, tendre rêveuse frêle, et son concurrent électoral, l'Adversaire sectaire et spécialiste, il retrouve dans sa netteté « l'idée de tradition, d'unité dans la succession ». La « pédagogie de Bérénice » l'amène définitivement à la pitié raffinée ; son contact avec les masses populaires lui fait franchir le dernier degré et lui révèle l'humanité. Le voyage d'exploration est achevé. Sénèque l'égotiste, malgré toute sa sympathie pour Lazare le fanatique, élit de servir les hommes et soi-même dans le refuge que lui constitue sa confortable aisance en attendant « qu'on organise quelque analogue aux ordres religieux qui, nés spontanément de la même oppression que nous avons décrite dans *Sous l'œil des Barbares* furent l'endroit où s'élaborèrent jadis les règles pratiques pour devenir *Un Homme libre* et où se forma cette admirable vision du divin dans le monde, que sous le nom plus moderne d'inconscient, Philippe retrouva dans le *Jardin de Bérénice* ».

L'Ennemi des lois résume ces expériences sous la forme « d'un livret sentimental et non point d'un manuel ». S'il paraît quelquefois marquer un recul, cela tient à ce que Barrès y parcourt à nouveau le chemin entier. Le progrès réalisé ici est surtout d'ordre littéraire : l'autobiographie n'étouffe plus la fiction ; avec tous ses heurts et ses digressions, *l'Ennemi des lois* est déjà un roman : même si on leur préfère la fuyante Bérénice, on reconnaîtra que Marina et Claire ne sont plus simplement des images féminines de leur auteur. De plus, les événements ont forcé le député boulangiste à élargir son enquête ; reliant habilement son récit au *Disciple* de Bourget, il tente une ample synthèse de la jeunesse contemporaine. Il interroge les maîtres de la sociologie ; il s'incorpore les rêves artistiques de Wagner et Louis II ; il inaugure son flirt avec le catholicisme, attitude voluptueuse de déférence sans soumission où il se complaît parce qu'elle atteste la maîtrise de soi. Surtout il dégage avec précision sa forme d'écrivain. Il crée le style Barrès.

Rien de plus malaisé à définir que ce style si on tente de l'étudier dans l'abstrait ; rien qui soit plus révélateur de l'homme dans l'œuvre. Il reflète ce paradoxe d'un écrivain pour qui l'idée est un excitant à sentir, pour qui la sensation n'est goûtée pleinement qu'avec le secours de l'intelligence ; si bien que sa réaction n'est complète que si elle est double. Dans les passages où l'accord ne se fait pas, la phrase de Barrès garde une sécheresse qui a choqué bien des lecteurs et qu'il essaie vainement de masquer sous un air d'ironie hautaine ou d'impertinente trivialité. L'imagination est le domaine où se concilient le mieux sa sensibilité intellectuelle et son intelligence sensitive : il excelle à prolonger ; dans un Saint-Simon il n'apprécie « pas tant la qualité des raisonnements que l'ampleur des rêveries ». Gêné dans la représentation des idées pures ou des simples mouvements du cœur, il triomphe dans l'arbitraire, dans un tableau de fantaisie inhumaine, comme celui qui termine *l'Ennemi des lois :* « Pour Marina, Claire et André, les autres mois existent au même degré que le leur, en sorte que les conditions du bonheur des autres se confondent avec les conditions du leur propre. Ils ne cassent pas les fleurs qu'ils aiment à respirer ; qu'elles souffrissent, cela diminuerait leur plaisir ; leur sensibilité affinée supprime toute immoralité. »

Cette aisance, cet extrême déliement, sont les qualités qu'il garde dans la peinture de la sensualité. Il déteste le naturalisme dont il a dit : « On prenait la grossièreté pour de la force, l'obscénité pour de la passion et des tableaux en trompe-l'œil pour des pages « grouillantes de vie ». Rien de plus opposé au ton stendhalien qui lui est spontané à propos des choses de la chair : il aime qu'une femme soit une belle proie et décrit complaisamment les magnifiques exotiques, telle la princesse Marina, qui, en cédant au désir des sens, offrent à l'imagination un butin fabuleux. Orgueil, et romantisme aussi : par delà Stendhal un écho de Chateaubriand, du grand désenchanté, achève en poésie voilée la phrase d'analyse détachée : « Dans le ton libertin du récit, il démêlait le goût de la mélancolie passionnée. »

Parlant de personnages humains, toujours résistants et limités, ce romantisme est contenu ; en face des paysages il s'épand en nappes plus libres. *Du Sang, de la Volupté et de la Mort* est le premier des récits de voyage où Barrès se livre plus complètement en prenant possession d'un lieu. Déjà il se manifeste maître de cette musique personnelle dont on retrouvera les accents dans les livres de sa maturité, brève phrase antithétique au final inoubliablement autoritaire : « [Tolède] est moins une ville, chose bruissante et pliée sur les commodités de la vie qu'un lieu significatif pour l'âme » ; longue phrase altièrement déroulée qui meurt en sonorités étouffées : « Pour qui possède le secret de faire parler les objets, Paris, marqué du sceau impérial de Balzac, donne des leçons de volonté ; mais Parme, tout imprégnée de Stendhal, est l'endroit du monde où s'abandonner au culte des sensations de l'âme. » Cadences magiques auxquelles se laisser charmer sans contrôle serait aussi dangereux qu'il eût été puéril de se rebuter aux rigueurs didactiques de *l'Homme libre*. Barrès, qui prépare *les Déracinés* où s'énoncera son dogmatisme, se défendra avec raison d'avoir changé : « Je n'accourus pas », dit-il, « soutenir des autels que j'avais ébranlés, mais soutenir les autels qui font le piédestal de ce moi auquel j'avais rendu un culte préalable et nécessaire. » Jusqu'au fort des royales émotions que son intelligence accorde à sa sensibilité artistique, Barrès étale fastueusement son incapacité romantique à s'évader de l'égoïsme et ravive d'une main délicate les plaisirs subtils d'une voluptueuse mélancolie. Parmi des fluctuations dont l'actualité exagéra souvent l'importance, il n'y a bien qu'un seul Barrès comme il n'y a qu'un seul Bourget ; mais peut-être convient-il de trouver le portrait achevé de Bourget dans *le Démon de Midi* qui date de 1914 et celui de Barrès dans le mélange d'âpre volonté et d'élusive ironie qui, dès 1891, fait du *Jardin de Bérénice* un précieux bréviaire de barrésisme.

§ 5. — Anatole France et la Fantaisie intellectuelle

Anatole France avait publié des études historiques et critiques, des volumes de poèmes et des récits quand, en 1881, *le Crime de Sylvestre Bonnard* le rendit célèbre. Sa période d'apprentissage était terminée, il avait une « manière ». De ses recherches érudites il conservait le goût de la précision absolue, celle qui exclut l'à peu près, la demi-exactitude ; *Jocaste et le Chat maigre* avérait déjà son souci d'un art de conteur qui cache l'art sous une simplicité sans rides ; les *Noces Corinthiennes*, qui rappellent — par delà Leconte de Lisle — la Grèce de Chénier, montraient le jeu, sous une forme limpide, de cette curiosité ; elle n'était pas moins séduite par la beauté du paganisme mourant que par l'ardeur du christianisme nouveau. Également éloigné du romantisme et du naturalisme, Anatole France incarnait ainsi la plus délicate culture de l'humanisme européen.

Dans *le Crime de Sylvestre Bonnard* et dans *le Livre de mon Ami*, il apparaissait avec une bonhomie souriante, qu'avivait, sous une politesse archaïque, une malice prompte à s'éveiller. Derrière la curiosité universellement accueillante, derrière l'acceptation amusée de son humble condition qu'il prêtait à Pierre Nozière, on distinguait facilement une coquetterie raffinée envers toutes les richesses de la vie dominées par la souveraineté d'un goût infaillible. Il évoquait des personnages à demi réels et se plaisait à les promener au fil de longues causeries sinueuses, nourries de toutes les cultures classiques, où par des méandres insensibles on passait des sujets les plus graves aux plus futiles, où le deuil s'ornait d'une rose, où la plaisanterie s'achevait en émotion discrète. C'était un perpétuel enchantement. Il souriait avec une indulgence que Renan n'avait connue qu'au terme d'une longue lutte, au prix d'un alourdissement sceptique et désabusé. Il contait avec l'aisance d'un Voltaire, dégagé de toute polémique, ayant désarmé son dard moqueur. Sa sobriété n'excluait pas la fantaisie : il souhaitait que sa tapisserie aux couleurs exquisement surannées fût rehaussée de quelques taches vives. Il prenait la défense des contes de fées, il faisait appel à l'imagination : « C'est elle, avec ses mensonges, qui sème toute beauté et toute vertu dans le monde. On n'est grand que par elle. » Curiosité de l'esprit, grâce accomplie de l'expression, qui saurait mieux que lui-même résumer cette philosophie ? « J'ai été enclin de tous temps à prendre la vie comme un spectacle. Je n'ai jamais été un véritable observateur ; car il faut à l'observation un système qui la dirige, et je n'ai point de système. L'observateur conduit sa vue ; le spectateur se laisse prendre par les yeux. Je suis né spectateur et je conserverai, je crois, toute ma vie, cette ingénuité des badauds de la grande ville que tout amuse et qui gardent, dans l'âge de l'ambition, la curiosité désintéressée des petits enfants. »

« Je n'ai point de système » : il le prouva dans *Thaïs* en les évoquant tous. Non point sous la forme hallucinée de la *Tentation de saint Antoine*, en un défilé de cauchemar épique, mais dans le décor séduisant du suprême alexandrinisme, qui autorise à présenter sur le même plan les vérités d'allure paradoxale et les paradoxes qui sont peut-être des vérités. Les exigences de sa pieuse entreprise heurtent tour à tour l'infortuné Paphnuce à Timoclès l'ascète, à Nicias le sceptique, à Dorion l'épicurien, à Eucrite le stoïcien, à Marcus l'arien, au bon sens romain de

Cotta, aux mille tentations du Malin, à l'injustice de la grâce divine. Car, si certaines pages de *Thaïs* annoncent déjà *le Jardin d'Épicure*, ce récit d'allure nonchalante reprend, après Voltaire et Renan, la critique du christianisme : d'un doigt délicat, France souligne la relativité des dogmes et les étranges interversions mystiques qui assurent le bonheur éternel à la courtisane et la damnation au moine coupable d'un zèle trop charitable. Visiblement il s'amuse de ce chassé-croisé spirituel où celui qui partit de l'amour divin s'enlise dans l'amour humain tandis que sa sœur purifiée parcourt l'inverse chemin. Le psychologue jouit de voir la peur rider la petite âme superstitieuse de Thaïs et la jalousie corrompre l'esprit de Paphnuce ; il se plaît à démonter, pièce à pièce, la construction d'une légende. Jamais œuvre d'art soutenue par tant d'érudition ne prit plus simplement l'aspect d'un divertissement ; tout y semble naturel, même la perfection classique des moindres détails du récit : « Quand venait le soir, le murmure des tamaris, caressés par la brise, lui donnait le frisson, et il rabattait son capuchon sur ses yeux pour ne plus voir la beauté des choses... Il exposait au soleil et à la rosée les fibres détachées, et, chaque matin, il prenait soin de les retourner pour les empêcher de pourrir, et il se réjouissait de sentir renaître en lui la simplicité de l'enfance. » Maîtrise complète de la phrase, sensible aux plus délicats sous-entendus d'une ironie subtile par où cette œuvre de clarté garde en même temps tout le prestige du caprice.

Après cette imagination du monde antique, France se sentit assez sûr de sa force pour imaginer le monde moderne — moderne, non encore contemporain. *La Rôtisserie de la Reine Pédauque* est sans doute, dans l'estime générale, le chef-d'œuvre d'Anatole France, celui que tous ses admirateurs saluent unanimement. Tous ceux qui, aux divers moments de sa longue carrière glorieuse, lui ont dit « mon bon maître », aiment ce livre de mystification et d'observation, où le pastiche, l'archaïsme, l'évocation des légendes les plus saugrenues (si semblables à nos superstitions, ajoute l'humoriste) voilent la satire d'une humanité éternelle sous le charme d'un conte des Mille et une Nuits. Dans le cadre d'un XVIIIe siècle de fantaisie, à travers les scènes de réalité familière, les discussions sur la vie et l'art de vivre, le récit se poursuit, avec un air de glisser paresseusement à la dérive, guidé par une main ferme et sûre de son but. Les personnages surgissent comme les acteurs d'un idéal guignol : voici Tournebroche, délicieux benêt, son père Léonard et sa mère Barbe, « la sainte et digne femme » ; puis frère Ange, capucin goinfre et fripon ; le cabbaliste d'Astarac et Mosaïde, interprète du livre d'Enoch, et le galant M. d'Anquetil et le partisan De la Guéritaude ; sans compter Catherine la dentellière et la rouée Jahel qui sèment sur leur passage comédies et drames parce que dans le cœur de l'homme Dieu a mis le désir. Au centre de ce monde, l'abbé Jérôme Coignard, véritable abbé du XVIIIe siècle, ivrogne et paillard, indulgent à toutes les faiblesses humaines, tirant de ses propres défaillances au jeu et à l'amour des enseignements vertueux, humaniste avec un brin de pédanterie souriante, malicieusement naïf, dominant toutes les vicissitudes du destin par une sereine sagesse où s'unissent la claire vision et la pitié ironique. Biographie fictive dont le relief décourage également le romancier et l'historien, elle mérite pleinement l'hommage que France lui décernait en plaisantant : « C'est un ouvrage qui fait songer à ces portraits d'Érasme, peints par Holbein, qu'on voit au Louvre, au musée de Bâle et à Hampton Court, et dont on ne se lasse point de goûter la finesse. »

Dans la préface aux *Opinions de M. Jérôme Coignard*, où il définissait ainsi, avec une coquetterie sans fatuité, son œuvre, Anatole France analysait ce héros à qui il avait donné beaucoup de son esprit ; il parlait de « son indulgente sagesse », fruit « d'une sorte de scepticisme généreux » ; « philosophe et chrétien », il lui assignait deux maîtres : Épicure à qui Coignard devait l'affranchissement de sa pensée ; et saint François d'Assise qui lui avait enseigné la simplicité d'âme et de démarche. Mais cette description qui convient parfaitement au Coignard de la *Rôtisserie* en sa fraîche nouveauté, s'applique moins au Coignard des *Opinions* dont les disquisitions sapent impitoyablement la société qu'elles prétendent expliquer ; dans la forme déjà, le classement de ces opinions sous des titres abstraits témoigne d'un changement. Assurément l'art ne faiblit pas : Coignard évolue dans un décor choisi, aux atmosphères élégamment surannées, et son créateur prend soin de pousser fréquemment sa pensée jusqu'au paradoxe pour en amoindrir l'agressive portée. Le lecteur sent néanmoins le durcissement et entrevoit une amertume. La France de 1893 était déchirée par des passions politiques violentes : l'écrivain pouvait-il refuser au pseudonyme qu'il avait élu l'honneur périlleux de prendre parti ? Le Tourangeau Rabelais et le Parisien Villon qui figurent parmi les maîtres les plus authentiques d'Anatole France n'avaient pu toute leur vie rire de la comédie humaine, et leurs plaisanteries s'étaient aiguisées en satires. France lui-même, dans sa critique ondoyante de la *Vie littéraire*, n'avait-il pas dû affirmer des affections et des répugnances ? Il était naturel que la philosophie critique de Jérôme Coignard, passant en revue les institutions humaines, en dénonçât l'absurde vanité ; les exemples empruntés à l'antiquité, les commentaires d'événements du XVIIIe siècle éveillaient à chaque pas des allusions contemporaines ; parfois même, une note d'éditeur s'imposait qui, sous couleur d'éclaircissement, accentuait le rapprochement. De ces railleries une conclusion positive se dégageait : lutte âpre et vigilante contre tous les fanatismes dont les lois et justices humaines portent encore de trop indéniables marques. Que cette attitude ne fût pas définitive, qu'elle exposât son héros à un double reproche, France l'a parfaitement compris : si, dans la préface aux *Opinions*, il oppose aux partis déchaînés le « scepticisme charitable » de l'abbé Coignard, la dernière page du livre affirme aussi que détruire est insuffisant, qu'on ne se soustrait pas à la nécessité de créer, donc : d'imaginer. « Il faut, pour servir les hommes, rejeter toute raison, comme un bagage embarrassant, et s'élever sur les ailes de l'enthousiasme. Si l'on raisonne, on ne s'envolera jamais. » Les dernières paroles de Jérôme Coignard laissent pressentir la verve désenchantée de M. Bergeret et, cette crise passée, la profession de foi d'Anatole France en « des temps meilleurs » (1).

Le Lys rouge est le seul essai d'Anatole France dans le genre du roman sentimental. Et son originalité ne réside point dans l'intrigue — histoire des deux premiers amants de Mme Martin-Bellème que l'auteur quitte assez jeune pour lui permettre discrètement d'autres expériences. L'intérêt du *Lys rouge* est dans la description du cadre, coins pittoresques de Paris et de Florence, et des personnages épisodiques : critique épigrammatiste, poétesse décadente, prince italien équivoque, parmi lesquels passe le délicieux et verlainien Choulette. Sa faiblesse est l'insuffisance des protagonistes, Le Ménil et Dechartre demeurant assez conventionnels et Thérèse n'ajoutant guère que le charme de ses bras blancs aux phrases raffinées qu'Anatole France a daigné lui souffler. Avec des citations du *Lys rouge* on formerait une anthologie, une manière de mélancolique guirlande à quelque statue de l'amour sensuel : « Nous voulons être aimées, et, quand on nous aime, on nous tourmente et on nous ennuie... une femme est franche quand elle ne fait pas de mensonges inutiles... nous étions déjà si vieux quand nous sommes nés... toute créature humaine est un être différent en chacun de ceux qui la regardent ; en ce sens on peut dire qu'une même femme n'a jamais appartenu à deux hommes... on se brise l'un contre l'autre, on ne se mêle pas ! » Une impression d'irrémédiable échec emplit le livre, plus triste que les

(1) L'évolution qu'indiquaient ces ouvrages a été minutieusement étudiée par Charles Braibant dans *Le Secret d'Anatole France.*

révoltes lyriques. « Donnons aux hommes pour témoins et pour juges l'Ironie et la Pitié » : le France du *Lys rouge* répète à ses contemporains le conseil qu'il leur avait donné dans *le Jardin d'Épicure*. Par où il n'entend point l'ironie batailleuse de Barbey, ni l'ironie abstraite de Barrès, ni l'ironie vengeresse de Villiers, mais une ironie d'humaniste qui est « douce et bienveillante », bref l'ironie d'une Attique idéale, déesse de tendre raison dont il redit la louange avec la tristesse contenue du philosophe qui va quitter cet asile de sagesse pour rentrer dans la vie humaine.

§ 6. — Pierre Loti et l'Exotisme

« Rien ne m'est arrivé que je n'aie obscurément prévu dès mes premières années », écrit PIERRE LOTI au début du *Pèlerin d'Angkor ;* tout enfant, dans son petit musée de Saintonge, il avait prévu que, malgré la résistance de sa famille, il entrerait dans la marine et visiterait les plus beaux pays du monde ; il avait aussi prévu que sa foi protestante ferait place peu à peu à une sorte de panthéisme vague dominé par la terreur de la mort ; s'il n'ajoute point qu'il avait prévu son œuvre littéraire, cela tient uniquement à ce qu'elle n'est qu'un épisode, un effort de plus pour sauver sa vie du néant engloutisseur.

C'est ce sentiment personnel qui inspire ses livres, — beaucoup plus que les circonstances qui déterminèrent leur composition ; il les enchaîne pas un lien d'unité auprès duquel leurs différences superficielles ne comptent pas. On a beaucoup parlé du désenchantement de Loti et on l'a comparé de ce fait à Chateaubriand ; ressemblance dans l'attitude qui ne doit point aveugler sur leur différence fondamentale. Chateaubriand a orgueilleusement « bâillé sa vie » parce que son mérite n'y recevait point les consécrations auxquelles il jugeait avoir droit ; Loti a obtenu tous les succès qu'il convoitait ; la terre a comblé sa curiosité et sa sensualité. Il a connu la joie de découvrir des pays fermés, de les révéler aux hommes ; il a éprouvé la volupté plus raffinée de voir leur charme diminué par la civilisation, d'avoir été le dernier à jouir de leur vierge beauté. Rien ne lui aura manqué, pas même le mélancolique plaisir de prophétiser la décadence fatale : « Il viendra un temps où la terre sera bien ennuyeuse à habiter, quand on l'aura rendue pareille d'un bout à l'autre, et qu'on ne pourra même plus essayer de voyager pour se distraire un peu... »

Et cependant, toutes ces distractions offertes ne l'auront pu distraire, lui, de l'ennemi qu'il portait en sa conscience. La hantise du déroulement inexorable de la vie avec l'inévitable vieillesse et la mort au terme de tout, ce savoir amer qui a chez lui l'intensité d'une sensation physique, poursuit Loti jusque dans les ivresses de l'amour et la contemplation des plus somptueux paysages. « J'en suis venu, écrivait-il, avant la quarantième année, à chanter mon mal et à le crier aux passants quelconques, pour appeler à moi la sympathie des inconnus les plus lointains ; et appeler avec plus d'angoisse à mesure que je pressens davantage la finale poussière... Et qui sait ? en avançant dans la vie, j'en viendrai peut-être à écrire d'encore plus intimes choses qu'à présent on ne m'arracherait pas, — et cela pour essayer de prolonger, au delà de ma propre durée, tout ce que j'ai été, tout ce que j'ai pleuré, tout ce que j'ai aimé. » Du *Roman d'un enfant* à *Prime Jeunesse*, à quels aveux Loti ne s'est-il pas péniblement résigné pour assurer dans la mémoire de ses lecteurs quelques années de vie, d'abord à ce qu'il tenait pour le meilleur de ses souvenirs, puis peu à peu, farouchement, à tout lui-même ! (1)

Le critique n'abdique pas son jugement en lui donnant raison et en convenant qu'en effet il n'a jamais fait autre chose. Mais ce caractère d'épaves sauvées de l'universel naufrage

(1) Nous assisterons à une semblable course contre la mort dans les *Feuillets* d'André Gide, autre écrivain d'origine protestante et torturé, lui aussi, par « l'amour qui n'ose pas dire son nom ».

s'applique surtout aux ouvrages proprement autobiographiques. Dans les romans l'art intervient : Loti tente, au moins, de sortir de lui-même. Sans doute ne faut-il point exagérer cette évasion ; les personnages qu'il choisit sont en général des simples : nulle finesse psychologique n'est requise pour la peinture de Ramuntcho ou de mon frère Yves ; l'éloignement enveloppe Rarahu et madame Chrysanthème dans un décor magnifique qui leur tient aisément lieu d'âme ; l'apparente complexité des Désenchantées est une culture occidentale qui s'ajoute à leur sensibilité passionnée sans la pénétrer profondément encore ; même dans *Pêcheur d'Islande*, le livre de Loti qui ressemble le plus aux romans du modèle conventionnel, les héros sont des types généraux abstraits, dirait-on, s'il n'y avait pas chez Loti une imagination visuelle absolument rebelle à toute abstraction. Car les fêtes du regard et les courtes haltes de passion sensuelle lui ont seules procuré les minutes exaltées où, anéanti dans la sensation présente, il oubliait la menace sur sa tête de l'autre, du définitif anéantissement.

L'exotisme de Loti n'est donc pas un caprice d'artiste mais une nécessité pour l'homme qu'il fut, l'unique baume à son ennui et à sa peur. Or, par une conséquence assez naturelle, l'exotisme lui a valu aussi ses plus grands succès littéraires : incapable d'une construction intellectuelle personnelle, son regard embrasse d'un coup l'ensemble d'un paysage ; sa description, épousant avec une merveilleuse souplesse les contours de son objet, en présente une image si fidèle qu'elle restitue aux yeux les plus fermés le spectacle entier avec l'harmonie interne qui lui donne sa raison d'être. Un exemple illustrera cette passivité recréatrice du Loti peintre : « Cependant la lune s'abaisse lentement, et sa lumière bleue se ternit ; maintenant elle est plus près des eaux et y dessine une grande lueur allongée qui traîne. Elle devient plus jaune, éclairant à peine, comme une lampe qui meurt. Lentement elle se met à grandir, à grandir, démesurée, et puis elle devient rouge, se déforme, s'enfonce, étrange, effrayante. On ne sait plus ce qu'on voit : à l'horizon, c'est un grand feu terne, sanglant. C'est trop grand pour être la lune... »

« La notion du réel est perdue », écrit-il un peu plus loin. Il s'en épouvante et s'en réjouit à la fois. Non qu'il soit incapable de descriptions précises ; elles foisonnent dans *Au Maroc* ou dans *Vers Ispahan.* Non qu'il soit même incapable de la rigoureuse minutie indispensable à la croisade de virulente satire qu'il a entreprise dans *l'Inde (sans les Anglais)* et *la Mort de Philœ.* Mais son procédé favori, sa tendance la plus instinctive, consiste à s'abîmer dans le spectacle qu'il contemple jusqu'à en être débordé, à ne le plus peindre qu'empli de leurs deux émotions mêlées. Cette phrase : « lentement, elle se met à grandir, démesurée, et puis elle devient rouge, se déforme, s'enfonce, étrange, effrayante », résume tout le style de Loti : répétition des mots, accumulation des verbes imagés, des adjectifs d'impression subjective, tout converge à créer une atmosphère de mystère inexplicable. Aussi excelle-t-il à évoquer le vague, à représenter une réalité par la négation d'une autre réalité : « C'était une lumière pâle, pâle, qui ne ressemblait à rien ; elle traînait sur les choses comme des reflets de soleil mort. Autour d'eux, tout de suite, commençait un vide immense, qui n'était d'aucune couleur, et en dehors des planches de leur navire, tout semblait diaphane, impalpable, chimérique.»

Là est le secret de son pouvoir sur l'imagination : il peint les choses dans un rêve éveillé où elles surgissent et s'évanouissent magiquement ; il décrit en ayant l'air de capituler devant la réalité ; dans l'incantation de cette prose, les termes les plus abstraits dépouillent leur valeur intellectuelle et n'agissent plus que par leur force affective : « Cette nuit-là, c'était l'immensité présentée sous ses aspects les plus étonnamment simples, en teintes neutres, donnant seulement des impressions de profondeur. Cet horizon, qui n'indiquait aucune région précise de la terre, ni même aucun âge géologique, avait dû être tant de fois pareil depuis l'origine des siècles, qu'en regardant il semblait vraiment qu'on ne vît rien, — rien que l'éternité des choses qui sont et qui ne peuvent se dispenser d'être. » « Etre » et « sembler », ces verbes élémentaires reviennent perpétuellement dans les livres de Loti : symboliquement, car, faibles pour précisément décrire, nuls autres n'égalent leur aptitude infinie à suggérer. Or, suggérer est bien le but unique d'un artiste qui, exaspéré par l'omniprésence du danger mortel, ose à peine affirmer sa suprême espérance : « La souveraine Pitié, j'incline de plus en plus à y croire et à lui tendre les bras, parce que j'ai trop souffert, sous tous les ciels, au milieu des enchantements ou de l'horreur, trop vu souffrir, trop vu pleurer, et trop vu prier. » Et cette obstinée évocation de tant de ciels, de tant d'enchantements ou d'horreurs n'aura été pour Loti, en définitive, qu'une manière d'opium à endormir la souffrance humaine et diluer un instant dans le rêve sa propre angoisse.

§ 7. — Le roman romanesque et régionaliste

Même au fort de leur succès, les naturalistes n'avaient pu émouvoir la partie du public littéraire qui réclame du romancier une intrigue romanesque satisfaisant leur imagination, une histoire les transportant loin de la réalité quotidienne. Ceux-là relisaient George Sand, goûtant le romantisme apaisé du *Marquis de Villemer* ; ils accueillaient les dernières productions d'Octave Feuillet, peintre délicat et sans ampleur de milieux aristocratiques assez monotones. Ils demeuraient fidèles à Victor Cherbuliez dont les romans, de l'*Aventure de Ladislas Bolski* à la *Vocation du comte Ghislain*, gardaient, dans leur alternance de péripéties romanesques et de causeries brillantes, le charme d'un About qui, même sur le boulevard, n'oubliait pas Genève. Ces lecteurs appréciaient dans *la Maison des deux Barbeaux* les qualités honorables d'André Theuriet ; faute de mieux ils acceptaient les récits de Coppée jusqu'au jour où *le Coupable* leur montra comment un poète parnassien savait égaler ce Georges Ohnet que Jules Lemaître leur avait appris, sinon à écarter, du moins à renier.

Pourtant, dans le mouvement de réaction antinaturaliste, il y avait place pour une renaissance du roman romanesque littéraire. Un homme le comprit et définit exactement le but que cet art devait atteindre : « Puissiez-vous trouver, dans les pages que vous allez relire, un peu de cette grâce sentimentale, de ce romanesque du réel où vous croyez voir, comme moi, le principal mérite, le plus aimable attrait des œuvres d'imagination. » C'est en ces termes que MARCEL PRÉVOST dédiait à un ami son *Automne d'une femme ;* et lui-même semblait, par ses antécédents scientifiques, particulièrement qualifié pour entreprendre d'une manière originale cette réhabilitation du romanesque dans le réel. On regrette d'autant plus de ne trouver dans ses romans nulle autre trace d'esprit scientifique que les calculs minutieux culminant en ce titre : *les Demi-Vierges* et une fâcheuse habileté à exploiter industriellement les procédés qui avaient une première fois réussi.

L'originalité de Marcel Prévost résidait dans le rôle qu'il assuma, d'écornifleur du romanesque pour jeunes garçons curieux et jeunes filles inquiètes : à visage découvert, sous le masque d'un amant qui se confesse, dans de pseudo-lettres de femmes faites exprès et qui s'en ressentent, il a prétendu les initier à une vie moderne conventionnelle qui exclut soigneusement toute grandeur, même dans la sensualité. Œuvre qui eût pu être exquisement perverse si la grâce des conteurs libertins n'y était remplacée par un style qui oscille entre l'écœurante banalité des échos mondains et la gravité empesée d'un Prudhomme psychologue. Œuvre qui eût pu être dangereusement perverse mais qu'une impuissance ingénue à imaginer au vice théorique un seul raffinement nouveau rend tristement inoffensive. Or, ce tableau d'une société factice qui ne connaît ni les subtilités de l'intelligence, ni les ardeurs de la passion, ni les profonds remous de l'amour sensuel est dominé par l'image d'un Dieu indulgent qui absout tout, même les plus endurcis pécheurs contre l'esprit : en lui s'incarne la pensée de Marcel Prévost qui sortit de son confessionnal meublé en boudoir, vers le temps de l'exposition universelle, pour prendre part dans la mesure de ses moyens au rappel des énergies françaises. Alors, il monta en chaire, étonné de la mauvaise renommée dont la France jouissait à l'étranger, et se décréta moraliste et prédicateur pour dames de tous les mondes. Constater le double échec de sa carrière n'est donc point se montrer envers lui aussi cruel que lui-même le fut envers le vice et la vertu dont il a tracé deux portraits si lourdement calomniateurs.

Pour le roman régionaliste aussi George Sand avait conquis des lettres de noblesse dans la littérature du XIXe siècle et le *Dominique* qui lui est dédié gardait bien quelque chose du charme habituel à ce genre d'écrits. Mais ce qui n'était chez Sand et chez Fromentin qu'un aspect d'une création multiple devint pour d'autres l'unique but de leur art : ils s'attachèrent à une province, protagoniste de tous leurs ouvrages. Or, comme le roman régionaliste n'a produit en France aucune œuvre qui soit comparable pour l'ampleur à la série des romans du Wessex de Thomas Hardy, le public s'accoutuma à accrocher au nom de chaque régionaliste un nom de pays ou le titre du livre où il avait le mieux décrit ce coin et à se tenir quitte envers l'écrivain.

Peut-être a-t-on, en effet, rendu suffisante justice à CLADEL et à THEURIET en disant que l'un peignit le Quercy et l'autre le Barrois ; de même que ces mots « l'auteur des *Antibel* et de *Terre d'Oc* » dispensent de tout commentaire sur POUVILLON. *Jacquou le Croquant* mérite mieux qu'une simple mention : l'observation des particularités de la vie paysanne dans le Périgord s'y allie à une étude psychologique et historique de la dernière Jacquerie qui valut à EUGÈNE LE ROY un succès non frelaté. Dans le même ordre d'idées il faut rappeler les romans alsaciens dus à la collaboration d'ERCKMANN et CHATRIAN qui nourrirent les imaginations des écoliers français jusqu'au jour où ils furent dépossédés en faveur des fictions d'imagination scientifique dont JULES VERNE, devancier de H. G. Wells, demeure le maître incontesté.

FERDINAND FABRE appartient au groupe régionaliste par son attachement au pays cévenol ; mais il a été en même temps un des meilleurs peintres de la vie ecclésiastique. Les intéressés ont usé de leur droit en incriminant la fidélité de ses portraits ; il serait difficile d'en nier l'intérêt vivant. Fabre survivra au moins par un de ses romans, l'*Abbé Tigrane*, étude de l'ambition chez un prêtre, analyse d'une âme de Lucifer moderne. On a pu y relever des traces de romantisme, voire même des invraisemblances lyriques, des excès peu compatibles avec le cadre moderne de l'action. Mais cette action est menée avec une violence rageuse, cette âme est possédée d'une sombre ardeur de révolte qui, plus haut que l'émotion, imposent au lecteur une manière d'admiration religieuse.

§ 8. — Le roman moral et social

D'autres influences encore agirent sur le roman français, à cette époque, pour le détourner des voies naturalistes. La philosophie universitaire, après 1870, s'était peu à peu dégagée de l'éclectisme cousinien et professait maintenant une doctrine néo-kantienne : le premier chapitre des *Déracinés* évoque l'enseignement qui se donnait dans les lycées de 1880. Enseignement tendancieux, à coup sûr : mais comment, s'il n'est partial, un enseignement fournirait-il aux esprits hésitants des directions et aux esprits originaux un digne motif de réaction ? Les maîtres de 1880 étaient nourris de Kant et commençaient à traduire Schopenhauer ; ils orientaient leurs disciples vers les problèmes de morale : en 1883, Fouillée publiait sa *Critique des systèmes de morale contemporains ;* en 1884, paraissaient les *Principes de la morale* de Secrétan et l'*Esquisse d'une morale sans obligation ni sanction* de Guyau que préoccupaient aussi les questions d'esthétique. En même temps, avec l'affermissement du régime politique et la fin de la période héroïque de la République, les problèmes sociaux se posaient avec plus d'insistance. Il semblait que le terrain fût prêt pour une floraison de romans moraux et sociaux.

Aucune révélation importante ne se produisit pourtant, parce que cette aspiration, à peine formulée, fut aussitôt satisfaite par la découverte des romans russes. Ici encore les dates sont significatives : de 1884 à 1888, des traductions permettent au public français de lire *la Guerre et la Paix*, *Anna Karénine*, *le Crime et le Châtiment*, *l'Idiot* et *les Frères Karamazov*. Moussorgski venait de libérer à jamais notre Claude Debussy de l'emprise wagnérienne : de même le génie de Tolstoï et Dostoïewski manifestait l'existence d'un art complexe et barbare si intensément humain que tous les autres modèles paraissaient décolorés et superficiels. La littérature romanesque ne trouva point son Debussy, rien que des adaptateurs ou imitateurs pour maladroitement mutiler les immenses fresques slaves. E. M. DE VOGÜE obtint l'estime des lettrés pour son étude sur le roman russe plutôt que pour la valeur personnelle de *Jean d'Agrève* et des *Morts qui parlent*. Les sentiments de néo-christianisme furent renforcés par les apports russes ; leur influence ne provoqua de grandes œuvres que quelques années plus tard, lorsque se fut dégagée des livres de Dostoïewski et de Tolstoï une nouvelle conception mystique de l'humanité, de la souffrance et de la pitié.

ÉDOUARD ROD continue la tradition de la Suisse protestante, qui ajoute à la culture française des habitudes de rigidité morale et de curiosité européenne. Rod est ouvertement un moraliste ; que la couverture de son livre porte *la Course à la mort*, *le Sens de la vie*, ou *les Idées morales du temps présent*, avec des moyens différents, le même but est poursuivi : délimiter plus exactement les devoirs qu'une conscience contemporaine trouve à remplir envers elle-même. En étudiant Rousseau et Gœthe il leur demande encore des lumières pour cette tâche. Aussi ne faut-il point s'étonner de discerner chez Rod les marques évidentes d'un travail préalable si considérable ; on souhaiterait parfois que son application à traiter un problème moral se relâchât et admît la collaboration d'une fantaisie qui serait peut-être, en définitive, plus fidèle à la nature humaine, qui, en tout cas, réserverait au lecteur les surprises d'une émotion plus raffinée. Mais ces regrets n'empêchent point *la Vie privée de Michel Teissier* de tenir une place honorable dans l'histoire du roman moral.

On courrait à un échec certain en appliquant à JULES VALLÈS les mesures ordinaires de la critique littéraire : et pourtant nul roman social n'a dépassé la poignante intensité de la trilogie de Jacques Vingtras. Trop autobiographique pour être rangé parmi les romanciers descriptifs, trop partial pour prendre rang entre les historiens, Vallès ressuscite son époque avec une puissance fougueuse qui ne se laisse point réduire à la verve du pamphlétaire. Là où il essaie d'être objectif, qu'il peigne les réfractaires, les irréguliers de Paris, les victimes du livre ou « l'horreur et la désolation » de la rue à Londres avec l'inhumaine hospitalité du workhouse, l'intérêt languit. Mais qui lit la symphonie révoltée que forment *l'Enfant*, *le Bachelier* et *l'Insurgé* ressent, devant cette confession, la même impression de liberté que devant une création de l'imagination : qu'importe que le romancier ait pris pour matière sa propre vie s'il a réussi volontairement ou non, sa transmutation en œuvre d'art ?

D'un art moins révolutionnaire, peut-être, que Vallès n'aurait entendu nous le faire croire : « J'ai fait mon style de pièces et de morceaux, écrit-il, que l'on dirait ramassés à coups de crochet, dans des endroits malpropres et navrants. » En littérature aussi il tenait à sa réputation d'insurgé, et affirmait qu'on lui pardonnerait plus facilement d'avoir été membre de la

Commune que d'avoir renvoyé Homère aux Quinze-Vingts. On pourrait sourire de ses prétentions et s'amuser à relever les passages où il se jette dans l'argot pour échapper à ses souvenirs classiques si l'on ne comprenait que lui-même n'est pas dupe, qu'il cherche moins ici à se glorifier d'une originalité qu'à panser une des plus cruelles blessures de son orgueil. Car toute son œuvre est dominée par deux haines. Il déteste la société, « la gueuse » qui « affame les instruits et les courageux quand ils ne veulent pas être ses laquais », qui foule aux pieds les droits de l'homme. Mais il maudit plus encore la fausse éducation qui ne respecte pas les droits de l'enfant, qui l'empêcha de devenir un honnête ouvrier pour le transformer en un bachelier impropre à tout et qui crève de faim. Son œuvre est l'explosion de ses colères, une vengeance ; tout, même ses procédés d'écrivain, l'enrage, qui le détourne de son but essentiel : « Ils ont imaginé une bohème de lâches, je vais leur en montrer une de désespérés et de menaçants. »

Dans les limites où il s'enfermait farouchement il a réussi : son tableau vit prodigieusement. Non qu'il décrive jamais : même lorsqu'il relate des journées historiques, le 2 Décembre ou la Commune, il peint moins par une évocation d'images que par une confession hallucinée de sentiments exaltés. Son état normal est l'insurrection. De là, ses grands cris sauvages, tel ce commentaire du « les gueux sont des gens heureux » de l'inoffensif Béranger : « il ne faut pas dire cela aux gueux ! s'ils le croient ils ne se révolteront pas, ils prendront le bâton, la besace et non le fusil ». De là, cette fièvreuse âpreté qui stigmatise les déchéances de Vingtras dans sa lutte contre la misère. De là encore, certains paroxysmes d'inhumanité et « la belle cruauté » de son duel avec Legrand. De là enfin, l'allure épique du récit lorsque, par la conférence, par l'article, par le livre, par l'action directe, il charge, de toute la puissance de sa haine, contre la société ennemie.

Mais cette colère même lui prête une étrange lucidité. Il

triomphe dans la satire concrète : ses portraits, depuis les professeurs de collège jusqu'aux maîtres de la presse et aux chefs révolutionnaires, sont dessinés à l'emporte-pièce, avec un pittoresque relief; un instinct lui montre aussitôt le détail ridicule sur lequel sa verve s'exercera. Ses souvenirs d'enfance, avec les inoubliables figures de la mère paysanne et du père que le professorat obscur a abêti, sont d'un Poil de Carotte moins stylisé, et infiniment plus complexe. Il a le don d'un humour sec qui procède par étalages de fleurs de rhétorique suivis de soudains rappels aux réalités de la vie, par coq-à-l'âne volontaires. Cette ironie, mécanique et grimaçante, qui n'est jamais une détente, il la retourne contre lui-même. Elle lui tient lieu d'esprit critique ; après avoir évoqué l'enthousiasme révolutionnaire, la foi en ce qu'un Georges Sorel nommerait « le mythe de 93 », il s'interrogera d'un brusque soubresaut : « Il m'arrive souvent de me demander aussi si je n'ai pas quitté une cuistrerie pour une autre, et si après les classiques de l'Université, il n'y a pas les classiques de la Révolution — avec des proviseurs rouges et un bachot jacobin ! » L'intime désespoir qui emplit les douze cents pages de *Jacques Vingtras* a sa source dans cette souffrance : malgré tout son amour et toute sa haine, Vallès n'appartient pas au peuple et son œuvre, trop large ou trop étroite, ne deviendra jamais véritablement populaire ; il est passé par la pension Legnagna, a été une bête à concours, tout comme l'Étienne Mayran de Taine. Vallès est un révolté, un réfractaire, non point un ouvrier. Si cruellement qu'il ait blessé ses contemporains, il n'a pu assouvir sur eux sa rancune ; et ce sont ses orgueilleuses misères qu'il apportait à « la grande fédération des douleurs ».

CHAPITRE V

LE SYMBOLISME

§ 1. — Le mouvement symboliste

L'histoire complète du symbolisme a été assez étudiée pour qu'on en puisse résumer les grandes lignes (1). Deux des futurs maîtres du symbolisme, Verlaine et Mallarmé, avaient collaboré au *Parnasse contemporain :* la guerre et le succès des stricts Parnassiens retardèrent d'une dizaine d'années l'hommage qui leur était dû. Peu à peu les jeunes se tournèrent vers eux, les uns guidés par un chapitre d'*A rebours*, d'autres instruits de l'œuvre verlainien par une critique de *la Nouvelle Rive gauche*, bientôt suivie d'une collaboration à cette revue (1882). Le poète a ainsi défini les origines du mouvement : « Un certain nombre de jeunes gens, las de lire toujours les mêmes tristes horreurs, dites naturalistes..., un peu dépris de la sérénité parnassienne... s'avisèrent un jour de lire mes vers, écrits pour la plupart en dehors de toute préoccupation d'école. Ces vers leur plurent... Le hasard voulut qu'à l'époque qu'il fallait je fisse paraître *les Poètes maudits*, beaucoup pour Corbière et Mallarmé, mais surtout pour Rimbaud. » On donnait à ce nouveau groupe le

(1) On peut s'en faire une idée très suffisante en lisant *la Mêlée symboliste* d'ERNEST RAYNAUD, les *Souvenirs du Symbolisme* de RÉMY de GOURMONT et les notices détaillées dans les *Poètes d'aujourd'hui* de VAN BEVER et LÉAUTAUD, ainsi que *Le Symbolisme* d'ANDRÉ BARRE et *Le Symbolisme* de JOHN CHARPENTIER.

nom de *décadents* que les railleurs leur jetaient comme une insulte, dont ils se paraient fièrement puisqu'il évoquait un vers de leur poète favori :

Je suis l'empire à la fin de la décadence.

Ce titre, qui permettait à Huysmans de réunir, dans une admiration commune, Verlaine, Villiers et Mallarmé, n'était guère susceptible que d'un sens négatif. Le nombre des révolutionnaires s'accroissait ; la *Nouvelle Rive gauche* devenait *Lutèce* (1883) où collaboraient Laforgue, Tailhade et Moréas qui devait — le premier, semble-t-il — parler du « symbolisme », dans *le XIX*e *siècle* du 11 août 1885. Il y eut désormais les symbolistes et les décadents qui vécurent, dans l'ensemble, en bonne intelligence. Régnier, Paul Adam et Viélé-Griffin débutaient à *Lutèce ;* Moréas fondait *le Symbolisme* avec Paul Adam et Gustave Kahn. En 1886, dans *le Scapin*, Alfred Vallette traçait le tableau suivant : « C'est de Baudelaire, du groupe parnassien, puis de Mallarmé et de Verlaine — dissidents de ce groupe — qu'est née la poésie aujourd'hui adolescente... La prose n'évolue pas précisément dans un sens analogue à la poésie... Le symbolisme demeurera là où il est : dans la poésie. C'est là et là seulement qu'il peut espérer quelques années d'existence à l'état d'école. »

Les deux groupes pourtant devaient peu à peu s'unir. *La Vogue*, qui débutait en avril 1886, publiait *les Illuminations* de Rimbaud et la seconde partie des *Poètes maudits*, parmi des œuvres de Kahn, Laforgue, Moréas, Mallarmé, Villiers. *Le Décadent*, journal, puis revue, de l'extraordinaire Anatole Baju, tenta bien, sous le patronage verlainien, de sauvegarder le « décadisme » contre le flot symboliste, d'établir une distinction qu'Ernest Raynaud formule ainsi : « Les décadents dissemblaient des symbolistes en ce sens qu'ils admettaient l'émotion directe, la traduction exacte des phénomènes de la vie au lieu d'en exiger la transposition, qu'ils n'allongeaient pas outre mesure l'alexandrin et qu'ils usaient de poèmes à forme fixe. » Mais les uns et les autres étaient associés dans une même réaction contre le Parnasse et le naturalisme, dans un même amour du rêve et de la musique. Dès 1889 — année où Jules Huret enquêta sur la mort du naturalisme — *la Plume* de Léon Deschamps englobe tous les efforts dispersés et reçoit côte à côte les symbolistes, les décadistes et les poètes romans : la fin de 1889 voit naître *le Mercure de France* (suite de *la Pléiade*), qui, plus favorable à l'origine aux décadents, allait devenir, par la force des choses, la forteresse du symbolisme. Parce qu'il avait une portée affirmative, c'est en effet l'adjectif « symboliste » qui a obtenu l'honneur de désigner une des périodes les plus glorieuses de la poésie française. On pourrait épiloguer sans fin sur sa justesse et son insuffisance : il est probablement plus clair pour nous que pour ceux dont les ouvrages ont contribué à élargir sa signification, et sa meilleure définition consiste à étudier les œuvres diverses que couvre cette étiquette commode. En gros, la tendance générale des poètes symbolistes se trouve indiquée par un mot de Joubert pris littéralement : « Les beaux vers sont ceux qui s'exhalent comme des sons ou des parfums » et par ces vers de Baudelaire :

> Comme de longs échos qui de loin se confondent...
> Les parfums, les couleurs et les sons se répondent.

C'est, par différents moyens, un art de « correspondances ». Gourmont a indiqué qu'il y fallait voir « une littérature très individualiste, très idéaliste..., et dont la variété et la liberté mêmes doivent correspondre à des visions personnelles du monde » ; il a également marqué ce qu'il y demeurait de « naturalisme élargi et sublimé » et finement souligné l'influence sur son brusque éclat de Moréas, « jeune étranger hardi, un peu brutal, mal au courant de nos préjugés littéraires, ou les dédaignant ». Cet ensemble complexe d'aspirations est en somme fidèlement représenté par ce titre de Rimbaud : *les Illuminations*, si l'on ajoute au sens précis d'enluminures que lui donnait l'auteur le sens de visions fulgurantes sur le monde extérieur et intérieur qu'un lecteur non averti lui prêterait assez volontiers. Le symbole proprement dit n'a été qu'un élément de l'évocation, but essentiel de cette poésie.

Du point de vue technique — et selon des degrés qu'établira l'étude de ses divers maîtres — le symbolisme a tenté et réussi l'affranchissement du vers français — sous toutes ses formes : il a supprimé la césure fixe de l'alexandrin, il a aboli la tyrannie de la rime, il a réhabilité les rythmes impairs, il a fait l'essai du vers libre. Sans doute toutes ces tentatives n'ont-elles point connu un égal succès : aucune n'a été totalement stérile.

§ 2. — Trois précurseurs

Des trois poètes que Verlaine entreprit de réhabiliter en 1884 contre un injuste oubli, il en est deux que l'on considère volontiers aujourd'hui comme ses égaux : seul, TRISTAN CORBIÈRE est resté un « poète maudit ». Les critiques qui lui sont sympathiques mêlent de graves réserves à leurs éloges ; Huysmans l'accuse de « parler nègre », Gourmont ne lui accorde que des « à-coups de génie » au milieu d'un pesant fatras ; Jules Laforgue — qui lui emprunta beaucoup — lui reproche de n'avoir « pas de métier ». Si l'on considère cependant qu'après une enfance débile en Bretagne, deux voyages en Palestine et en Italie et quatre ans de séjour à Paris, il mourut avant d'avoir atteint sa trentième année, l'unique volume qu'il publia, en 1873, nous paraîtra plus instructif et émouvant (1).

(1) Aucun marin ne nous pardonnerait de n'avoir pas rappelé que Tristan Corbière était le fils d'EDOUARD CORBIÈRE, l'auteur du pittoresque *Négrier* de 1832.

Il se divise en deux parties, la bretonne et la parisienne. Dans *Armor* et *Gens de mer* une verve puissante se donne libre cours et sa description mêle à de jeunes ironies le souvenir de vieux attendrissements. *La Rapsode foraine* où il évoque le pardon de Sainte-Anne-de-la-Palud représente assez bien les deux aspects de ce talent :

Dame bonne en mer et sur terre,
Montre-nous le ciel et le port,
Dans la tempête ou dans la guerre...
O Fanal de la bonne mort !

. . . .

— A l'an prochain ! — Voici ton cierge
(C'est deux livres qu'il a coûté).
... Respect à Madame la Vierge,
Sans oublier la Trinité.

Sans doute il ne se maintient point à cette perfection de réalisme lyrique dans tous les poèmes qu'il a consacrés à l'âpre Bretagne du pays de Léon et à ses gens de mer ; mais il y garde des qualités de conteur pittoresque et brutal, cette truculence dans l'extrême précision des détails qui égale le *Bossu Bitor* aux meilleurs tableaux maritimes de Kipling. Corbière jette bas toute la peinture conventionnelle du matelot ; il le montre, lui, dans sa réalité, et, en son nom, repousse dédaigneusement les éloquentes condoléances du rhéteur Hugo ; *la Fin* permet d'imaginer ce que Corbière eût pensé des élucubrations de Jean Richepin.

Dans *les Amours jaunes*, sa poésie est à la fois plus contestable et plus novatrice encore. L'homme s'y révèle davantage, avec un dégoût sincère des coteries, un désir de protéger contre toutes les écoles son originalité barbare :

L'Art ne me connaît pas. Je ne connais pas l'Art.

On comprend, on approuve la haine de la sensiblerie qui lui dictait *le Fils de Lamartine* ou ce quatrain :

> Moreau — j'oubliais — Hégésippe,
> Créateur de l'art-hôpital...
> Depuis j'ai la phtisie en grippe ;
> Ce n'est plus même original...

et la haine de l'éloquence qui lui inspirait ce portrait :

> Hugo : l'homme apocalyptique,
> L'homme - ceci - tuera - cela,
> Garde national épique !
> Il n'en reste qu'un — celui-là ! —

Quel prodigieux poète s'il eût donné à toute son œuvre cette netteté incisive ! Malheureusement il ne se libère pas d'un pessimisme romantique de convention ; il écrit les sonnets de *Ça ?* et aligne les fausses antithèses sur l'

> Éternel féminin de l'éternel Jocrisse ;

il se fixe dans l'attitude du *Paria*, revêt un satanisme factice, plein d'injures, de ricanements, de prosaïsmes insultants :

> Va te coucher, mon cœur ! et ne bats plus de l'aile.

que traversent (voir *Litanie*) des échos du catholicisme sensuel de Baudelaire. Et tout cela, certes ! est bien littérature. La volonté de caricature qui lui fait offrir au lecteur un « sonnet avec la manière de s'en servir » dégénère en salade cosmopolite ; il mêle les langues, les apostrophes, les visions *(Grand Opéra)* dans un dessein de parodie qui aboutit au coq-à-l'âne (« O Vénus dans ta vénerie », *Chanson en si*, etc.). Dans les longs poèmes, tel *Litanie du Sommeil*, le rythme se perd, la langue s'affadit, tout est ennuyeux fatras. En de tels instants il semble justifier les vers cruels qu'il a accumulés dans son *Épitaphe :*

Poète en dépit de ses vers...
Ses vers faux furent ses seuls vrais...
Trop réussi — comme raté.

Et pourtant ce raté, ce crapaud « rossignol de la boue » (la comparaison est sienne) fut un véritable précurseur. Il a fait entrer dans la haute poésie l'accent des complaintes populaires : sa *Rose au rosier, dondaine !* et certaines pièces descriptives de *Raccrocs* devancent Laforgue. La variété des rythmes dans *Gente Dame*, *Après la pluie*, *Toit*, *Cris d'aveugle*, *Pièce à Carreaux* atteste sa virtuosité. *Rescousse* est une harmonie verlainienne, à peine moins fluide que la musique des *Romances sans paroles*. Là où il est le plus original, sa chanson garde une maladresse rauque dont le charme est pénétrant, tel ce finale des *Heures :*

J'entends comme un bruit de crécelle...
C'est la male heure qui m'appelle.
Dans le creux des nuits tombe : un glas... deux glas
J'ai compté plus de quatorze heures...
L'heure est une larme. Tu pleures
Mon cœur !... Chante encor, va — ne compte pas.

Dans ses poèmes les moins réussis il n'étouffe pas toujours cette voix aux réveils poignants :

C'est toujours trop vrai ces mensonges-là !...
Si tu n'étais fausse, eh, serais-tu vraie ?...

Corbière n'est pas un grand poète, mais le volume qui renferme, à côté des puissantes fresques d'*Armor* et des mystérieuses mélodies de la *Sérénade des Sérénades*, les vers *A la mémoire de Zulma* où la verve juvénile s'allie à l'humour mélancolique, ce volume est assuré de survivre à toutes les révolutions du goût.

On n'en oserait prédire autant des *Chants de Maldoror* qu'Isidore Ducasse publia sous le pseudonyme de COMTE DE LAUTRÉAMONT avant de mourir à 24 ans. Dès les premières pages de ce poème en prose on sent quelles influences pèsent encore sur le jeune homme : il est ivre de romantisme sépulcral, grandiloquence funèbre de Young et du pseudo-Ossian, satanisme de Byron et des romans les plus ténébreux. Une furieuse soif d'originalité exagère encore cette affectation puérilement sadique ; dans une nature grotesque dont le Créateur est ignoble il contemple d'étranges visions : dans des flots de sang, parmi les poux, les vampires, les hermaphrodites, les pédérastes et les araignées, le « frère de la sangsue » dialogue avec le crapaud, apostrophe Lohengrin, fait l'amour avec une femelle de requin et, métamorphosé en poulpe, défie Dieu. Ridicules parfois, ces descriptions deviennent assez vite d'une monotonie lassante : on comprend pourquoi, dans l'étude sympathique que Gourmont lui a consacrée, les citations ne dépassent pas le premier chant. Trouve-t-il une belle formule (« Moi, je fais servir mon génie à peindre les délices de la cruauté »), vite il s'empresse de la diluer en explications banales. On doute qu'il mérite même l'éloge dont il tempère sa critique de son héros : « Ton esprit est tellement malade que tu ne t'en aperçois pas et que tu crois être dans ton naturel chaque fois qu'il sort de ta bouche des paroles insensées, quoique pleines d'une infernale grandeur. »

Et puis, par éclairs, on aperçoit dans cette œuvre avortée les traces d'une réelle maîtrise imaginative. Son lyrisme grotesque éclate dans les apostrophes comme « O poulpe au regard de soie » et la longue invocation soutenue au vieil Océan. Ses puissantes énumérations ravivent dans l'esprit l'obsession des monstres élémentaires. De hautes images surgissent : « Apparaissez donc, envergures dérisoires de châtiments éternels !... comme un angle à perte de vue de grues frileuses méditant beaucoup, qui, pendant l'hiver, vole puissamment à travers le silence, toutes voiles tendues... » Son ironie atteint à d'étranges sonorités : « Tu as un ami dans le vampire. En comptant l'acarus sarcopte qui produit la gale, tu auras deux amis. » Il se transporte d'un coup à la fin du monde où « on verra le granit glisser, comme un cormoran, sur la surface des flots », Avec Lautréamont nous pénétrons dans un royaume aux lumières indécises : « A mesure que j'écris, dit-il de nouveaux frissons parcourent l'atmosphère intellectuelle , il ne s'agit que d'avoir le courage de les regarder en face. » Avait-il conscience qu'il le faisait dans ces phrases énigmatiques: où il y a peut-être du génie : « Moi, comme les chiens, j'éprouve le besoin de l'infini... Je ne puis, je ne puis contenter ce besoin ! Je suis le fils de l'homme et de la femme, d'après ce qu'on m'a dit. Ça m'étonne... je croyais être davantage ! » (1)

Rien de cette originalité violente chez JULES LAFORGUE. Sans doute il a excité d'ardentes admirations : « Je crois bien », écrivait Téodor de Wyzewa, « que parmi tous les jeunes artistes de sa génération, Laforgue seul a eu du génie » et Francis Viélé-Griffin a parlé d' « une génération qu'immortalisera Jules Laforgue ». Mais il semble bien que son œuvre ait bénéficié de l'attendrissement que ne pouvait manquer d'exciter la personne du poète phtisique mort à 27 ans. Du double jugement prononcé par Rémy de Gourmont, « adolescent de génie... petite fille trop écoutée », nous serions tentés aujourd'hui de retenir surtout la seconde affirmation. Un exemple montrera assez exactement l'écart entre Laforgue et un grand poète. Baudelaire ayant écrit :

Ah ! Seigneur, donnez-moi la force et le courage...

(1) Pour l'influence de Lautréamont sur les jeunes écrivains de 1920-1935, consulter l'édition de ses *Poésies* par PHILIPPE SOUPAULT et le *Lautréamont* de LÉON PIERRE-QUINT. Auprès des surréalistes et sympathisants du surréalisme

Laforgue refait ainsi ce vers :

O Nature, donne-moi la force et le courage...

Une bonne partie de son originalité consiste à avoir ainsi fait boiter de beaux vers français.

Ramené à sa portée réelle, on peut goûter le mérite des *Complaintes* ou des *Fleurs de bonne volonté* et reconnaître un charme à ces improvisations. Laforgue excelle dans les évocations rapides de visions successives, dans les « aquarelles en cinq minutes », dans les « petites pièces sans prétention » comme dans les rhapsodies *(l'Hiver qui vient, Dimanches)* dont le décousu fait la loi, dans les défilés d'images au long d'une pensée assez lâche *(Pétition)*. Là se manifestent ses qualités : un humour macabre *(De l'oubli des morts)* que nuancent une mélancolie de gavroche :

Je n'aurai jamais d'aventures ;
Qu'il est petit, dans la Nature,
Le chemin d'fer Paris-Ceinture !

et des sourires sans gaieté :

Il dit que la Terre est une simple légende
Contée au possible par l'idéal...
. . . .
J'aurai passé ma vie à faillir m'embarquer
Dans de bien funestes histoires.

A l'exemple de Corbière, il donne à ses poèmes le tour de complaintes populaires, ce qui lui permet de brusques volte-face :

Si cette histoire vous embête !
C'est que vous êtes un sans-cœur !
Ah ! j'ai du cœur par-d'ssus la tête,
Oh ! rien partout que rir's moqueurs !...

il jouera le même rôle que Laforgue avait tenu pour Gide et Larbaud. En 1939, le philosophe GASTON BACHELARD présentera l'œuvre de Lautréamont comme « une véritable phénoménologie de l'agression ».

De temps à autre, cette verve familière trouve une formule expressive :

Ah ! que la Vie est quotidienne !

ou même cruellement juste :

Et c'est bien dans ce sens, moi, qu'au lieu de me taire,
Je persiste à narrer mes petites affaires.

Le malheur est qu'il ne dépasse point cette confidence de « ses petites affaires ». Lui-même s'en irrite :

Ah ! vous savez ces choses
Tout aussi bien que moi ;
Je ne vois pas pourquoi
On veut que j'en recause.

Il tente bien de s'en affranchir dans les plus longs poèmes : c'est pour tomber dans l'insipide bavardage de l'*Imitation de Notre-Dame la Lune* et du *Concile féerique*. En vain il frappe à toutes les portes : il traduit le spleen d'un romantisme exaspéré, puis, en réaction, le parodie *(Complainte-placet de Faust fils)*. Mais les pirouettes, les ricanements, l'argot, la fabrication de comiques « éternullité » ou « violuptés » ne sauraient inspirer longtemps un artiste. Il se tourne vers la philosophie : il aboutit au fatras en majuscules de :

L'Art est tout, du droit divin de l'Inconscience ;
Après lui, le déluge ! et son moindre regard
Est le cercle infini dont la circonférence
Est partout, et le centre immoral nulle part.

ou bien aux naïves simplifications à la Musset de sa *Marche funèbre pour la mort de la terre.*

Ce désespoir, qui est la note la plus sincère de sa poésie,

Laforgue l'exprime de manière plus convaincante dans les simples exclamations :

> Oh ! la vie est trop triste, incurablement triste !

et dans les stances où l'humour se mêle à la tristesse :

> Le jour qu'elle quittera ce monde,
> Je vais jouer un Miserere
> Si cosmiquement désespéré
> Qu'il faudra bien que Dieu me réponde.

Il est le chantre des choses avortées, de l'orgue de Barbarie, des pubertés difficiles, des fœtus de poètes, des blackboulés, du pauvre corps humain, de la résignation désolée qui conclut :

> Et jusqu'à ce que la nature soit bien bonne
> Tâchons de vivre monotone.

Cette monotonie pèse lourdement sur les *Moralités légendaires*, sur le *Lohengrin* dont le facile symbolisme se borne à diluer une grande parole de Rimbaud, sur *Pan et la Syrinx* qui s'enfuit en poussant des « hoyotoho » de Walkyrie. C'est cette confusion des genres et des époques qui a charmé les contemporains : ils ont goûté que dans *Persée et Andromède* le plus heureux des trois fût le monstre. Pourquoi dissimuler combien ces parodies apparaissent aujourd'hui factices et mécaniques ? Telle apostrophe à Iokanaan : « Te voilà, idéologue, écrivassier, conscrit réformé, bâtard de Jean-Jacques Rousseau », ne fait rire que qui a convenu par avance avec l'auteur de trouver cela drôle. Le meilleur de ces proses est ce qui, telle l'Introduction du *Miracle des Roses*, même rédigé, conserve une apparence de premier jet, avec des saillies d'humour dans les parenthèses et les adverbes sournois.

Là encore la plus ambitieuse tentative mène au plus lourd

échec : on s'étonne du prestige qu'a pu exercer jadis le *Hamlet* des *Moralités*. Prétendait-il vraiment tracer son portrait dans ce fantoche de rapin ironiste ? Doit-on se récrier sur la forte culture philosophique de Laforgue parce qu'il connaît l'opposition entre la nature naturée et la nature naturante, parce qu'il a écrit : « C'est moi (Hamlet) qui vais détrônant l'Impératif catégorique et instaurant à sa place l'Impératif climatérique. » Boutade heureuse, au mieux ; guère supérieure à cette autre : « Hamlet se prend son futur crâne de squelette à deux mains et essaie de frissonner de tous ses ossements. » Ce à quoi Laforgue visait s'aperçoit clairement ; il l'a défini dans *les Deux Pigeons :* « Gaspard savait tout, les philosophies et l'histoire, les sciences morales et les paradoxes ; il s'entendait à tout mêler dans son idéal de coin du feu. » On a parlé à ce propos d'un Heine français : pourquoi Laforgue s'est-il si souvent paré de la lourdeur germanique dont l'Allemand s'était libéré ?

Essayant de le situer dans le mouvement symboliste, Ernest Raynaud écrit : « Laforgue flotte entre le pointilleux, le méticuleux Bourget qui le retient aux limites du devoir parnassien et le spéculatif Gustave Kahn... qui le pousse aux aventures. » L'importance historique de Laforgue est considérable. Son influence servit certains écrivains du premier ordre, André Gide et Valery Larbaud, par exemple, auxquels il ouvrit les voies d'une libération par l'ironie. Mais son immense popularité lui fut assurée par d'autres, qui l'adoptèrent parce qu'il se laisse facilement monnayer, jusqu'au journalisme : son exemple entretient les médiocres dans l'illusion que de Shakespeare à eux il n'existe qu'une différence de degrés. Le nombre croît pourtant des lecteurs qui ont déjà dressé entre Rimbaud et lui cette même muraille infranchissable qui sépare Pascal de ce Fénelon dont le *Télémaque* pourrait bien être la première des *Moralités légendaires*. Rimbaud fut un grand poète ; Laforgue, un enfant gâté, un pierrot romantique mal grimé en philosophe cynique.

§ 3. — Arthur Rimbaud

Jean-Arthur Rimbaud est né en 1854 ; en 1870 il écrivait au collège de Charleville des poèmes dont certains sont déjà d'un grand lyrique ; avant son dix-neuvième anniversaire il avait produit *les Illuminations*, il avait publié, puis tenté d'anéantir *la Saison en Enfer*, et renoncé pour jamais à la littérature ; sa vie dès lors fut celle de l'exilé volontaire errant à travers le monde. Il habitait l'Afrique quand, en 1884, Verlaine publia ses *Poètes maudits ;* la nouvelle école salua en lui un précurseur, bien qu'à vrai dire il ne représentât pour elle qu'un nom et le type idéal du jeune prince décadent. On divulga de faux sonnets de Rimbaud — qui n'étaient même pas des pastiches puisqu'on ignorait son œuvre *(les Illuminations* ne parurent qu'en 1886 et il fallut attendre jusqu'en 1892 une seconde édition de *la Saison)* mais qui montrent comment les contemporains se le représentaient, poète romantique devenu chef de peuplades nègres. Il ne rentra en France que pour y mourir (1891). Or, parlant de Rimbaud en 1920, Jacques Rivière écrit : « Je ne ferais pas grande difficulté, par moments, à le révérer comme le plus grand poète qui ait jamais existé (1). » Tandis que l'influence de tous les symbolistes, sauf Mallarmé, apparaît aujourd'hui épuisée, nul ne peut prévoir jusqu'où se prolongera celle de Rimbaud, poète et voyant de génie.

Cette prodigieuse carrière où Rimbaud parcourut en trois années le chemin d'une longue existence, cette vie littéraire dont Georges Duhamel écrivait qu'elle est « comme un raccourci violent de l'histoire des littératures » se laisse facilement diviser en trois périodes. Pour mesurer la soudaineté de son éclosion il

(1) Toutes les tentatives d'explication de Rimbaud, du chrétien au communard et du voyant au voyou, sont résumées et discutées dans le *Rimbaud* d'Etiemble et Yassu Gauclere dont les conclusions me paraissent solidement établies.

est indispensable de rappeler qu'à 17 ans il était assez maître de son art pour unir à la grâce de :

> Elle était fort déshabillée
> Et de grands arbres indiscrets
> Aux vitres jetaient leur feuillée
> Malinement, tout près, tout près...
>
> *(Première Soirée.)*

l'émotion pénétrante de :

> Je ne parlerai pas, je ne penserai rien :
> Mais l'amour infini me montera dans l'âme,
> Et j'irai loin, bien loin, comme un bohémien,
> Par la Nature —, heureux comme avec une femme...
>
> *(Sensation.)*

et la perfection dans la vision et la suggestion de :

> Il écoute chanter leurs haleines craintives
> Qui fleurent de longs miels végétaux et rosés
> Et qu'interrompt parfois un sifflement, salives
> Reprises sur la lèvre ou désirs de baisers...
>
> *(Les Chercheuses de poux.)*

Dès ses premières paroles il affirme cette terrible netteté qui illuminera *la Saison en Enfer*. Sans doute il a visiblement subi des influences. Sa forme porte les traces du romantisme et du Parnasse ; elle est souvent antithétique ou marmoréenne par imitation. Il y a du satanisme littéraire dans *Vénus Anadyomène*, des souvenirs de Banville et Gautier dans *le Bal des pendus*, voire de Musset dans *Ophélia* et un égal conventionnel dans ces deux vers si différents :

> La Femme ne sait plus même être courtisane...
> ... Par les tigres lascifs et les panthères rousses.

Mais comme son originalité se dégage vite de ces artifices ! Si Hugo n'est pas absent du *Forgeron*, c'est que son vers sonore exprime à merveille les aspirations populaires et révolutionnaires de Rimbaud ; ce tableau virulent :

> Et l'un avec la hart, l'autre avec la cravache
> Nous fouaillaient...

traduit sa révolte, tout comme l'âpre satire des *Assis* et des *Premières Communions*. Révolté, Rimbaud l'est aussi contre sa foi d'enfant : *Soleil et Chair* mêle son rousseauisme humanitaire et le paganisme poétique qui maudit l'avilissement de la beauté par le christianisme. Et voici que Rimbaud se révèle peintre et musicien. Son sens du pittoresque est assez affiné pour tirer des mêmes mots deux effets contraires, de Cypris

> [Et] cambrant les rondeurs splendides de ses reins...

au bourgeois de Charleville

> Épatant sur son banc les rondeurs de ses reins.

Pour la musique, il obtient sans violence des effets d'harmonieux suspens :

> Car l'Homme a fini, l'Homme a joué tous les rôles (1)...

qui souvent préparent l'enjambement sur un vers où toutes les syllabes seront minutieusement pesées par l'oreille ainsi qu'en ces vers latins où il excellait :

> ... Et se réveille, quand des mères ramassées
> Dans l'angoisse et pleurant sous leur vieux bonnet noir...

(1) Il aime cette « césure noyée », indécise entre la 5e et la 6e syllabes :

> ... Qui palpite là, comme une petite bête...
> L'amour infini dans un infini sourire...

A côté des poèmes qui ne gardent qu'une valeur plastique, tel le *Dormeur du Val*, il découvre un nouveau ton de poèmes intimes : sensations immortalisées *(Rêvé pour l'hiver, la Maline, le Buffet)*, fantaisies d'un instant *(Ma Bohême, Oraison du Soir)*. Il mêle le réalisme et l'humour *(les Réparties de Nina)* ; par la toute-puissance du rythme il nimbe de pitié tendre la description inflexible *(les Effarés)*. Dans *A la Musique*, après six stances d'une exactitude quasi photographique, il évoque en douze vers toutes les confuses aspirations de la puberté :

Et je sens les baisers qui me montent aux lèvres...

Dans *Au Cabaret Vert* la poésie transfigure avec une force souveraine

... La chope immense, avec sa mousse
Que dorait un rayon de soleil arriéré...

Déjà son lecteur reconnaît les premiers accents de la musique élusive et si simple des chansons des *Illuminations* ; ils dépouillent de toute grossièreté la verve bouffonne du *Cœur volé* ; rien ne les déguise plus dans cette conclusion de *Tête de Faune* :

Et quand il a fui — tel qu'un écureuil —
Son rire tremble encore à chaque feuille,
Et l'on voit, épeuré par un bouvreuil,
Le Baiser d'or du Bois qui se recueille.

Nous sommes parvenus en effet au point de transition, au travail que Rimbaud a décrit dans son *Alchimie du verbe* : « Je réglai la forme et le mouvement de chaque consonne, et, avec des rythmes instinctifs, je me flattai d'inventer un verbe poétique accessible, un jour ou l'autre, à tous les sens. » Grandiose entreprise et dont le fameux sonnet des *Voyelles* n'est qu'une des tentatives : « J'ai cru voir, parfois j'ai cru sentir de cette façon, déclarait-il, et je le dis, je le raconte, parce que je trouve cela aussi intéressant qu'autre chose. » L'ironie de Lemaître ne prouve rien ici que l'étendue de son incompréhension et la lucide hardiesse du précurseur. Quand Verlaine admirera dans *les Effarés* « du Goya pire et meilleur » et dans *les Chercheuses de poux* un poème « lamartinien, racinien, virgilien », Rimbaud aura déjà, lui, senti l'insuffisance de ses premiers vers malgré leur « force et leur roideur inouïes » (Claudel) : il rêvera d'éveiller une musique plus subtile, plus farouchement suave. En mai 1871, il écrit à un ami : « Je dis qu'il faut être *voyant*, se faire VOYANT », exactement comme l'enfant qu'il avait décrit dans ses *Poètes de sept ans*

... Qui dans ses yeux fermés voyait des points...
... Et pour des visions écrasant son œil darne...

Se faire voyant, c'est encore s'écraser l'œil, cultiver son âme pour atteindre à l'inconnu : « Le poète arrive à l'inconnu ; et quand, affolé, il finirait par perdre l'intelligence de ses visions, il les a vues. » Au service de cette vision le poète, voleur de feu, mettra une langue qui « sera de l'âme pour l'âme, résumant tout, parfums, sons, couleurs, de la pensée accrochant la pensée et tirant (1) ». Depuis quarante ans la poésie française évolue dans le sens que Rimbaud, prolongeant logiquement les pressentiments baudelairiens, avait marqué en ces deux phrases prophétiques.

Il avait écrit à Verlaine : celui-ci, enthousiasmé, le pressa de venir à Paris. Rimbaud accourut : il apportait *Bateau ivre*, authentique chef-d'œuvre en qui le parnassien Mendès n'a vu qu'« une métaphore étirée » et qui était, en réalité, le couronnement du passé et l'annonce d'une fuite vers l'inconnu. Car si les

(1) Lettre publiée dans la *N. R. F.* du 1er octobre 1912.

rares contemporains qui accueillirent cette révélation y furent surtout sensibles à la plénitude des descriptions :

Glaciers, soleils d'argent, flots nacreux, cieux de braises,
Échouages hideux au fond des golfes bruns
Où les serpents géants dévorés des punaises
Choient des arbres tordus avec de noirs parfums...

à ces évocations de mondes en marche :

Je courus ! et les péninsules démarrées
N'ont pas subi tohu-bohus plus triomphants...

à cette musique puissante et multiple comme l'Océan :

Et dès lors je me suis baigné dans le poème
De la mer infusé d'astres et latescent,
Dévorant les azurs verts où, flottaison blême
Et ravie, un noyé pensif, parfois, descend...,

une connaissance plus complète de la pensée de Rimbaud y ajoute pour nous le spectacle de ce voyant qu'il a voulu être, tour à tour triomphant :

Et j'ai vu quelquefois ce que l'homme a cru voir...

défaillant :

Et je restais ainsi qu'une femme à genoux...

enfin désespérant dans la terrible connaissance du prix que lui coûte sa conquête :

Mais, vrai, j'ai trop pleuré...

Il ne quitta point cependant tout à fait « l'empire de la force splendide » (Verlaine) ; *les Illuminations* renferment encore des traces de violence, de *vertige* :

> Tout à la guerre, à la vengeance, à la terreur.

On n'échappe pas à la terre ; Rimbaud le sent :

> Ce n'est rien : j'y suis ; j'y suis toujours.

Du moins va-t-il tenter désormais de se soustraire à la fatalité commune, par la vision fulgurante d'abord, par la rentrée dans l'humilité silencieuse ensuite : *les Illuminations* et *la Saison en Enfer* seront les deux étapes de ce progrès qui devait le mener plus loin qu'aucun de ses devanciers dans l'expression littéraire et enfin — calme après ce vertige — hors de toute littérature.

Les Illuminations sont, expressément, des images, Des « coloured plates », disait-il avec mépris, et certaines d'entre elles *(Promontoire, Scènes, Antique)* demeurent bien des images coloriées. Mais, la plupart du temps, elles justifient le sens français du mot et sont les frémissantes évocations d'un voyant. Dès 1871, dans *les Déserts de l'Amour*, il donnait un exemple de ces impressions caractéristiques où, devant l'esprit trouble, « ému jusqu'à la mort par le murmure du lait du matin et de la nuit du siècle dernier », les objets se défiguraient à l'infini : « la cloison devint vaguement l'ombre des arbres, et je me suis abîmé sous la tristesse amoureuse de la nuit ». Sa manière, lui-même l'a définie : « J'écrivais des silences, des nuits, je notais l'inexprimable. Je fixais des vertiges. »

« Je devins un opéra fabuleux », dit-il encore. Fréquemment, en effet, son âme semble une scène déblayée pour les chimériques défilés. Dans *Après le Déluge*, les mondes démarrent violemment ; *Nocturne vulgaire* et *Départ* sont de mystérieux glissements d'image en image ; *Jeune Ménage* et *Mémoire* sont ainsi constitués par de longues traînées d'images, les lents remous d'une onde ; plus de forme à proprement parler, rien que la traduction de ces mouvements :

> Madame se tient trop debout dans la prairie
> prochaine où neigent les fils du travail ; l'ombrelle
> aux doigts ; foulant l'ombelle ; trop fière pour elle
> des enfants lisant dans la verdure fleurie
> leur livre de maroquin rouge !...

Matinée d'ivresse, *Veillées*, et cette *Aube* où il ne peut parvenir à étreindre son objet sont de pures hallucinations. Dans *Enfance* et *Villes*, ses souvenirs de Charleville, Paris et Londres repassent sous son regard avec une vitesse fiévreuse qui déforme passé et avenir : « Ce ne peut être que la fin du monde en avançant. » *Soifs* le représente aussi désarmé devant sa lassitude et ses désirs. Dans cet état de réceptivité il accepte aussi bien la complexité de la *Rivière de Cassis* (où un paysage fixe suggère en lui-même d'autres paysages moins fermement accrochés) que la simplicité de *la Bonne Pensée du matin* ou la ritournelle populaire des *Fêtes de la Faim*.

Sa lucidité pourtant ne désarme point. Jacques Rivière a parfaitement analysé le retour dans ses visions de certains motifs : désorganisation du monde connu par l'intervention d'un autre univers, retour au chaos, importance des confins, motif de la lézarde (qui traduit peut-être l'expérience d'un obstacle, si fréquente dans les rêves) avec toujours « l'inévitable descente du ciel ». Il convient donc de souligner la force de la vision objective dans la précision des portraits (Pan dans *Antique*), du décor *(Scènes)*, du paysage (« à droite... » « le talus de gauche » dans *Ornières*). Mais il faut bien se garder d'exagérer la passivité de Rimbaud. Sa volonté artistique se manifeste pleinement dans les larges images qui s'épanouissent à la fin de *Mystique* (chef-d'œuvre de construction et de suggestion) ou dans ces dernières lignes de *Fleurs :* « Tels qu'un dieu aux énormes yeux bleus et aux formes de neige, la mer et le ciel attirent aux terrasses de marbre la foule des jeunes et fortes roses. » L'écrivain qui prétendait « régler la forme et le mouvement de chaque consonne et, avec des rythmes instinctifs inventer un verbe poétique » se retrouve dans l'ineffable musique de *Larme* :

> L'eau des bois se perdait sur les sables vierges,
> Le vent de Dieu jetait des glaçons aux mares,
> Et tel qu'un pêcheur d'or et de coquillages,
> Dire que je n'ai pas eu souci de boire !

Caractéristiquement siens sont les brusques retours d'humour lucide : « le pavillon en viande saignante sur la soie des mers et des fleurs arctiques (elles n'existent pas)... » *(Barbare)*, de même que les bruyants « à vendre » de *Solde*. Rien n'est plus personnel à Rimbaud que les soudains passages du concret à l'abstrait : « Je songe à une guerre, de droit ou de force, de logique bien imprévue. C'est aussi simple qu'une phrase musicale » *(Guerre)*, dénotant une pensée qui n'abdique point. Car, s'il fallait absolument verser dans un extrême, il serait plus vrai d'affirmer qu'il ne s'abandonne jamais, que dans *les Illuminations* comme dans ses vagabondages avec Verlaine, il reste, ainsi qu'il l'a écrit, « pressé de trouver le lieu et la formule ».

Il est inaccessible aux déchirements sentimentaux : mais une crise intellectuelle le tourmente. La littérature n'a été pour lui qu'un moyen de s'exprimer : du premier coup, il a rejoint ses aînés, il les a même dépassés ; le vers ne suffisant plus aux visions de *Marine* et de *Mouvement*, il a créé le verset dont la portée du souffle sera la seule mesure. La prose *A une raison* forme une introduction à tout l'art contemporain : « Un coup de ton doigt sur le tambour décharge tous les sons et commence la nouvelle harmonie... Arrivée de toujours, tu t'en iras partout. » Mais il ne voulait pas s'attarder ; cette œuvre n'était que préliminaire : « Tu en es encore à la tentation d'Antoine. » Il lui fallait s'exprimer ailleurs, en termes de vie ; sous les symboles il dégageait sa voie à travers *Conte*, *Fairy*, *Being Beauteous*, pour atteindre à la conclusion de *Royauté* : « Ils furent rois toute une matinée, où les tentures carminées se relevèrent sur les maisons, et tout l'après-midi, où ils s'avancèrent du côté des jardins de palmes. »

Il avait compris le danger de cette royauté spirituelle : « Je finis par trouver sacré le désordre de mon esprit. » Sa forte culture classique et les souvenirs de son éducation religieuse étant reniés, n'allait-il pas devenir la victime docile de ses propres illuminations ? Le mystérieux « je ne pouvais pas continuer, c'était mal » recueilli sur son lit de mort, ne serait alors qu'une suprême justification de son inflexible raison insurgée. Préoccupé seulement de « dire adieu au monde dans des espèces de romances », il donnait aux quatre poèmes qu'il comptait réunir sous le titre *Fêtes de la Patience* l'accent de la simplicité la plus poignante :

Et libre soit cette infortune !
. . . .
Ah ! que le temps vienne
Où les cœurs s'éprennent !
. . . .
Elle est retrouvée.
Quoi ? l'éternité.
C'est la mer allée
Avec le soleil.

Il évoquait, en vers immatériels, le bonheur, la « fatalité de bonheur » :

O saisons, ô châteaux,
J'ai fait la magique étude
Du bonheur que nul n'élude.

C'était — il l'a dit — *ad matutinum*, au *Christus venit*. Qu'avait-il encore à ajouter ?

> ... Et puis,
> C'est trop beau, trop ! Gardons notre silence.

Le cycle de l'orgueil dans la création enivrée et du détachement se fermait ; il pouvait conclure : « J'ai brassé mon sang. Mon devoir m'est remis. Il ne faut même plus songer à cela. Je suis réellement d'outre-tombe, et pas de commissions. »

Assez fier pour estimer qu'il ne devait compte à personne de son évolution, Rimbaud était trop lucide pour ne pas exiger de soi-même le récit complet de cette extraordinaire évasion : « J'ai songé à rechercher la clef du festin ancien... je vous détache ces quelques hideux feuillets de mon carnet de damné. » Sous l'influence de Claudel, on avait pu croire d'abord que *la Saison* indiquait le retour de Rimbaud au christianisme. Pourtant, dès 1923, Rivière avouait qu'il doutait des conclusions mystiques proposées dans son étude de 1912. Depuis lors, toutes les analyses ont montré que l'interprétation religieuse ne résistait pas à un examen impartial. Quand il composa *la Saison*, Rimbaud était plus loin du christianisme qu'au temps où sa foi révolutionnaire lui dictait d'écrire *Mort à Dieu !* sur les bancs publics de Charleville. Car il n'en était point séparé par ces désirs sensuels qui s'opposent souvent à la conversion : il nous dit qu'il n'a « pas aimé de femmes — quoique plein de sang » ; il proclame que « l'amour est à ré-inventer » ; il va même rompre avec Verlaine. Le véritable obstacle auquel s'est heurté Rimbaud, *la Saison* le dévoile enfin : par le moyen de la poésie Rimbaud a espéré s'affranchir de la condition humaine ; tout au moins, il a voulu rompre avec la civilisation occidentale, toute imprégnée de christianisme ; furieusement, il constate son échec et fait volte-face. Certes *la Saison* renferme bien l'histoire du prodigieux retournement d'un être entier contre lui-même.

Mais cette tragédie n'est pas celle de l'incroyant qui retrouve la foi ; c'est celle du visionnaire qui, déçu, capitule devant la « réalité rugueuse ».

Suivons-le dans son âpre chemin. « Nous allons à l'Esprit », proclame-t-il dans *Mauvais Sang :* telle est au départ son unique certitude. Le conflit s'engage : « le sang païen revient » ; il veut fuir : « ma journée est faite ; je quitte l'Europe... je reviendrai... j'aurai de l'or... Sauvé ». Hélas ! « on ne part pas ». Il reste en proie à des appels confus : « *De profundis, Domine ;* suis-je bête ! » Il se débat, puis : « j'ai reçu au cœur le coup de la grâce ». Il s'insurge, il essaie de montrer que, par nature, il n'est point passible de cette grâce, qu'il échappe à ses lois. Impossible : « La vie est la farce à mener par tous... En marche ! » Et c'est l'Enfer, décrit dans *Nuit de l'Enfer* et *Délires.* Il en émerge enfin : « Je voyais se lever la croix consolatrice. » La lutte reprend : il oppose l'Orient à l'Occident, il se retourne vers le passé et « l'Eden ». Illusion : c'est dans le futur qu'il trouvera la pureté à laquelle il aspire : « C'est cette minute d'éveil qui m'a donné la vision de la pureté ! Par l'esprit on va à Dieu ! »

Mais soudain Rimbaud aperçoit le piège où il est tombé : « L'esprit est autorité, il veut que je sois en Occident. Il faudrait le faire taire pour conclure comme je le voulais. » Il renonce donc à l'ambition de servir cet esprit qui l'a trompé, qui le rejette dans sa prison. Une dernière fois, il exprime sa révolte : « Moi ! moi qui me suis dit mage ou ange, dispensé de toute morale, je suis rendu au sol avec un devoir à chercher, et la réalité rugueuse à étreindre. Paysan ! » Alors il aura le courage, selon le mot de Mallarmé, de « s'opérer vivant de la poésie ». De sa soumission au réel il attendra cette récompense : « posséder la vérité dans une âme et dans un corps ». Et, cette fois, il réussira, n'ayant plus désormais qu'à « s'amener à la mort comme à une pudeur terrible et fatale » : tous les témoignages, y compris ses propres lettres, prouvent que M. Rimbaud, trafiquant d'armes en Abyssinie, n'avait plus rien de commun avec Rimbaud le Voyant.

Mais dans le drame haletant de *la Saison* l'âme de ce voyant s'était révélée tout entière. En éclairs aveuglants pour le premier regard : « Moi, je suis intact, et ça m'est égal... j'ai toujours été de race inférieure... je suis de race inférieure de toute éternité... je ne me souviens pas plus loin que cette terre-ci et le christianisme. » S'il fut criminel, ce fut, déclare-t-il, « à une époque immémoriale ». Son silence est aussi énigmatique que ses éclats rageurs : « Je comprends et ne sachant m'expliquer sans paroles païennes, je voudrais me taire. » Qu'entend-il donc ? Littéralement, qu'il n'est pas d'ici, qu'il n'appartient pas à notre univers, qu'il demeure irréductible à nos mesures : « l'orgie et la camaraderie des femmes m'étaient interdites... je n'ai jamais été de ce peuple-ci, je n'ai jamais été chrétien ». Son ami Verlaine l'avait nommé « un ange en exil » : la minutieuse analyse de Jacques Rivière confirme cette intuition poétique. Rimbaud est « intraitable... je suis une bête, un nègre ». Il est antérieur à la notion du péché : que lui parle-t-on de rédemption ? Mais « les blancs débarquent » ; de force, on le baptise et la grâce le frappe, traîtreusement : « Ah ! je ne l'avais pas prévu ! » Cependant, il regimbe sous l'humiliation de ce salut facile où « l'horloge ne sera pas arrivée à ne plus sonner que l'heure de la pure douleur ». Il porte en lui-même un idéal plus surhumain : « Apprécions sans vertige l'étendue de mon innocence. » Il réclame « la liberté dans le salut ». Or, on lui a imposé une déchéance : « Je suis esclave de mon baptême. » Il était antérieur à toute pollution et « l'enfer ne peut attaquer les païens ». Il souffre néanmoins toutes les angoisses de l'enfer : il est en enfer, parce qu'il est loin du ciel, parce qu'il est sur la terre : « Je ne suis plus au monde... décidément nous sommes hors du monde... La vraie vie est absente. Nous ne sommes pas au monde. » La terre est son enfer, la terre n'est pas « le monde », ce monde sans péché qui est celui des anges, « des fils du soleil » dont il est. Cette originalité inouïe qui explique tout l'inhumain de son génie, ce sens d'être incomparablement différent des autres fut la dernière chose qu'il dut tuer en lui : « J'ai créé toutes les fêtes, tous les triomphes, tous les drames. J'ai essayé d'inventer de nouvelles fleurs, de nouveaux astres, de nouvelles chairs, de nouvelles langues. J'ai cru acquérir des pouvoirs surnaturels. Eh bien ! je dois enterrer mon imagination et mes souvenirs ! Une belle gloire d'artiste et de conteur emportée ! »

L'a-t-il vraiment emportée dans sa retraite ? *La Saison en Enfer*, autobiographie qu'il tenta d'anéantir, mais qui manifestement fut d'abord écrite pour un lecteur, n'est-elle pas un des chefs-d'œuvre de la prose française ? « Prose de diamant », disait Verlaine, où s'atteste, ajoute Claudel, « la pleine maîtrise de son art ». Nous y voyons toutes les qualités de Rimbaud à son apogée. Sa violence d'abord, avec les brusques trouées d'ironie mauvaise, les « Est-ce bête !... Horreur de ma bêtise !... Drôle de ménage ! » qui rappellent l'emportement de ses lettres familières, avec les images volontairement grossières (« Je ne me crois pas embarqué pour une noce avec Jésus-Christ pour beau-père »), avec les paroxysmes d'injure et de raillerie : « Marchand, tu es nègre ; magistrat, tu es nègre ; général, tu es nègre ; empereur, vieille démangeaison, tu es nègre... » Comme dans *les Illuminations*, les visions défilent — routes, villes, plages, paradis, tout s'objective ; il hurle : « Où va-t-on ? Au combat ? je suis faible ! les autres avancent. Les outils, les armes... Le temps !... Feu ! feu sur moi ! Là ! ou je me rends. — Lâches ! — Je me tue ! Je me jette aux pieds des chevaux !... Ah !... » ; L'exaltation lyrique s'achève en frénésie : « Faim, soif, cris, danse, danse, danse, danse ! »

Mais de même que sa brutalité parmi les hommes masquait une subtile simplicité, ainsi son art dépouille cette apparence de pure violence. Les conflits qu'il peint n'ont pas toujours l'âcreté de *Mauvais Sang ;* il nous a donné de lui-même un double portrait : directement dans *Alchimie du verbe*, obliquement dans le récit de la vierge folle qui n'a pu comprendre cet être chargé « d'une mission de désorientation » (Rivière). Quelles images inoubliables il a trouvées pour traduire ces luttes spirituelles : « Au matin j'avais le regard si perdu et la contenance si morte, que ceux que j'ai rencontrés ne m'ont peut-être pas vu... J'étais dans son âme comme dans un palais qu'on a vidé pour ne pas voir une personne si peu noble que vous. » Et, pour les mieux évoquer, quelles musiques encore inentendues : « A côté de son cher corps endormi, que d'heures des nuits j'ai veillé, cherchant pourquoi il voulait tant s'évader de la réalité... Le combat spirituel est aussi brutal que la bataille d'hommes ; mais la vision de la justice est le plaisir de Dieu seul. »

Enfin, plus haut encore que ces graves harmonies, trône une intelligence sans défaut qui « avait la pitié d'une mère méchante pour les petits enfants ». Parmi les fantômes où d'autres sombreraient, Rimbaud préserve sa précision : « Je m'habituai à l'hallucination simple... Puis j'expliquai mes sophismes magiques avec l'hallucination des mots. » Rien ne désarme sa clairvoyance : « Je lui faisais promettre qu'il ne me lâcherait pas. Il l'a faite vingt fois, cette promesse d'amant. C'était aussi frivole que moi lui disant : « Je te comprends. » Que ceux qui seraient tentés de croire à son inconscience comparent à la première ébauche (1) la densité définitive de ces phrases : « Je devins un opéra fabuleux ; je vis que tous les êtres ont une fatalité de bonheur ; l'action n'est pas la vie, mais une façon de gâcher quelque chose, un énervement. La morale est la faiblesse de la cervelle. » Et qu'ils mesurent l'art poignant de cette suprême simplicité : « Cela s'est passé. Je sais aujourd'hui saluer la beauté. »

« Saluer cette beauté » est aisé ; en fixer l'influence est moins

(1) Voir *N. R. F.*, 1er août 1914.

facile. Gourmont la jugeait nulle ; il l'a dit, il l'a même répété en latin pour plus de sûreté : « Ce gamin de génie... fut un jeu de la nature, *lusus naturœ*... ces morceaux furent publiés trop tard pour avoir une réelle influence littéraire. » Tel n'était point l'avis de Verlaine qui en parlait par expérience, ni de la génération à laquelle appartiennent Paul Claudel et Paul Valéry. Quant à nos contemporains, son influence n'a fait que grandir à leurs yeux. « L'homme aux semelles de vent » compte, en effet, parmi les maîtres qui ont renouvelé la notion même de la poésie, ont assuré son autonomie, ont prouvé sa valeur comme instrument de connaissance, de communion directe avec l'univers. De ces possibilités son œuvre demeure le témoignage ; car elle sera toujours, ainsi qu'il l'avait rêvé, « de l'âme pour l'âme... de la pensée accrochant la pensée et tirant. »

§ 4. — Paul Verlaine

La vie mouvementée de PAUL VERLAINE a été souvent et minutieusement contée (1). Nous n'en retiendrons ici que ce qui aide à mieux comprendre le déroulement de son œuvre — étant bien entendu, toutefois, que nous y chercherons seulement des indications générales puisque, dans l'arrangement de ses recueils, Verlaine s'est soucié plutôt d'un effet artistique que d'une disposition chronologique ou d'une unité psychologique.

Son premier livre, *les Poèmes saturniens* (1866), indique, outre des influences parnassiennes assez accidentelles, les maîtres intimes, Sainte-Beuve et Baudelaire, dont il relevait ; mais déjà on y entend les accents de la voix qui, pour l'avenir, sera la voix de Verlaine. Trois ans après, *les Fêtes galantes*, inspirées par la lecture des Goncourt et la vue des Watteau, présentaient

(1) Voir notamment les livres de ses amis, EDMOND LEPELLETIER et ERNEST DELAHAYE ; consulter aussi sa *Correspondance* publiée et commentée par AD. VAN BEVER ainsi que le *Verlaine tel qu'il fut* de FRANÇOIS PORCHÉ.

au lecteur un délicieux Verlaine fardé. Il apparaît sans masque dans *la Bonne Chanson* (1870), « fleur dans un obus » comme l'appelait Hugo : il y chante ses fiançailles et son mariage au début de la guerre ; « dans le bagage assez volumineux de mes vers, ce que je préférerais comme sincère par excellence », écrivait-il plus tard. Puis vint la grande crise sentimentale et intellectuelle, effondrement de son bonheur conjugal, rupture jalouse avec Rimbaud, qui culmina dans la tragique comédie de Bruxelles (juillet 1873). Pendant son emprisonnement, son ami Lepelletier imprima les *Romances sans paroles* qui ne suffirent pas à imposer aux lecteurs le nom de Paul Verlaine. L'épreuve humaine le ramena vers Dieu et il publia, en 1881, le recueil chrétien de *Sagesse*, « premier acte de foi public » de ce « fils soumis de l'Église » dont l'ambition était alors de ne rien produire qui puisse choquer « la délicatesse d'aucune oreille catholique ».

Sagesse passa presque inaperçu. Mais Verlaine, tour à tour fonctionnaire, vagabond, professeur et cultivateur, se consacrait désormais à la littérature : il commença *les Poètes maudits*, se délivra des *œgri somnia* de *Jadis et Naguère*, publia cet *Art poétique* qui le fit sacrer chef d'école. Coup sur coup de nouveaux malheurs le frappèrent : désastre d'une seconde entreprise agricole, morts de sa mère et de son fils adoptif, Lucien Létinois ; *Amour* est la réplique de son âme chrétienne à ces douleurs redoublées. Il revint à Paris où il devait mener, dix ans encore, une existence pitoyable et glorieuse, allant de café en taudis et en hôpital, tandis que les jeunes saluaient en lui le prince des poètes. Pour se rester entièrement fidèle, il imagina « d'inaugurer un système basé sur le fameux *homo duplex* » et de « donner à chacun de ses recueils catholiques un complément plus mondain » : *Jadis et Naguère* après *Sagesse*, *Parallèlement* après *Amour*, *Chansons pour elle* après *Bonheur*, *Odes en son honneur* après *Liturgies intimes*, cette alternance tient moins à un système qu'à la nécessité de traduire l'extraordinaire mélange de foi naïve et d'érotisme aiguisé par l'intempérance qui a fait de ce génial bohème notre Villon moderne (1).

L'originalité de ce grand poète se dégage mieux quand on a déblayé de son œuvre le fatras. Il y a beaucoup trop de pastiches dans *les Poèmes saturniens* : quelques-uns réussis, tels le parnassien *Effet de Nuit* ou la *Sérénade* baudelairienne ; mais ce qui traîne de romantisme conventionnel dans *Nocturne parisien* en gâte l'inspiration moderne et *Çavitri* n'est que du Leconte de Lisle au rabais. *Jadis et Naguère* renferme, outre les beaux poèmes de *Cellulairement*, beaucoup d'essais de débutant et les imitations n'y sont pas limitées à la section qui s'intitule « à la manière de plusieurs » ; lorsque Verlaine écrit ce vers :

Dans une obsession de musc et de benjoin,

il se souvient de Baudelaire et n'innove rien ; *Crimen Amoris* où il peint Rimbaud, « le plus beau d'entre tous ces mauvais anges », touche plus le psychologue que l'amateur de poèmes qui préférera à cette explication les œuvres mêmes du « grand damné ». Dans *Amour*,

Ce mien livre, d'émoi cruel et de détresse

nous ferions volontiers bon marché du défilé de sonnets amicaux et de cette apologie des flonflons patriotiques *(Gais et Contents)* d'un Messin facilement cocardier. Les derniers recueils contiennent énormément de bavardage, qu'il s'agisse de parodies et d' « à la manière de Paul Verlaine » ou des interminables

(1) C'est du titre de « frère spirituel de Villon et de Baudelaire » que le saluera FRANCIS CARCO, dans son *Verlaine* de 1939, non sans reconnaître qu'il manque à ses plus touchantes effusions « cette mystérieuse phosphorescence » que nous admirons dans les moindres phrases de Rimbaud.

sermons où le poète règle avec le ciel ses petites affaires personnelles :

> Puisse un prêtre être là, Jésus, quand je mourrai !...
>
> *(Bonheur.)*
>
> Car ce mystère, l'Incarnation, est tel,
> Par l'exégèse autour, comme par sa nature,
> Qu'il fait égal au Créateur la créature...
>
> *(Bonheur.)*

Tout cela, qui est bien fastidieux, l'est moins encore peut-être que, dans les recueils « pécheurs », la monotonie avec laquelle il prêche

> L'embarquement pour Sodome et Gomorrhe.
>
> *(Parallèlement.)*

Passe encore pour les sonnets, assez baudelairiens, sur *les Amies ;* mais il est difficile de résister à l'écœurement devant la sénile fringale de chair qui lui dicte d'éternelles descriptions d'alcôves, de corps de femmes, de chemises, de maritornes qui s,épucent ; « jouir et dormir », cela ne mène pas loin, même lorsqu'on est

> Ruine encore de chrétien,
> Philosophe déjà païen.
>
> *(Odes en son honneur.)*

Et cependant, même dans les plus mal venus de ces livres, le lecteur retrouvera les qualités qui font tout pardonner à Verlaine : une spontanéité lyrique qui encore une fois nous ramène au souvenir de Villon :

> Cuisses si bonnes tant baisées
> Devers leur naissance et par là,
> Blanches plus que rose-thé, la
> Meilleure part de mes pensées...
>
> *(Id.)*

une candeur malicieuse à parler de soi :

> Je fus mystique et je ne le suis plus
> (La femme m'aura repris tout entier)
> Non sans garder des respects absolus
> Pour l'idéal qu'il fallut renier...
>
> *(Chansons pour elle.)*

les excuses sans bassesse d'un faune qui s'était souhaité ermite :

> Ces vers durent être faits,
> Cet aveu fut nécessaire,
> Témoignant d'un cœur sincère
> Et tout bon ou tout mauvais...
>
> *(Parallèlement.)*

et qui se venge de ses défaites morales par les victoires artistiques de *Réversibilités*, chef-d'œuvre d'habile construction, ou d'*Impression fausse* dont la musique indécise hante à jamais l'oreille et l'âme.

Le visage ingénu et malgré tout pur qu'il nous dévoile ainsi parmi les plus laides souillures et les chutes les plus prosaïques est la seule image qu'à bon droit l'avenir gardera pour sienne. La nouveauté révolutionnaire de sa poésie consista dans cette spontanéité, ce renoncement à toute convention, la simplicité unie des vers confidentiels :

> Le premier « oui » qui sort des lèvres bien-aimées...
> L'atmosphère ambiante a des baisers de sœur...

On a dit qu'il avait une âme d'enfant : cela est exact pour exprimer son abandon complet à la femme, à la mère vigilante

> Et qui parfois vous baise au front comme un enfant...

aussi bien qu'à l'amante qui

> Doit avoir l'abandon paisible de la sœur.

Une moitié de cet *homo duplex* qu'il avouait incarner (1) était si bien faite pour le bonheur calme, accueillait le mariage si joyeusement :

> Donc ce sera par un clair jour d'été...

Averti que « c'était bon pour une fois », il se persuadait si vite que l'on allait recommencer et que tout irait bien ; il croyait tant à ses bonnes résolutions :

> Oui, je veux marcher droit et calme dans la Vie !
>
> *(Bonne Chanson.)*

cette vie dont les spectacles lui inspiraient d'incomparables élégies :

> Voici des fruits, des fleurs, des feuilles et des branches...
>
> *(Green.)*
>
> Elle voulut aller sur les flots de la mer...
>
> *(Beams.)*

Et ce même abandon amoureux devant les femmes et la vie, il l'apportait ingénument aux pieds de la Vierge :

> Je ne veux plus aimer que ma mère Marie...

Cette simplicité est la seule vertu chrétienne qu'il ose pleinement revendiquer, s'il oppose cœur à cœur :

> Moi, le mien bat toujours le même,
> Il est toujours simple...
>
> *(Amour.)*

(1) L'évolution de la bohème à l'ascétisme fut, au contraire, sans retour chez son ami Germain Nouveau (1852-1910) qui, après d'assez médiocres *Valentines*, écrivit les nobles *Poèmes d'Humilis*.

Il se veut humble :

Ma Foi, celle du charbonnier.

(Amour.)

Le seul savant, c'est encore Moïse...

(Sagesse.)

En réaction contre l'orgueil de ses contemporains il atteint dans ses confessions *(Conte)* à une humilité réelle et son suprême vœu non plus n'est point feint :

Priez avec et pour le pauvre Lélian.

Son catholicisme volontairement borné lui fait écrire les chansons sans ornement des *Liturgies intimes* :

La myrrhe, l'or et l'encens
Sont des présents moins aimables
Que de plus humbles présents
Offerts aux yeux adorables.

Nulle hypocrisie dans ses invocations :

J'ai fait ces vers, Seigneur, à votre gloire encor...

dans son exaltation de la vie simple :

La vie humble aux travaux ennuyeux et faciles...

(Sagesse.)

des plaisirs populaires :

Tournez, tournez, bons chevaux de bois...

(Id.)

car un symbolisme naît des moindres actes coutumiers : la moisson et la vendange lui rappellent que

Dieu moissonne et vendange et dispose à ses fins
La Chair et le Sang pour le calice et l'hostie.

(Id.)

Point d'affectation non plus dans les débats familiers avec sa conscience :

Ah ! les autres, ah ! toi ! Crédule à qui te flatte,
Toi qui rêvais (c'était trop excessif aussi)
Je ne sais quelle mort légère et délicate.
Ah ! toi, l'espèce d'ange avec ce vœu transi !

(*Id.*)

ni dans l'âpre verve de ses semonces : « Tu n'es plus bon à rien de propre... » La religion agrandit son horizon ; il rêve d'échapper à son temps, il se souhaiterait né au XVIIe siècle finissant ; un brusque rappel d'obéissance l'en détourne :

Non ! il fut Gallican, ce siècle, et Janséniste.

et il se voit transporté au Moyen Age, vers ce portail de Chartres peut-être où Huysmans le reconnaissait sous les traits de saint Jude. Sans doute est-il parfois terriblement didactique : son opposition entre la Vierge et les statues d'Hécube et Niobé, symboliquement païennes, n'est pas plus convaincante que les versets sans grâce de *Circoncision :*

Et nous circoncisons nos cœurs suivant votre exemple
Et nous voudrons ressembler à Vous-même, qui fîtes
Le vieux Siméon, dans la solennité du temple,
Exhaler vers vous une allégresse sans limites.

(*Liturgies intimes.*)

Mais de tels excès de sécheresse sont rares : le plus souvent il ne cesse point d'être poète pour devenir chrétien. Dans la description de l'amour divin il apporte des précisions païennes :

Et que votre plaisir, ô Jésus, s'assouvisse...

(*Bonheur.*)

Un émouvant appel humain le ramène sur notre terre :

> Beauté des femmes, leur faiblesse, et ces mains pâles...
>
> *(Sagesse.)*

il garde l'art de faire rendre aux douces rimes féminines toute leur adorable musique :

> Écoutez la chanson bien douce...
> Un frisson d'eau sur de la mousse...
>
> *(Sagesse.)*

Lorsque l'heure sonne enfin, pour ce poète de tous les abandons, du suprême abandon à l'amour divin, rien n'égale l'intensité lyrique de sa prière :

> O mon Dieu, vous m'avez blessé d'amour...

et de la suite de sonnets : « Mon Dieu m'a dit... » qui font de *Sagesse* un authentique chef-d'œuvre.

Or, tant d'aspirations ne furent point vaines : l'amour divin purifia en son cœur l'amour humain. Cet irrégulier lui dut de chanter la famille avec une puissance d'émotion qui passe infiniment la sincérité de Hugo toujours suspecte de rhétorique ; une irrésistible émotion pénètre les poèmes :

> Ces chères mains qui furent miennes...
>
> *(Sagesse.)*
>
> Et j'ai revu l'enfant unique...
>
> *(Id.)*

comme aussi le pathétique *Adieu* à sa femme :

> Hélas ! je n'étais pas fait pour cette haine
> Et pour ce mépris plus forts que moi que j'ai...
>
> *(Amour.)*

et cette vraiment divine effusion :

> Le petit coin, le petit nid...
> *(Amour.)*

« expression de ravissement presque adamique », a-t-il dit lui-même, « à propos d'un bonheur modeste... que la mort est venue démolir de fond en comble ». Il faut lire, dans *Amour*, la suite de pièces sur Lucien Létinois, ces rappels de leurs promenades, de leurs travaux, de leurs lectures, du rire de l'enfant et de sa voix, il faut écouter la litanie des tendres louanges que son père lui adresse pour mesurer la noblesse du poète qui s'inclinait sous la volonté céleste :

> Mon fils est mort. J'adore, ô mon Dieu, votre loi...
> Vous me l'aviez donné ; vous me le reprenez :
> Gloire à vous !...

Pur poète de l'âme, Verlaine demeure aussi l'un de nos artistes les plus raffinés. A sa naïveté souriante s'allie une extrême subtilité, un goût des liens instables et équivoques. Dès les *Poèmes saturniens*, la *Chanson des Ingénues* laissait deviner cette face de son talent : il la révèle à son aise dans les *Fêtes galantes*, images d'un XVIIIe siècle stylisé. Toute l'animation de la Comédie italienne revit sous nos yeux *(Pantomime, Colombine, Sur l'herbe) ;* les éternels « fantoches » s'agitent, mus par le caprice du poète qui se plaira souvent à brouiller ainsi les belles fantaisies (1). Les personnages qui passent dans ce décor

> (Hi ! hi ! hi ! les amants bizarres !)

(1) Cf. C'est le chien de Jean de Nivelle *(Ariettes oubliées)*;
La belle au bois dormait... *(Amour)*
et *Images d'un Sou* dans *Jadis et Naguère.*

sont à peine plus réels. Ils disent la brièveté du plaisir *(En bateau, le Faune)*, avec parfois une jolie pointe libertine *(Cythère)* et la griserie du langage *(A Clymène*, premier titre : « Galimatias double ») ; ils échangent de désinvoltes impertinences *(Lettre)* et, lorsque les fusées de ce feu d'artifice sont retombées, gardent dans leurs regrets une dignité spectrale *(Colloque sentimental)*. Celui qui les anima de son souffle glisse délicatement sur le symbolisme transparent des choses :

Le vent de l'autre nuit a jeté bas l'Amour...

il chante leurs ébats dans des poèmes qui sont les sous-bois parfumés de notre littérature *(A la promenade)* ; en douze vers *(Clair de lune)* il fait tenir un monde de pittoresque marivaudage, baigné dans une atmosphère de mélancolie subtile et d'irréalité d'où le lyrisme jaillit avec les grands jets d'eau ; leurs sentiments les plus perversement complexes, il les fixe à jamais :

Le soir tombait, un soir équivoque d'automne ;
Les belles se pendant rêveuses à nos bras
Dirent alors des mots si spécieux, tout bas,
Que notre âme depuis ce temps tremble et s'étonne...

(Les Ingénus.)

et ses vers — miraculeusement — se rythment aux battements étouffés de leurs cœurs :

Calmes dans le demi-jour
Que les branches hautes font,
Pénétrons bien notre amour
De ce silence profond...

(En sourdine.)

« *Sagesse* est admirable, lui disait Mallarmé en 1883, mais... pourquoi n'essaieriez-vous pas de refaire des *Fêtes Galantes ?* » : admirable incompréhension de l'artiste qui s'arrête à la première réussite artistique ! Verlaine allait bien publier dans *Jadis et Naguère* sa comédie *Les Uns et les Autres* (composée avant 1870), où la profonde émotion n'est refoulée que par la volontaire nonchalance d'une civilisation artificielle :

> La vie est-elle une chose
> Grave et réelle à ce point ?

Mais il savait que l'essentiel de son art était ailleurs, que ce marivaudage prêtait un faux air de délassement spirituel à une pensée qui ne trouvait pleine satisfaction que dans la pure musique. Les musiciens qui, de Fauré à Debussy, ont prolongé les échos de ses harmonies ne s'y sont point trompés ; Huysmans les avait devancés qui écrivait : « Seul, Verlaine a pu laisser deviner certains au-delà troublants d'âme, des chuchotements si bas de pensées, des aveux si murmurés, si interrompus, que l'oreille qui les percevait demeurait hésitante. » Que Verlaine sût tout comme un autre emplir d'une virile énergie oratoire le vieil alexandrin, les sonnets à Louis II ou à Victor Hugo suffiraient à le prouver. Il n'en est pas moins évident que les deux préceptes fondamentaux de son *Art poétique* sont bien :

> Prends l'éloquence et tords-lui son cou !

et

> De la musique avant toute chose.

Le poème avec lui aspire à devenir chanson. La musique seule, en effet, peut évoquer l'indicible (fin de *Mon rêve familier*), imiter les détours fluides de la rêverie *(Soleils couchants, Crépuscule du Soir mystique)*, accepter sans effort de reconstruction le défilé des impressions (sonnet *l'Espoir luit*), suivre les sautes d'une pensée inquiète :

> Je ne sais pourquoi
> Mon esprit amer...

A la musique Verlaine avait conscience de devoir sa libération : par elle il s'était affranchi des descriptions littérales des Parnassiens ; elle lui avait fourni le moyen d'évoquer plus délicatement, par le son autant que par le sens, les *Paysages belges* ou ce soir de *Sagesse :*

> Le son du cor s'afflige vers les bois
> D'une douleur on veut croire orpheline...

Elle lui avait livré le secret de la transposition d'une vision pittoresque comme :

> L'ombre des arbres dans la rivière embrumée.
> *(Romances sans paroles.)*

en une image sentimentale où des lecteurs trouveraient à leur tour prétexte à une nouvelle correspondance (1). Elle l'avait fait maître de l'harmonie trouble des *Vers pour être calomnié* aussi bien que de l'harmonie calme de *Kaléidoscope (Jadis et Naguère).* Il n'ignorait pas que les plus inexprimablement « verlainiens » de ses poèmes étaient ces chansons subtilement naïves :

> Il pleure dans mon cœur...
> *(Ariettes oubliées.)*
> Je suis venu, calme orphelin...
> *(Sagesse.)*

ces mélopées imprécises comme d'une présence mi-rêvée :

> Dans l'interminable
> Ennui de la plaine...
> *(Romances sans paroles.)*

(1) Dans un article de *la Revue Musicale* (décembre 1920), R. Godet a raconté la manière dont Debussy avait, sous l'empire d'une émotion, transposé musicalement le poème de Verlaine, comme Verlaine avait transposé l'image de Cyrano de Bergerac.

ces airs qui semblent naître après une longue attente et soudain jaillir droits, sans une inflexion de leur ligne mélodique :

> O triste, triste était mon âme.
>
> *(Romances sans paroles.)*
>
> J'ai peur d'un baiser...
>
> *(Id.)*

ces poèmes d'effusion musicale enfin qui chantent à présent dans toutes les mémoires comme les paroles les plus fraternelles de l'âme humaine :

> Les sanglots longs
> Des violons...
>
> *(Poèmes saturniens.)*
>
> La lune blanche
> Luit dans les bois...
>
> *(Bonne Chanson.)*
>
> Il pleure dans mon cœur
> Comme il pleut sur la ville...
>
> *(Romances sans paroles.)*
>
> Le ciel est par-dessus le toit
> Si bleu, si calme...
>
> *(Sagesse.)*

Créateur de mélodies si parfaites et si entièrement originales, Verlaine évita la tentation où on l'invitait de les alourdir par un commentaire théorique. Il consentit à se nommer décadent parce que l'adjectif lui plaisait, mais, « symboliste », il le fut, lui si limpide, bien moins que Rimbaud. Dans son *Art poétique*, outre sa haine de l'éloquence et son amour de la musique, il exprime sa tendresse pour la nuance,

> Pas la couleur, rien que la nuance

et pour

> ... la chanson grise
> Où l'Indécis au Précis se joint ;

en quoi il ne fait guère que généraliser doctement ses préférences instinctives. Il recommande l'emploi de « l'Impair » dont il se sert généralement dans ses œuvres d'intimité, de conversation avec son lecteur. Il veut une « rime assagie » ; par quoi il entend une rime non scandaleuse, car, malgré ses griefs contre ce « bijou d'un sou », il écarta toujours le vers blanc et rima ou assonança jusque dans ses improvisations. De même pour la coupe du vers où il n'innova que prudemment; il accepta vite le rythme ternaire déjà employé par Hugo :

Rien de meilleur à respirer que votre odeur ;

mais le manuscrit de *Sagesse* porte la note « césure à changer » en face de vers comme :

O va prier contre l'orage, va prier

et :

Avec du sang déshonoré d'encre à leurs mains.

Il se débarrassa de tels scrupules ; ses plus grandes hardiesses toutefois portent sur l'enjambement dont il a tiré les plus heureux effets, depuis les gamineries qui coupent un mot en deux vers jusqu'aux sursauts mystiques qui se fondent en repos d'une harmonie racinienne :

Ah ! Seigneur, qu'ai-je ? Hélas ! me voici tout en larmes
D'une joie extraordinaire : votre voix
Me fait comme du bien et du mal à la fois,
Et le mal et le bien, tout a les mêmes charmes.

(Sagesse.)

Mais il ne croyait pas aux procédés :

Que ton vers soit la bonne aventure...
Et tout le reste est littérature.

Sa gloire la plus précieuse est que tant de poèmes, jusqu'alors tenus p ur estimables, paraissent de la « littérature » quand on songe aux siens qui furent si absolument

De la musique encore et toujours.

§ 5. — Stéphane Mallarmé

Préfaçant en 1920 un recueil de vers (1), Paul Valéry — qui fut l'ami de MALLARMÉ et le témoin de sa dernière évolution — nous a livré un examen de conscience symboliste : « Ce qui fut baptisé le *Symbolisme* se résume très simplement dans l'intention commune à plusieurs familles de poètes (d'ailleurs ennemies entre elles) de « reprendre à la Musique leur bien »... Nous étions nourris de musique, et nos têtes littéraires ne rêvaient que de tirer du langage presque les mêmes effets que les causes purement sonores produisaient sur nos êtres nerveux. » Que Mallarmé ait eu nettement conscience de cette orientation, qu'il ait été en ce sens chef d'école, ses propres déclarations en font foi : « Un souci musical domine et je l'interpréterai selon sa visée la plus large. Symboliste, Décadente ou Mystique, les Écoles... adoptent, comme rencontre, le point d'un Idéalisme qui (pareillement aux fugues, aux sonates) refuse les matériaux naturels et, comme brutale, une pensée directe les ordonnant ; pour ne garder de rien que la suggestion. » Idée assez impérieuse pour lui dicter un des rares vers blancs de sa prose !

Mais ici déjà nous arrête l'une des antithèses qui forment sa figure littéraire (2). Ce musicien avait débuté au Parnasse et ne l'oublia jamais complètement. Gourmont a recueilli la tradi-

(1) *Connaissance de la Déesse*, par LUCIEN FABRE.

(2) Toute réflexion sur Mallarmé doit débuter par un hommage à *la Poésie de Stéphane Mallarmé*, étude littéraire d'ALBERT THIBAUDET. Est-il besoin d'ajouter que les plus rigoureux et les plus enivrants commentaires sur les puissances de Mallarmé sont ceux de PAUL VALÉRY dans les tomes II et III de *Variété ?*

tion selon laquelle Baudelaire, lisant les premiers poèmes de Mallarmé, se serait inquiété de voir surgir si vite son successeur. *Brise marine*, effectivement, enclôt entre son début :

> La chair est triste, hélas ! et j'ai lu tous les livres

et sa conclusion :

> Mais, ô mon cœur, entends le chant des matelots

une méditation authentiquement baudelairienne ; *le Sonneur*, *Angoisse* et *le Guignon* ne sont pas moins baudelairiens dans leurs thèmes et leurs accents. L'école de l'art pour l'art n'a rien produit de plus minutieusement achevé que la délicate évocation chinoise dans *Las de l'amer repos*. Bien avant qu'il fût question de symbolisme, le Parnasse avait enseigné l'usage du symbole au poète des *Fenêtres*. Lui-même a, parmi les tendances du Parnasse, noté « une adoration pour la vertu des mots » ; pour un parnassien, les mots sont des pierres précieuses ; ils brillent de tout leur éclat, distincts, exactement tels que Mallarmé les verra dans la *Prose pour Des Esseintes :*

> Toute fleur s'étalait plus large...
> Telles, immenses, que chacune
> Ordinairement se para
> D'un lucide contour, lacune
> Qui des jardins la sépara...

tels qu'il les utilisera dans les beaux vers parnassiens de cette *Hérodiade* qui forme transition entre Salammbô et les Narcisse de Gide et Valéry. Sans doute l'héritage parnassien l'entraîne-t-il quelquefois à la périphrase de Delille, à preuve cette évocation du cocktail d'Edgar Poe :

> Dans le flot sans honneur de quelque noir mélange.

Peut-être lui doit-il aussi son intérêt pour les représentations matérielles de la pensée, livre, affiches, ponctuation, détails de typographie. Il en garde assurément le goût des images visuelles, parfois violemment heurtées aux images motrices que lui suggère la musique (début de *la Chevelure vol d'une flamme*), conflit qu'il tente de concilier dans des figures de ballet poétique. Cet art pictural l'obsédera jusqu'au moment de sa plus grande obscurité ; il consacre un sonnet *(Surgi de la croupe et du bond)* à la description d'un vase veuf de fleur ; *Victorieusement fui le suicide beau* est un sonnet parnassien transcrit ensuite en Mallarmé ; les deux tercets de *Tout orgueil* peignent dans les deux langages la même console qui porte le même marbre :

> Affres du passé nécessaires
> Agrippant comme avec des serres
> Le sépulcre de désaveu,
> Sous un marbre lourd qu'elle isole
> Ne s'allume pas d'autre feu
> Que la fulgurante console.

Mallarmé n'a pas renié le Parnasse : s'il parle, en 1890, de cette « enseigne un peu rouillée maintenant », il ajoute que « toutefois la précaution parnassienne ne reste pas oiseuse ». C'est en Parnassien ému qu'arrivé à Oxford, sitôt une assemblée réunie, il s'est déchargé devant elle de cette invraisemblable nouvelle : « On a touché au vers. » Il approuvait, — employant parfois l'octosyllabe, « sorte de jeu courant pianoté autour » de l'alexandrin, admettant chez les novateurs le vers libre — mais il concluait : « Je dirai que la réminiscence du vers strict hante ces jeux à côté et leur confère un profit. » Son austérité parnassienne a bien mérité l'éloge de Gourmont : « Jamais, au rebours de l'inégal Verlaine, il n'écrivit au hasard. »

Mais lui-même a dénoncé l'illusion parnassienne, « la prétention d'enfermer en l'expression la matière des objets ». Sur ce point la musique l'a éclairé, définitivement, et peut-être n'admet-il la nécessité de métriques diverses que parce que « toute âme est une mélodie qu'il s'agit de renouer ». A la musique proprement dite il n'accéda qu'assez tard, durant les dix ou douze dernières années de sa vie ; il y rencontra Wagner. Dieu redoutable qui parfois l'accabla et le fit douter de la littérature

> Notre si vieil ébat triomphal de grimoire,
> Hiéroglyphes dont s'exalte le millier
> A propager de l'aile un frisson familier !
> Enfouissez-le-moi plutôt dans une armoire.
>
> *(Hommage.)*

Mort trop tôt pour que Debussy l'ait guéri de Wagner, cette obsession lui fut source d'erreurs : elle le réconcilia, lui si peu objectif, incapable de soutenir même un dialogue entre Hérodiade et sa nourrice, avec l'idée d'un théâtre ou tout au moins (car sa méfiance contre « le monstre qui ne peut être » dénonça jusqu'au bout « l'erreur connexe, décor stable et acteur réel, du Théâtre manquant de la Musique ») avec la possibilité de ces offices théâtraux dont une grand-messe et *Parsifal* lui semblaient offrir les premières réalisations ; elle lui fit prendre pour une symphonie sa sonate du *Coup de Dés*. En revanche, elle lui inspira la vision d'un échange entre les deux arts (« on en retrouve plusieurs moyens m'ayant semblé appartenir aux Lettres, je les reprends ») et d'une communauté d'origine (« la Musique et les Lettres sont la face alternative ici élargie vers l'obscur ; scintillante là, avec certitude, d'un phénomène, le seul, je l'appelai l'Idée »). De leur rapprochement conscient il vit naître l'espoir d'une poésie renouvelée : « Le vers va s'émouvoir de quelque balancement, terrible et suave, comme l'orchestre, aile tendue ; mais avec des serres enracinées à vous. » Il cherche en conséquence « un art d'achever la transposition, au livre, de la symphonie ou uniment de reprendre notre bien ».

De longues méditations renforçaient, d'ailleurs, cette découverte théorique. Toujours il avait semé ses poèmes d'admirables vers isolés :

La cueillaison d'un rêve au cœur qui l'a cueilli...
Je t'apporte l'enfant d'une nuit d'Idumée...
Lys ! et l'un de vous tous pour l'ingénuité...

aussi magnifiques par le son que par le sens ; il avait pratiqué musicalement le rejet :

Tâche donc, instrument des fuites, ô maligne
Syrinx...

(Faune.)

et ce que Thibaudet propose de nommer le surjet :

Mais avant, si tu veux, clos les volets : l'azur
Séraphique sourit dans les vitres profondes.

(Hérodiade.)

Mais, dans les dernières œuvres, cette recherche des effets musicaux devient primordiale ; elle aboutit à un art très savant qui exclut la spontanéité. Toutes les possibilités du langage ont été étudiées pour la mise en valeur de mots comme :

L'Angoisse, ce minuit, soutient, lampadophore...
De scintillations sitôt le septuor...

et de vers tels que :

Aboli bibelot d'inanité sonore...
Victorieusement fui le suicide beau...

qui justifient son originale analyse : « Le vers qui de plusieurs vocables refait un mot total, neuf, étranger à la langue et comme incantatoire. » Fruits d'une longue patience musicienne, le sonnet en *i* majeur, *le Vierge, le Vivace et le Bel Aujourd'hui* ou ce tercet de lumière et d'ombre :

> Mais chez qui du rêve se dore
> Tristement dort une mandore
> Au creux néant musicien.

Dans cette voie Mallarmé a obtenu d'incomparables réussites, des triomphes d'évocation où chaque lettre de chaque mot fait effet, *l'Éventail de mademoiselle Mallarmé*, par exemple, ou cette peinture de douceur molle trouée par deux grands coups métalliques :

> Mais langoureusement longe
> Comme de blanc linge ôté
> Tel fugace oiseau si plonge
> Exultatrice à côté
> Dans l'onde toi devenue
> Ta jubilation nue.
>
> *(Petit Air. I.)*

Poésie savante — mais poésie parfois obscure. De son vivant Mallarmé possédait une réputation d'obscurité qui ne s'est pas entièrement dissipée. Il en a probablement souffert ; il en a certainement joui ; il a entretenu son renom de mystificateur en n'expliquant point ce qu'il entendait par « remettre de l'ombre » en certains de ses ouvrages ; il n'est point douteux qu'il se soit fait du tarabiscotage une manière — qui rend cocasse cette description du drame de Bruxelles : « Le geste repoussait Verlaine qui tira, égaré, d'un pistolet, sur l'indifférent et tomba en larmes au devant... Rimbaud revenait, pansé, de l'hospice, et dans la rue, obstiné à partir, reçut une nouvelle balle, publique maintenant. » Si dans certains débuts sybillins :

> M'introduire dans ton histoire...

ou :

> Une dentelle s'abolit
> Dans le doute du jeu suprême...

des critiques n'ont vu qu'un parti-pris d'obscénité, acceptons cette ironique vengeance du Destin. Il est plus regrettable que sa poésie ait paru seulement « une rose dans les ténèbres » à des lecteurs de meilleure volonté. C'est à ceux-là qu'il faut répéter que si Mallarmé apporta quelquefois à son œuvre l'obstination d'une vieille fille qui traite ses meubles en êtres humains, il y consacra pourtant le meilleur de lui-même avec la plus héroïque abnégation.

Un bon tiers de ses vers est aussi clair que ses chroniques de *la Dernière Mode*. Sa réputation d'auteur difficile est donc fondée sur trois poèmes, une vingtaine de sonnets et les *Divagations*, recueils qui forment, il est vrai, la partie capitale de son œuvre. Si l'on recherche les raisons de son indéniable obscurité, on trouvera en premier lieu sa haine de l'oratoire ; il la pousse jusqu'à l'extrémité de ce principe : « Nommer un objet, c'est supprimer les trois quarts de la jouissance du poème qui est faite du bonheur de deviner peu à peu ; le suggérer, voilà le rêve. » Son horreur du développement, appuyée peut-être sur sa connaissance de la syntaxe anglaise moins stricte que la nôtre, supprime verbes et propositions subordonnées : il suffira de les rétablir pour comprendre :

> Proclamèrent très haut le sortilège bu...

ou :

> Un peu profond ruisseau calomnié la mort...

Il ne marque d'aucune distinction grammaticale les deux temps d'une action dans :

> Pour bannir un regret par ma feinte écarté.

Ici intervient de plus sa préciosité naturelle qui lui dicte le charmant *Placet futile* ou ce trait exquis :

> Comme un casque guerrier d'impératrice enfant
> Dont pour te figurer il tomberait des roses...

ou encore, dans *l'Ecclésiastique*, la description de « cette robe spéciale portée avec l'apparence qu'on est pour soi tout même sa femme ». Les deux versions de *Victorieusement* permettent de saisir sur le vif son procédé de développement en profondeur ; il traite ces deux vers :

Une millième fois avec ardeur s'apprête
Mon solitaire amour à vaincre le tombeau

comme une première donnée commune au lecteur et à lui et il les transforme ainsi :

O rire si là-bas une pourpre s'apprête
A ne tendre royal que mon absent tombeau.

On voit à quels puissants raccourcis ce raffinement aboutit ; ajoutons d'ailleurs qu'il est souvent une riposte à la difficulté de ce qu'il veut exprimer :

Tel qu'en lui-même enfin l'éternité le change

condense en douze syllabes la matière d'un discours. La psychologie délicate requiert une expression subtile dans : « Il faut cette fuite en soi ; on put encore : mais, soi, déjà ne devient-il pas loin pour se retirer ? » L'obscurité est justifiée, peut-être nécessaire, lorsqu'il s'agit de rendre l'impression de déjà vu, de présent très reculé *(Remémoration d'amis belges)* ou cette poursuite d'une hallucination verbale *(le Démon de l'analogie)* qui permit aux caricaturistes le portrait d'un Mallarmé éternellement endeuillé par la mort de la Pénultième. La *Prose pour Des Esseintes* est obscure parce qu'elle renferme à la fois un art poétique, un poème d'amour et une satire ; que pour goûter l'émotion ironiquement voilée de sa stance finale :

Avant qu'un sépulcre ne rie
Sous aucun climat, son aïeul,
De porter ce nom : Pulchérie !
Caché par le trop grand glaïeul

il ait fallu démêler dans le poème ce triple courant, cela découvre sa faiblesse, cela montre aussi sa rare densité.

Le concret et l'abstrait se disputent son esprit sans s'y concilier. Il est le maître d'un impressionnisme qui brouille tous les temps, qui abolit espace et durée, mêle rêve et réalité :

La chevelure vol d'une flamme à l'extrême
Occident de désirs pour la tout déployer
Se pose (je dirais mourir un diadème)
Vers le front couronné son ancien foyer.

Il obtient tour à tour des effets d'immatériel vaporeux :

Quelconque une solitude
Sans le cygne ni le quai
Mire sa désuétude
Au regard que j'abdiquai.

ou des peintures qui rappellent la plénitude du Milton de *Comus* :

Que non ! par l'immobile et lasse pâmoison
Suffoquant de chaleurs le matin frais s'il lutte,
Ne murmure point d'eau que ne verse ma flûte
Au bosquet arrosé d'accords...

Sa sensualité réelle s'est traduite, au moins une fois, en une atmosphère vivante :

Tu sais, ma passion, que, pourpre et déjà mûre,
Chaque grenade éclate et d'abeilles murmure ;
Et notre sang, épris de qui le va saisir,
Coule pour tout l'essaim éternel du désir.

Là il sait éviter le crime du faune et ne divise pas « la touffe échevelée » des impressions :

... Si clair,
Leur incarnat léger, qu'il voltige dans l'air
Assoupi de sommeils touffus...

Mais cette heureuse vendange du réel est rare : beaucoup d'esprit vient souvent peser sur cette chair. Dans le monde des couleurs la spiritualité du blanc le hante :

> Cet unanime blanc conflit...
> Sortirait le frisson blanc de ma nudité...

De l'aimée il élit la chevelure, « le splendide bain de cheveux », la chevelure qui est

> ... une rivière tiède
> Où noyer sans frissons l'âme qui nous obsède.

Son amante, « Madame... toi seule sais qui » *(Déclaration foraine)* est « une sœur au regard de jadis » *(Frisson d'hiver)* ; leur amour s'écoule dans un cadre intime un peu suranné où rien ne survit de charnel,

> Excepté qu'un trésor présomptueux de tête
> Verse son caressé nonchaloir sans flambeau.

Quelle soie aux baumes de temps nous apprend quelle revanche il trouve dans « la chevelure nue » contre la foule aux manifestations bruyantes et contre la gloire même. La fin de *Mes bouquins refermés* pose — et résout — la nécessité pour lui de choisir entre les deux fruits :

> Qu'un éclate de chair humain et parfumant !
> Le pied sur quelque guivre où notre amour tisonne,
> Je pense plus longtemps peut-être éperdument
> A l'autre, au sein brûlé d'une antique Amazone.

Avec le Faune il était encore capable de goûter la sensation pure :

> Ainsi, quand des raisins j'ai sucé la clarté,
> Rieur, j'élève au ciel d'été la grappe vide
> Et soufflant dans ses peaux lumineuses, avide
> D'ivresse, jusqu'au soir je regarde au travers...

mais déjà il éprouvait la tentation de l'interpréter

Et de faire aussi haut que l'amour se module
Évanouir du songe ordinaire de dos
Ou de flanc pur suivis avec mes regards clos,
Une sonore, vaine et monotone ligne.

Toujours il avait été enclin à transposer l'o bjet en un image :

O miroir,
Eau froide par l'ennui dans ton cadre gelée...

lui permettant aussitôt la création d'autres images que ne suggérait pas la trop peu plastique réalité. La tendance fut accentuée par sa haine du développement continu et le « démon de l'analogie » qui construit tout un sonnet sur un subtil crescendo (cygne métaphorique — cygne oiseau — Cygne, constellation, dans *le vierge, le vivace*), comme par son penchant à l'artificiel, incarné en cette Hérodiade qui fut son Hadaly :

Et, pareille à la chair de la femme, la rose
Cruelle, Hérodiade en fleur du jardin clair...
(Fleurs.)
Oui, c'est pour moi, pour moi que je fleuris déserte...

faisait-il dire à son héroïne ; et lui-même chercha refuge dans une sorte de mandarinat très élusif :

Je veux délaisser l'art vorace d'un pays
Cruel...
Imiter le Chinois au cœur limpide et fin...

qui peint des paysages sur une tasse de porcelaine. Ce raffinement, il l'a poussé, dans la *Déclaration foraine*, jusqu'au pédantisme d'une digression justifiant un sonnet irrégulier sur l'exemple des Élizabéthains. Cette préférence accordée à l'art sur la vie, il l'a érigée en principe hautain :

> Ma faim qui d'aucuns fruits ici ne se régale
> Trouve en leur docte manque une saveur égale.

Non sans une persistante inquiétude. Longtemps méconnu il en souffrit : une mélancolie perce dans son allusion à « un poète français contemporain, exclu de toute participation aux déploiements de beauté officiels en raison de divers motifs ». Il ne possédait aucune des qualités qui imposent un nom à la foule : il recherchait l'automne,

> ... l'Octobre pâle et pur
> Qui mire aux grands bassins sa langueur infinie

il aimait l'intimité, le repliement intérieur, dans le chez soi décrit par plusieurs sonnets, parmi les meubles du *Frisson d'hiver*. Répugnant aux contacts quelconques, il avait une délicatesse féminine que traduisent bien ses descriptions de toilettes, d'auditoires de concert, de « silence palpité de crêpes de Chine ». Il se laissait hanter par le négatif, par l'existence d'un « être du non-être » (Thibaudet) et son *Nénuphar blanc* est le chef-d'œuvre du poème de l'absence. En vain affirme-t-il avec un acharnement pathétique que sa retraite n'est pas une solitude, que

> Nous fûmes deux, je le maintiens.

Lui-même en doute parfois et s'interroge : a-t-il commis « le crime » du Faune, dissocié l'art et la vie ? Il ne possède point la robuste inconscience de Verlaine refermant les *Poèmes saturniens* sur cette déclaration :

> Pour nous qui ciselons les vers comme des coupes

et passant aux musicales *Fêtes galantes.* La lucidité de Mallarmé se retourne contre lui, en découragement *(le Sonneur)*, en scrupules : qu'osera-t-il inscrire

> Sur le vide papier que la blancheur défend ?
>
> *(Brise marine.)*

Il en fut ainsi dès ses débuts. Jamais il n'accepta simplement les choses, même pas son métier, « labeur de linguistique par lequel quotidiennement sanglote de s'interrompre ma noble faculté poétique ». La note au *Coup de dés* porte à son comble cette manie de réticence : il publie et veut nous dissuader de lire cette préface à un poème d'où sortira « rien ou presque un art ».

« Rien ou presque un art » : pourquoi ce soudain redressement de la phrase en affirmation ? parce qu'ici nous touchons à l'absolu, seul domaine où il n'hésite plus : « Je l'exhibe avec dandysme mon incompétence sur autre chose que l'absolu. » Qu'importe le reste ? « Je confesse donner aux idées, pratiques ou de face, la même inattention emportée, dans la rue, par des passantes. » L'essentiel c'est ce qui est « gratuit ». Vigny n'a pas eu du rôle du poète une conception plus altière. Pour la définir Mallarmé s'est fourvoyé quelquefois en des œuvres factices *(Phénomène futur, Plainte d'automne)*, par générosité, pour n'avoir pas fait chez Poe la part de la mystification et chez Huysmans celle de l'inintelligence : mais quelle noblesse dans son portrait vraiment royal de Villiers ! Nulle définition de l'art littéraire n'est plus ferme que la sienne : « Son sortilège, à lui, si ce n'est libérer, hors d'une poignée de poussière ou réalité sans l'enclore, au livre, même comme texte, la dispersion volatile soit l'esprit, qui n'a que faire de rien outre la musicalité de tout. » Il n'ignore point que cette aristocratique attitude mènera au détachement extérieur (« respectueux du motif commun en tant que façon d'y montrer de l'indifférence ») et au

Narcissisme, à « définir ou faire, à l'égard de soi-même, preuve que le spectacle répond à une imaginative compréhension, il est vrai, dans l'espoir de s'y mirer ». Mais sûr de sa vérité dès que le seul absolu est en jeu, il oppose aux contradictions la souriante politesse de cette voix « bémolisée d'ironie » (*Journal* des Goncourt) que nous entendons dans le sonnet *Toute l'âme résumée* ou dans ce passage : « Je dis qu'existe entre les vieux procédés (de magie) et le sortilège que restera la poésie, une parité secrète ; je l'énonce ici et peut-être personnellement me suis-je complu à le marquer, par des essais, dans une mesure qui a outrepassé l'aptitude à en jouir consentie par mes contemporains. »

Les contemporains furent-ils absolument injustes envers lui ? La réponse est une dernière antithèse, l'union chez Mallarmé d'un génie que l'*Après-midi d'un Faune* suffirait à prouver et d'une curieuse inégalité. « Mallarmé, disait Charles Cros (1), est un Baudelaire cassé dont les morceaux n'ont jamais pu se recoller. » Il a, comme Baudelaire, le travail difficile ; ces beaux vers du *Guignon* :

> O Mort, le seul baiser aux bouches taciturnes...
> Et laisse un bloc boueux du blanc couple nageur...

furent d'abord imprimés :

> La mort fut un baiser sur ces fronts taciturnes...
> Et fait un fou crotté du superbe nageur...

(1) Charles Cros (pour qui Albert de Bersaucourt, dans son pittoresque *Au temps des Parnassiens*, revendique l'honneur d'avoir été l'inventeur du phonographe) avait publié, en 1873, *Le Coffret de Santal* dont les poèmes semblaient à Verlaine « des bijoux tour à tour délicats, barbares, bizarres, riches et simples ». Son fils, Guy-Charles Cros, auteur de *Le Soir et le Silence*, a exprimé en vers libres et en vers réguliers une délicate sensibilité verlainienne.

La première version du *Placet futile* citait maladroitement sa référence à Boucher ; on relève des prosaïsmes dans ses poèmes les plus soignés :

Ma faim qui d'aucuns fruits *ici ne se régale.*

Ses efforts ambitieux révèlent une fatale impuissance à construire : *Hérodiade* reste inachevée, rien de plus court que le lyrisme du *Cantique de saint Jean ;* lui-même présentait beaucoup de poèmes pour des « études en vue de mieux comme on essuie les becs de sa plume » ; il a entretenu ses fidèles dans l'anticipation d'une grande œuvre qu'il n'a jamais réalisée. On a publié un volume de « vers de circonstance » où un railleur sonnet d'inauguration pour le théâtre de Valvins et un précieux *Verre d'eau*

Ta lèvre contre le cristal
Gorgée à gorgée y compose
Le souvenir pourpre et vital
De la moins éphémère rose

ne rachètent pas les enfantillages, adresses, toasts, éventails, miroirs, etc., de ce que Thibaudet nomme très justement « un génie en disponibilité ». Cette « marque de stérilité (1) », depuis *Angoisse*, Mallarmé la redoutait. Et, en même temps, il savait qu'aux rares heures où son génie parlait, il révélait, selon l'expression de Valéry, « de la poésie à l'état pur » ; il gardait le droit d'affirmer que cet échec — dû à la complexité de son

(1) Il est bien évident qu'appliqué à Mallarmé comme à Baudelaire le mot doit être pris dans le sens métaphysique et mystérieux de l'anglais « the curse of sterility ». Le sentiment qu'inspirent à tout lecteur lettré les défaillances de la matière poétique devant ce que Mallarmé en exige, Paul Souday l'a traduit sous sa forme la plus délicate : « Les adorables réussites de Verlaine semblent des coups de chance presque immérités : les échecs de Mallarmé, de véritables injustices de la nature. »

objet et à l'imperfection du langage qu'il subissait — n'avait rien d'une vulgaire renonciation à l'absolu :

Oh ! sache l'Esprit de litige,
A cette heure où nous nous taisons,
Que de lys multiples la tige
Grandissait trop pour nos raisons
Et non comme pleure la rive...

(Prose.)

Vaincu par toutes les forces qu'il appelait « le Hasard », il prit cette défaite pour thème de sa dernière œuvre, *Un Coup de dés jamais n'abolira le Hasard.* Or, c'est la loi de toute pensée qu'elle « émette un coup de dés ». Voici donc le créateur aux prises avec les flots ; il lance les dés « du fond d'un naufrage » peut-être nécessaire à l'acte de créer ; mais il n'ose jouer la partie « en maniaque chenu » et succombe. Son rêve — toujours allégé, ombre humaine, voile, enfin plume — vient se poser sur la toque de quelque Hamlet, « seigneur latent qui ne peut devenir » ; devant ce héros s'évanouit « le faux manoir » qui prétendait imposer « une borne à l'infini », mais se dresse un tableau noir, nouveau champ de bataille et de défaite car en dépit de toutes ses subtilités, le Nombre est encore du Hasard. La plume, symbole de l'effort littéraire, sombre donc comme le bateau qui portait l'effort vivant. Le Hasard triomphe et triomphera éternellement, à moins qu'il n'y ait place, dans les lointains du ciel, pour quelque suprême constellation, quelque victorieuse lutte. Car la pensée recommencera toujours le combat : « Toute pensée émet un coup de dés. »

Ce poème se présente sous une apparence inusitée. Déjà avec le *Mystère dans les Lettres*, Mallarmé avait employé une typographie expressive, pour « mobiliser autour d'une idée, les lueurs diverses de l'esprit, à distance voulue, par phrases ». Dans le *Coup de dés*, utilisant la double page comme unité, il essaya, par des différences de caractères, des blancs, des intervalles calculés, de montrer à nu « la pensée avec retraits, prolongements, fuites, ou son dessin même », de distinguer les motifs, « prépondérant, secondaire et adjacents », de composer en un mot, « pour qui veut lire à haute voix, une partition ».

Sa tentative a été diversement appréciée. Certains y ont vu une gageure de pure folie. Paul Valéry, à qui Mallarmé soumit les épreuves de ce qu'il désignait comme « un acte de démence » (mais qui saura sa véritable pensée ?), en reçut la plus profonde impression, « comme si une constellation eût paru qui eût enfin signifié quelque chose ». Dans ce poème qui résume la pensée de Mallarmé et peint le drame de sa vie, qui concilie sa double technique musicale et visuelle, nous saluons, pour notre part, un chef-d'œuvre, le poème de l'Idée, en germe déjà dans le charnel *Après-Midi d'un Faune.*

L'influence de Mallarmé sur l'évolution symboliste fut grande. Elle ne tint pas seulement à son œuvre ; ceux-là mêmes qui l'eussent volontiers discutée se rendaient au charme de la conversation d'un homme qui, selon la description d'André Gide, « pensait avant de parler ». On n'a pas, non plus, le droit d'écarter de cette estimation la légende qui l'entourait car, ainsi qu'il l'écrivait à propos de Rimbaud, « il ne faut jamais négliger, en idée, aucune des possibilités qui volent autour d'une figure ». Parmi les poètes de la fin du XIXe siècle, Mallarmé est apparu revêtu d'un prestige héroïque : pour s'être exclusivement consacré à son art et à la pensée, il méritait cet hommage. S'il est nécessaire de distinguer, entre ses ouvrages, ceux qui — des *Fenêtres* à l'*Après-Midi* — sont universellement admirés et ceux qui sont encore contestés, cela prouve surtout combien son influence agit toujours. Le *Coup de dés*, nourri de Vigny, de Shakespeare et de Wagner, marque-t-il la dernière limite d'un continent poétique après quoi tout serait désordre, ou bien inspirera-t-il d'autres poèmes encore plus hardiment émancipateurs qui éclaireraient les pages réputées obscures de ses propres œuvres ? Car, même lorsqu'elles semblent ne nous offrir que

Le transparent glacier des vols qui n'ont pas fui

nul ne peut prétendre mesurer quelle serait l'ampleur de ces essors libérés.

§ 6. — L'École symboliste

Dans une importante étude jointe en préface aux *Premiers Poèmes*, GUSTAVE KAHN revendique d'avoir été l'inventeur du vers libre ; on a beaucoup discuté autour de cette affirmation. L'essentiel est ceci : les plus audacieux novateurs avaient jusqu'alors assoupli le vers et la stance sans rompre décisivement avec ces formes traditionnelles. Kahn fut des premiers, sinon le premier, à ériger en principe la liberté absolue ; pénétré d'influences musicales, il essaya de donner au vers et à la « laisse » rythmique des proportions déterminées par le mouvement de la pensée. Une telle entreprise atteint rarement du premier coup à la perfection. Les *Palais nomades* renferment, outre des poèmes en prose distinctement influencés par Baudelaire, beaucoup de vers d'exercice, destinés à libérer les oreilles du joug de l'alexandrin oratoire :

Vers l'ondoyance des futurs
A travers les sveltes mâtures
Souffle le vent des aventures
Vers de très brefs déléaturs.
O vieux cœur souffrant tordu de tortures.

Plusieurs des *Chansons d'amant* portent de même, un peu cruellement, leur date ; on ne ratifierait sans doute pas le jugement de Gourmont sur *Domaine de Fée*, « le plus délicieux livret de vers d'amour qui nous fut donné depuis les *Fêtes galantes* ». Car il y a bien du bavardage dans cette « divine sincérité » et la sensibilité de Gustave Kahn, sa nostalgie d'un Orient de rêve, s'allie parfois malaisément à la précision brutale où prétendent atteindre certains poèmes du *Livre d'Images*.

Il serait injuste de s'attarder aux défaillances d'un vrai poète à la recherche d'une voie nouvelle et qui, dans le domaine de la poésie musicale, a produit des œuvres qui dureront. Il a révélé le secret d'une harmonie barbare :

> Maturité de vos seins, en vous penchant vers lui
> dans le songe indistinct de féeries vous avez lui
> comme claire robe de lune en opacité de nuit...

encore inentendue dans notre littérature ; il lui a donné des élégies de longue extase :

> J'attends dans l'heure obscure et calme...
> ...Chantonne lentement et très bas... mon cœur pleure...

Mais le genre qui lui doit le plus est celui du lied poétique ; alors que la plupart de ses contemporains étaient hantés par Wagner, il s'est souvenu de Schumann et à côté de poèmes orchestrés tels que *File à ton rouet...* il a écrit ces très douces chansons naïves et mystérieuses :

> Des chevaliers qui sont partis...
> Dans des rêves clos j'ai bâti mon rêve...
> Filles de Bagdad qui partez en mer...

où la forme populaire voile le raffinement d'une extrême civilisation.

Dans les vers réguliers de *Cueille d'avril*, FRANCIS VIÉLÉ-GRIFFIN révélait déjà assez complètement la facilité musicale qui fait le charme de *Dea*, des variations sur un thème *(la Mer)* et de ses « euphonies » évidemment verlainiennes. *Heure mys-*

tique prouvait déjà que les tentatives philosophiques convenaient bien moins à son talent que les molles harmonies du *Carmen perpetuum* ou les stances de *Triplici :*

L'ombre de ses cheveux est comme une auréole,
La douceur de ses yeux comme un aveu sans honte,
La chaste volupté de sa poitrine dompte
Les désirs pervertis et la passion folle.

Joies est le premier recueil de Viélé-Griffin vers-libriste. Cette forme souple s'accorde au reste avec le ton général de l'inspiration qui est tantôt celle des légendes avec refrains, des rondes naïves, tantôt celle d'une poésie intime éprise de grâce :

Vous si claire et si blonde et si femme...

ou de sinueuse mélancolie :

Vous fûtes mon roi pour un printemps fleuri,
Vous fûtes l'élu de vos douces paroles ;
Le savions-nous quand nous avons ri
Que tous deux jouaient de vieux rôles ?

Dans *les Cygnes*, au contraire, trop de poèmes à sous-titres abstraits donnent cette impression de bavardage qui est le danger du vers libre, et le lecteur s'en détourne vite pour les rêveries où passe le fantôme d'Hélène et pour les simples chansons de *Fleurs du chemin*, faites

Avec un peu de soleil et du sable blond.

La Clarté de vie est probablement le livre le plus achevé de Viélé-Griffin. Il est dédié « au printemps de Touraine » et dit, dans les *Chansons à l'ombre*, la vie dans la campagne de la Loire, le cycle de l'année marqué par les divers travaux des champs où

La Vie indulgente et complice
Varie d'un geste le décor...

et par les méditations et les lectures d'un hiver sans âpre rigueur. La grâce s'y fait parfois un peu bavarde : elle garde le plus souvent une préciosité paresseuse en harmonie avec son cadre :

> Je n'ai pas peur de te chanter, Printemps, j'ai honte !...
> Vois ! qui va s'éveillant
> La Vie au bois dormant...

Dans ce poème de molle nature se glissent de délicates interventions humaines :

> Ton doux bras que je touche
> Est tiède comme la nuit de juin...
> La lune au ras des peupliers se couche
> ...On mourrait bien...

assurément plus profondes que les expressions tendues d'idées abstraites :

> Selon la loi de Dieu qui s'est miré
> En soi
> Et se procrée d'éternité.

(Midi dans *Au gré de l'heure.)*

La même dualité se remarque dans la forme. *En Arcadie* est une suite d'épisodes antiques qui ramènent souvent le poète au vers régulier :

> Si bien que, dans ma main sans cesse appesantie,
> Je sens le poids des jours avec le poids des nuits
> Et que mon pas, jadis alerte, s'embarrasse
> De l'écheveau qui fait ma marche déjà lasse.

De même *la Partenza*, adieu à un « plaisant pay », est tout écrit en octosyllabes réunis en stances de quatre vers dont trois ou quatre forment une chanson. Au contraire le vers libre et la laisse rythmique trouvent leur emploi dans les *In memoriam* (Laforgue, Verlaine, Mallarmé) et dans les légendes de saintes et de saints d'*Amour sacré*, dont la *Sainte Marguerite de Cortone* entièrement dialoguée nous rappelle que Viélé-Griffin écrivit aussi pour le théâtre : la représentation de *Phocas le jardinier* a d'ailleurs montré que les qualités littéraires d'un tel drame s'accommodaient mal de la violence scénique.

Beaucoup plus que dans la noble et froide *Lumière de Grèce*, beaucoup plus que dans les œuvres d'école qui évoquent par instants le souvenir de Régnier ou celui de Verhaeren, il faut chercher l'apport original de Viélé-Griffin dans ses chansons spontanées et dans les poèmes narratifs comme *la Chevauchée d'Yeldis* et *Wieland le forgeron*. Sans doute ils laissent apercevoir ce qu'il demeure de romantisme dans le symbolisme, avec, si l'on veut, le Wagner de l'Épée pour médiateur. Du moins la nécessité du récit clair y contient-elle dans des limites poétiques les appels généreux mais vite déclamatoires :

> Aux affamés de pain, de justice ou d'amour
> Aux assoiffés de vin, d'harmonie, de victoire.

Au long du récit fleurissent les douces images dont Viélé-Griffin est prodigue et parfois l'on y reconnaît les mouvements

> Du grand geste éternel qui tourne et se rejoint.

Entre tous les poètes de sa génération Henri de Régnier est celui qui a le plus rapidement et le plus naturellement atteint à la gloire officielle, récompense nullement méprisable d'un noble poète pour qui son art fut le développement loyal d'une personnalité. Si vives qu'aient pu être son affection pour Mallarmé et ses sympathies pour la brigade symboliste, il ne leur a jamais subordonné l'expression d'une sensibilité un peu hautaine, moderne par la culture mais volontiers tournée vers tout passé stylisé. Ses premiers recueils, *les Lendemains* et *Apaisement* renfermaient des souvenirs d'Hérédia *(Émail* ou *Portrait)* et de Verlaine *(Terrasse)* avec des baudelairianismes comme ce rappel du *Balcon* :

> Abattement des soirs dans les chambres fermées
> Qu'illumine l'éclair rougeoyant des charbons.
>
> *(Soir.)*

Mais en même temps apparaissait le Régnier original qui dans *Résidence royale* décrivait

> Les jardins réguliers aux belles ordonnances...,

qui recherchait l'ampleur formelle des vers bipartis :

> De dormir sur son cœur et de baiser ses lèvres...
> Ils étaient le présent, et j'étais le passé...

qui élevait à Vénus un temple néo-classique car

> Les déesses veillent encore aux péristyles,

ainsi qu'il le disait dans ces *Sites* dont les vingt-cinq sonnets visent à peindre des décors plutôt qu'à rendre des impressions.

Dans les *Épisodes* cet acheminement vers les sujets antiques se poursuit à travers des recherches plus contemporaines où il paraphrase Mallarmé et Viélé-Griffin. Mais les *Sonnets* (1888-1890) dégagent la manière personnelle de Régnier ; rien n'y manque et il y compose son paysage préféré de roses, de cyprès, d'« étés nonchalants » et de choses « taciturnes ». L'antiquité, une antiquité d'humaniste, y tient la première place. Parfois il cède encore à la tentation de la mettre au service d'allégories mondaines ; le plus souvent il lui prête une majesté fluide

> Pour, au nom de la cendre et du laurier amer,
> Dire, du haut du porche à ceux qu'en tente l'ombre,
> Si le masque d'or pâle a des lèvres de chair ;

ou bien la familiarité évocatrice de ce tableau :

> Un satyre à mi-corps sortant de la forêt
> Dont le feuillage enguirlanda ses torses cornes
> Sonne en sa conque à l'aube claire qui paraît.

A cette inspiratrice il doit des vers de musicale méditation sur la mort :

> Et, plus douce qu'une ombre étrange de sœur morte,
> Elle est venue, ainsi qu'une Amante, le soir,
> Asseoir son ombre grave à l'ombre de ma porte.

Avait-il tort de dresser, à la fin de ce livre et au seuil de son œuvre, « l'espoir aux mains fleuries » ?

Les *Poèmes anciens et romanesques* apportèrent ses premiers essais en vers libres et *Tel qu'en songe* attesta sa maîtrise des deux instruments. Dans *Exergue* la souplesse de la forme suivait les progrès et les retours de la pensée :

> Au carrefour des routes de la forêt, un soir,
> Parmi le vent, avec mon ombre, un soir,
> Las de la cendre des âtres et des années,
> Incertain des heures prédestinées,
> Je vins m'asseoir.

En contraste, il maniait l'alexandrin oratoire, celui de Hugo, avec une vigueur que plus d'un Parnassien lui eût pu envier :

> Je suis celui qui jette une pierre dans l'eau,
> Je suis celui qui parle au bout de l'avenue...
>
> *(Discours en face de la Nuit.)*

Et parfois il se plaisait, comme dans *la Gardienne*, à combiner les deux formes. On allait retrouver cette diversité dans *les Jeux rustiques et divins* — titre heureux ! — où il passait de l'invocation grave *(Sagesse de l'Amour)* et du frémissant poème de la création, du *Vase* tout baigné d'atmosphère mallarméenne, à la subtile musique des *Odelettes :*

Un petit roseau m'a suffi
Pour faire frémir l'herbe haute
Et tout le pré
Et les doux saules
Et le ruisseau qui chante aussi ;
Un petit roseau m'a suffi
A faire chanter la forêt.

Les Médailles d'argile est le livre le plus généralement goûté par les fervents d'Henri de Régnier : il est en effet le plus représentatif. Il révèle les défauts d'une élégance soutenue, l'abus des « gestes alternés » et des vers d'une instinctive manière (les deux mots ne sont pas contradictoires) qui ont prêté à la parodie :

Si le pavage est rouge et si le mur est blanc...
(Réveil.)

Tu récoltes l'Été et tu cueilles l'Automne.
(Belle Année.)

A d'invisibles fleurs que nous ne verrons pas.
(Bouquet noir.)

De même si les *Passants du passé* sont d'un Hérédia moins artificiellement marmoréen *(Portrait double)*, ces sonnets nuancent à la longue de froideur la réserve qui pousse Régnier à préférer au personnage caractérisé l'évocation générale, à peindre *le* routier, *le* mignon, *le* courtisan. Tendance classique, la même qui l'incite à réserver le vers libre pour les introductions, les commentaires, les poèmes personnels ou plus spécialement lyriques, bref à lui attribuer précisément le rôle que lui assignait Mallarmé. Dans ce recueil, placé sous l'invocation d'André Chénier, les parfaites réussites sont des poèmes classiques dont quelques-uns comptent parmi les meilleurs de leur auteur : œuvres d'une préciosité alexandrine *(l'Arc, Écho)*, chansons fermes très stylisées *(Lever de lune, le Jardin mouillé)*, rêveries d'une gravité seigneuriale un moment attendrie *(Sur la grève)*, sonnets d'hellénisme parfumé tels la *Chrysilla* et les *Bilitis* où Régnier a heureusement évoqué une des patries de son art :

Et moi, que visita la Muse aux ailes d'or,
Je resterai pareille à l'amphore embaumée
Où, captif aux parois qu'elle respire encor,
Vibre et rôde le vol d'une abeille enfermée.

La Cité des eaux en décrit une autre, plus complexe parce que moins exclusivement artistique, le Versailles de

La perspective avec l'allée et l'escalier,
Et le rond-point, et le parterre, et l'attitude
De l'if pyramidal auprès du buis taillé ;
La grandeur taciturne et la paix monotone
De ce mélancolique et suprême séjour,
Et ce parfum du soir et cette odeur d'automne
Qui s'exhalent de l'ombre avec la fin du jour.

Dans ce cadre aristocratiquement suranné il donne pleine liberté à son amour des reflets, des images inverses, des dualités et des parallélismes : *l'Odeur*, *le Socle* et *le Bouquet* sont probablement plus assurés de durer que l'éloquent *Marsyas* où Régnier acquitte sa dette envers Mallarmé. Mais la nouveauté de ce recueil est que, désormais (car il continuera dans *la Sandale ailée*), le poète consent à laisser voir son visage dans son œuvre ; en réaction peut-être contre le romancier objectif qu'il devient par ailleurs, il fait alterner avec ces inscriptions antiques qui lui seront toujours si chères (voir *l'Automne*) de beaux poèmes de mélancolie passionnée comme *la Lune jaune*, *la Colline* ou *le Reproche*. Mais jamais il ne glisse jusqu'aux confessions romantiques, et c'est dans l'attitude classique du poète lyrique qu'il entend se présenter devant la postérité :

> Et, si le temps ingrat m'accorde pour salaire
> L'opprobre meurtrier,
> Je veux m'asseoir du moins à l'ombre que peut faire
> La branche du laurier.
>
> (*Épilogue.*)

Si l'exemple d'Henri de Régnier prouve quelle réserve presque parnassienne pouvait survivre à la révolution symboliste, celui de FRANCIS JAMMES montre quelles barrières rompues permettaient désormais au poète d'assigner pour objets à son art les incidents les moins romanesques de son existence quotidienne. Les plus intimistes avaient jusqu'alors choisi, pour les peindre, les épisodes représentatifs de leur vie : Baudelaire magnifiait sa renconte avec une passante parce que cette passante était l'Amour ; Jammes dit qu'un visiteur est entré chez lui, demandant :

> Comment allez-vous, monsieur Jammes ?

et se garde bien d'y rien ajouter car« c'est une erreur, quand on écrit une histoire, de vouloir à toute force que sa trame présente ce je ne sais quoi d'artificiel et d'ennuyeux que l'on appelle l'intérêt ». Jammes raconte Jammes abondamment ; sans se lasser, il représente *la Naissance du poète*, *Un jour* (de la vie du poète), *le Poète et sa Femme*, *la Mort du poète*, *le Poète rustique* ; de sorte que sa suprême habileté est probablement d'avoir rendu impossible toute critique qui, portant sur son œuvre, semblerait rejaillir sur les vertus chrétiennes et familiales dont il offre et célèbre un si méritoire modèle.

Jammes a distingué lui-même plusieurs époques dans son

évolution ; il a insisté sur son « retour au catholicisme » ; son lecteur sera moins rigoureux et le verra dans l'attitude de sa préface au recueil *de l'Angelus de l'aube à l'Angelus du soir :* « Mon Dieu, vous m'avez appelé parmi les hommes. Me voici. Je souffre et j'aime. J'ai parlé avec la voix que vous m'avez donnée... Je m'en irai où vous voudrez, quand vous voudrez. » Posture solennelle que tempère cette observation du *Poète rustique :* « A tort ou à raison, il pense que le Maître lui sourit parfois avec cette indulgence que l'on a pour des amis intempestifs. » Les beaux poèmes de *En Dieu* et *l'Église habillée de feuilles* attestent la sincérité de cette foi franciscaine, tour à tour grave et familière.

Elle puise en effet sa double inspiration moins dans une volonté d'élan mystique que dans un sentiment profond de la nature. S'il a parfois, à propos de souvenirs familiaux, évoqué la nostalgie des longs voyages et des îles lointaines, Jammes a trouvé dans la campagne d'Orthez des sources poétiques intarissables. Il a consacré à la décrire des poèmes qui comptent parmi ses plus achevés (*Dans la grange, les Villages*, et plusieurs des *Géorgiques chrétiennes*). Il a surtout associé cette nature à ses sentiments les plus tendres :

> Tu aurais l'ombre des noisetiers sur ton oreille,
> puis nous mêlerions nos bouches, cessant de rire,
> pour dire notre amour que l'on ne peut pas dire ;
> et je trouverais, sur le rouge de tes lèvres,
> le goût des raisins blonds, des roses rouges et des guêpes.
>
> *(Angelus.)*

Il a montré par quels chemins de sensations et de pensée elle le ramenait de l'amour humain à l'amour divin :

> Une noix d'Amérique est tombée sur l'allée.
> Elle annonce l'automne et son odeur étrange
> substitue à l'amour doucement désolé
> l'Amour de Dieu vivant aux ténèbres des branches.
>
> *(Clairières dans le Ciel.)*

Si la simplicité est une parure, il en est quelquefois trop orné. Des pièces comme *Écoute, dans le jardin...* laissent l'impression qu'il a écrit tout ce qui lui passait par la tête ; il n'ignore point, même aux jours où il le manque, quel effet peuvent produire sur l'imagination ces simples notations :

Mais si tu étais en chemise auprès
des tisons tout noirs, je pense
que là, toute seule, tu serais
blanche, blanche, blanche, blanche...

(*Angelus.*)

et ces stances dont l'idée et la syntaxe affectent d'aller au hasard :

Sors de ma tête, ma douce tristesse,
et va-t'en vers le coteau fané, va-t'en
où va, sur un air un peu Chateaubriand,
Le vent.

(*Angelus.*)

Car il connaît le danger de la niaiserie. Au contact des bêtes et de son ami le lièvre « le Patte-Usée », il a rajeuni la malice du bonhomme La Fontaine, et son sourire méprise l'humour de pacotille :

Ainsi, Gide, cachons nos pensées les plus sages
comme la poule cache ses petits poussins ;
et, n'en laissons voir, pour amuser les voisins,
qu'une multitude de très petites pattes.

(*Angelus.*)

Il est également préservé de la banalité par une imagination sentimentale où se mêlent des souvenirs de Rousseau et Bernardin de Saint-Pierre, où l'admiration pour Eugénie de Guérin n'exclut pas l'attendrissement sur Mme de Warens. Il lui doit la grâce de ses trois héroïnes, Clara d'Ellébeuse,

Almaïde d'Étremont et Pomme d'Anis : « la première, sous de lourdes boucles d'or, baissait un front chargé d'orage et de ciel bleu. La deuxième, sous ses repentirs en deuil, fouettait sa monture, et l'arc parfait de son visage lançait en même temps la volupté, l'amertume et le remords. Enfin, Pomme d'Anis, le cœur lourd d'amour comme une rose pleine d'eau, laissait aller au pas le grison, et la grâce d'un de ses genoux remonté cachait avec pudeur la gêne de l'autre ». Préciosité poétique et amour de la nature empêchent de devenir ennuyeux un récit aussi périlleusement sanctifiant que *M. le curé d'Ozeron*. Car Jammes demeure un poète aussi bien lorsqu'il lui plaît de renchérir sur sa simplicité :

> Je ne désire point ces ardeurs qui passionnent.
> Non : elle me sera douce comme l'Automne.
> Telle est sa pureté que je désirerais
> qu'elle eût sur son chapeau des narcisses des prés.
>
> *(Clairières dans le Ciel.)*

que de l'exprimer dans son originale pureté :

> Vous m'avez regardé avec toute votre âme.
> Vous m'avez regardé longtemps comme un ciel bleu.
> J'ai mis votre regard à l'ombre de mes yeux...
> Que ce regard était passionné et calme...
>
> *(Id.)*

Constamment, et même dans les passages où son didactisme n'est pas sensiblement supérieur à celui des pharmaciens que ce doux poète haïssait tant, il se relève ainsi d'un large coup d'aile et retrouve l'accent de la dédicace « à Marie de Nazareth, mère de Dieu » qui précède *Ma fille Bernadette :* « Vous voyez que je ne sais plus bien ce que j'écris, mais ma pensée s'attache à Vous ainsi que cette liane fleurie, et je vous dédie cette pauvre œuvre comme une servante son pot de réséda, et il tremble dans mes mains élevées. »

Pour mesurer l'importance du mouvement symboliste, il ne faut pas s'en tenir à quelques noms célèbres. La plupart des écrivains marquants du début du XXe siècle ont passé par l'apprentissage symboliste. Et il serait injuste d'oublier les nombreux poètes qui entouraient les maîtres. Certains ont été enlevés trop tôt pour donner leur pleine mesure, tels cet emphatique et sincère EMMANUEL SIGNORET ou ÉPHRAÏM MIKHAEL qui, à 20 ans, savait tirer une harmonie des légendes séculaires *(l'Étrangère)* aussi bien que de la vie moderne *(la Dame en deuil)*. Frères de ceux-là, les poètes réservés à l'œuvre limitée : PIERRE QUILLARD, qui dédia à la mémoire de Mikhaël sa *Lyre héroïque et dolente*, poèmes de dense culture, celle du traducteur des Mimes d'Herondas ; STUART MERRILL, artiste raffiné qui devait s'élever à de poignants hymnes de tristesse. Formant contraste avec ces discrets, deux cerveaux bouillonnants : PAUL-NAPOLÉON ROINARD, avide des grands sujets depuis la satire sociale de *Nos plaies* jusqu'au *Donneur d'illusions* « synthèse de l'amour, de toutes les amours » ; SAINT-POL-ROUX fécond inventeur de métaphores, à l'œuvre bariolée comme ce titre : *De la colombe au corbeau par le paon*, qui tenta, dans sa *Dame à la faulx*, « tragédie intérieure... extériorisée parfois en larges fresques d'Épinal », un art visant à « idéo-réaliser » et, pour obéir aux nécessités scéniques, à « traduire convexe un thème concave ».

LAURENT TAILHADE, rhéteur venu du Parnasse, coexista quelque temps avec le symbolisme avant de retourner à ce journalisme que les journalistes appellent aristophanesque et pour qui la littérature n'a pas de nom bien précis. ADOLPHE RETTÉ prit part, lui aussi, à ce mouvement, en tira un volume de souvenirs et raconta son évolution *Du Diable à Dieu.* ERNEST RAYNAUD pasticha Rimbaud, écrivit pour son compte des vers d'une noblesse un peu froide et se fit l'historien de *la Bataille symboliste.* JEAN LORRAIN préluda par des vers très fardés, où l'influence des Goncourt rejoint celle de

Gustave Moreau, à ses volumes de contes hallucinés et de romans obsédés dont *M. de Phocas* est le type. A.-FERDINAND HÉROLD, traducteur d'Eschyle, d'Euripide et de Kâlidasa, s'est délassé souvent de ses travaux érudits en sonnets fermes ou en chansons fluides. Il n'est pas jusqu'au fécond polygraphe CAMILLE MAUCLAIR qui n'ait voulu concilier Schumann et le symbolisme dans ses *Sonatines d'automne* avant de prouver qu'à sa critique protéiforme rien d'humain n'est totalement étranger.

Un des plus importants témoins de cette période est le fondateur de la *Revue Wagnérienne*, ÉDOUARD DUJARDIN qui dirigea aussi la *Revue Indépendante*. Auteur de la trilogie d'*Antonia*, de nombreux travaux d'exégèse et d'intéressantes études sur Mallarmé, Dujardin a conquis la célébrité avec un roman intitulé *Les Lauriers sont coupés* qui lui valut l'admiration de James Joyce et de Valery Larbaud. Dans l'édition de 1925, allégée des redoutables ornements du « parler symboliste », ce livre apparaît à la fois comme une œuvre d'époque et comme l'ouvrage d'un précurseur dans le genre du « monologue intérieur ».

§ 7. — Les poètes du Nord

Le symbolisme, qui libérait le rêve, devait particulièrement séduire des imaginations du Nord. Il est donc naturel que plusieurs des écrivains qu'il peut revendiquer pour siens soient nés en Flandre ou en Belgique. Une étude du symbolisme serait incomplète qui ne mentionnerait pas le nom de GRÉGOIRE LE ROY, chantre du village triste et du cœur humain mélancolique. La fausse naïveté de MAX ELSKAMP n'est pas sans charme qui mêle des rêveries emblématiques et des hallucinations vagabondes à son catholicisme, comme IWAN GILKIN pimente le sien de baudelairianismes exaspérés. CHARLES VAN LERBERGHE est l'auteur *d'Entrevisions* et de *Flaireurs*, drame d'hallucination brutale; Maeterlinck plaçait très haut sa *Chanson d'Ève :* après avoir évoqué par la mobilité des rythmes l'éveil délicieux d'une âme innocente « à la beauté des choses », Van Lerberghe y a dit avec la même musique sensuelle la tentation née de tous les désirs de la chair et de l'esprit, la faute par amour, la danse enivrée qui la suit, enfin la mort désenchantée au crépuscule ; et cette symphonie mérite de durer. ALBERT MOCKEL, fondateur de l'importante revue *la Wallonie*, fut le poète de *Chantefable un peu naïve* en même temps que l'un des meilleurs critiques symbolistes ; ANDRÉ FONTAINAS, disciple de Mallarmé, romancier pénétrant, publia des poèmes précieux avant de se consacrer à la critique d'art et à la traduction de Keats, de Quincey et Meredith ; la *Dédicace* et le *Paysage* de ses *Récifs au Soleil* montrent qu'il a gardé le même don de noble émotion. *L'Œuvre* bariolée de RENÉ GHIL fut lue, au moins par curiosité, pour la théorie d'une poésie scientifique et de l'instrumentation verbale qu'il avait définie dans le *Traité du Verbe :*

> Ma pensée est le monde en émoi de soi-même,

proclamait-il ; *les Dates et les Œuvres* défendent, d'un point de vue critique, cette « métaphysique émue ».

Le succès de GEORGES RODENBACH fut naguère très vif. Il identifia son œuvre à une ville et mit à la mode Bruges la Morte avec son atmosphère de douce mélancolie grise. Cela était d'une nouveauté assez peu révolutionnaire pour conquérir immédiatement un public épris de brume poétique ; mais son manque de profondeur a compromis la durée de cette influence. Déjà Verhaeren, tout en louant cette poésie, marquait sa faiblesse : « Mysticisme précis, propret, dominical, disait-il, mysticisme de banc de communion qui, les mains jointes, s'en va vers l'hostie, non pas nu-pieds, en marchant sur des jonchées de ronces et d'épines, mais en foulant des dalles bien nettes, avec des sandales blanches et pieusement feutrées. » Ce caractère superficiel de la pensée de Rodenbach devient fâcheusement évident lorsqu'il écrit en prose. Certaines réflexions de *Bruges la Morte* sont d'une décevante banalité : « Les mouvements de l'âme ont aussi leur vitesse acquise... on ne jouit du bonheur comme de la santé, que par contraste ; et l'amour aussi est dans l'intermittence de lui-même... les ruptures d'amour sont comme une petite mort, ayant aussi leurs départs sans adieux. » Le vêtement poétique même ne réussit pas à dissimuler le prosaïsme foncier de ces plaintes :

> Ah ! les nerfs dont chacun nous fait mal comme une arme !
> Chacun d'eux est une corde sous un archet
> Qui souffre comme si quelqu'un nous l'arrachait ;
> Chacun d'eux est un fil où s'enfile une larme.

ni les à peu près de ces « beaux vers » :

> Yeux d'aveugles : jardins où la vie a neigé...
> Car la pluie a vraiment une tristesse humaine...
> C'est un saint sacrifice aussi que la souffrance...

Trop facilement enclin à prendre une improvisation mièvre pour une pensée profonde et originale, Rodenbach est poète seulement lorsqu'il se borne à noter la sensation d'un moment sans la prétendre généraliser. Son art personnel est la transcription minutieuse des sensations d'un être affiné par le recueillement et la souffrance :

> Le malade est l'hostie où tout l'encens converge...
> Les mains qui sont un peu notre âme faite chair...
> On se semble de l'autre côté de la vie...

écho assourdi, ce dernier vers, des vigoureuses affirmations de Rimbaud. Pour réellement goûter le charme des *Vies encloses* et du *Royaume du silence*, il en faut écarter impitoyablement les gentillesses de commande :

> Et puisque la nuit vient, — j'ai sommeil de mourir...
> Dans les yeux endormis un beau cygne appareille...

afin d'évoquer, dans une pénombre propice, les paisibles images du *Béguinage flamand* ou ce défilé de nuages dans le miroir d'une âme passive :

> Sur le ciel immuable ont flotté des nuages,
> Tissus à la dérive et parure changeante ;
> O nuages, partis pour de lointains voyages,
> Entrant soudain dans notre âme qui s'en argente ;
> Et je suis, dans mon âme où, calmes, ils s'en vont,
> Les nuages qui se défont et se refont...

Comme celle de Rodenbach, la vie d'ALBERT SAMAIN fut brève ; mais, tandis que Rodenbach paraît s'être décrit tout entier dans ses livres, il ne semble point que Samain ait eu le temps d'exprimer toute sa complexe personnalité. On n'en a point, en effet, épuisé l'analyse lorsqu'on a cité le vers célèbre :

> Mon âme est une infante en robe de parade...

même en le corrigeant par cette autre définition :

> Mon âme est un velours douloureux que tout froisse...

Il y a souvent chez lui la réserve d'

> Une voix qui voudrait sangloter et qui n'ose,

mais on y trouve aussi un farouche élan vers l'amour,

> Vers le seul rêve humain qui n'ait jamais déçu,

affirme-t-il à Faust, et qu'il peint néanmoins inquiet, sûr de n'atteindre point le suprême mystère, de ne point rompre la barrière entre les deux êtres : contradiction qui donne aux élégies leur parfum mêlé de douceur (poussée jusqu'à la préciosité raffinée) et de sensualité ardente. On le voit s'élever dans *la Symphonie héroïque* à l'accent le plus viril :

Notre Rêve immobile enfante l'Action ;
C'est nous qui fiançons en rites grandioses
Le mystère du Verbe au mystère des choses.

Si cela n'est pas son ton naturel, s'il est obligé de le soutenir par des vers à la Musset :

Nous changeons les sanglots du cœur en diamants...

il n'en demeure pas moins vrai qu'il a pu, à des minutes,

Comprendre en frissonnant la splendeur d'être un homme.

Peut-être, s'il avait vécu, aurait-il ajouté à son œuvre moins d'élégies et plus d'amples méditations comme cet *Automne* d'octobre 1894 :

Tout est calme ; le vent pleure au fond du couloir ;
Ton esprit a rompu ses chaînes imbéciles,
Et, nu, penché sur l'eau des heures immobiles,
Se mire au pur cristal de son propre miroir...
(Chariot d'Or.)

On l'a défini quelquefois un classique du symbolisme ; il est exact que tel sonnet réputé *(Lentement, doucement...)* est comme une heureuse mise au point de la poésie de son temps auquel il dut, par ailleurs, des inspirations plus artificielles *(Soir d'Empire, Vision)*. C'est par le métier qu'il est le moins original. Il se souvient de Hugo :

Une main de lumière a pris ma main dans l'ombre...
Et par de longs fils d'or nos cœurs liés aux choses (1) ;

(1) Curieux raccourci des deux vers de la *Tristesse d'Olympio.*

«Que peu de temps suffit pour changer toutes choses !... »
«Les fils mystérieux où nos cœurs sont liés !... »

son *Nocturne provincial* est un pastiche verlainien corsé par quelques rappels de Baudelaire ; le sonnet

> Nos sens, nos sens divins, sont de beaux enfants nus

dissout un thème parnassien en douce musique symboliste. L'artiste qu'il sait être se permet des repos nonchalants, témoins les quatre rimes par adjectifs en ives dans *Heure d'été* ou ces vers :

> Le noir des jardins s'ouvre aux mystères seulets...
> De beaux soirs féminins où le cœur se dorlote...

dont nous ne savons si la familiarité est mièvrerie ou paresse. Il y a des deux dans l'abus de la « douceur » et de « l'or », dans la répétition de certaines images :

> Et que mon âme, où vit le goût secret des pleurs,
> Soit comme un lys fidèle et pâle à ta ceinture...
>
> *(Au Jardin de l'Infante.)*
>
> Mon âme, comme un lys, passée à ta ceinture.
>
> *(Chariot d'Or.)*

La construction de ses phrases touche à la monotonie : en deux sonnets (*Versailles*, III et IV) on relèvera : « C'est ici que la reine... c'est cet air vieille France ici... mais ce qui prend mon cœur... c'est ce Grand Trianon... cette ombre... hélas ! c'est le génie en deuil... Et c'est ce qui vous donne... »

Travail d'épluchage stérile, dira-t-on, et qui n'empêche point Samain d'être un élégiaque inspiré ? Mais si son ambition a été plus haute, s'il a rêvé d'être un grand poète, il n'était point inutile de montrer pourquoi la mort l'a surpris avant qu'il ait pu se libérer totalement. Or, il y travaillait : il ne se contentait pas d'exploiter la veine de sensibilité moderne qui lui avait valu ses premiers succès. Il se retournait vers le passé, vers la grâce des estampes galantes et des embarquements pour Cythère *(Watteau, l'Agréable Leçon)*, vers le charme double du Versailles vivant où éclatait

> Ce mépris de la mort, comme une fleur, aux lèvres...

et du Versailles mort où l'amertume flotte

> Sur l'eau divinement triste du grand canal...

Il retrouvait le glissement sentimental qui par Ossian et Lamartine *(En printemps)* a conduit les âmes de la sécheresse au lyrisme. Il puisait dans l'antiquité païenne la matière de larges fresques *(la Chimère, les Sirènes, Cléopâtre)* et de délicates idylles *(Clydie* et *Néère* du *Chariot d'or*, *Xanthis* et *Pannyre* dans *Aux flancs du vase)*. Il lui empruntait le sujet du *Polyphème* dont une scène rhabille mal à propos Golaud et Yniold mais où les voix de la nature et de la passion parlent en nobles accents. Cette diversité d'inspiration est visible dans les *Contes* parmi lesquels il faut admirer sans réserves l'ironique *Xanthis* et le mélancolique *Hyalis*, preuves éclatantes d'une faculté de renouvellement qui nous autorise à croire que Samain n'a pas donné toute sa mesure.

Du moins reste-t-il, indiscutablement, l'un des grands élégiaques français. Parmi les auteurs d'élégies on citera de plus grands poètes ; il demeure le plus spontanément élégiaque. Car, nul autre, de Ronsard à Chénier, et de Baudelaire à Verlaine, n'a possédé cette fluidité, cet abandon à la rêverie tendre par quoi certaines pièces d'Albert Samain montent naturellement du cœur des amants à leurs lèvres :

> Devant la mer, un soir, un beau soir d'Italie...
> Le ciel suave était jonché de pâles roses...
> L'heure comme nous rêve accoudée aux remparts...

Les premiers mots de semblables pièces sont comme un long coup d'archet, libérant la musique captive. Deux vers de lui restituent cette atmosphère de langueur passionnée :

Premiers soirs de printemps : brises, légères fièvres !
Douceur des yeux !... Tiédeur des mains !... Langueur des lèvres!

ou :

Mets sur mon front tes mains fraîches comme une eau pure
Mets sur mes yeux tes mains douces comme des fleurs.

Il ne cherche point à expliquer le mystère de ses évocations : peut-être ne nous en communique-t-il si bien le sentiment que parce qu'il l'a accepté sans discuter, que ce soit :

Je ne sais quoi de doux qui voudrait bien mourir...

ou :

Je ne sais quoi qui garde encor de ton sourire...

Douze syllabes lui suffisent pour rendre impérissables les impressions les plus subtilement fugitives :

L'infini de douceur qu'ont les choses brisées...
O robes qui passez, nonchalantes, dans l'âme...
C'est un soir tendre comme un visage de femme...
Oh ! ce nom où la fleur de sa chair est restée...
Et c'était comme une musique qui se fane...

Vers admirables de complexe simplicité ; vers qui ne sont pas toute la poésie de Samain mais qui en marquent cependant la plus parfaite réussite.

Pour exclure les nuances, la personnalité d'Émile Verhae-

REN n'en est pas moins riche en vigoureux contrastes. Avec *les Flamandes* (1883) il affirmait une volonté de réalisme agressif :

Ces hommes de labour que Greuze affadissait...
Les voici noirs, grossiers, bestiaux — ils sont tels.

(Les Paysans.)

Il y manifestait déjà ses dons personnels : vision précise que n'effraie la brutalité d'aucun détail, d'aucune comparaison, comme dans cette peinture de servantes :

Leurs mains, leurs doigts, leur corps entier fumait de hâte,
Leur gorge remuait dans les corsages pleins.
Leurs deux poings monstrueux pataugeaient dans la pâte
Et la moulaient en rond comme la chair des seins.

(Cuisson du pain.)

et, dans le même temps, déformation des objets matériels en images hallucinées, tel ce tableau de soir :

Des brouillards s'étendaient en linceuls aux moissons.
Des routes s'enfonçaient dans le soir — infinies,
Et les grands bœufs semblaient râler ces agonies.

(L'Abreuvoir.)

Une première détente était visible avec *les Moines* (1886) où le poète enfermait des souvenirs d'enfance dans une facture parfois parnassienne, originale cependant par le gigantesque des images (voir *Rentrée des moines*, ou *Soir religieux*). Verhaeren devait rester toute sa vie hanté par cet idéal monastique d'une paix violente et orageuse :

Je rêve une existence en un cloître de fer,
Brûlée au jeûne et sèche et râpée aux cilices,
Où l'on abolirait en de muets supplices,
Par seule ardeur de l'âme, enfin, toute la chair.

(Vers le cloître.)

Son drame *le Cloître* peint la lutte frénétique entre une âme humaine et le repos qu'on lui prétend imposer avec le manteau blanc. On discerne aisément ce qu'il demeure de romantisme dans les deux états d'esprit : cette belliqueuse antinomie, Verhaeren ne la désavouera jamais, même lorsqu'il aura contribué par sa forme haletante à l'émancipation symboliste, même quand sa révolte aura trouvé la certitude d'une foi dans le progrès humain.

Romantisme et réalisme se donnent libre cours dans la fameuse trilogie *(les Soirs, les Débâcles, les Flambeaux noirs)* que suivirent ces recueils aux titres de visionnaire : *les Apparus dans mes chemins, les Campagnes hallucinées, les Villes tentaculaires*. Le romantisme s'y exaspère dans les rageuses flagellations du *Dialogue* ou de *la Couronne* :

> Et, plus intimement encor, mes anciens râles
> D'amour vers des ventres muflés de toisons d'or
> Et mes vices d'esprit pour les ardeurs claustrales...
> Et, plus au fond, le rut même de ma torture.
>
> *(La Couronne.)*

Le poète se sent en route vers la folie :

> Je veux marcher vers la folie et ses soleils... *(Fleur fatale.)*
>
> Je suis l'halluciné de la forêt des Nombres... *(Les Nombres.)*

malgré de brusques rebondissements d'espoir lyrique *(Saint Georges)*, il cède à l'attrait de la frayeur *(la Peur)* ; il représente, dans *la Dame en noir*, la « sombre dame des carrefours » qui attend « tel homme au couteau rouge » ; il est véritablement « le poète du paroxysme » (Mockel).

Il est aussi « le visionnaire des campagnes flamandes » (1).

(1) Le mot est de Léon Bazalgette qui s'est fait, auprès du public français, l'introducteur de Walt Whitman dont les *Feuilles d'Herbe* ont influencé notre poésie sociale contemporaine.

Même lorsqu'il peint un tableau de genre, à la manière des artistes patients de son pays, une puissante suggestion en double l'intérêt *(le Moulin, les Horloges)*. Sous son regard fiévreux la nature prend des aspects de cauchemar ; voici les chênes :

> L'hiver, les chênes lourds et vieux, les chênes tors,
> Geignant sous la tempête et projetant leurs branches
> Comme de grands bras qui veulent fuir leur corps,
> Mais que tragiquement la chair retient aux hanches...

et voici le vent, « le vent sauvage de novembre » :

> L'avez-vous rencontré, le vent,
> Au carrefour des trois cents routes ?
> L'avez-vous rencontré, le vent,
> Le vent des peurs et des déroutes,
> L'avez-vous vu, cette nuit-là,
> Quand il jeta la lune à bas... ?

Lorsqu'un personnage humain traverse ces évocations il est entraîné dans le même mouvement sauvage : c'est le récit halluciné du *Sonneur*, c'est le cantique monotone et menaçant des *Mendiants*, c'est le défilé épique *(le Départ)* des gens et des bêtes marchant de la campagne hallucinée vers la ville tentaculaire, vers la ville dont Verhaeren a si farouchement matérialisé l'âme avec les siècles pesant sur elle, dont il a rendu palpable la vie effrénée *(les Usines, la Bourse)*, dont il a grandiosement exalté les prodigieuses contradictions :

> En attendant, la vie ample se satisfait
> D'être une joie humaine, effrénée et féconde ;
> Les droits et les devoirs ? Rêves divers que fait
> Devant chaque espoir neuf la jeunesse du monde.
>
> *(Vers le Futur.)*

Cette inspiration forcenée fait craquer les moules de la poésie traditionnelle : l'œuvre de Verhaeren suffirait à justifier la nécessité du vers libre. La liberté est sa seule demande, liberté dans le rythme comme dans le vocabulaire ; aucune autre forme que celle qui rendra plus intensément sa vision fulgurante. La force de l'imagination impose une rigoureuse unité à ces stances inégales, trouées de brusques sursauts, lourdes de répétitions obsédantes, qui semblent moins décrire un paysage que l'emporter tout entier dans ce tourbillon de fleuve impétueux ; Verhaeren égale avec des mots *le Vent* déchaîné et la grouillante *Ame de la ville.* Sa maîtrise du langage s'affirme aussi bien dans la haine contenue qui dresse la statue d'un homme d'état stérilement conservateur :

Sa colère fit loi durant ces jours vantés,
Où toutes voix montaient vers ses panégyriques,
Où son rêve d'État strict et géométrique
Tranquillisait l'aboi plaintif des lâchetés.

(Une Statue.)

et dans la description rutilante des bars :

Étains, cuivres, miroirs hagards,
Dressoirs d'ébène et flacons fols
D'où luit l'alcool
Et sa lueur vers les trottoirs.
Et des pintes qui tout à coup rayonnent,
Sur le comptoir, en pyramides de couronnes
Et des gens saouls, debout,
Dont les larges langues lappent, sans phrases,
Les ales d'or et le whisky, couleur topaze.

(Les Usines.)

Sa puissante imagination et sa richesse verbale convenaient également aux deux inspirations ; mais lui-même découvrit quelque chose de trop passif dans son réalisme exclusif. *Les*

Visages de la vie et *les Vignes de ma muraille* marquent une réaction ; le poète s'analyse plus froidement :

Et tout à coup je m'apparais celui
Qui s'est, hors de soi-même, enfui
Vers le sauvage appel des forces unanimes.

(La Foule.)

Sauvage et doué d'un sens, néanmoins ; il cherche donc

L'astre nouveau que chaque heure nouvelle
Choisit pour aimanter la vie universelle.

(Id.)

Dans la foule, dans les villes, dans le spectacle de la mer, dans l'action, il calme sa jeune démence ; il discerne des « Thabors » et des « Chanaans » ; il découvre la grandeur de la bonté. Il voit s'identifier sous le souffle du vent « les saints, les morts et les arbres ». Il convie les hommes à se pencher à leur fenêtre

Pour voir enfin, dans le fond de la nuit,
Ce qui, depuis mille et mille ans,
S'efforce à naître.

(L'Éternelle Lueur.)

C'est une période d'apaisement ; elle prolonge la première série de ces *Heures* qui marquent (*les Heures claires*, 1896 ; *les Heures d'après-midi*, 1905 ; *les Heures du soir*, 1911) trois reposoirs recueillis dans cette œuvre fougueuse. Dans le livre dédié « A celle qui vit à mes côtés », Verhaeren laisse parler sa tendresse en accents musicaux et comme surpris de leur propre douceur :

J'étais si lourd, j'étais si las,
J'étais si vieux de méfiance...
Je méritais si peu la merveilleuse joie
De voir tes pieds illuminer ma voie,
Que j'en reste tremblant encore et presque en pleurs
Et humble, à tout jamais, en face du bonheur.

Mais ce n'est pas à la seule découverte du bonheur qu'il doit cet élargissement de son art ; l'évolution de sa pensée y a aidé aussi. Manifeste déjà dans *les Forces tumultueuses* qui saluent l'aube du siècle nouveau, ce progrès se marquera définitivement avec *la Multiple Splendeur*. Là s'avère le passage du panthéisme imaginatif à un panthéisme intellectuel conscient, les deux confondus dans cette déclaration :

Je ne distingue plus le monde de moi-même.

Sans doute l'exposé de cette foi n'évitera pas toujours la raideur didactique qui est le danger de tout dogmatisme :

Homme, tout affronter vaut mieux que tout comprendre ;
La vie est à monter et non pas à descendre.

Mais quelle ample beauté s'ajoutera désormais à sa vision de l'univers :

L'infini tout entier transparaît sous les voiles
Que lui tissent les doigts des hivers radieux,
Et la forêt obscure et profonde des cieux
Laisse tomber sur nous son feuillage d'étoiles.

Car si le poète-penseur se propose de

Prendre et capter cet infini en un cerveau,
Pour lui donner ainsi sa plus haute existence
Par l'infini nouveau
Des consciences...

il n'en conservera pas moins, pour parler de

Descarte et Spinoza, Leibniz, Kant et Hegel,

ses admirables jaillissements d'imagination concrète :

> Eux qui fixaient à leurs flèches d'argent pour cibles
> Les plus hauts points des problèmes inaccessibles ;
> Et qui portaient en eux le grand rêve entêté
> D'emprisonner, quand même, un jour, l'Éternité
> Dans le gel blanc d'une immobile Vérité.

Si bien qu'en étudiant plus tard l'épanouissement de cette œuvre considérable, nous retrouverons jusque dans *Hélène de Sparte* le lyrisme et le rythme souverain du grand poète des *Villages illusoires*.

§ 8. — Du symbolisme au classicisme

Le symbolisme avait été caractérisé par une revendication des droits de la personnalité poétique contre la discipline que le Parnasse avait reçue des classiques, à peine desserrée par quelques innovations romantiques. La forme du vers libre, comme cela apparut bientôt, ne pouvait néanmoins convenir qu'à certains tempéraments et à un nombre restreint de sujets. Nous avons vu Henri de Régnier évoluer vers le classicisme, sans bruit, avec une aristocratique élégance. D'autres y apportèrent moins de discrétion. L'œuvre la plus significative de ce retour du symbolisme à la tradition classique est celle de Jean Moréas.

Athénien de naissance, Parisien d'élection, Moréas avait été l'un des premiers et des plus actifs promoteurs du symbolisme. Son premier volume, *les Syrtes*, le montrait bon élève de Verlaine, celui de la *Chanson d'automne* (fin de *la Carmencita*) et celui des *Fêtes galantes (Remembrances)*, bon élève de Baudelaire aussi, de sa sensualité artistique :

> N'ai-je pas promené ma main,
> Avec des luxures d'artiste,
> Sous des chemises de batiste
> Embaumant l'ambre et le jasmin...

et de son satanisme mélancolique :

> Je veux un amour triste ainsi qu'un ciel d'automne,
> Fait de remords très lents et de baisers furtifs.

Moréas chantait donc de douces chansons nostalgiques *(Parmi les marronniers) ;* il affirmait le charme de l'impair en sonnets de neuf ou onze syllabes *(les Roses jaunes, les Bras qui se nouent).* Dans les *Cantilènes,* à côté des évocations assez conventionnelles dont *le Ruffian* est le type, à côté des légendes orientales ou médiévales des *Airs et Récits,* il faisait leur place à des chants envoûtants de symbolisme musical, comme *Voix qui revenez...* ou le sonnet : *Et j'irai le long de la mer éternelle.* Il rappelait cependant à ses compagnons d'armes que sa patrie était

> Là-bas où, sous les ciels attiques,
> Les crépuscules radieux
> Teignent d'améthyste les Dieux
> Sculptés aux frises des portiques.

Sa culture livresque, son goût des archaïsmes aboutissaient à de baroques mosaïques de ce genre :

> La prime et l'ultime, et pennon
> Où l'aure des Promesses joue,
> Et molette de bon renom
> Brochant le Désir qui s'ébroue...

mais il leur devait la fermeté classique d'*Accalmie* ou de ce quatrain qui devance les *Stances :*

> O mer immense, mer aux rumeurs monotones,
> Tu berças doucement mes rêves printaniers ;
> O mer immense, mer perfide aux mariniers,
> Sois clémente aux douleurs chastes de mes automnes.

La même année (1890) où Jean Moréas terminait *le Pèlerin passionné*, il fondait l'École Romane avec Maurice du Plessys, Raymond de la Tailhède, Ernest Raynaud et Charles Maurras : deux mouvements du même geste. Sans doute il y a encore dans *le Pèlerin* de la musique symboliste, témoin le refrain de l'*Agnès :*

C'était (tu dois bien t'en souvenir), c'était par un soir de la mi-automne... ;

sans doute Moréas y emploie-t-il encore, dans les *Élégies* et les *Églogues*, le vers libre et recherche-t-il parfois les harmonies perversement trébuchantes :

Je naquis au bord d'une mer dont la couleur passe
En douceur le saphir oriental. Des lys
Y poussent dans le sable, ah, n'est-ce pas ta face
Triste, les pâles lys de la mer natale... ?

Pourtant déjà il avait pris parti contre le vers libre« aux effets uniquement matériels et aux libertés illusoires » : « Mon instinct n'avait pas tardé à m'avertir qu'il fallait revenir au vrai classicisme et à la vraie antiquité, ainsi qu'à la versification traditionnelle la plus sévère. Et en plein triomphe symboliste, je me séparai courageusement de mes amis. »

Antiquité vue à travers la tradition française, siérait-il d'ajouter. Moréas était nourri de notre ancienne littérature, comme le prouvent ses *Contes de la vieille France*, les archaïsmes mignards *(Dit d'un chevalier qui se souvient)* et les souples tableaux du moyen âge qui, dans *le Pèlerin*, contrastent avec la dureté de certains poèmes de repos *(Chœur)*. Mais c'est vers la Pléiade qu'il se tourne le plus volontiers ; il lui reprend ses rythmes, sa langue et ses thèmes :

C'est votre haleine fertile,
Sacrant ma bouche inutile,
Qui fait qu'indigne je sais,
De gentil son et haut style,
Hausser le Nombre Français

(Discours.)

Il ne dissimule point son orgueilleuse ambition de

> Susciter le harpeur, honneur du Vendômois,

et de réaliser le rêve de Chénier :

> Car, par le rite que je sais,
> Sur de nouvelles fleurs les abeilles de Grèce
> Butineront un miel Français.
> (Fin du *Pèlerin.*)

Les *Sylves* affirment ce succès :

> Mais puisque déjà par notre art
> Se répondent Pindare et Thibaut et Ronsard.
> *(Romane Juvénile Fleur.)*

comme aussi *Énone au clair visage* et cette *Éryphile* placée sous la double invocation de Virgile et de Dante. Moréas s'affranchit du charme de Ronsard qui ne se laisse point imiter sans quelque afféterie et Malherbe eût approuvé cette stance de l'*Épitaphe de Verlaine* :

> La forêt tour à tour se pare et se dépouille ;
> Après le beau printemps on voit l'hiver venir ;
> Et de la Parque aussi la fatale quenouille
> Allonge un fil mêlé de peine et de plaisir.

Par de tels vers, beaucoup plus que par son *Iphigénie* d'après Euripide, tragédie qui rend justice à la familiarité touchante du modèle mais, malgré la souplesse des chœurs et passages lyriques (adieux de l'héroïne à la vie, fin de l'acte IV), en accuse encore dans une volonté d'archaïsme l'insupportable bavardage moralisateur, Moréas mérite le titre de poète classique français.

De grand poète classique, ajoutera le lecteur des *Stances*. Maurice Barrès a raconté comment, sur son lit de mort, le poète niait la vieille distinction entre les écoles. « Nous ne saurons jamais, ajoute-t-il, quels arguments se réservait de me donner Moréas, mais je suis de son avis ; je crois qu'un sentiment dit romantique, s'il est mené à un degré supérieur de culture, prend un caractère classique. J'ai vu Moréas passer de l'une à l'autre esthétique, à mesure qu'il s'ennoblissait moralement, et je me rends compte qu'il a trouvé ses perfectionnements d'art dans son cœur assagi. » Les *Stances* offrent ce spectacle de l'esprit maître de lui qui promène sur le monde son regard ferme et triste :

Ne me repousse pas, ô divine Nature,
Je suis ton suppliant.

Il décrit avec une égale netteté, plus forte d'être contenue en une ou deux stances parfaites, les « arbres de la cité », ces marronniers de Paris qu'il a chantés inlassablement et les « chênes mystérieux », les oliviers du Céphise que des souvenirs classiques rendent doublement chers à ses yeux, et les cyprès symboliques :

Je garde aussi les morts : elle a votre couleur,
Mon âme, sombre abîme.
Mais je m'élance hors la Parque et le malheur,
Pareil à votre cime.

Car il n'est point de paysage qu'il n'imprègne de ses sentiments, dont sa pensée ne rende éternelle la fugitive beauté :

Nuages qu'un beau jour à présent environne,
Au-dessus de ces champs de jeune blé couverts,
Vous qui m'apparaissez sur l'azur monotone,
Semblables aux voiliers sur le calme des mers ;
Vous qui devez bientôt, ayant la sombre face
De l'orage prochain, passer sous le ciel bas,
Mon cœur vous accompagne, ô coureurs de l'espace !
Mon cœur qui vous ressemble et qu'on ne connaît pas.

Une telle union confère sa beauté poignante à la suprême invocation des *Stances*, *Quand reviendra l'automne...* et à cette large évocation, tranquillement désespérée, *Solitaire et pensif...*

Non que la passion soit absente de ce chef-d'œuvre, mais elle est d'une qualité rare. Moréas a renoncé à tout sauf à l'assurance de son génie. Une seule menace le troublerait vraiment. Ne serait-il plus le maître de sa lyre ? Dialogue anxieux où il interroge et répond à la fois. A des moments il doute, il confesse aux Muses sa défaite :

Et mon âme à présent n'est qu'une belle morte
Gisante dans vos fleurs.

Le plus souvent il n'hésite point et sait qu'il a conquis le laurier tant convoité :

Le calme ruisselet traverse la lumière
Reflète les oiseaux et le ciel de l'été
O Lyre, mais de l'eau qui va creusant la pierre
Au fond d'un antre noir, plus forte est la beauté.

Le vrai drame des *Stances* c'est cette victoire du génie sur l'amertume. On a parlé du stoïcisme de Moréas, on a salué en lui le successeur de Vigny ; lui-même s'est représenté dans cette attitude de désespoir hautain :

Quand je viendrai m'asseoir dans le vent, dans la nuit,
Au bout du rocher solitaire,
Que je n'entendrai plus, en t'écoutant, le bruit
Que fait mon cœur sur cette terre,
Ne te contente pas, Océan, de jeter
Sur mon visage un peu d'écume :
D'un coup de lame alors il te faut m'emporter
Pour dormir dans ton amertume.

Souvent, encore, on entend résonner sous ses doigts

Une corde vouée à la mélancolie.

Mais, pour avoir cru au pouvoir créateur, il a trouvé dans la création une ample consolation. La certitude que nul homme n'égale le poète et qu'il était, lui, un grand poète, il l'a exprimée avec une fatuité parfois naïve :

> Moi qui porte Apollon au bout de mes dix doigts ;

il a traduit aussi avec magnificence ce refus poétique d'abdiquer jamais :

> Va, pars et meurs tout seul en récitant des vers.

Dans sa souffrance il gardait le droit de dire :

> Je trouve dans ma cendre un goût de miel suave.

car il savait que ce miel de sa douleur était plus humain que les faciles festins de sa jeunesse,

> Puisque quand je te touche, ô lyre d'Apollon,
> Tu sonnes chaque fois plus savante et plus pure.

Persuadé que

> Le songe où maintenant mon âme se recueille
> Ouvre les portes du destin

il se comparait à l'archer

> Qui marche sur les morts tout en bandant son arme

et, sur les ruines de sa vie, poète, il pouvait sourire :

> Tant mon âme s'absorbe en mon dieu sans effort.

Son amour de la forte perfection classique l'avait conduit, en effet, à la sagesse harmonieuse qui domine la vie et pacifie esprit et cœur réconciliés dans la beauté grave d'un poème achevé :

Ne dites pas : la vie est un joyeux festin ;
Ou c'est d'un esprit sot ou c'est d'une âme basse.
Surtout ne dites point : elle est malheur sans fin ;
C'est d'un mauvais courage et qui trop tôt se lasse.
Riez comme au printemps s'agitent les rameaux,
Pleurez comme la bise ou le flot sur la grève,
Goûtez tous les plaisirs et souffrez tous les maux ;
Et dites : c'est beaucoup et c'est l'ombre d'un rêve.

« Aujourd'hui, remarquait Moréas, j'ai le plaisir de constater que tout le monde revient au classique et à l'antique. » Si son exemple demeure le plus significatif parce qu'il aboutit aux *Stances*, il ne fut point cependant unique. D'autres poètes annoncent diversement, en plein symbolisme, un retour à la tradition. Un disciple de l'école romane, RAYMOND DE LA TAILHÈDE, mérita les éloges du maître pour le ronsardisme du poème *De la métamorphose des fontaines*. Comme Moréas MAURICE DU PLESSYS s'apparente à Vigny avec un sentiment plus païen :

Ne tâchons à saisir des Dieux le soin secret :
Ainsi toute la grâce est dans l'obéissance,
Étant de l'ordre universel l'Objet seul vrai.

Disciple fervent de Pallas, soucieux de concilier la sagesse et la poésie, l'auteur des *Odes Olympiques* entretint jusqu'à nos jours le respect que mérite, malgré quelque étroitesse un peu pédante, l'école romane. ROBERT DE MONTESQUIOU, en cultivant ses *Hortensias bleus* et en sertissant ses *Perles rouges*, recherchait plutôt l'approbation des salons que celle des écrivains symbolistes. FERNAND SÉVERIN, poète d'une Belgique lettrée, chantait avec une émotion contenue

Ce qu'il tient de douceur dans ce simple mot : vivre.

LOUIS LE CARDONNEL, ami de Mallarmé et de Samain, employa parfois les mètres libres, mais c'est en stances régulières qu'il a célébré sa double inspiration et

Cette antique union du Poète et du Prêtre

qu'il faisait renaître en lui. FERNAND GREGH, qu'un menuet verlainien rendit célèbre en 1896, visa plus haut qu'à ce renom de pasticheur adroit : une agréable facilité lui permit d'y joindre le titre de chef de « l'humanisme » et de présenter dans *les Clartés humaines* et *l'Or des minutes* une synthèse sans rigueur des idées et des formes poétiques de son époque. Les *Élévations poétiques* de PAUL SOUCHON doivent leur fluide aisance à l'influence personnelle de Samain et de Régnier plutôt qu'à la doctrine symboliste. Méridional, le poète des *Élégies Parisiennes*, le romancier des *Tranchées de Pélissanne* n'a jamais cessé de se renouveler ; nous le retrouvons dans *Les Chants du Stade* (1923) qui célèbre « l'éloquence du corps » où « l'instinct guérit de la pensée », revêt d'une forme poétique des images très contemporaines et unit ses deux cultures, l'antique et la moderne, dans une belle invocation au dieu des sports :

La splendeur de son corps, puisée aux temps antiques,
S'élève vers le ciel comme un clair monument
Et l'on suit du regard ses formes athlétiques
Ainsi qu'une ode pindarique en mouvement.

Quant à SÉBASTIEN-CHARLES LECONTE, ses affinités sont nettement parnassiennes pour la forme et romantiques dans l'inspiration. Et il serait injuste de passer sous silence le curieux novateur attardé que fut LOUIS MÉNARD, réunissant en un volume ses *Poèmes et Rêveries d'un païen mystique*. Chercheur infatigable dans les *Études de prosodie*, réformateur de l'orthographe, il dépensa toute son âme et tout son talent à ressusciter les mythes antiques, de Prométhée à Julien :

> Dieus eureus, q'adorait la jeunesse du monde,
> Qe blasfème aujourdui la vieille umanité,
> Laissez-moi me baigner dans la source féconde
> Où la divine Hellas trouva la vérité.

C'est également en marge du symbolisme qu'apparut AUGUSTE ANGELLIER. Venu tard à la poésie et par un désir conscient plutôt que par un besoin instinctif, il se forgea patiemment son instrument ; et peut-être, au cours des longs dialogues qu'il a situés *Dans la lumière antique*, ce professeur qui témoignait, dans ses études anglaises, d'un sens aigu du concret, a-t-il cédé à la tentation d'une éloquence plus massivement romaine que subtilement hellénique. Mais *A l'amie perdue* (*Amissæ Amicæ*, dit la dédicace avec une pointe de savante préciosité) offre le récit d'un noble drame d'amour poursuivi du bonheur au sacrifice et, chose plus rare, à l'acceptation virile. Cette suite de sonnets ne va pas sans quelque monotonie, mais leur rigueur se laisse parfois détendre en méditations délicates *(les Caresses des yeux)*, en tendresses raffinées :

> Je ne t'ai point connue au bourgeon de ton âge...

en accents d'une simplicité pathétique où le poète confesse

> Le besoin de dormir sur une épaule humaine...

en envolées de sobre lyrisme, tel le sonnet *O mer, ô mer immense* avec sa conclusion :

> Il me semble, ce soir, que mon étroit cœur d'homme
> Contient tous vos sanglots, contient toutes vos larmes.

Par ces pièces d'une grave beauté, Angellier se rattache à la lignée classique dont il a pieusement repris le thème immortel :

> Que ce sonnet ressemble aux galères royales
> Qui traînent sur les flots des velours frangés d'or...

L'œuvre de CHARLES GUÉRIN reflète exactement les aspirations des poètes qui débutèrent à la fin du XIXe siècle. La doctrine symboliste épuisée sans qu'aucune autre l'ait supplantée, ceux qui n'éprouvaient point pour l'art classique l'affection exclusive d'un Moréas hésitaient entre les diverses influences. Guérin est marqué d'Hérédia, de Samain et surtout de Jammes auquel il dédia une élégie qui est probablement son chef-d'œuvre. *Le Cœur solitaire* traduit son besoin d'une foi :

> Et je veux, en dépit de la Mort souveraine,
> Affirmer qu'il est beau de vivre et d'être fort.

Il exprime aussi dans les « mélancolies passionnées » son doute devant l'amour,

> Devant l'harmonieux mensonge de ton corps,

et son « inquiétude de Dieu » :

> Entrerai-je, ce soir, Seigneur, dans ta maison ?

Le Semeur de cendres atteste qu'il est parvenu à une certitude religieuse :

> Ce soir, mon Dieu, je viens pleurer, je viens prier...

et à une certitude artistique :

> C'est vous, voluptueux Chénier, vous, grand Virgile,
> Que j'ouvre aux jours dorés de l'automne. en rêvant.
> Le soir, dans un jardin solitaire et tranquille...

Dans *l'Homme intérieur*, après un dernier regard mélancolique vers l'amour,

O désir de l'amour qui fais tout à la fois
Le tourment immortel de l'homme et sa noblesse...

Guérin laisse percer un touchant regret pour les temps de sa première naïveté poétique, avant qu'il n'ait « resserré » son inspiration « en mots stricts ». Il semble, en effet, que l'analyse qui l'a ramené à sa religion ait émoussé sa faculté créatrice. Elle s'éteint peu à peu dans une alternance de douces mélodies :

La lune ronde s'élève
A la cime d'un bouleau.
Elle enveloppe de rêve
Le village au bord de l'eau...

et de stances pensives :

Je retrouve, en rentrant ce soir à mon foyer,
Fidèle hélas ! ma Douleur sombre,
Et je laisse aussitôt mon bel orgueil ployer
Auprès d'elle à genoux dans l'ombre.

Et il meurt à 33 ans, sans avoir réalisé la grande œuvre que ses débuts promettaient.

§ 9. — Le théâtre symboliste

Le théâtre symboliste est resté, dans son ensemble, uniquement littéraire. *Phocas le jardinier*, *Polyphème* et *le Cloître* sont œuvres de poètes plutôt que de dramaturges. Les pièces de Gourmont, *Théodat* et *Lilith*, sont les fantaisies raffinées d'un érudit très intelligent et très sensuel, qui se complaît à d'ingénieuses variations critiques. La *Salomé* de WILDE offre une saveur documentaire pimentée par l'outrance d'un étranger.

Même les parodies caractérisées, *Ubu roi* et *Ubu enchaîné*, farces truculentes où, à travers des plaisanteries de corps de garde, Alfred Jarry dessina une figure emblématique de la bêtise contemporaine, ne prennent tout leur intérêt qu'à la lecture (1).

Un homme apparut pourtant comme le créateur d'un théâtre symboliste. L'enthousiaste salut d'Octave Mirbeau est demeuré célèbre : « Je ne sais rien de M. Maurice Maeterlinck... Je sais seulement qu'aucun homme n'est plus inconnu que lui ; et je sais aussi qu'il a fait un chef-d'œuvre. » Ce « chef-d'œuvre » était *la Princesse Maleine*. On s'est beaucoup égayé, depuis, de l'article d'Octave Mirbeau, comme aussi des critiques qui ont prétendu retrouver dans ces premières pièces de Maeterlinck toutes les situations du drame et du vaudeville ordinaires ; peut-être cependant les deux attitudes étaient-elles justifiées par le mélange de nouveauté et d'artifice que présentait ce « théâtre de marionnettes » (1889-1895).

Maurice Maeterlinck avait débuté par un volume de vers, *les Serres chaudes*, où il s'efforçait, dans une fusion du concret et de l'abstrait, sur un ton d'incantation obstinée à murmurer des mots liés par des associations obsédantes, de traduire la complexe langueur des âmes qui attendent on ne sait quelle délivrance :

Mon âme en est triste à la fin ;
Elle est triste enfin d'être lasse,
Elle est lasse enfin d'être en vain.
Elle est triste et lasse à la fin
Et j'attends vos mains sur ma face.

(Ame de Nuit.)

Peut-être serions-nous tentés, aujourd'hui, d'être injustement sévères pour ces lieder, y sentant le procédé auquel

(1) Pour bien juger Jarry, voir la mise au point de Charles Chassé dans *Les Sources d'Ubu Roi*.

nombre de poètes ont eu recours qui n'ont point confessé leur dette envers ces *Serres chaudes.* On éprouverait le même scrupule en face de *la Princesse Maleine* si l'auteur, dans la Préface à son théâtre, n'avait pris les devants : « Il eût été facile de supprimer dans *la Princesse Maleine* beaucoup de naïvetés dangereuses, quelques scènes inutiles et la plupart de ces répétitions étonnées qui donnent aux personnages l'apparence de somnambules un peu sourds constamment arrachés à un songe pénible. J'aurais pu leur épargner ainsi quelques sourires, mais l'atmosphère et le paysage même où ils vivent en eussent paru changés. » Pour goûter encore *la Princesse Maleine*, il faut en effet passer sur les shakespearianismes de commande, sur les puérilités, les « Ma-aleine est ma-alade » du petit Allan (un de ces terribles « avertis » du théâtre de Maeterlinck), sur les interminables entretiens incohérents où les personnages attestent à satiété « l'idée un peu hagarde qu'ils se font de l'univers » ; alors on pourra reconnaître la puissance d'envoûtement du IVe acte où les deux complices royaux assassinent la princesse.

Il faut avouer que ce théâtre a beaucoup vieilli. L'artifice s'y étale : trop de vieilles tours, de colombes, de clefs symboliques, de châteaux malsains, d'oppositions factices où la mer, le vent et la lumière jouent des rôles sans mystère ; trop de « vous êtes belle ! » faussement naïfs et de baisers sur l'âme et de chansons populaires qui s'illuminent soudain d'un sens profond. Rien de plus inégal que ce dialogue où alternent les balbutiements et les maximes de philosophie mystique, où la barbarie se pare de préciosités péniblement ingénues. Dès *l'Intruse* les procédés se dévoilent brutalement mécaniques ; dans *les Aveugles* ils sont déjà franchement insupportables. Préoccupé par la présence de la mort qui « remplit tous les interstices du poème », Maeterlinck essaie de créer une atmosphère où la vie sente peser sur elle cette ombre : le difficile était de varier cette évocation ; il n'y a point réussi. Ou plutôt il n'y a réussi que dans les endroits où il a fait planer cette menace sur des êtres assez caractérisés pour qu'ils nous émeuvent personnellement ; ce n'est point par le symbolisme que nous touchent *Alladine et Palomides* ou *la Mort de Tintagiles*, drames de l'amour et de l'effroi.

Pelléas et Mélisande réclame d'être mis à part. Ce drame a les mêmes défauts que ses devanciers ; mais l'intervention d'un musicien de génie a montré, mieux qu'aucune critique littéraire, comment ce qui lui manquait pour être mis au rang des chefs-d'œuvre pouvait être comblé par un effort de recréation qui humaniserait des sous-entendus si vagues qu'on pouvait avec le même droit les déclarer sublimes ou enfantins, qui transformerait en créatures vivantes des fantômes inconsistants. Et *Pelléas* marque un progrès dans l'art de Maeterlinck par la présence d'Arkel, d'un être conscient, au milieu de ces victimes de la fatalité.

Maeterlinck a signalé lui-même cette évolution à propos d'*Aglavaine et Sélysette* : là, dit-il, « j'aurais voulu que la mort cédât à l'amour, à la sagesse ou au bonheur une part de sa puissance. Elle ne m'a pas obéi ». Qu'importe ? l'essentiel est qu'à l'unanime acquiescement aux volontés d'une fatalité inconnue ait succédé une tentative de compréhension, même isolée, même inefficace. Le drame ne commence vraiment qu'au jour où l'homme redresse la tête en face du destin, dût-il la courber ensuite mélancoliquement comme le font Arkel et Aglavaine, également impuissants à conjurer la catastrophe pressentie. Cette conviction nouvelle de Maeterlinck explique le caractère des pièces qui suivirent : pour cinq des femmes de Barbe Bleue la délivrance est inutile, mais Ariane s'évade véridiquement ; *Sœur Béatrice* prouve encore qu'un égal mystère réside dans l'amour et dans la haine, mais Monna Vanna et Prinzivalle se rejoignent dans l'amour, par la voie la plus paradoxale, et Marco, Arkel stoïcien, approuve Vanna : « Tu as fait l'impossible... c'est juste et très injuste, comme tout ce que l'on fait... Et la vie a raison. »

Ce changement de la perspective dans les drames de Maeterlinck correspond à un développement de sa pensée. Son premier recueil d'essais, *le Trésor des humbles*, indique clairement dans quel état d'esprit furent conçues ses pièces. La tâche la plus urgente lui semblait être « le réveil de l'Ame ». L'âme, combien elle était, selon lui, absente de certains chefs-d'œuvre : « Si Racine est le poète infaillible du cœur de la femme, qui oserait nous dire qu'il ait jamais fait un pas vers son âme ? » Pour provoquer son réveil parmi les contemporains, il fit appel aux grands mystiques du passé, à Novalis, à Ruysbrœck, à Emerson qu'il étudia et traduisit. Il répéta le conseil de Carlyle, qu'il faut se replonger dans le silence pour y entendre de nouveau les grandes voix de la bonté invisible et de la vie profonde qui feront découvrir les sources du tragique quotidien et de la beauté intérieure. Noble programme que *le Trésor des humbles* exposait dans une prose d'une pénétration fraternelle et d'une éloquence convaincante. Mais cela aboutissait à un échec, puisque cette retraite mystique dans l'âme profonde interdisait les communications habituelles entre les êtres. Maeterlinck le constata devant l'impossibilité où il se heurta d'ériger une morale mystique : « Il n'est pas possible de parler de ces choses parce qu'on est trop seul », avouait-il.

« Je ne me suis jamais mis en travers d'une destinée », disait Arkel. « Nous n'avons pas le droit de peser la destinée des autres », répondait, en écho, Aglavaine. Mais la voix de la vieille Meligrane s'élevait à son tour : « Ce ne sont pas toujours les plus belles vérités qui ont raison contre des vérités plus simples et plus vieilles. » Jusqu'alors le théâtre de Maeterlinck s'était restreint à représenter une lutte entre des destinées ; il lui fallait à présent l'élargir jusqu'à peindre le conflit entre des sagesses opposées. Il se convainquait, dans le même temps, que les affirmations du *Trésor des humbles* ne suffisaient pas, qu'il devait se résigner à l'exploration patiente de l'âme par l'intelligence, à sa définition lente et tâtonnante au moyen du langage. Dès *le Trésor des humbles* il trouvait spontanément, pour parler de l'univers, des accents stoïciens ; deux ans après, il publia *la Sagesse et la Destinée*, livre tout imprégné de Marc-Aurèle où pourtant il ne renonçait point à évoquer l'indicible de l'âme : « Toute vie intérieure, affirmait-il, commence moins au moment où l'intelligence se développe qu'au moment où l'âme devient bonne. » Le Destin n'est ni juste ni injuste, il nous apporte seulement une invitation « à nous juger nous-mêmes » et à nous identifier à « la volonté secrète de la vie » au point de décider franchement que « ce qui aura lieu sera le bonheur ». Ses essais dramatiques suivirent la même courbe : on a pu leur reprocher, d'un point de vue strictement scénique, leur caractère de dialogues philosophiques et ces longues suites de répliques en vers blancs qui lassent parfois l'oreille du spectateur. Nous leur rendrons mieux justice si nous discernons en eux les étapes stylisées du progrès de sa pensée, si nous entendons dans le « Il n'y a pas de morts » de *l'Oiseau bleu* la négation des premiers cauchemars qui hantèrent l'auteur de *la Princesse Maleine* et l'affranchissement suprême d'un des plus nobles chercheurs de vérités de notre époque.

§ 10. — Schwob et Gourmont

Bien avant qu'aient retenti dans les âmes les phrases harmonieuses du *Trésor des humbles* et de *la Sagesse et la Destinée*, le symbolisme comptait déjà deux prosateurs qui, par l'étendue de leur culture, par l'union en leurs œuvres du don créateur et de la faculté critique, méritent d'être tenus pour les directeurs de sa conscience littéraire.

C'est par le *Spicilège* qu'il faut aborder MARCEL SCHWOB pour embrasser la diversité et la force de son esprit. On admirera la finesse de ses essais psychologiques sur le Rire ou la Perversité ; on appréciera l'aisance de son érudition dans les études sur les courtisanes grecques *(Plangôn et Bacchis)* ou les légendes chrétiennes *(Saint Julien l'Hospitalier)* ; on le verra, sympathiquement accueillant à toute grandeur, révéler aux Français l'éblouissant Meredith « donnant le spectacle de la fonction intellectuelle la plus prodigieuse de ce siècle » ; on sentira quel plaisir cet historien artiste éprouve à étudier, à propos de François Villon, le « jargon des coquillards » et à ressusciter cette vie confuse ; on reconnaîtra la perfection où atteint son universelle curiosité dans les dialogues sur l'amour, l'art et l'anarchie. Rien de plus achevé que le premier de ces entretiens où, dans une atmosphère de poésie platonicienne et d'ironie socratique, un maître de maison momentanément transformé en « acteur » du moyen âge examine avec ses invités (qui incarnent sous les noms d'Hylas, Herr Baccalaureus, Rodion Raskolnikoff et Sir Willoughby les leçons du matérialisme antique, de la logique méphistophélique, de Dostoïevsky et de Meredith), la question de savoir si les femmes peuvent être dites les marionnettes ou ombres de l'amour.

Dans l'étude sur Robert Louis Stevenson, Schwob indique les devanciers qui ont le plus frappé son imagination : Villon avec ses pendus, Shakespeare où Falstaff « agonise comme un vieux pirate », Edgar Poe et le crâne cloué sur l'arbre dans *The Gold Bug*, les récits de flibustiers. Il unit dans le même respect Odysseus, Robinson Crusoe, Arthur Gordon Pym et Captain Kidd. Et s'il loue Stevenson, ce sera pour vanter avant tout « le romantisme de son réalisme ».

Lecteur infatigable, travailleur acharné, passionné d'histoire, de linguistique, de chimie, d'astrologie, maître de plusieurs langues anciennes et modernes, traducteur de Shakespeare et Defoe, Schwob mettait cet arsenal de l'érudit au service de son imagination de conteur. Nous avons vu où allaient ses préférences. Elles n'étaient point exclusives. S'il annonçait que le roman doit devenir « un roman d'aventures », le recueil intitulé *la Lampe de Psyché* montre qu'il faut prendre ce mot « dans le sens le plus large ». *La Croisade des enfants* et *l'Étoile de bois* racontent avec une sobre précision deux naïves légendes ; les *Mimes* ressuscitent en une suite d'exquis tableaux de genre une vie antique d'une stylisation raffinée ; *le Livre de Monelle* enfin demeure comme un bréviaire de toutes les influences qui ont agi sur la sensibilité symboliste. Dans ces évocations si diverses son talent unit la même fermeté descriptive à la même grâce pensive.

Mais sa plus précieuse originalité se révèle dans les nombreux contes de *Cœur double*, du *Roi au masque d'or* et des *Vies imaginaires*. Chacun de ces livres comporte une préface où il analyse son art. Dès 1891, il annonçait que « les descriptions pseudo-scientifiques, l'étalage de psychologie de manuel et de biologie mal digérée » seraient bannis du roman. Il rappelait que « le cœur de l'homme est double ; l'égoïsme y balance la charité ; la personne y est le contre-poids des masses ». L'humanité avance « par le chemin de l'histoire de la terreur à la pitié ». Il y a aventure ou crise « chaque fois que la double oscillation du monde extérieur et du monde intérieur amène une rencontre ». La tâche de l'art sera de décrire ces aventures, de peindre les hommes engagés dans ces crises. Or, peindre, c'est exprimer à la fois des ressemblances et des différences. La préface du *Roi au masque d'or* insiste davantage sur la ressemblance : « J'ai fait un livre où il y a des masques et des figures couvertes ; un roi masqué d'or, un sauvage au mufle de fourrure, des routiers italiens à la face pestiférée et des routiers français avec des faux visages, des galériens heaumés de rouge, des jeunes filles subitement vieillies dans un miroir, et une singulière foule de lépreux, d'embaumeuses, d'eunuques, d'assassins, de démoniaques et de pirates, entre lesquels je prie le lecteur de penser que je n'ai aucune préférence, étant certain qu'ils ne sont point si divers. » Dans l'introduction aux *Vies imaginaires* il souligne, au contraire, les différences : « L'art est à l'opposé des idées générales, ne décrit que l'individuel, ne désire que l'unique. Il ne classe pas, il déclasse... le vieil Hokusaï voyait bien qu'il fallait parvenir à rendre individuel ce qu'il y a de plus général... Boswell n'a pas eu le courage esthétique de choisir. L'art du biographe consiste justement dans le choix. » La vérité est qu'à ses yeux « la différence et la ressemblance sont des points de vue », que Schwob enfin concilie cette apparente antinomie dans la conception judaïque d'une inébranlable unité divine : « Nous sommes des mots, mais joints dans la phrase de l'univers, jointe elle-même à la glorieuse période qui est une en sa pensée. »

Nous avons cité son propre résumé du *Roi au masque d'or :* il pourra donner quelque idée du monde de personnages qui défile dans un tel livre. Chaque recueil de contes contient la même richesse d'histoire humaine depuis les temps les plus reculés jusqu'à notre époque. Ses dons d'animateur ne s'y démentent jamais : il y règne, déclare Léon Daudet, « un goût parfait, jamais un faux pas, ni une surcharge ». Même si le sujet choisi nous laisse indifférent, l'exécution minutieuse force notre admiration ; devant les récits moyenâgeux, en particulier, le lecteur inclinera parfois à l'attitude de Paul Valéry : « L'étonnante conversation de Marcel Schwob me gagnait à son charme propre plus qu'à ses sources. Je buvais tant qu'elle durait... Je ne me sentais pas pour l'érudition toute la ferveur qui lui est due. » Il y a surtout de l'érudition dans *Blanche la sanglante* ou dans *les Faux Saulniers ;* mais là même où le souci de reconstitution historique l'emporte un peu sur l'intérêt humain, le trait garde une netteté rare, également heureux, soit que Schwob suive fidèlement la tradition *(Clodia)*, soit qu'il s'amuse à en prendre le contre-pied *(Pétrone)*. Son art n'est inférieur à aucun mystère, qu'il s'agisse de *la Cité dormante*, des *Embaumeuses* ou des *Faulx Visaiges ;* il joue sur les sentiments les plus sombres de l'âme, l'effroi de *la Peste* et de *la Charrette*, l'humour macabre d'*Un squelette* (très supérieur aux imitations de Mark Twain dans *Sur les dents* et *l'Homme gras*), les réveils de l'instinct chez les criminels *(Cruchette, Crève-Cœur)* qui mènent le lecteur aux évocations de guillotine *(Fleur de cinq pierres, Instantanées)* et aux pressentiments de *la Terreur future ;* le fantastique tragique *(Le train* 081*)* aboutissant aux folies les plus lyriques *(Arachné, Béatrice).* Il excelle aussi bien dans les vastes synthèses où le portrait d'un homme de pensée résume le tableau d'une époque entière *(Empédocle, Lucrèce)* que dans les récits de pirateries contés avec une ironie sèche dont *MM. Burke et Hare, assassins,* offre l'exemple le mieux réussi. Comme Villiers, il met à contribution les dernières découvertes de la science *(la Machine à parler)* et de la psychologie appliquée *(l'Homme double, l'Homme voilé) ;* il utilise les doctrines dites subversives dans cette *Ile de la liberté* où Gourmont voyait le spirituel exposé du « fakirisme-anarchie ». Mais peut-être ses contes les plus admirables sont-ils ceux qu'il situe hors du temps historique, les visions puissantes de *l'Incendie terrestre* et de *la Vendeuse d'ambre,* le grandiose *Roi au masque d'or* que son symbolisme date sans l'affaiblir, et ce dense chef-d'œuvre qu'est *la Mort d'Odjigh.* Tous, même les plus insignifiants quant au sujet, seront préservés de l'oubli par la perfection d'un style à la fois simple et plein, moelleux et riche sans ornements inutiles ; si la mode était encore aux figures allégoriques, on aimerait imaginer au seuil de son œuvre, comme sa plus digne Muse, la femme qu'il a décrite en deux phrases odorantes : « Elle avait les seins soutenus par une strophe rouge, et la semelle de ses sandales était parfumée. Pour le reste, elle était belle et longue de corps, et de couleur très désirable. »

Le critique chez Marcel Schwob semble donc le très intelligent auxiliaire de l'artiste ; c'est plutôt le contraire qu'il faudrait dire de Rémy de Gourmont, comme au reste de Sainte-Beuve. Mais, tandis que Joseph Delorme fit retraite avec Amaury dans un épiscopat critique, Gourmont n'a jamais renoncé aux ambitions du créateur. « Je suis hanté par la technique du chef-d'œuvre inconnu », confesse-t-il dans la préface du livre où il conte les aventures d'Antiphilos parmi les hommes.

Or, tous ses ouvrages d'imagination, depuis *Sixtine* « roman de la vie cérébrale » et l'injouable *Lilith* jusqu'aux invraisemblables *Lettres d'un satyre*, démentent cet espoir d'un affranchissement dans l'invention spontanée. Le talent de Gourmont demeure incontestable mais il outrepasse son domaine : les *Histoires magiques*, les contes *D'un pays lointain* et de *Couleurs* nous offrent moins de véritables récits que les délicates fantaisies d'un littérateur rêvant autour d'idées imprécises ou de douces choses passées, un peu fanées déjà ; *Une nuit au Luxembourg* n'est qu'un jeu subtil sur les cordes de la curiosité ; les allégories du *Pèlerin du silence*, les versets du *Livre des Litanies*, les poèmes de *Simone* nous apparaissent aujourd'hui les pastiches très ingénieux d'un art suranné dont nous pouvons d'autant mieux admirer l'habileté qu'il ne nous trouble plus d'aucune émotion. Même la plus réussie de ces tentatives, *les Chevaux de Diomède*, porte la marque du temps : nous ne croyons plus aux airs supérieurs du héros évoluant dans un harem factice. Dans les plus beaux chapitres de passion compliquée (« les Mains », « les Marronniers »), nous sentons trop l'intervention du montreur de marionnettes prêt à disséquer ces fictions, à révéler sous leurs passions les instincts qui les leurrent. Non que cette présence du moi soit haïssable ; elle s'exprime parfois en charmantes boutades : « Diomède, êtes-vous prêt à aller jusqu'au bout de vos théories ? — Jusqu'au bout ? Non, pas aujourd'hui. Il y a trop loin. » Mais la vraisemblance en souffre et notre foi en la réalité des personnages. Peut-être l'équilibre entre les droits du créateur et ceux de ses créations est-il particulièrement difficile à atteindre pour un artiste si conscient. Lorsque Gourmont nous avertit qu' « en ce livre qui est un petit roman d'aventures possibles, la pensée, l'acte, le songe, la sensualité sont exposés sur le même plan et analysés avec une pareille bonne volonté », il touche au point où le roman va se transformer en essai ; ne le dépasse-t-il pas quand il ajoute que « toutes les manifestations de l'activité humaine semblent bien équipollentes », quand il inscrit en épigraphe à chacun des chapitres la phrase dont il est le plus satisfait, quand il transforme la sensualité en une érotomanie maladive ?

Mais dans une œuvre aussi subtile l'intérêt ne fléchit pas : s'il se détourne des acteurs illusoires, c'est pour se concentrer sur la personne de l'auteur. Gourmont, qui intitulait ses poèmes *Divertissements*, était trop perspicace pour ne point savoir que le même titre eût convenu à tous ses livres d'imagination. S'interrogeant sur lui-même il aurait sans doute reconnu que son désir de création artistique était seulement une des formes de ce besoin d'amour qui l'obsédait. Le problème de l'amour a hanté Rémy de Gourmont. A plusieurs reprises il a essayé de le résoudre. Dans la *Physique de l'amour*, « essai sur l'instinct sexuel », il apporte une précision scientifique à étudier les organes de l'amour et son mécanisme chez les animaux et chez l'homme qu'il remet à son rang dans l'échelle de la création. Les *Lettres à l'amazone* reprennent, d'un autre point de vue, la même analyse : « Parler d'amour avec une jeune femme c'est un des plaisirs de notre civilisation délicate » ; il s'y abandonne tout entier, parle longuement chasteté, amour nu, plaisir, désir ; à son érudition il ajoute l'art raffiné qui permet de dire brutalement des vérités délicates et délicatement des vérités brutales ; il déploie ses coquetteries pour une amie dont il prétend ne pas aimer moins l'esprit que le cœur. Soudain il se croit libéré : « Et puis, amazone ressuscitée, je ne tiens sérieusement qu'à une chose, c'est à vous offrir mon égoïsme heureux. » Sentiment qui, véridique, serait odieux. Mais c'est un leurre encore et la lassitude vient : « Alors je m'en irai tout comme un autre par les routes et par les hôtelleries vers le bout du monde, qui est le rivage le plus proche. » Drame sans conclusion : depuis *le Fantôme* et *les Oraisons mauvaises* où il noyait perversement l'amour sous les évocations liturgiques jusqu'au *Cœur virginal*, histoire d'une jeune fille, qu'il faut bien appeler, dit-il dans la préface, « un roman physiologique », Rémy de Gourmont est resté fasciné par l'évidence de l'amour, de ses réalités et de ses dépravations, de sa simplicité et de son mystère. Il l'a cent fois expliqué aux autres : s'est-il convaincu lui-même ? On en peut douter car, selon la remarque de son frère (1), « rien n'est entré dans son intelligence que caressé par sa sensibilité ». Du moins, si cette aspiration de volupté insatisfaite a paralysé son expansion créatrice, elle a entretenu dans son esprit l'inlassable curiosité d'un critique mobile et d'un pénétrant dissociateur d'idées, de celui qui, dans les belles *Lettres à Sixtine*, savait être à la fois amant et « joueur de flûte ».

La nécessité de cette alliance du corps et du cerveau, il l'a exprimée fortement dans ses trois ouvrages essentiels, *la Culture des idées, le Chemin de velours* et *le Problème du style :* « Nous écrivons, comme nous sentons, comme nous pensons, avec notre corps tout entier. L'intelligence n'est qu'une manière d'être de la sensibilité... Car tout se tient et l'aisance intellectuelle est certainement liée à la liberté des sensations. Qui n'est pas à même de tout sentir ne peut tout comprendre, et ne pas tout comprendre c'est ne comprendre rien. » Sur ce point il se montrait irréductible : « Si vous ne sentez pas à manier les idées un plaisir physique, à peu près comme à caresser une épaule ou une étoffe, laissez les idées. » Non qu'il ignorât les dangers de sa méthode. Il connaissait la séduction des vérités admises, « lieux communs non encore dissociés », de ces phrases nettes et claires qui « n'ont aucun sens, sont des gestes affirmatifs qui suggèrent l'obéissance et voilà tout ». Il avouait les difficultés de la complexité : « Pour expliquer un brin de paille, il faudrait démonter tout l'univers. » Il refusait de s'incliner devant le dogme de l'immutabilité des idées : « Crois, et crois aussi quand je te dirai le contraire de ceci, car il n'est pas nécessaire de croire toujours la même chose. » Mais il rejetait l'accusation de paradoxe : « Je n'en fis jamais de propos délibéré. Au reste, je

(1) Jean de Gourmont, qui combattit à ses côtés au *Mercure*.

ne prétends pas dicter de jugements sur moi-même : un esprit de quelque hardiesse semblera toujours paradoxal aux esprits timorés. Il faut accepter, en toutes ses conséquences, les règles du jeu de la pensée. » Il était fermement persuadé que le jeu de la pensée exigeait cet interrogatoire lucide de toute la réalité par l'être tout entier, cette minutieuse « dissociation des idées » dont il pouvait dire : « Cela rassure les muscles, cela calme le pouls... c'est une méthode de délivrance. »

Cette méthode antilivresque et concrète, il la pratiqua pendant des années : vingt volumes de chroniques (*Épilogues*, *Promenades littéraires*, *Promenades philosophiques*, *Dialogues des amateurs*, etc.) en attestent l'efficacité. Gourmont y atteint pleinement son but qui est « de faire connaître les choses beaucoup plus que de les apprécier doctoralement ». Il apporte la même compétence à discuter les théories de Quinton ou à reconstituer une histoire de l'adultère, la même aisance à remettre en ordre ses souvenirs sur le symbolisme et à défendre les services que les Jésuites ont, malgré leurs tares, rendus à la civilisation ; son érudition trouve son emploi à propos de *la Cathédrale* de Huysmans ou d'une thèse de psychologie médicale ; il témoignera d'une ironie à la Swift dans les *Conseils familiers à un jeune écrivain* et d'une tendresse souriante en parlant des femmes, de l'instant où « l'amphore redevient une belle jeune fille à la gorge émue et aux yeux inquiets » ; il manifestera toute la richesse de sa pensée dans un fragment comme celui « Sur la hiérarchie intellectuelle » ; il défendra lucidement ses maîtres, Villiers et Mallarmé, et saura, parlant de Verlaine, rester à égale distance de l'idolâtrie et de la cuistrerie pédante ; un article tel que « Psychologie nouvelle » montrera sa sympathie pour les jeunes. Capable de juger ses contemporains d'un regard pénétrant dans les deux *Livres des masques*, il se plaira, dans les *Dialogues des amateurs*, à commenter au jour le jour les événements contemporains, à la manière d'Anatole France dont il ne possède point la grâce savante mais qu'il dépasse de beaucoup par l'originalité et la profondeur des aperçus.

Un sujet a particulièrement retenu son attention : la vie des mots pour qui son séjour à la Bibliothèque nationale avait peut-être augmenté son amour. Il croyait en leur pouvoir : « Prends garde aux mots qui se dressent et vivent, aux évocations improvisées, aux incantations créatrices, prends garde aux logiques de la parole : toutes les syllabes ne sont pas vaines. » En composant ses études de linguistique, *le Latin mystique, l'Esthétique de la langue française, le Problème du style*, il acquittait une dette de reconnaissance : « Les mots m'ont donné peut-être de plus nombreuses joies que les idées et de plus décisives. » Mais là encore il gardait son indépendance et, en réfutant jusqu'aux subtilités grammaticales les affirmations d'Albalat, il déclarait que son but était « plutôt de développer cinq ou six motifs de ne pas croire aux recettes de la rhétorique ».

Il continua jusqu'au bout la tâche qu'il s'était assignée ; ses articles de guerre ont été réunis dans *les Idées du jour* et *Pendant l'orage* ; il fut un des rares écrivains que la catastrophe n'aveugla point ; il savait que « dans la tragédie humaine, la paix ne fut peut-être jamais qu'un entr'acte » ; « il est si difficile d'être un vrai neutre, ajoutait-il, qu'il vaut peut-être mieux être belligérant ». Il n'en maintenait pas moins haut son espoir car « la vie est un acte de confiance ». Belle réplique à ceux qui n'avaient pas compris que ses négations puisaient leur force non point dans le scepticisme, mais dans l'assurance d'un reclassement méthodique des idées après leur dissociation. Sans doute il avait parfois poussé l'expérience jusqu'à « prendre parti pour la créature instinctive contre la créature raisonnable dont la raison est si courte » : sa foi en la loi de constance intellectuelle et sentimentale, appuyée sur les travaux scientifiques de Quinton, qu'il a développée dans les *Épilogues* lui permettait d'accorder libre jeu à son intelligence avec la tranquille certitude qu'elle ne sombrerait point et n'abdiquerait jamais. Par là, il demeure, même pour ceux dont ses chroniques du *Mercure* n'ont pas durant vingt-cinq ans aidé le développement intellectuel, un grand humaniste et un très précieux maître à penser.

§ 11. — Conclusion

On voit, au terme de cette étude, l'importance du symbolisme. Il a été le mouvement littéraire le plus fécond du dernier tiers du XIXe siècle. Son apport personnel a été considérable : il faut remonter jusqu'aux temps du romantisme pour trouver une telle éclosion de grandes œuvres, un semblable ébranlement de la sensibilité et de l'intelligence. Si l'on considère l'évolution générale de notre littérature, on n'hésitera même pas à dire que la révolution symboliste fut plus profonde que l'insurrection romantique. Car les symbolistes ont compris que le problème fondamental était celui du langage. Achevant l'œuvre de Baudelaire et de Nerval, Rimbaud et Mallarmé ont rendu au chant lyrique sa valeur d'incantation. Ils ont persuadé leurs disciples que la parole du poète était à la fois expression et suggestion.

Mais ce bilan ne suffit pas. Le symbolisme, en effet, a achevé la déroute du naturalisme. Même les suprêmes partisans de cette forme d'art ont subi son influence et les derniers romans de Zola en portent la marque. Le réveil du romantisme s'est fait à son ombre : il y a du Banville et du Hugo dans les pièces de Rostand, mais il y a aussi une volonté de symboles qui, même inefficace, garde une valeur de témoignage. Le symbolisme a été suivi d'une réaction classique : qui niera que ce néo-classicisme doive pourtant au symbolisme un sens de la complexité du monde et de l'aptitude du langage à en transposer musicalement le mystère, qu'on chercherait en vain chez les maîtres du XVIIe siècle ? Il convient enfin de rappeler que la chaîne ne fut point toujours brusquement rompue, que plusieurs des grands écrivains d'aujourd'hui ont débuté aux temps du symbolisme dont les leçons ont pu leur éviter d'inutiles tâtonnements, qu'André Gide fut l'ami des poètes symbolistes, que Paul Claudel et Paul Valéry n'ont jamais nié leur dette de reconnaissance envers Rimbaud et Mallarmé. Célébrer en 1936 le cinquantenaire du Symbolisme ne fut donc pas seulement rendre hommage aux œuvres qu'il nous a léguées ; ce fut affirmer que ses plus durables conquêtes étaient désormais annexées au patrimoine national (1).

(1) Il serait injuste de clore ce chapitre — qui est, en grande partie, celui du *Mercure de France* — sans rappeler l'effort de JULES DE GAULTIER pour « mettre entre les mains de quelques-uns un appareil d'optique mentale », en décrivant *(De Kant à Nietzsche)* le duel de l'Instinct Vital et de l'Instinct de Connaissance, en étudiant, avec le *Bovarysme*, « le pouvoir départi à l'homme de se concevoir autre qu'il n'est... le procédé d'invention du réel. »

CHAPITRE VI

LE MIROIR DU THÉATRE

Les manifestations théâtrales obtiennent un retentissement immédiat et les victoires qu'une école littéraire remporte sur la scène lui sont des manières de trophées publics : dans le bruit des applaudissements elle entend la confirmation suprême de son action sur la foule. On a dit comment les naturalistes avaient essayé de conquérir le théâtre. Succès partiel et vite compromis à mesure que d'autres influences se faisaient jour : en 1889 paraît la traduction de deux pièces d'Ibsen, *les Revenants* et *Maison de poupée ;* trois ans plus tard, Lugné-Poë placera sa « Maison de l'Œuvre » sous l'invocation du symboliste scandinave. D'ailleurs le Théâtre Libre lui-même n'était inféodé à aucune théorie ; on prétendait bien qu' « Antoine était prisonnier d'un petit clan d'écrivains ultra-naturalistes », mais « il était impossible de se tromper plus complètement sur la mentalité d'Antoine ». Nous empruntons ce témoignage à François de Curel dont l'œuvre, représentative de tout ce que cet Antoine conventionnel était censé haïr, fut révélée par le véritable Antoine.

§ 1. — François de Curel et le théâtre d'idées

S'il avait été question de désigner, vers 1910, un « prince » des auteurs dramatiques, la majorité des suffrages se serait portée sur François de Curel : ceux-là mêmes qui lui refusaient leur affection ne lui auraient pas marchandé cet hommage de leur admiration. Il s'était, dès sa première pièce, assuré une position exceptionnelle. Peut-être ne se trompa-t-il point en affirmant qu'il avait évolué (1) depuis. Mais il le fit selon sa propre loi, sans chercher à satisfaire d'autre juge que son exigeante logique.

Né à Metz, héritier d'une noble famille du pays de Bar et d'une famille de grands industriels, François de Curel a souvent exprimé son amusement devant les impuissants efforts des journalistes pour réconcilier l'image de cet intrépide chasseur jovial et la figure légendaire de celui qu'on nomma, un temps, l'Ibsen français. Bien à tort, du reste, car les intentions de Curel sont toujours d'une parfaite clarté. Ce n'est point de cette dualité extérieure que naît la difficulté, la gêne qui accompagne fréquemment l'enthousiasme excité par la représentation de ses pièces : « Que diriez-vous, demande-t-il, d'une âme hybride, dans laquelle la curiosité méditative d'un Montaigne s'accouplerait à l'emportement fantaisiste d'un Musset ? » Cette définition de Curel par lui-même surprend un peu : on croit voir d'autres noms qui marqueraient plus clairement que celui de Musset la seconde tendance à laquelle il fait allusion. Telle quelle, cette phrase aide du moins à comprendre pourquoi, malgré tant d'exhortations et si pressantes, Curel s'est toujours refusé à traiter en romans psychologiques les sujets pour lesquels son esprit réclamait impérieusement la vie de la scène, plus concentrée, plus incisive, plus « emportée ». « Au théâtre ! au théâtre ! Monsieur de Curel ! » : Charles Maurras avait raison en donnant ce conseil au romancier du *Sauvetage du Grand-Duc ;* mais il ne se doutait guère que le « malheureux vaudevilliste » auquel il s'adressait allait débuter par *l'Envers d'une sainte.*

Dans cette pièce, qui s'était d'abord intitulée *l'Ortie*, Curel

(1) La base de toute étude sur Curel est sa propre édition de son « Théâtre complet » avec préface générale, historique de chaque pièce et textes remaniés par l'auteur.

peignait une « femme volontairement sainte, criminelle inconsciente, sacrifiée et passionnée, réclamée par l'homme et confisquée par Dieu » : sans agir, par ses seules exhortations, cette Julie met en péril le bonheur de toutes les créatures qui l'approchent, aussi bien quand elle les prend par l'amour que par l'intelligence. Le caractère est dessiné avec une logique inexorable qu'accentuent encore les brusqueries psychologiques imposées par le théâtre : dans un désir de justice, Curel, en remaniant cette pièce, y a modifié une scène où Julie cédait nettement à la vengeance, y « goûtait un plaisir infernal » ; il n'en a point atténué l'âpreté héroïque. La grandeur de ce drame que Sarcey déclarait « crevant » et Lemaître « d'une qualité exquise » est inséparable d'une certaine férocité : François de Curel ne dit-il point, dans *la Nouvelle Idole*, que le chemin de tout penseur est pavé de cadavres ?

Les Fossiles sont une de ses œuvres les plus généralement goûtées. Le tableau est plus large : c'est celui d'un « mortel hiver », des convulsions d'une noblesse finissante, pour qui l'auteur n'a point d'adoration aveugle, mais qui se doit de mourir en beauté, à la tête du monde moderne, « laissant la même impression de grandeur que les gigantesques fossiles qui font rêver aux âges disparus ». Cette pièce offre réunis tous les caractères d'une œuvre curélienne : une idée centrale, traduite on images qui suggèrent d'éloquentes tirades sur la mer et la forêt symboliques ; un décor poétique (ici les Ardennes) ou poétisé par sa correspondance avec les sentiments évoqués ; des personnages pour qui l'incident dramatique n'est que la manifestation concrète d'une loi de la pensée. Or, un drame ainsi conçu ne se développe point sans peine : Hélène n'est qu'un mannequin dramatique, indispensable mais peu convaincant ; le dernier acte des *Fossiles* est purement dialectique et sent le monologue d'auteur. Curel n'ignore point le danger que, dans de telles pièces, action et idées se contrarient ; il admet que la réussite en ce genre tient toujours du « miracle ». N'est-ce point beaucoup qu'il ait accompli ce miracle dans les trois premiers actes où le duc, Robert et Claire, serviteurs du même dieu, se heurtent avec une fureur pathétique jusqu'en ses minutes de suprême inhumanité ?

L'Invitée marque une détente : elle est plus facilement accessible et obtint un vif succès. Si on en écarte le postulat difficile, on pourra n'y voir qu'une comédie où une mère, longtemps écartée du foyer, y reparaît et, grâce à ses filles, joue un excellent tour à son mari et à la maîtresse de cet imbécile ; on goûtera le naïf « dépaysement » de ce brave homme en découvrant qu'il n'était point... ce qu'il se croyait depuis quinze ans. Mais, creusant plus avant, on sentira bientôt ce qui est particulier à Curel : l'infinie mélancolie de cette Anna qui a gâché sa vie et chez qui à présent rien n'éclôt plus spontanément, pas même l'amour maternel.

François de Curel n'est point considéré comme un peintre de l'amour. Ce problème ne pouvait cependant le laisser indifférent ; mais il se présentait à lui sous la forme d'un sujet « qui semblait le défier ». Il l'avait traité dans *Sauvé des eaux* (1889), qu'il récrivit et fit représenter en 1893 sous ce titre : *l'Amour brode ;* il lui donna en 1914 sa forme définitive avec *la Danse devant le miroir.* Entre la première et la seconde version la différence essentielle était l'intervention significative d'une idée, celle du mensonge de l'amour. Néanmoins la pièce tomba : Lemaître y voyait une « psychologie d'exception, trop arbitraire, en apparence, pour la scène » ; Sarcey traitait ses héros de « marivaudeurs complexes et inexpliqués » ; Curel enfin la déclare « inacceptable » et la traite en ébauche préliminaire à *la Danse.* Cela nous retire le droit de la discuter. Et cependant il serait injuste de ne point dire que, difficile à admettre à la scène par la violence capricieuse de ses raccourcis psychologiques et ce fonds de romantisme par où Curel rejoint peut-être en effet le Musset qu'il invoque, *l'Amour brode* séduit le lecteur grâce à l'impitoyable tension de cette épreuve par le mensonge dans laquelle s'affrontent les deux amants. Peut-être cette trilogie qui n'est qu'une pièce reflète-t-elle mieux qu'aucune autre œuvre la vraie angoisse de Curel. Dans les trois versions, au dernier acte, la femme pose la question capitale : « Est-ce aussi du convenu, de l'artificiel, de l'écrit, cela ? » demandait Gabrielle à René. « Est-ce aussi du convenu, de l'artificiel qui vous rend si triste ? » répète Gabrielle à Charles. De même Régine interrogera Paul : « Est-ce de l'artificiel, du convenu qui nous rend si tristes ? » Est-ce le doute du seul amour ou celui de toute la pensée humaine que Curel exprime ici ?

La Figurante est, au même sens que *l'Invitée*, une comédie dramatique : ce fut, sous sa forme primitive, la première pièce que Curel ait envoyée à Antoine ; il la remania, avec son admirable ténacité à épuiser toutes les possibilités d'un sujet, pour atténuer l'invraisemblance de la donnée initiale : il est en effet assez rare qu'une jeune fille accepte le rôle d'épouse-figurante sur l'invitation de la maîtresse de son futur mari. L'intérêt de la pièce réside dans l'étude des caractères (surtout celui du vieux savant qui manie les trois autres sur son échiquier), dans l'autorité avec laquelle le dramaturge déploie toute la situation, même sous ses aspects quasi vaudevillesques, et dans l'extraordinaire souplesse du dialogue. Mais pour savoureuse que soit la stratégie qui oppose la coalition de Françoise et son oncle à l'alliance des deux amants, ce sont presque uniquement des qualités de virtuosité qui triomphent dans *la Figurante*.

Il n'en est point de même pour *la Nouvelle Idole* et *le Repas du Lion* qui sont moins deux drames que deux amples fresques de société contemporaine. *Le Repas du Lion* impose le respect par la générosité de son inspiration, la loyauté avec laquelle est menée une discussion soucieuse de présenter les points de vue les plus opposés. Son protagoniste, Jean, ayant dramatiquement fait vœu de se dévouer aux ouvriers, les croit d'abord servir dans les organisations sociales catholiques ; puis, ayant reconnu sa méprise, lorsque le meurtre de son beau-frère patron l'a libéré du remords d'avoir causé la mort d'un ouvrier, il découvre qu'il leur sera plus utile en prenant à leur tête sa place de chef. Cette pièce, avec laquelle Curel (qui ne fut jamais personnellement engagé dans l'industrie, mais y tenait par de nombreux liens) porta le premier la question sociale à la scène, retrace l'évolution de ce personnage, assez vivant et représentatif pour qu'Albert de Mun y ait trouvé des points de ressemblance avec lui-même. Les caractères des autres « lions », capitaine de l'industrie ou chef du prolétariat, sont aussi vigoureusement accusés. Mais, à cause de son envergure même, de son ambition d'être complète, la deuxième partie de cette œuvre dépasse le théâtre et l'auteur lui-même le constate : « Le premier acte traduit, non pas les méditations d'un penseur, mais les fureurs d'un solitaire qui prévoit que son désert va être envahi et souillé. Et c'est l'acte séduisant, celui qui plaît à tout le monde. Tant il est vrai que l'idée n'a de pouvoir que si la passion la mène. » Au lendemain de la générale il avait modifié sa pièce pour un dénouement « où la pensée cherche vainement à s'épanouir sur le maigre sol du mélodrame ». Il y renonça et dans le remaniement définitif, comme si la représentation n'avait été qu'une sorte d'épreuve pour cette mise au point, il s'efforça seulement d'être juste, fidèle à l'idée de son drame. Sous cette dernière forme « *le Repas du Lion* qui a posé tant de problèmes et n'en a résolu aucun, se termine sur un nouveau point d'interrogation » ; mais plus encore qu'en 1897 il mérite le jugement de Faguet : « un grand poème desservi par le théâtre ».

La Nouvelle Idole, au contraire, ne provoque aucune de ces réserves. Et nulle pièce de Curel n'a été plus docile à son principe . « dénouer les situations délicates par des catastrophes d'idées au lieu de placer les coups de théâtre dans les faits ». Trois êtres sont en présence qui incarnent trois idéals : la foi religieuse, la foi en l'amour, la foi en la science. Ils se heurtent d'abord ; puis chacun d'eux est conduit à comprendre la grandeur des autres et la lutte n'est plus qu'un « combat de générosité ». Leur anxieuse enquête se poursuit à travers des scènes d'un intense relief comme le dialogue des deux savants au deuxième acte où les images et les symboles éclosent naturellement, témoin la page d'anthologie sur les nénuphars. Elle s'achève comme *le Repas du Lion*, dans une atmosphère de sérénité, au-dessus de tous les conflits, mais d'une sérénité à laquelle la mort toute proche, volontairement acceptée, ajoute un pathétique contenu. Et son héros enfin est exceptionnel seulement en ce qu'il a consacré sa vie aux problèmes auxquels les autres ne songent qu'incidemment : mais nulle de ses angoisses ne peut laisser indifférente l'humanité qui pense. Sans rien sacrifier de sa hautaine grandeur, Curel a réalisé dans *la Nouvelle Idole* cet équilibre entre l'action et l'idée qu'il qualifiait de miracle.

Miracle, en effet, puisque l'équilibre fut rompu dès *La Fille Sauvage*. La chute de cette pièce au théâtre et l'intérêt qu'elle excite à la lecture ne sont pas contradictoires : en cette sauvagesse capturée dans le piège aux ours, amenée en Europe et initiée à la plus complexe civilisation, Curel a voulu représenter l'évolution de l'humanité qui, partie de la barbarie, dépasse la religion et le rationalisme pour aboutir à « l'anarchie morale ». On conçoit la difficulté de faire tenir en une soirée un pareil raccourci d'histoire. Sarcey traitait ce drame de dialogue philosophique, invoquant Platon et Renan ; dans cette « succession de conférences » il retrouvait pourtant « l'instinct général et la maîtrise supérieure du dramaturge ». *La Fille sauvage* rend visible le paradoxe d'un art qui semble, à la lecture, réclamer la vie de la scène et exiger à la scène les arrêts méditatifs de la lecture.

Le Coup d'aile est un drame purement symbolique ; il ne renferme qu'un seul héros, le drapeau, matérialisant selon les hommes et les femmes qui le regardent, la gloire ou la patrie. Tout le reste lui est sacrifié, même la psychologie des personnages ; *le Coup d'aile* a une valeur d'austère exercice et se rattache curieusement à cette vision d'anarchie morale dont les dernières pièces de Curel devaient apporter de nouveaux témoignages. Quand, après un silence de huit ans, il fit représenter *la Danse devant le miroir*, on reconnut le sujet de *l'Amour brode* ; mais on dut aussi constater que l'auteur l'avait dépouillé de sa dernière possibilité d'espérance, qu'il avait, selon sa très expressive formule, « transformé le dialogue exagéré des amoureux en une valse chantée de deux égoïsmes ». L'idée primitive, celle que l'amour ment, était simple et pouvait laisser subsister l'amour ; l'idée de *la Danse*, que chaque amant n'est pour l'autre qu'un miroir vivant, est la négation de l'amour ; la vie n'a point à le détruire puisqu'il n'existe pas. Dans les deux drames l'amour est « un vaudeville avec l'idéal pour souffleur » ; Charles et Paul se tuent l'un et l'autre pour que le miroir « conserve leur belle image ». Mais le premier meurt en héros d'une tragédie idéale, le second en dupe de la comédie de l'amour. Ainsi, même dans ce drame intime, Curel faisait-il triompher son idéologie pessimiste.

§ 2. — Georges de Porto-Riche et le théâtre psychologique

En présentant aux lecteurs de 1920 un volume intitulé *Anatomie sentimentale*, formé de fragments de ses œuvres « disposés comme une suite de tableaux », Georges de Porto-Riche rendait très exacte justice à ce « théâtre d'amour », à ce théâtre qui n'est et ne veut être qu'une étude du problème amoureux tel que le posent à notre époque « la perpétuelle galanterie de l'homme et la sensibilité profonde de la femme ». Dans le duel qu'il a observé si minutieusement, Porto-Riche ne cache point que ses sympathies vont à « la femme dont les tourments du cœur constituent le triste apanage, car, en France, l'homme est rarement épris ; à peine s'il est charnel ». On voit l'étroitesse du champ clos où il enferme les deux ennemis, excluant pour la femme tout autre sentiment que l'amour, écartant chez l'homme tout effort intellectuel qui n'est pas dirigé vers l'amour.

Bonheur manqué, suite de poèmes, complète par un portrait d'homme les œuvres théâtrales dont les femmes sont les protagonistes. Dans cette confession d'un analyste la partie proprement lyrique est faible. L'intérêt en est dans l'aveu des capricieux revirements du désir masculin :

Je sens partir l'immense joie
D'obéir et de demander.
Et sur elle je m'apitoie
En songeant qu'elle peut céder...

de son injustice implacable :

Nos victoires sont leurs défaites.
Sa chute proche l'amoindrit.
Je pense aux choses imparfaites
De son corps et de son esprit...

et du cruel désenchantement qui suit la possession :

Je ne suis plus de connivence
Avec sa chair qui frémira.
Hélas ! je les connais d'avance
Tous les mots qu'elle me dira...

Qu'il y ait entre toutes les pièces de Porto-Riche une ressemblance, cela saute aux yeux ; mais l'auteur n'a point tort de démêler dans cette succession une gradation. *La Chance de Françoise* s'attache à ruiner la croyance que le bonheur est possible dans l'amour ; Françoise a épousé Marcel ; grâce à sa chance, elle le garde, malgré toutes ses envies de la trahir ; mais quel triomphe chancelant et précaire ! Comme la Thérèse du

Vieil Homme, Françoise pourrait mélancoliquement conclure : « Tant que tu seras assez jeune pour être aimé, je serai assez jeune pour souffrir. » *L'Infidèle*, qui se déroule dans une Venise de convention et à qui les vers n'ajoutent aucune poésie, renchérit sur cette idée : en vain la femme dont son amant est las tentera-t-elle d'exciter sa jalousie, cela même se retournera contre elle. *Amoureuse* enfin résume sous une forme plus frappante l'enseignement des deux drames qui l'ont précédée : Germaine aime son mari, Étienne ; or, peu à peu, par le simple jeu de son égoïsme, il en vient à supporter ce dévouement comme une tyrannie. L'amour rend maladroite celle qui aime et cruel celui qui se laisse impatiemment aimer ; il les conduit aux pires désastres et les dresse face à face, en ennemis l'un contre l'autre révoltés.

Le Passé, qui est probablement l'ouvrage le plus soigné de Porto-Riche, permet de poser nettement le problème capital de son art. L'homme, ici, se nomme François Prieur : c'est l'amant professionnel, élégant, enjôleur, qui ment, ment, ment éperdûment, qui est tourmenté par un désir de séduction amoureuse sans cesse renaissant, qui bafoue l'objet momentané de ce désir dès qu'il l'a satisfait. Un groupe d'amis l'entourent qui peuvent bien l'insulter en son absence, mais ne sont moins dénués de scrupules que parce qu'ils n'ont pas l'envergure de ce Don Juan moderne. Sa victime, Dominique, nous est présentée comme « une fille de Racine » : définition qui autorise à dénoncer un malentendu. Que Musset, Marivaux et Racine soient les maîtres de Porto-Riche, nul n'y contredira, mais à la condition de marquer les différences et pourquoi les héroïnes raciniennes sont autrement nuancées et harmonieuses : leur force vivante vient de n'être point obsédées par un point de vue unique. Or, on admettrait aisément, de Racine à Porto-Riche, un relâchement de la morale (entre Pauline et Phèdre il y eut déjà une détente analogue de principes rigoureux), voire même une diminution de la grâce au profit de la franchise ;

mais on souhaiterait alors que les soucis du devoir et de la gloire qui entraient en conflit avec l'amour au XVIIe siècle aient été remplacés, à la fin du XIXe, par les préoccupations d'une intelligence moderne. Or, rien de pareil chez Dominique, Germaine ou Françoise ; à régner sans conteste dans ces âmes l'amour s'est réduit à la hantise de la possession charnelle : ce n'est point par hasard que la révolte qui affranchit Dominique du passé est motivée par la prétention qu'a son amant de la conduire dans le lit où il a possédé sa précédente maîtresse. La lutte y peut gagner en âpreté ; elle y perd en ampleur et des personnages aussi volontairement incomplets demeurent entachés d'arbitraire.

Les proportions anormales et les visées symboliques du *Vieil Homme* ne doivent pas faire illusion : le combat reste le même. Il s'agit d'une femme qui aime, a été trompée, a pardonné, et voit son mari s'éprendre d'une passante ; elle défend avidement son bien. La présence d'un enfant, qui commence comme Chérubin et finit comme Werther, y concrétise seulement la fatalité de la passion : Augustin sera « l'hostie » d'un nouveau sacrifice. Mais le postulat n'a point changé : Thérèse, même après la mort de son fils, ne peut se passer du corps de Michel. Car, en acceptant le mot de Constant sur l'amour, fièvre d'un sexe et état naturel de l'autre, on voit néanmoins qu'en limitant à l'amour (où il déclare l'homme inférieur) sa peinture de l'humanité, Porto-Riche diminue aussi, par contrecoup, la femme : en négligeant de parti pris toutes les séductions qui, sans être proprement amoureuses, peuvent faire aimer un homme, Porto-Riche ne laisse à ses héroïnes d'autre guide que l'attrait physique et, involontairement, il calomnie leurs plus beaux égarements. On s'explique alors le dénouement du *Marchand d'estampes :* Daniel a révélé à sa femme qu'il en aime une autre ; ils ont lutté, à deux, contre cette passion. En vain ! Fanny ne peut lui faire oublier sa rivale ; elle parvient à grand-peine à empêcher qu'il ne parte la rejoindre. Il reste donc désespéré, décidé au suicide ; elle se jette avec lui dans la Seine, sans que cette mort commune puisse les réunir. L'art de Porto-Riche n'a pas reculé devant sa conséquence logique et inhumaine.

On conçoit mieux, après une revue détaillée de ce théâtre, la valeur de l'*Anatomie sentimentale* et pourquoi des scènes détachées y sont préférables aux pièces complètes : l'arbitraire de la construction y perce moins. Mais il faudrait se garder de condamner à la bibliothèque le théâtre de Porto-Riche : la scène seule peut manifester pleinement ses qualités littéraires. Le dialogue y garde, le plus souvent, une aisance parfaite et les mots de théâtre y sont rares ; à chaque instant des finesses psychologiques y charment la pensée qui prennent spontanément la forme d'une réplique inattendue et définitive : « Est-ce que tous les enchantements ne sont pas réunis dans ton cœur ? » demande Augustin à sa mère. « Mais c'est le visage d'une autre qu'il te faut », répond-elle, tristement. Dans les grandes crises, ces phrases se multiplient, d'une franchise clairvoyante, créant une atmosphère de passion tendue où les cœurs se mettent à nu, où s'avouent farouchement les désirs qu'une humanité disciplinée ne révèle qu'exceptionnellement en cet état de pureté élémentaire. Et sur ces âpres clameurs parfois il passe une brise de pitié pour toute la souffrance que provoque inévitablement l'amour : « Crois-moi, dit Fanny à Daniel, demeurons très amis. Nous avons tant à souffrir l'un et l'autre, et l'un par l'autre. » Trop exclusivement prisonniers de l'amour pour connaître les sursauts d'une Princesse de Clèves ou d'un Julien Sorel, pas assez perdus dans l'envoûtement amoureux pour éprouver les extases de Tristan et Isolde, les hommes et les femmes de Porto-Riche trouvent quelquefois à leur dure peine de telles minutes d'apaisement mélancolique.

Les goûts de JULES LEMAÎTRE étaient trop ondoyants pour qu'il ne fût point tenté par le théâtre comme il l'avait été par la poésie et le roman : mais il apportait à la scène moins la volonté tendue d'un créateur que la nonchalante observation du critique. *Révoltée*, *Mariage blanc* et *l'Aînée* valent — et surtout à la lecture — par la même délicatesse tendre et scrupuleuse qui prêtait un charme discret aux meilleures de ses confidences poétiques.

MAURICE DONNAY est, au contraire, un homme de théâtre. Jamais il ne renia totalement ses débuts avec *Lysistrata* où, sur la donnée aristophanesque, il broda les arabesques du Chat Noir, type de la pièce que l'on peut retaper, remettre au goût du jour à chaque reprise. Toutes les œuvres de Donnay sont limitées par ce perpétuel sacrifice à l'actualité, par sa préoccupation de plaire immédiatement à un public momentané. *Amants*, peinture d'un sincère effort amoureux dans un milieu relaté, et de personnages qui ne sont pas assez vils pour toutes les lâchetés sans être assez forts pour les hauts sacrifices, donne une idée assez juste de sa manière. L'intrigue y est menée bien paresseusement, l'étude des caractères poursuivie de façon indirecte, avec un air d'avance désabusé de toute vraie grandeur. L'auteur se fie au charme de son dialogue qui est spirituel et animé, qui amuse le spectateur d'un soir, mais ne saurait supporter le poids d'une méditation profonde.

Cette insuffisance apparut plus clairement dans les pièces qui suivirent. Leur valeur documentaire, touchant les questions qui passionnaient l'opinion lors de leur production, est incontestable. *La Douloureuse* et *l'Affranchie* nous renseignent sur la veulerie de la société de la fin du siècle et sur le ton des discussions féministes ; malheureusement elles ne dépassent point ce niveau, ni par l'intrigue basée sur la psychologie conventionnelle d'un milieu faux et qui admet des dénouements plutôt commodes que nécessaires, ni par l'importance des protagonistes qui se développent moins qu'ils ne s'accrochent au hasard de situations théâtralement pathétiques. *Georgette Lemeunier* et *le Torrent* côtoient encore les grands sujets — duel de l'amour et de l'argent, dureté du mariage inflexible, problème de l'enfant, influence déprimante du luxe. Mais Donnay hésite entre la pièce qui plaît au public et celle qui lui fait violence ; finalement il s'arrête à la formule d'une pièce où la lutte se réduit à un combat entre la passivité du public et le tempérament des interprètes. Il offre à ces derniers des tirades que leur action peut faire paraître hardies ; il flatte les spectateurs par un tableau très attentif de leurs goûts du jour, depuis l'écrivain à la mode jusqu'au cocktail à la mode.

Les pièces de ceux qui pourraient être, après Porto-Riche, les représentants du théâtre psychologique, ne semblent point réussir à secouer cette tyrannie de l'actualité sans tomber dans la pièce à thèse. Cette faiblesse n'a jamais permis à Maurice Donnay de dépasser la comédie fantaisiste dont son *Éducation de Prince* reste le type ; elle a également empêché Alfred Capus et Henri Lavedan d'atteindre, même dans leurs œuvres les plus ambitieuses, à une indiscutable réalité humaine.

§ 3. — La pièce

La « pièce » a été le genre à la mode durant les quinze premières années du XXe siècle. En théorie, le mérite de cette forme, accessible également à l'inspiration comique et à la tragique, est sa souplesse à traduire, sans parti pris, toute la vie. En fait, cette dénomination vague a surtout permis de concilier les influences les plus diverses : satire moralisante de Dumas, bon sens bourgeois d'Augier, férocité de Becque, métier adroit de Sardou.

Sous cette forme MAURICE DONNAY a poursuivi sa brillante carrière et abordé les plus vastes sujets. *L'Autre Danger* retrace un conflit humain ; *le Retour de Jérusalem* étudie le problème juif dans la société contemporaine ; en collaboration avec LUCIEN DESCAVES, l'énergique romancier de *Sous-Offs*, il a écrit, outre *la Clairière*, ces *Oiseaux de passage* où est envisagé un conflit de races. Pourquoi ces pièces, ardemment discutées à leur apparition, nous semblent-elles, malgré leur indiscutable loyauté, si refroidies ? La « nonchalance » proverbiale de Donnay, son abus des personnages épisodiques, n'empêchent pas les scènes entre Claire et Freydières, entre Judith et son amant, entre Vera et son fiancé, d'être solidement construites ; dans les dialogues où une mère et sa fille se disputent le cœur d'un même homme, où l'amour sombre devant la révélation des différences profondes entre une juive et un aryen, entre un jeune bourgeois français et une nihiliste russe, Donnay sait sacrifier les traits d'esprit facile qui firent le succès des autres scènes et leur donnent à présent cet air vieillot. Mais, dans ces passages même, l'émotion est un postulat plutôt qu'une réalité. Conduits par une main habile jusqu'au seuil de la grandeur, nous ne le franchissons point : *les Éclaireuses* reste, autant que *le Ménage de Molière*, un jeu.

Henri Lavedan, qui fut parfois ennuyeux dans le genre grivois et qui l'est uniformément dans le genre moral, sembla deux fois sortir de cette médiocrité. Joué par A. Le Bargy qui littéralement incarnait son rôle, *le Marquis de Priola*, portrait d'un Don Juan moderne, produisit un gros effet théâtral, sinon psychologique. *Le Duel* qui utilisait adroitement l'actualité donna presque l'impression d'une pièce d'idées : Lavedan profita de cette indulgence et n'aventura plus sa réputation en des tentatives aussi dangereuses.

Alfred Capus a joui d'une grande renommée d'esprit, français proclament les uns, parisien disent les autres, boulevardier murmurent certains. Les *Au jour le jour* du *Figaro*, ses romans dont on peut retenir *Qui perd gagne* et son théâtre dont les meilleurs exemples sont *la Veine* et *Notre Jeunesse*, ont popularisé sa philosophie qui était l'optimisme narquois d'un observateur sans indulgence et persuadé que « tout s'arrange ». Ses comédies étaient des dialogues à fleur d'humanité ; sa sagesse réhabilitait le bon sens en boutades ingénieuses et quand on le pressait dans ses derniers retranchements, il déclarait notre époque « cordiale et habitable ». Lorsqu'il sortait de cette zone tempérée, il réussissait mieux dans les fantaisies de *Brignol et sa Fille* ou de *la Petite Fonctionnaire* que dans le drame de *l'Aventurier ;* le charme de sa conversation entretenait la fiction qu'il était un auteur théâtral. L'ironie changea de camp le jour où Alfred Capus crut devoir prendre au sérieux le monde et lui-même.

Avant de devenir l'un des dramaturges les plus célèbres de son époque, HENRY BATAILLE avait publié un volume de vers, *le Beau Voyage.*

Et vienne ce beau soir que j'évoque à mon gré,
Où nous caresserons nos lèvres endormies...
Ce soir-là, ce soir-là, je saurai bien des choses...
Je ne te plaindrai plus de n'avoir pas de roses...
Je comprendrai la joie du phalène qui meurt...
Alors nous éteindrons la lampe avec douceur.

(L'Adieu.)

Cette fin de poème est comme un concentré de Bataille : émotion facile et peut-être spontanée, imprécision de la pensée, à peu près de l'expression ; insupportable enjolivement de toute réalité par un esthétisme dont les prétentions à la profondeur dissimulent mal le vide. Si ce culte du faux art ne s'était affirmé que dans les ennuyeuses rapsodies du *Phalène* ou les ridicules déclamations de *la Quadrature de l'amour :*

Cet égorgeur qui tint cent peuples dans sa poigne
Et s'acharna sur tous les soleils tour à tour,
J'atteste qu'il avait les mains moites d'amour,

on pourrait négliger deux livres manqués. Malheureusement leur tort n'est que de révéler plus sincèrement la faiblesse d'une œuvre où Bataille a tendu le miroir non à la nature mais au cabotinage. Le contraste est vraiment comique entre ses préfaces et les pièces qui les suivent : à l'en croire, il aurait fait violence au public, lutté pour l'avènement d'un « lyrisme exact ». Par « lyrisme exact » il faut entendre que l'action se déroule dans des décors qui flattent tous les snobismes : appartements parisiens meublés par les fournisseurs à la mode, Algérie de bazar, Sicile pour touristes, Bretagne d'opéra-comique. Les personnages y sont assortis aux coussins et aux tentures, apportant avec eux, dans *la Femme nue*, *les Flambeaux* et *le Phalène*, un relent des derniers scandales mondains, offrant aux spectateurs du *Scandale* un écho de cette brutalité à la Bernstein qu'ils avaient paru aimer, présentant dans *les Flambeaux* une image de la science et de la philosophie exactement à la mesure de cet auditoire et lui laissant, au sortir de cet invraisemblable mélo, l'illusion d'avoir passé trois heures dans la confidence d'Henri Poincaré. Dès qu'ils touchent aux idées, ces héros parlent le langage de leur créateur :

> L'attitude du goût chez le vrai dilettante
> Et l'aristocratie suprême de pensée
>
> *(Quadrature.)*

recouvrent le verbiage de *la Vierge folle* et des *Sœurs d'amour*, gâtent l'intérêt humain du drame où se débat l'orgueil de Grâce de Plassans, inspirent le symbolisme bouffon de Thyra de Marliew. Avec Bataille le romantisme se refait une virginité par l'encanaillement ; témoin l'abracadabrante comédie par laquelle *l'Enfant de l'amour* regagne à sa mère un amant infidèle. Le dramaturge ne daigne s'intéresser à ses héroïnes qu'à partir d'un certain degré de déchéance physique ou morale : pour que le drame de *Maman Colibri* se noue, il faut qu'Irène ait compliqué sa passion de pervers sentiment maternel et que son fils ait posé sur ses épaules un baiser d'amant ; le lyrisme de cette exactitude consistera dans la lecture d'une lettre d'adieu au son d'un nocturne de Chopin que l'auteur, honteux de tant d'artificiel, déclare « poncif et passionné » dans ses indications scéniques mais dont la représentation lui laisse tout le bénéfice auprès des âmes sensibles. Il est d'ailleurs équitable de reconnaître qu'une telle duplicité ne lui est point ordinaire : généralement une sorte de loyauté l'entraîne jusqu'au bout du mauvais goût. Dans la première version de *Poliche*, un dénouement d'une émouvante simplicité faisait pardonner la monotone peinture d'un de ces milieux équivoques que Bataille juge représentatifs ; plus cruel envers lui-même que ne le fut jamais aucun de ses critiques, il a cru devoir retoucher ce dernier acte pour y introduire une scène qui lui a paru audacieuse. Car il n'est point d'écrivain qui ait plus souvent rappelé la nécessité de l'audace et qui se soit si constamment dérobé devant la plus nécessaire des audaces, l'audace de la vérité dont la nudité de Thyra, n'est, hélas ! qu'une caricature.

Henry Bernstein a tenté des genres divers : comédie ironique dans *le Détour*, étude de caractère dans *le Secret* où une maniaque de la méchanceté détruit le bonheur de son entourage, ample synthèse d'*Israël* assez vite essoufflée. Mais sa réputation est fondée sur cette suite de drames frénétiques : *la Rafale*, *le Voleur*, *Samson*, *l'Assaut*, qui ébranlèrent fortement les nerfs d'un public charmé. Les sujets qu'il traitait permettaient tous les paroxysmes : un homme politique forcé par sa meute d'ennemis, une maîtresse obligée de se vendre pour payer les dettes de jeu de son amant, un financier réduit à se ruiner pour entraîner dans sa chute l'amant de sa femme. Tout ce gibier de cours d'assises dansait autour du veau d'or une ronde romantique. De graves critiques traitaient de surhommes ces croquemitaines pour grands enfants. Et Bernstein a connu les succès que méritait cet habile dosage de barbarie et de littérature.

Il reste à nommer, pour être complet, les écrivains qui,

sans aucune ambition de rénover l'art dramatique, ont fait leur carrière au théâtre comme ils auraient embrassé n'importe quelle autre profession libérale. ABEL HERMANT, l'auteur de *Chaîne anglaise*, comprit vite que les *Souvenirs du vicomte de Courpière* valaient mieux que leur adaptation théâtrale et retourna au roman libertin où il excelle. FRANCIS DE CROISSET, dans *le Cœur dispose* et *Chérubin*, s'est fait le vulgarisateur de Musset avec une constance qui va jusqu'à l'abnégation de toute originalité. ROMAIN COOLUS a fait sourire avec *Petite Peste* et peint avec la même bonne grâce le corps à corps de *Cœur à cœur*. Dans le genre de la comédie romanesque — du *Bonheur sous la main* à *l'Idée de Françoise* — PAUL GAVAULT resta uniformément aimable. GUSTAVE GUICHES, romancier de mœurs provinciales dans *Céleste Prudhomat*, apporta au premier théâtre français, dans *Chacun sa vie*, la vision des réalités modernes qui est compatible avec les traditions d'une scène subventionnée. Le même éloge s'applique aux *Marionnettes* de PIERRE WOLFF qui fut, avant d'entrer dans ce temple, un des auteurs les plus brillants du boulevard et disputa au spirituel PIERRE VÉBER le privilège d'activer les digestions laborieuses par ce pitoyable théâtre de pitié dont *le Lys* et *le Ruisseau* offrent d'excellents spécimens. Enfin, puisque nous dressons une liste de fournisseurs, on nous pardonnera de nommer LUCIEN NÉPOTY qui se crut autorisé par le succès des mélo-dramatiques *Petits* à collaborer avec le Shakespeare du *Marchand de Venise*, HENRI KISTEMAECKERS qui resta, de *l'Instinct* à *l'Occident*, un très adroit industriel, JACQUES RICHEPIN dont l'histoire littéraire retiendra peut-être les interprètes.

Les théories d'ALBERT GUINON provoquèrent un article approbateur de Pierre Gilbert ; *Décadence* qui étudie le même problème que *le Retour de Jérusalem*, *Son Père* et *le Bonheur* ne marquent pas un très perceptible progrès sur l'œuvre de Henry Becque. Mais « successeur de Becque » est un titre flatteur, qu'on décerna aussi à FERNAND VANDÉREM à propos de *Cher Maître*, divertissement d'un critique trop accoutumé à la clairvoyance pour s'aveugler sur son propre cas. En effet le rôle d'auteur de « pièces » exigeait cette volonté de spécialisation que le public d'avant-guerre goûtait chez le « libertin » NOZIÈRE ou le « féroce » ALFRED SAVOIR.

§ 4. — La pièce à thèse

Cette « vérité » au nom de laquelle se sont faites toutes les révolutions théâtrales, la trouve-t-on dans la pièce à thèse ? Titre qu'il faut au préalable définir : la pièce à thèse est plus qu'une pièce à parti pris et, si tendancieuses qu'elles soient, les tragédies d'Euripide ne constituent point des pièces à thèse. La pièce à thèse se distingue du théâtre d'idées (genre Curel) parce qu'elle s'intéresse moins à une passion éternelle qu'à une difficulté sociale du temps présent. Augier et Dumas fils en avaient donné les premiers modèles, Dumas surtout dans ses dernières œuvres où l'esprit boulevardier se fait apocalyptique. Le froid réalisme de Becque avait douché ces enthousiasmes fougueux ; les héritiers de Dumas ne se proclamèrent plus des vengeurs mais des justiciers.

PAUL HERVIEU débuta en même temps comme romancier et comme dramaturge. Mais il semblait que le sévère moraliste des mœurs aristocratiques décrites dans *Peints par eux-mêmes* et *l'Armature* construisît ses romans aussi comme des œuvres théâtrales, avec la même vigueur qui caractérisait *les Paroles restent*, *la Loi de l'homme* et *les Tenailles*. Force et logique, telles étaient les qualités que ses admirateurs louaient ; ils vantaient aussi chez lui une certaine nudité du drame où ils prétendaient retrouver un écho de la tragédie classique.

A distance il en faut bien rabattre. Non que la conception théâtrale d'Hervieu soit en elle-même inacceptable. Le décor abstrait où il lui plaît d'enfermer ses protagonistes n'est pas inconciliable avec la grandeur ; mais il le faut animer par un sentiment ardent ; l'austérité est admissible pourvu qu'on ne laisse point échapper la vie. Le mal est, qu'à l'étude, le théâtre d'Hervieu exclut entièrement le mystère qui avait fait la puissance de son roman *l'Inconnu* et révèle une aridité sur laquelle des artifices de praticien maladroit font difficilement illusion. Ses pièces sont trop souvent construites sur la même donnée schématique : mari et femme enchaînés ; couple compliqué d'un enfant et d'un amant ; aucun moyen légal pour unir ces quatre termes en une équation satisfaisante. Hervieu s'ingénie en vain à dissimuler la médiocrité de cette matière. Dans *les Paroles restent* il ressuscite, sous les espèces du vieux Dr Dubois, le chœur antique. Dans *la Loi de l'homme*, il a recours au parallélisme dont Shakespeare a tiré l'un des plus puissants effets du *Roi Lear :* D'Orcien trompé par sa femme, et Laure de Raguais trompée par son mari, pardonnent à cause de l'enfant. Dans *les Tenailles* il utilise la loi : c'est une fatalité à bon marché et vraiment bien précaire. Il règne par tout ce théâtre une pauvreté et un convenu dans l'invention, comparables seulement au mélange de platitudes et de boursouflure qu'émettent les personnages. Tout y est combiné pour l'optique théâtrale, dans un esprit d'économie rebutant. Détail topique : Hervieu, défenseur de la famille, la conçoit toujours réduite à un enfant, « l'enfant », juste ce qu'il faut d'enfant pour compliquer le drame de l'adultère et permettre d'évoquer les grandes lois naturelles. Jamais, même dans *la Course du Flambeau* et *le Dédale*, Hervieu ne réussira à se dégager de ces conventions.

Il y a moins de prétentions mais une honnêteté plus franche dans l'effort de Brieux. *Blanchette* l'avait, dès 1892, montré capable de construire une bonne pièce bourgeoise qui eût attendri le cœur de Diderot ; on devait escompter de cet écrivain une suite de tableaux réalistes, aussi utiles à la représentation d'une époque que les larges fresques balzaciennes qu'entreprenait dès lors Émile Fabre. Malheureusement Brieux se laissa séduire par l'idée de la pièce à thèse : il y apporta de sincères préoccupations morales et sociales. Mais, dès *la Robe rouge*, y apparurent à plein ses défauts : absence de nuances psychologiques, constructions mécaniques, émotion facile, abus des tirades de conférencier, prosaïsme de l'inspiration et du style. La pièce à thèse, même animée des intentions les plus généreuses, réduite à dissimuler ses fins vertueuses sous un titre scandaleux, tournait manifestement à la leçon fastidieuse et s'achevait dans l'impasse des *Avariés*.

§ 5. — La Satire sociale

Il est peu d'écrivains qui soient aussi ennuyeux et aussi divertissants qu'OCTAVE MIRBEAU : ennuyeux à la lecture, mais si divertissant à la réflexion ! L'œuvre de Mirbeau accomplit en effet ce miracle de parer des ornements romantiques les plus désuets une philosophie naturaliste dont les méditations aboutissent invariablement à la platitude. Dès *Sébastien Roch*, qu'il dédia à Edmond de Goncourt, il exaltait « la sublime beauté du laid ». *Le Jardin des supplices*, inspiré par cette pensée que « l'Amour et la Mort, c'est la même chose », prétend imiter, dans un jardin renouvelé du Paradou, l'art du bourreau chinois qui « tire de la chair humaine tous les prodiges de souffrance qu'elle recèle ». *Le Journal d'une femme de chambre* exprime « cette tristesse et ce comique d'être un homme. Tristesse qui fait rire, comique qui fait pleurer les âmes hautes » ; *les 21 Jours d'un neurasthénique* prouve que « les hommes sont les mêmes partout » et *Dingo* fait l'éloge d'un chien qui a, malgré quelques vices empruntés à l'humanité, gardé sa précieuse supériorité canine. Chez Mirbeau tout est énorme, et d'abord la puérilité. Esprit généreux, inlassablement prêt à écrire l'article ou la préface qui lancerait quelque génie inconnu, qui dénoncerait quelque injustice sociale, son enthousiasme fut souvent déçu. Dans ses livres, monotones exemples du roman à tiroirs, il soulage un mépris du monde moderne qui serait féroce si on pouvait le prendre tout à fait au sérieux : ce sont des vide-poches où il jette pêle-mêle ses rancunes d'anticlérical, de dreyfusard et de pamphlétaire. Son amour de l'opposition l'entraîne, dans *la 628-E8*, jusqu'à un éloge de l'Allemagne qui dut paraître savoureux aux hobereaux de Prusse. Les résultats qu'il obtient ont toujours ce caractère paradoxal. S'il donne à ses héros des noms connus, personne n'ajoute foi à ces caricatures ; s'il peint un père Roch ou un abbé Jules, on goûte seulement la truculence du peintre ; s'il parle de lui-même, on bâille. Il rêve d'écrire « des pages de meurtre et de sang », des pages qui exhaleront « une forte odeur de pourriture », et ne réussit à toucher que les amateurs de pornographies sans nuances ; il part pour la chasse au lion et ne rapporte qu'un peu de vermine. Excellent lorsqu'il raconte, sans élever la voix, quelque âpre bouffonnerie bretonne, il lasse le plus souvent par les éclats d'une violence uniforme. Huysmans avait embaumé dans son style décadent le naturalisme mort ; Mirbeau repousse cet artifice et restitue au cadavre son odeur.

Et pourtant cet homme a composé la seule pièce de cette époque qui supporte la comparaison avec celles de Becque. Peut-être cherchait-il dans la forme théâtrale une occasion de discipliner sa fougue. *Les Mauvais Bergers* montre un Mirbeau schématique qui invente un ouvrier révolutionnaire, un patron indécis et un jeune bourgeois idéaliste pour les mettre aux prises dans une grève brutale et mystique. *Le Foyer*, au contraire, malgré la collaboration de THADÉE NATANSON, est écrit de la même encre que ses romans : cette charge virulente et pénible, qui fit vainement scandale, manifeste surtout son incapacité à contenir dans une action vivante sa misanthropie farouche et enfantine. Rapprocher Armand Biron d'Isidore Lechat ne sert qu'à accuser l'extraordinaire relief de *les Affaires sont les affaires* (1903).

Cette comédie présente un beau cas artistique. L'exposition en est admirable : deux scènes suffisent à évoquer le milieu où se déroulera l'action, à peindre sobrement deux caractères dont l'un, par sa révolte, provoquera la crise. Isidore Lechat entre : l'outrance habituelle de Mirbeau menace de compromettre ce début. En son protagoniste il a accumulé tout ce qu'il déteste dans la société contemporaine : cruauté bourgeoise, égoïsme bavard, croyance aux faits matériels, mépris de la vérité artistique, socialisme opportuniste. Mais la nécessité de rendre scéniquement vivant ce personnage symbolique a obligé Mirbeau à montrer l'homme d'affaires en pleine lutte ; là il est grand : l'entrevue avec les ingénieurs révèle sa puissance et, dans la scène capitale avec le marquis, il atteint naturellement à une ampleur lyrique qui ne serait pas indigne de Toussaint Turelure. L'auteur conduit son drame avec une obstination implacable vers la double catastrophe. Son romantisme impénitent déchaîne les fatalités modernes : de toutes les images de l'épouvante qu'il a si frénétiquement recherchées aucune ne dépasse la tragique scène finale où Isidore Lechat, dont la fille vient de s'enfuir et le fils d'être tué, déjoue les deux associés qui voulaient profiter de sa douleur paternelle pour rouler l'homme d'affaires dont Mirbeau a tracé ce grandiose et durable portrait.

Les titres d'ÉMILE FABRE sont un programme : *l'Argent*, *la Vie publique*, *les Ventres dorés*, *la Maison d'argile*, *les Vainqueurs*, *les Sauterelles*. Il décrit les mœurs des financiers et des hommes politiques en France et aux colonies en des pièces soigneusement documentées et robustement charpentées dont l'ensemble vise à donner une peinture balzacienne de la vie publique. Mais il est presque inévitable qu'un drame qui touche à un problème social du moment présent en réveille les passions et passe pour une satire ou une apologie. C'est ainsi que les deux tragédies modernes de PAUL-HYACINTHE LOYSON, *les Ames ennemies* et *l'Apôtre*, furent discutées contradictoirement avec *l'Otage* de GABRIEL TRARIEUX et *le Tribun* de PAUL BOURGET.

Par où s'expliquent les petites tempêtes que soulevèrent GEORGES BOURDON avec *les Chaînes* et CHARLES MÉRÉ avec *la Captive.*

C'est encore la satire sociale qui a fourni à SAINT-GEORGES DE BOUHÉLIER l'inspiration du seul de ses ouvrages qui ne soit pas insupportable : *le Carnaval des enfants.* Sans doute, pour qui connaît toute l'œuvre du prophète du naturalisme, le dosage dans *le Carnaval* des vulgarités et du symbolisme rappelle les puériles conceptions de *la Tragédie royale* et annonce les platitudes de *la Vie d'une femme.* Du moins échappons-nous ici aux bavardages infatués qui, au sortir de *l'Histoire de Lucie* et *Des Passions de l'amour,* nous font relire *la Vie de Marianne,* Pascal et Maeterlinck que Bouhélier parodie avec une naïve inconscience. Et puis, dans *le Carnaval,* le Christ ne paraît point, ce Christ auquel *la Romance de l'homme* compare Rousseau :

> O rêveur ! A l'égal du doux fils de Marie
> Ta parabole est belle...

et dont l'olympique *Œdipe* transporte la Passion au roi de Thèbes. Personnellement, ce Christ emplit d'ennui une tragédie dont la préface est un document ; Bouhélier s'y défend des extrémités où l'eussent pu entraîner ses « prémices » et ajoute : « J'ai châtié exprès la langue de mon Christ. » Car cet art qui recherche les aspirations et fuit les idées trouve par un sûr instinct l'impropriété. Son mauvais goût est infaillible, qu'il célèbre pêle-mêle parmi les poètes damnés, Verlaine, Rimbaud et Mendès, ou qu'il étale avec la facilité d'un Rostand le baudelairianisme d'un élève de Zola. La lecture prouve que *le Carnaval* n'est pas extrêmement différent des autres ouvrages de Bouhélier ; mais au théâtre, le couple des tantes et une scène dramatique entre l'héroïne et sa fille assurent à la pièce un succès assez comparable à celui que remporte la *Louise* de Charpentier.

§ 6. — Le théâtre comique

Un homme montrait, pendant ce temps, qu'il y avait place dans la comédie gaie pour autre chose que pour les fêtards peints dans *le Nouveau Jeu* par Henri Lavedan (qui n'était pas encore ermite) et les fantoches en qui Alfred Capus incarnait pour quelques soirées son nonchalant optimisme. On a souvent évoqué Molière à propos de GEORGES COURTELINE ; lui-même a donné quelque consistance à ce rapprochement en ajoutant avec *la Conversion d'Alceste* un sixième acte au *Misanthrope*, pastiche assez sombre, quelque peu guindé, où l'auteur nous communique surtout le malaise d'un endimanchement (1).

Car c'est précisément son aisance naturelle que nous aimons en Courteline, son observation drue et savoureuse, cette haine du didactisme enfin qui répugne également aux emphases d'Alceste et à la complaisance de Philinte. A une époque où tant de dramaturges ont cédé à la tentation de transformer le théâtre en chaire, Courteline y a maintenu, au premier plan, la vie. Il ne dénie pas au spectateur le droit de réfléchir, le rideau baissé, ni de trouver matière à méditation même dans les plus bouffonnes situations qui ont défilé sur la scène ; mais il veut que dans son œuvre la leçon reste, comme dans la vie, implicite. De là son goût pour des pochades comme *le Droit aux étrennes* et *les Boulingrin* où la fantaisie s'abandonne à toutes les violences de la charge, où le comique est physique, réveille en nous la profonde hilarité des enfants qui voient Guignol rosser le commissaire.

Courteline a gardé quelque chose de cette disposition instinctive à fronder l'autorité. Les mystères du Moyen Age raillaient bien le diable ; un pouvoir, même s'il est redoutable, offre toujours prise à la moquerie. Le joyeux conteur des *Gaîtés*

(1) Dans son verveux portrait de Courteline, au dernier chapitre de *Quand j'étais montmartrois*, ROLAND DORGELÈS nous confirme que Courteline y voyait « un bon devoir d'élève de Seconde ».

de l'escadron et du *Train de 8 h. 47* devait être aussi le peintre de *Messieurs les Ronds-de-Cuir*. Militaires et fonctionnaires, tout ce qui est organisé en cadres, se voit de ce fait asservi à des lois forcément retardataires sur les mœurs : l'absurdité des règlements et les petits travers des individus forment une double proie pour l'auteur comique. Qu'on n'aille point chercher en Courteline une âpre satire des institutions. *Le Commissaire est bon enfant, le Gendarme est sans pitié, une Lettre chargée* et *Hortense, couche-toi* sont construits selon un même rythme à deux battements : dans la première partie, un personnage tyrannise les autres et, fort de la puissance que lui confère la loi littéralement interprétée, refuse d'écouter la voix de son bon sens ; il est confondu, au dénouement, parce que quelqu'un lui oppose un article du code qui, pris dans une acception également littérale, l'accable à son tour, ce texte pouvant d'ailleurs être le même dans les deux cas. Il arrive parfois, comme le montre *Un Client sérieux*, que l'injustice triomphe manifestement : mais il nous reste la ressource d'en rire. A qui n'est pas anormalement maladroit, il ne manque pas de moyens pour fléchir l'incorruptible Labourbourax. Nul n'est tenu pour fou tant qu'il n'inquiète pas le commissaire de son quartier : vous déciderez, selon votre tempérament, si cette conclusion est alarmante ou rassurante.

On diminuerait singulièrement l'œuvre de Courteline en la réduisant à une satire des mesquineries judiciaires ou administratives ; c'est l'humanité qu'il montre en action, même dans de rapides saynètes comme *la Voiture versée* ou *la Peur des coups* qui sont, ainsi que certaines farces de Molière, des résumés de gradations psychologiques plus minutieusement détaillées en d'autres ouvrages. Son humanité, Courteline en a tracé dans *Boubouroche* une inoubliable image. Elle est médiocre : que survienne une grande crise, on constatera l'éternelle veulerie de l'homme et l'indéracinable amour-propre qui le rend aveugle devant la trahison évidente ; on retrouvera toujours, résignée ou agressive, la lâcheté de la femme, son âme d'enfant sournoise. Telle la voit Courteline en 1893, telle il la montre encore dans *la Paix chez soi* en 1903 et dans *la Cruche* en 1909. Sans doute, dans les deux dernières pièces, il accorde à l'un de ses acteurs la conscience lucide de cette « misère » : mais leur clairvoyance demeure passive, ne se révolte point pour secouer le joug bête de la vie quotidienne.

Conception pessimiste, dira-t-on. Aucunement. Dans l'humanité coexistent plusieurs espèces d'hommes et de femmes : Courteline en a observé une, l'a peinte de façon parfaite, laissant les autres intactes. L'événement a prouvé qu'il avait choisi habilement : son Alceste n'est qu'un mannequin, son Boubouroche est une création durable. Boubouroche vit par ce don que possède Courteline de représenter un être complètement adapté à son milieu ou à sa fonction : le gendarme Labourbourax, le plaignant La Brige. Les deux actes du chef-d'œuvre dont Boubouroche est le protagoniste manifestent deux aspects différents d'un unique talent. Rien de plus inimitablement naturel que la partie de manille où, dans le décor du petit café qui est véritablement *son* cadre, Boubouroche apparaît tout entier avec sa simplicité bouffie de suffisance et de sentimentalité. Rien de plus savamment stylisé que la farce à brusques ressauts qui se précipite à travers le second acte, plein de raccourcis psychologiques basés sur une observation très sûre de son objet. La réunion des deux qualités définit exactement le génie comique de Georges Courteline.

Tristan Bernard ne peut reprocher à son époque de l'avoir méconnu : certains sont allés jusqu'à le comparer à Courteline. Rapprochement intéressant s'il force à constater que Courteline part d'une observation et Tristan Bernard d'une situation. Son comique affecte souvent la précision d'un mécanisme : un interprète qui ignore toute langue étrangère, un voleur pris d'un scrupule cornélien, des domestiques commandant à leurs maîtres, ces retournements de l'ordre habituel fournissent les sujets de *l'Anglais tel qu'on le parle*, *Daisy*, et *On naît esclave*. Les silhouettes dessinées par Tristan Bernard sont charmantes : *Monsieur Codomat* et *Triplepatte* (en collaboration avec André Godfernaux) prouvent qu'il réussit moins bien dans l'étude approfondie des caractères. Il préfère à l'analyse les traits d'une bonhomie spirituelle qui font l'attrait du *Danseur inconnu* et du *Petit Café*. Son habile nonchalance lui permet, à l'occasion, de se hausser jusqu'au drame sans paraître ridicule. Il excelle à éveiller et à entretenir ches ses auditeurs une confiance complaisante, et son temps lui a fait crédit de tant d'esprit qu'il demeurera probablement insolvable devant la postérité.

Il est d'usage, pour chercher des ancêtres à Robert de Flers et Gaston de Caillavet, d'évoquer Meilhac et Halévy : est-ce pour accentuer la ressemblance qu'ils ont, avec *Primerose*, entendu écrire leur *Abbé Constantin ?* Sans doute leur théâtre est-il, de *Chonchette* au *Bois sacré*, une peinture de la troisième République rappellant, par son tour caricatural, le tableau du second Empire que nous ont laissé leurs prédécesseurs en esprit satirique. Mais ils n'ont point recueilli tout l'héritage de Meilhac-Halévy, réservant à Lemaître et Donnay le soin d'académiser *la Belle Hélène* en *Mariage de Télémaque*. Leur outrance fut toujours habilement tempérée, témoin cet *Habit vert* où, en raillant l'Académie de 1890, ils posaient subtilement leur candidature à celle de 1912. Leur œuvre la plus accomplie est *le Roi* où leur verve aisée, associée à l'âpreté caustique d'Emmanuel Arène, a moins sacrifié au brio facile : dans cette pièce qui a tour à tour le mordant de Beaumarchais et le laisser aller d'une revue de fin d'année, ils ont, avec une bonne grâce élégante, tracé les limites qui séparent de l'indignation le sourire.

Le charme du tandem Flers-Caillavet était cette retenue qu'ils conservaient jusque dans la sentimentalité de *l'Amour veille*. Elle leur valut d'être traités en aristocrates du théâtre gai, très supérieurs aux vaudevillistes Alexandre Bisson et Georges Feydeau. L'auteur du *Contrôleur des Wagons-*

Lits et surtout celui d'*On purge Bébé* n'en ont pas moins déployé une verve drolatique qui dépasse bien des efforts plus prétentieux.

§ 7. — Le drame en vers

Le public théâtral français a le goût du panache : de là son affection pour le drame en vers qui est généralement, depuis les romantiques, un compromis entre la poésie lyrique et le mélodrame. Au sortir des pessimistes tableaux que lui présentaient Becque et le Théâtre libre, il demandait au drame en vers un peu de réconfort et applaudissait même le *Pour la Couronne* de François Coppée. EDMOND ROSTAND eut la chance de paraître à l'instant le plus favorable pour son succès et l'adresse de s'en rendre immédiatement compte.

Il avait débuté par un recueil de vers, *les Musardises*, où s'étalait la même préciosité qui devait assurer la fortune de sa première comédie, *les Romanesques*. Une analyse de son sujet résume assez fidèlement le genre d'imagination propre à Rostand. Le héros de la pièce est un mur, séparant deux maisons dont les possesseurs n'ont qu'un désir : unir leurs deux terres et vivre en bonne amitié. Cela n'est possible que par le mariage de leurs enfants, trop romanesques pour accepter cette solution prosaïque. Les pères feignent donc la haine, accumulent les faux obstacles ; l'amour romanesque fait son œuvre et jette bas le mur. Bientôt tous se lassent de ce bonheur calme, les amants détrompés réclament du vrai romanesque ; on reconstruit le mur qui sera, de nouveau et définitivement, détruit lorsque des aventures malheureuses auront amené ces étourdis à reconnaître le prix d'une réalité solide et confortable.

Il convient d'insister sur cette première pièce de Rostand ; à l'en croire, elle avait le mérite d'apporter

> Un repos naïf des pièces amères ;

hélas ! il n'y avait dans son cas aucune naïveté, mais beaucoup de rouerie, une extrême habileté à dissimuler des pensées très bourgeoises sous une abondance de variations dont le lyrisme s'essoufflait vite. A première vue, les poèmes intercalés dans le texte, les tirades accrochées à des mots pittoresques — le mur, les vers, l'enlèvement — donnaient assez l'impression d'un jaillissement spontané. Bientôt on apercevait l'économie de cette factice richesse ; le mauvais goût épais de cette prétendue légèreté se révélait en des chutes inquiétantes :

Du roman, j'en voulais bien un peu
Comme on met du laurier dedans le pot-au-feu,

disait Sylvette ; voulait-elle définir la poésie de son créateur ? Celui dont on vantait le métier adroit n'atteignait souvent à l'acrobatie que par l'escalier tortueux de la cheville :

Et je brave à la fois, malgré leur haine aiguë,
Pasquinot — Capulet, Bergamin — Montaiguë.

De l'héritage d'Hugo était-ce là tout ce qu'il avait retenu ? On pouvait le craindre, en mesurant quelle fascination exerçait sur son oreille la vulgarité :

Comment, avec assez d'astuce,
Consentir, sans leur mettre, à l'oreille, la puce ?

et avec quelle facilité il se satisfaisait d'un mélange de fausse poésie et de très réel prosaïsme :

Oui, ces vers sont très beaux, et le divin murmure
Les accompagne bien, c'est vrai, de la nature.

On pouvait aussi imputer ces défaillances à la jeunesse et réserver son jugement. Prudence insoutenable dès que sonnèrent les premiers vers de *la Princesse Lointaine* :

Encore un camarade
Qui ne nagera pas, Tripoli, dans ta rade !
. . . .
Tant pis pour toute nef qui nous cherchera noise !
Quand donc voguera-t-on dans l'eau sarrazinoise ?

De toute évidence, Rostand n'était à son aise que dans le faux. Un instinct l'en avertissait et le poussait vers la peinture des époques où régna ce subtil mauvais goût qui est la fleur de l'imagination et annonce la perfection d'un beau fruit classique. Mais, impuissant à recréer spontanément cette atmosphère de libre fantaisie, il s'arrêtait au triste pittoresque qui fait rimer dinde avec Melissinde, à la psychologie arbitraire des preux et des traîtres de mélodrame, aux coups de théâtre sonores et vains que la foule attend et applaudit d'avance :

Messire, qu'avez-vous à me dire ? — Des vers.
. . . .
Son frère, son ami... Ho ! venez vite ! — Non.

Oubliant son affectation de couleur locale, il versifiait sur les plus beaux thèmes des gentillesses de courriériste mondain :

Lys toi-même de grâce et de gracilité...
Pourquoi, si brun, il a parfois la voix si blonde...
A nos pures amours tu viendras, ô musique,
Ajouter chastement de l'ivresse physique.

S'agissait-il d'exprimer un noble sentiment, son génie ne lui suggérait que ces mornes platitudes :

...Car tout rayon qui filtre, d'idéal,
Est autant de gagné, dans l'âme, sur le mal.
Je vois dans tout but noble un but plus noble poindre ;
Car lorsqu'on eut un rêve, on n'en prend pas un moindre.

Décidément tout ce qui était grand demeurait étranger à Rostand : sa *Samaritaine* en apporta la preuve décisive. Dans cet évangile en trois tableaux — qui est à un drame sacré ce qu'est à une Passion de Bach la « Marie-Madeleine » de Massenet — l'indigence de la pensée le dispute à l'inconvenance de la forme et le résultat serait odieux s'il n'était si profondément ridicule. Jusqu'à la fin de sa vie Rostand devait exploiter les formules romantiques et banvillesques.

Tous les défauts que nous avons signalés reparurent dans *l'Aiglon* et *Chantecler* : un déplorable manque de goût lui fit prendre son bavardage puéril pour l'abondance du génie, son ingéniosité pénible pour un symbolisme profond et ses acrobaties rimées pour une effusion lyrique. Semblable à son coq qui des héros français n'incarne que le seul Tartarin, il se crut ample parce qu'il brouillait tous les langages,

> Depuis la langue d'oc jusqu'à la langue toc
>
> *(Chantecler.)*

et s'imagina qu'il suscitait un soleil alors qu'il chantait la mort du romantisme verbal. Il serait cruel d'insister sur le néant de ces grands effondrements. Le désir de si ambitieuses constructions a détourné Rostand de sa voie naturelle, de la comédie artificielle à la manière des *Romanesques* et de *Cyrano*.

Car *Cyrano de Bergerac* nous livre Edmond Rostand tout entier. De nouveau l'oreille note au passage tous ses défauts ordinaires : pittoresque en trompe-l'œil, effets théâtraux grossiers et facilement infaillibles, psychologie sommaire où les raffinements de la passion sont à bon marché remplacés par du tarabiscotage verbal. Quant au vêtement poétique, il n'y est point sans trous : préciosité et vulgarité alternent ; la jonglerie des rimes s'accommode de chevilles peu spirituelles ; sous les brillantes fanfares que de développements purement oratoires ! Et cependant le triomphe de *Cyrano* ne s'explique point seulement par des causes extérieures, par la lassitude du public pour le drame ibsénien ou réaliste, par le besoin qu'il éprouvait, parmi les discordes civiles, d'un hommage aux qualités traditionnelles de générosité et d'esprit. *Cyrano* — qui n'est pas un chef-d'œuvre — ne mérite point l'oubli parce qu'il renferme la peinture d'un drame réel, le drame de Cyrano et celui de Rostand, le drame de l'écrivain de deuxième ordre qui aspire au génie. Dans cette « comédie héroïque » qui renferme tant d'à peu près et d'anachronismes, où tous les personnages sauf un sont des marionnettes menées par le hasard, tout le reste peut bien être illusoire, cette tragédie du raté est véridique. On a reproché à Rostand d'avoir, entre autres solécismes, détourné de son sens vrai le Cyrano historique pour en faire le type symbolique du « panachard » français. Il semble plutôt avoir retrouvé, à deux siècles et demi de distance, un personnage assez apte à éprouver ses propres émotions : il lui a donc confié ses ambitions, ses déceptions, ses amertumes, voilées de la bonne humeur que ses propres succès l'invitaient à prêter à un autre ; enfin, dans quelques scènes pénétrantes, d'une musique assourdie, il a donné à son héros cette mélancolie qu'il devait connaître en ses heures de lucidité, lorsqu'il entrevoyait que le rôle joué par Cyrano de Bergerac envers Molière, lui-même le tiendrait peut-être, un jour, devant le grand poète dramatique qui serait le Racine du XXe siècle (1).

§ 8. — Fidélité du miroir ?

Pour compléter ce panorama du théâtre français pendant un quart de siècle (1890-1914), on rappellera les efforts des symb listes et notamment le grand succès de la féerie de

(1) A *Cyrano* s'associe le souvenir du grand acteur Constant Coquelin, comme à l'*Aiglon* celui de Sarah Bernhardt dont tous ont admiré le talent, dont plusieurs ont regretté qu'elle l'ait surtout mis au service de causes gagnées d'avance.

Maeterlinck, *l'Oiseau bleu.* On n'oubliera pas non plus qu'Antoine et Lugné-Poë poursuivirent leur tâche d'animateurs et que Jacques Copeau, après sa vigoureuse campagne dans la jeune *N. R. F.*, devint le fondateur du Vieux Colombier. Trois drames de Paul Claudel (*l'Échange*, *l'Annonce* et *l'Otage*) ont, avant 1914, affronté les feux de la rampe, de même que *le Roi Candaule* d'André Gide. L'Odéon a représenté *la Lumière* de Georges Duhamel et *l'Armée dans la Ville* de Jules Romains. Et l'on ne saurait omettre de cette revue le fastueux hommage que Gabriele d'Annunzio rendit à notre langue en écrivant *le Martyre de Saint-Sébastien.* Durant cette période, la dernière où nul art rival ne menaçait son prestige, le théâtre a donc brillé d'un très vif éclat ; ses « premières » figuraient parmi les événements importants de l'actualité.

Une question alors se pose : offre-t-il, à l'historien ou au rêveur, un miroir fidèle du début de ce siècle ? Pour les tendances artistiques, on peut répondre par l'affirmative, grâce au concours des scènes qui échappaient à la tyrannie de l'esprit boulevardier. D'autre part, ce théâtre nous renseigne bien sur les goûts de sa clientèle : habitués parisiens, provinciaux en vacances et visiteurs étrangers. S'il ne fournit pas des mœurs de la bourgeoisie une image très exacte, il montre ce qu'elle attendait de lui et comme divertissement et comme tribune d'idées. Un inventaire minutieux prouverait certainement que tous les problèmes qui passionnèrent l'opinion publique durant ces années de l'avant-guerre ont été évoqués sur la scène. Le malheur est qu'ils le furent le plus souvent selon les lois d'une « optique théâtrale » qui en diminuait la portée, qui les réduisait à des antagonismes superficiels afin d'en proposer au dernier acte une solution réconfortante. Pour mesurer la profondeur et l'intensité de ces conflits, leurs sommaires reflets dans le miroir théâtral ne suffisent pas ; il faut interroger d'autres témoins.

CHAPITRE VII

TRADITIONALISME ET INTERNATIONALISME

Le titre de ce chapitre pourra sembler dogmatique ; il ne prétend qu'à marquer fortement un fait incontestable : la conscience française a été violemment ébranlée, dans les dernières années du XIXe siècle, et cette crise a retenti dans notre histoire littéraire. Jusqu'alors les écrivains avaient, dans l'ensemble, négligé la propagande politique. Quelles que fussent leurs préférences intimes, ils n'avaient pas entrepris une critique systématique des idées issues de la Révolution et dont, avec des insistances diverses, se réclamaient les différents régimes depuis 1830. Nous avons pu étudier en Daudet et Goncourt deux aspects du naturalisme, en Kahn et Régnier deux représentants du symbolisme sans que l'examen de leurs convictions politiques ou religieuses dût influencer un tableau de leur activité littéraire ; cette attitude serait impossible devant le Barrès des *Déracinés* ou le France de l'*Histoire contemporaine*.

Il faut donc rappeler ici que les derniers enseignements de Taine et de Renan, le réveil du mysticisme, l'agitation boulangiste et panamiste avaient concouru à inquiéter bon nombre d'esprits sur la valeur des idées révolutionnaires qui avaient abouti à l'établissement d'une république de plus en plus nettement orientée vers la démocratie et la libre pensée. L'Affaire Dreyfus vint offrir, à ceux qu'alarmait ce développement comme à ceux qui l'approuvaient, l'occasion de prendre parti, activement et belliqueusement : « Cette grande Affaire, écrit

Maurras en 1912 dans la préface de sa *Politique religieuse*, a bien été l'âme et pour ainsi dire le démon de notre vie publique depuis quinze ans. » Nous ne parlerons point des écrivains qui n'entrèrent pas dans la lutte ou n'y firent qu'une apparition épisodique, sans importance sur la courbe générale de leur œuvre. Mais nous rangerons ici, sous deux catégories commodes par leur généralité, ceux qui subordonnèrent désormais leurs créations à des fins de propagande sociale.

§ 1. — Contre-révolution et nationalisme

Le premier effet de cette crise de conscience se manifesta par de retentissantes conversions au catholicisme ; on sait que, dès 1895, Huysmans était « en route » et que Coppée rentra dans le giron de l'Église en 1898, après des déboires politiques et une grave maladie. Brunetière, ayant cru constater « la faillite de la science », posa le dilemme de *la Science et la Religion* (1897) pour le résoudre en faveur de la dernière entité. Mais la plus « illustre conquête de la foi », le représentant le plus complet de la nouvelle doctrine fut Paul Bourget.

Lui-même a retracé son évolution dans la préface aux *Pages de critique et de doctrine*, dédié à Jules Lemaître qui avait abandonné Serenus et Myrrha pour se jeter dans la lutte : « Ce livre aura pour vous un intérêt : il s'y dessine une courbe de pensée très analogue à celle que vous avez suivie vous-même. Nous avons grandi tous les deux dans l'atmosphère et dans l'esprit de la Révolution et nous sommes arrivés tous les deux à des conclusions traditionnelles qui auraient bien étonné nos professeurs. » La raison de ce revirement est que « les jeunes gens de notre génération avaient reçu de leurs aînés deux idées directrices autour desquelles leur intelligence devait nécessairement reconstruire tout l'appareil des vérités françaises ». Ces deux idées sont « l'idée de la loi » et une « vue de la littérature considérée comme une psychologie vivante ». Taine, envers qui la fidélité de Bourget ne se dément pas, a, en partie inconsciemment, amené ses disciples à retrouver « par delà, ou mieux pardessous le phénomène littéraire, les grandes lois de la santé nationale ». Ces grandes lois, Bourget ne croyait pas qu'on les dût seulement exposer dans des essais critiques ou des préfaces aux ouvrages peu connus de ses devanciers ; il estimait qu'elles devaient être les sources d'inspiration du romancier : la prière d'Adrien Sixte ayant reçu réponse, dix ans avant la publication des *Pages*, Bourget avait composé *l'Étape* (1902).

Le héros spirituel de *l'Étape*, Victor Ferrand, bigle comme Taine, est de plus un « disciple de Bonald et de Le Play, qui reste, depuis la mort de ses aînés, MM. Ollé-Laprune et Charpentier, un des chefs les plus en vue de la philosophie catholique dans l'Université ». Il n'est « pas seulement traditionaliste en religion. Il l'est aussi en politique et ne parle de la Révolution qu'en employant la formule de Le Play sur les faux dogmes de 89 ». Il proclame que « toutes les lois sur lesquelles nous vivons depuis cent ans sont des lois d'orgueil » ; au moment de l'Affaire, « son lucide et sage génie » l'a rangé dans le camp des antidreyfusards. L'auteur appuie son réquisitoire, déclare que « la France s'enfonce dans le parlementarisme jacobin » sous la conduite des « élus du suffrage universel, autant dire une majorité de charlatans issue d'une majorité d'ignorants » ; aux sophismes qui engendrent l'anarchie, il oppose « la rencontre d'un Auguste Comte et d'un Bonald, d'un Taine et d'un Joseph de Maistre dans des théories de gouvernement identiques en leur fond » et aussi « la puissance d'interprétation totale de la vie humaine que possède le catholicisme ».

Le traditionaliste Ferrand, issu d'une famille de riches propriétaires angevins, est professeur de philosophie, habite un bel appartement rue de Tournon et sa fille possède toutes les vertus féminines. Le jacobin Monneron, fils d'un pauvre cultivateur de Quintenas en Ardèche, est professeur de rhétorique, vit dans une horrible bâtisse de la rue Claude-Bernard ; sa fille se laisse séduire, l'aîné de ses trois fils est un faussaire, le cadet un voyou et le seul qui soit demeuré honnête aspire à se convertir. La différence entre ces deux familles, Victor Ferrand l'explique ainsi à Jean Monneron : « Votre grand-père et votre père ont cru que l'on peut brûler l'étape. On ne le peut pas. » Tout le roman est consacré à cette démonstration pratique, destinée à mettre en lumière une vérité : il ne faut pas parler « de réconcilier le Catholicisme, la Science et la Démocratie, comme si les deux derniers termes étaient d'un côté, le premier de l'autre. Tout au contraire ce sont les deux premiers termes qui sont d'un côté et c'est le dernier qui est de l'autre ».

Que reste-t-il de *l'Étape* et de ses successeurs, *Un Divorce* et *l'Émigré*, où Bourget continua de mettre son talent au service de ses convictions sociales ? Il n'a pas réussi à édifier la synthèse ambitieuse qu'il tentait. La plus rapide analyse montre ce que *l'Étape* comporte d'arbitraire. Malgré un évident effort d'impartialité auquel il faut rendre hommage, Bourget ne peut oublier l'esprit de parti qui rend si invraisemblablement grotesque, en certains endroits, le caractère du père Monneron, qui pousse l'auteur à accuser ses adversaires de traiter leurs contradicteurs « en simples malfaiteurs » dans la même page où il vient d'injurier le révolutionnaire Chamfort. S'il est autorisé à inférer du cas Monneron qu'un rhéteur jacobin épousera toujours la première jeune personne qu'il rencontrera, ses ennemis auront-ils le droit de généraliser l'exemple Ferrand jusqu'à conclure que la Providence rend les philosophes chrétiens veufs assez tôt pour que l'éducation de leurs filles en bénéficie ? *L'Étape* souffre de cette équivoque entre le sermon et l'œuvre d'art. Elle est souvent très ennuyeuse, la lourdeur appliquée du sociologue y étant renforcée par une volonté obstinée de descriptions d'états d'âme, de rues, de mobiliers où Bourget entreprend de concilier, sous l'égide de Bonald, les manières contraires de Stendhal et de Balzac. Si bien que, lorsque le lecteur termine ce livre touffu dont il a parcouru distraitement les passages que Bourget tenait pour essentiels, il en emporte, avec le souvenir de quelques personnages épisodiques assez finement dessinés, l'impression d'un mélodrame robustement charpenté.

Cette tendance des idées de Bourget à s'exprimer scéniquement l'a conduit au théâtre auquel il a fourni, outre une adaptation d'*Un Divorce*, des pièces originales, la sorélienne *Barricade* et *le Tribun*. Comme l'indiquent leurs sous-titres, ces « chroniques de 1910 et 1911 » visent à peindre le mouvement social de notre époque. Mais le genre excluait ces longues analyses où Bourget s'est complu dans toute son œuvre, et il revint au roman avec *le Démon de midi* (1914), son meilleur livre depuis *le Disciple*. Dans cette ample fresque de la vie contemporaine, où des silhouettes modernistes se mêlent à nos vieilles connaissances, Crémieu-Dax et l'abbé Chanut, il a moins cherché à faire triompher des idées en faveur desquelles le romancier reste toujours suspect d'avoir faussé le développement normal des êtres qu'il imagine ; il a représenté énergiquement deux formes de « l'égarement du milieu de la vie, du démon de midi », dans une action où la psychologie et l'expérience religieuse s'unissent naturellement, dans une crise d'âmes qui se double d'un intérêt intellectuel et dramatique. Sans doute retrouvera-t-on jusqu'en ce dernier livre les phrases assez convenues par où s'expriment sincèrement les admirations aristocratiques de Bourget ; il y déploie cet appareil démonstratif qui alourdit toutes ses créations en substituant au jeu spontané de la vie une activité trop consciencieusement commentée pour n'en être pas quelquefois refroidie. Mais les nobles figures de Louis Savignan, de Geneviève Calvières et de l'abbé Fauchon dominent l'émouvante tragédie de leurs destinées et justifient la haute leçon humaine que Bourget tire de la ruine de leur éphémère bonheur : « Il faut vivre comme on pense, sinon, tôt ou tard, on finit par penser comme on a vécu. » Ni ses romans de guerre, d'un pathétique assez facile, ni les plus récents *(le Danseur Mondain, Nos actes nous suivent)* qui paraissaient dater d'un autre âge, n'ont rien ajouté à la solide renommée de l'auteur du *Démon de Midi* : on y goûtait encore une conviction dramatique ; on ne pouvait se dissimuler l'arbitraire d'une psychologie subordonnée à des thèses morales et politiques.

Pour qui s'en tiendrait à l'aspect extérieur de son œuvre, BARRÈS aurait été, depuis 1897, un des chefs du doctrinarisme conservateur (1). Nous avons déjà retracé d'après lui-même quel itinéraire l'amena du « Les morts ils nous empoisonnent ! » de *l'Ennemi des lois* à l'affirmation capitale de *l'Appel au soldat* : « Tout être vivant naît d'une race, d'un sol, d'une atmosphère et le génie ne se manifeste tel qu'autant qu'il se relie étroitement à sa terre et à ses morts. » Les trois volumes du *Roman de l'énergie nationale* content, entre autres choses, les aventures de sept jeunes Lorrains déracinés par la fausse culture universitaire ; ils décrivent aussi le malaise général et les tumultes d'une France qui ne se soumet plus à « l'instinct national ». Le « socialisme nationaliste » que Barrès avait associé jadis à son boulangisme ne résista pas aux événements : l'affaire Dreyfus le jeta chez les conservateurs qu'il prétendit entraîner au rôle que Disraëli avait fait jouer aux Tories. Enraciné dans sa Lorraine il écrivit *les Amitiés françaises*, son *Émile* nationaliste, et *les Bastions de l'Est* : dans *Au service de l'Allemagne*, l'Alsacien Ehrmann, « garde avancée de la latinité », résistait à la tentation de déserter son poste et défendait l'honneur français jusque dans la caserne allemande ; la Messine Colette Baudoche triomphait dans un épisode plus subtil de la même lutte contre l'envahisseur. Le nom de Barrès était devenu associé, aussi étroitement que celui de Déroulède, à l'idée de la revanche.

Dès 1900, il avait formulé tous les dogmes du traditiona-

(1) Mais a-t-il jamais renoncé à ce « droit à l'ironie » qu'il revendiquait en 1890 dans une préface à ces *Contes pour les Assassins* de MAURICE BEAUBOURG dont la cocasserie de « meurtrier honoraire » garde encore un charme ?

lisme, dit que « la société n'est belle qu'en contrariant la nature », taxé d'impuissance l'intelligence, cette « très petite chose à la surface de nous-mêmes », donné dans « la Vallée de la Moselle » une longue leçon de retour à la terre et aux morts ; il avait bafoué le parlementarisme et reconnu que « le catholicisme est avant tout un faiseur d'ordre ». Rien, en apparence, ne devrait donc être plus facile que de le représenter, comme Bourget ou Maurras, dans l'attitude réfléchie qu'il a choisie et sanctionnée par des années d'action politique. Qu'un tel portrait soit impossible, cela prouve à la fois l'originalité de sa pensée et sa réelle grandeur d'artiste.

Barrès nous a très abondamment démontré que son nationalisme était la conséquence de son premier individualisme ; usons du droit de souligner ce qu'il reste de cet individualisme dans son traditionalisme. Semblable au platane de M. Taine, « lui-même il est sa loi et il l'épanouit » ; il cherche « une méthode pour que chacun se crée soi-même » ; il définit Napoléon : « une méthode au service d'une passion » ; le professeur d'énergie continue la tâche des « intercesseurs ». André Gide a marqué finement que le mot « déraciné » n'a jamais eu le sens que Barrès lui prête et que son livre peut être résumé ainsi : « le déracinement contraignant Racadot à l'originalité ». Reproches qui atteignent le logicien mais ne touchent guère l'écrivain dont le vrai but sans doute fut de réveiller en son âme « ces incomparables exaltations qui deviennent, passé trente ans, le privilège de quelques natures royales ». Pareil à son Sturel, il a le goût de l'âpreté, il est « une force qui désire s'épuiser » ; sa violence voit dans la femme moins l'amour qu'« une difficulté à vaincre », mais son raffinement s'attendrit sur « une vie destinée à si vite se défaire » et aspire à « s'enivrer de désillusion ». Cette disposition imaginative, il la transporte dans la pensée abstraite, se grisant d' « une émotion métaphysique d'une si voluptueuse fantaisie », proclamant qu' « un intellectuel avide de toutes les saveurs de la vie, voilà le véritable héros ». Dans la lutte sociale il assouvit avant tout « les besoins de son âme partisane », trouve l'amour « fade auprès des alcools d'une conspiration », passe presque indifféremment de l'amitié à la haine excessives; et, s'il a consacré un gros livre à la mémoire d'un assez piètre chef, ne serait-ce point encore que,« le plus subjectif des hommes, il ne se désintéressait de soi-même qu'en faveur des rares personnages avec qui il se croyait d'obscurs rapports » ?

Gardons-nous cependant d'identifier Barrès avec François Sturel : dans la trilogie où il se réservait la possibilité de s'extérioriser en sept personnages, il s'est au moins dédoublé. Rœmerspacher représente assez fidèlement ce qu'aurait pu devenir Barrès s'il n'avait pas porté en lui l'âme fiévreuse de Sturel, s'il ne s'était jamais regardé avec d'autres yeux, parfois même ceux de Racadot méprisant ce camarade qui « a besoin de Taine pour apprécier les égoïsmes et les gaspillages du système social ». Si Saint-Phlin est le Lorrain pur, Rœmerspacher est le Lorrain assez pénétré de culture germanique pour rendre à l'Allemagne un hommage consciencieux et ne pas voir exclusivement en M. Asmus un prétexte à caricatures. C'est Rœmerspacher qui, au milieu de la frénétique curée de *Leurs Figures*, inspire à Barrès sa puissante évocation des Mères gœthéennes ; il lui rappelle l'existence chez Bouteiller d'une « raison pour ainsi dire impersonnelle qui le distingue noblement » de Sturel et Suret-Lefort ; incapable de l'éloquente méditation sur le motif *Pax aut Bellum* de *la Grande Pitié des églises de France*, il l'a cependant rendue possible par son effort discipliné. A tout ce que symbolise Sturel, au contraire, se rattachent les pirouettes impertinentes de Barrès, telle épigramme sur Boulanger, « général dont la foule aime si fort le caractère français qu'elle le voudrait Espagnol », telle perfide note des *Scènes et Doctrines du nationalisme* qui montre Le Play, Taine et certains de leurs disciples « dégoûtés plus ou moins de leur pays », tel aveu d'une loyauté déconcertante : « Si j'avais pensé le monde comme j'ai pensé la Lorraine, je serais vraiment un citoyen de l'humanité. » On comprend que la publication, en appendice à plusieurs ouvrages barrésistes, de ces brevets de sérieux que constituent les lettres de Bourget n'ait pas été totalement inutile pour rassurer les esprits simples.

A l'instabilité nerveuse du doctrinaire répond une inégalité de réussite artistique. Les romans de Barrès comportent une part de décousu que ses plus fervents admirateurs ne nieront point ; les exposés théoriques, les commentaires démonstratifs et les cantilènes interrompent perpétuellement la narration des événements. Quelquefois il se refuse délibérément à composer : il livre ses notes sur les sept Lorrains ou sur la biographie de Portalis ; il transcrit en deux colonnes parallèles les sentiments de Bouteiller et de Sturel. Le récit d'Astiné Aravian est d'une platitude décevante : on sent trop que Barrès ne se soucie que de l'exaltation lyrique excitée en Sturel par des syllabes magiques. Nous retrouvons ici cette évidence que les choses ne valent à ses yeux que pour donner le branle à son imagination. Il invente mal. Il lui faut toucher, « palper », dirait-il, les êtres pour les bien décrire. Son art tient toujours du corps à corps, qu'il s'agisse de suivre Bouteiller parmi les élèves à qui il prodigue des conseils d'adieu si différents, de baigner d'ironie sèche la figure de Waldeck-Rousseau, d'épier Briand à la tribune ou Caillaux devant la Commission d'enquête, de peindre en Taine « l'animal » qu'habite la pensée philosophique, de traquer l'agonie du baron de Reinach, d'imposer à l'histoire un tableau haletant de la grandiose corrida parlementaire de 1892. Il y a du Michelet et du Saint-Simon dans les fresques de *Leurs Figures ;* Stendhal et Balzac ne sont point absents des magnifiques chapitres exaltés qui décrivent le pèlerinage au tombeau de l'Empereur et les funérailles de Hugo dans *les Déracinés.* A qui veut connaître la simplicité un peu apprêtée de Barrès, il faut conseiller la lecture de *Colette Baudoche* où une fine jeune fille messine est habilement élevée au rang des héroïnes : « Petite fille de mon pays, je n'ai même pas dit que tu fusses belle, et pourtant, si j'ai su être vrai, direct, plusieurs t'aimeront, je crois, à l'égal de celles qu'une aventure d'amour immortalisa. » L'amateur de fortes constructions trouvera satisfaction dans *la Colline inspirée*, l'œuvre la plus classiquement parfaite de Barrès, au récit noblement ordonné entre deux graves méditations. Mais pour qui désirera atteindre ce que cet art renferme d'irréductible à aucun autre, qu'il se tourne vers « la mystérieuse soirée de Billancourt » où le drame se charge d'idées et de cette volupté cruelle qui est peut-être le sentiment le plus fort de Barrès.

Certains ont célébré la vie ; d'autres la mort ; son domaine, à lui, c'est l'agonie et cette vie mystique, intellectuelle ou sensuelle, qui en donne le spectacle prolongé. Ce goût, si manifeste dans *Du Sang, de la Volupté et de la Mort*, il l'a encore exprimé dans *Amori et Dolori sacrum*, *le Voyage de Sparte* et *Le Greco*, livres un peu en marge de son œuvre et où il ne prétendait pas que tous ses lecteurs ordinaires dussent le suivre. *Amori et Dolori sacrum* « appartient, dit-il, à la même veine que *Du Sang*... celui-ci toutefois me paraît plus lourd dans la main et plus savant pour l'oreille que mon recueil de 1895 »... Il y redit la mort de Venise, « le chant d'une beauté qui s'en va vers la mort » car « cette agonie prolongée, voilà le charme le plus fort de Venise pour me séduire ». En décrivant cette cité que hantent tant de fantômes romantiques, son objet n'est point « de peindre directement des pierres, de l'eau, des nuages, mais de rendre intelligibles les dispositions indéfinissables où nous met le paludisme de cette ruine romantique » ; il ambitionne de toucher « quelques points extrêmes de la sensibilité », il prétend offrir *to the happy few* un « incendie de Venise » et ne fut sans doute jamais plus sincère que dans ce moment de sa plus haute virtuosité. Car il ne s'abandonne point : « Je n'ignore pas ce que suppose de romantisme une telle émotivité. Mais précisément nous voulons la régler. » Significativement *Amori et Dolori sacrum* s'achève sur « le 2 novembre en Lorraine » où il déclare préférer aux « fameuses désolations » qu'il a chantées « le modeste cimetière lorrain où, devant moi, s'étale ma conscience profonde ».

La même franchise fait la force du *Voyage de Sparte.* Il a abordé en Grèce sans dépouiller son individualisme ; le châtiment était inévitable : « Où que je sois, je suis mal à l'aise si je n'ai pas un point de vue d'où les détails se subordonnent les uns aux autres, et d'où l'ensemble se raccorde à mes acquisitions précédentes. » Il est déçu par la « dure perfection » de l'Acropole ; il ne parvient à comprendre l'art de Phidias qu'en analysant intellectuellement le « νοῦς » d'Anaxagore ; loyalement il avoue : « Si Gœthe, par son commentaire de Spinoza, ne m'avait pas préparé, je n'aurais rien de vivant en moi où rattacher la pensée de Phidias : un Juif et un Allemand sont mes anneaux intermédiaires. » Un instant il s'enthousiasme pour « le buisson de flammes au centre des jardins de Sparte ». Le divorce n'en est pas moins patent ; la Grèce ne tient que sa raison ; elle le renvoie à sa Lorraine, elle met à nu le secret intime de son art créateur : « Même après la leçon classique, je continuerai de produire un romanesque qui contracte et déchire le cœur ». Son vieil amour pour Tolède et « l'étroite parenté qu'il y a entre l'œuvre d'un Tintoret et l'œuvre d'un Greco » lui suggèrent un livre sur ce peintre étrangement mystique ; l'année suivante (1913) paraît *la Colline inspirée* qui est, dans un cadre lorrain, sur son acropole de Sion-Vaudémont, l'histoire d'une de ces « fameuses désolations » qu'il a tant chéries ; peut-être, en l'écrivant, connut-il une harmonie pacifiante et l'illusion de ressusciter en lui-même ce passé qu'il regrettait, « où l'on avait des âmes romantiques avec une discipline classique ».

Vint la guerre. Pour réaliser son rêve de patriote et de poète, il l'aurait fallue brève et éclatante : elle fut longue et patiente. Au milieu de cet effroyable carnage les voluptueuses cruautés du partisan eussent semblé sacrilèges : on s'en aperçoit si l'on compare *En regardant au fond des crevasses* avec *Leurs*

Figures ou *Dans le cloaque.* Barrès voulut servir efficacement : il se donna tout entier à la propagande et au journalisme ; les nombreux tomes de *l'Ame française pendant la guerre* témoignent de cette activité. Mais les voix romantiques n'étaient point mortes dans cette âme et, en 1922, il nous a donné *Un Jardin sur l'Oronte*, « histoire d'or, d'argent et d'azur », qu'entoure une féerique « orchestration de plainte, de pleurs et d'extravagance », d'où monte le vieil appel nostalgique : « A quel génie s'adressent les inquiétudes que fait lever dans notre conscience un décor si pauvre et si fort ? qu'est-ce que j'aime en Syrie et qu'y veux-je rejoindre ? » Ce que ce nouveau *Tristan et Iseut* veut rejoindre dans la Syrie aux roues ruisselantes, c'est toute la poésie ébauchée dans le récit d'Astiné. Oriante est une vraie fille de Barrès ; son secret n'est que « la courageuse volonté de vivre en acceptant les conditions de la vie ». Oriante dont « l'amitié demeurait ferme sous la vague mobile, mais elle accueillait toute la mer » nous propose, une fois encore, ce haut idéal d'art et de vie — garder sa raison lucide au milieu de la passion la plus exaltée — par quoi Barrès, grand écrivain, restera de plus un « intercesseur » pour tous ceux qui, se cherchant une discipline, mériteront de la créer eux-mêmes, à son exemple. Un exemple qu'il n'a pas donné seulement dans les œuvres qu'il publia, mais aussi dans ces *Cahiers* posthumes dont maintes pages supportent la comparaison avec les *Mémoires d'Outre-Tombe* et qui le montrent poursuivant « son perfectionnement dans la solitude ».

Dans *Amori et Dolori Sacrum* Barrès félicite (1) CHARLES MAURRAS d'avoir, dès 1890, écrit ces lignes : « Le monde entier

(1) Le 1er texte des *Deux Testaments de Simplice* montre que Maurras n'ignora aucune des sollicitations qui troublèrent cette jeunesse. Mais il avait médité le douloureux aveu (« je n'aime que moi quand je crois aimer les êtres ») de JULES TELLIER (1863-1887) qui sombra à 24 ans, ne nous laissant que cinq ou six cents lignes pour justifier l'hommage de Barrès : « tous ces discours ardents ont le timbre des chants que l'Église psalmodie sur les cercueils ».

serait moins bon s'il comportait un moins grand nombre d'hosties mystérieuses amenées en sacrifice à sa perfection. Hostie ou non, chacun de nous, lorsqu'il est sage et qu'il voit que rien n'est, si ce n'est dans l'ordre commun, rend grâces de la forme qu'a revêtue son sort, quel qu'il soit ; il ne plaint que les disgraciés turbulents dont le sort est sans forme et que leur destinée entraîne à l'écoulement infini. » En 1894, la préface au *Chemin de Paradis* permet à Maurras de préciser le mal dont souffre son époque : « Il n'est jamais question aujourd'hui que de Sentiments. Les femmes, si brisées et humiliées par nos mœurs, se sont vengées en nous communiquant leur nature. Tout s'est efféminé, depuis l'esprit jusqu'à l'amour. » Voilà déjà le Maurras du *Romantisme féminin*, « allégorie du sentiment désordonné » sous la forme d'une étude critique de quatre « doux monstres à tête de femme », le Maurras qui, jugeant Sand et Musset dans *les Amants de Venise*, déclarera que « pour bien aimer, il ne faut pas aimer l'amour. Il est même important de sentir pour lui quelque haine ». Au désordre romantique ce jeune Maurras associait déjà le désordre philosophique : « J'ai surtout en horreur les derniers Allemands. L'Infini ! comme ils disent. Le sentiment de l'Infini ! Rien que ces sons absurdes et ces formes honteuses devraient induire à rétablir la belle notion du fini. » Reconnaissons ici la voix qui devait formuler, dans *l'Action française et la Religion catholique*, cette tranchante distinction : « En esthétique, en politique, j'ai connu la joie de saisir dans leur haute évidence des idées-mères ; en philosophie pure, non. » En brutale contradiction avec « l'insensé désir d'élever toute vie humaine au paroxysme », il a écrit les neuf contes du *Chemin* : « J'ai osé évoquer en présence de mille erreurs les types achevés de la Raison, de la Beauté et de la Mort, triple et unique fin du monde. » Ces récits d'une prose martelée rappellent le bref séjour de Maurras, entre France et Barrès, à la croisée de deux arts bien dissemblables ; lorsqu'il les révisa vingt-cinq ans après leur publication, il ne les estima point contraires à son enseignement général. Sans doute supprima-t-il *la Bonne Mort* et rendit-il inintelligible *les Deux Testaments de Simplice*, mais il n'altéra point cette conception païenne et aristocratique de la vie humaine qui les inspirait tous et justifiait le poème qu'Anatole France inscrivit au fronton de ce temple. Du paganisme foncier de Maurras l'expression la plus heureuse est l'apologue des « Serviteurs » de Criton qui, dans les Champs Élysées, refusent le retour à une Athènes barbare, où l'absurde règne en maître, où le Christ hébreu a triomphé de la hiérarchie hellénique.

Anthinea montre à quelles sources Maurras retrempa sa force. Il partit pour Athènes comme pour « un rendez-vous d'amour » : il n'éprouva aucune déception, rien que confirmation et exaltation de ses raisons de vivre et de penser. Athènes renforça sa haine de la démocratie et du romantisme vagabond. Elle lui révéla « le grand secret qui n'est que d'être naturel en devenant parfait » ; elle affinait en même temps son sens de la dialectique et purgeait son esprit des nuageuses théories sur le progrès en y affermissant l'idée d'un « point de perfection ». L'Acropole l'enflammait d'une « folie lyrique » qu'il a décrite en des pages éloquentes ; les chefs-d'œuvre l'emplissaient d'une admiration vivifiante et féconde : « *La Victoire* sans tête, sans ailes, et qui vole plutôt qu'elle ne court tout en rattachant sa sandale, cette jeune déesse emporte sur les ondes de son vêtement déployé les plus grandes leçons de style, c'est-à-dire de mesure et d'enthousiasme. » *Athènes antique*, qui réunit à la partie grecque d'*Anthinea* le chapitre sur l'Hymette tiré de *Quand les Français ne s'aimaient pas* et l'Invocation à Minerve (« Que te demandons-nous ? La mesure de l'âme, ô cadence de l'univers ! ») reste, d'un point de vue strictement littéraire, l'œuvre harmonieuse de Charles Maurras.

Faut-il déplorer, puisque cet heureux équilibre entre la méditation et l'action ne pouvait durer, que Maurras ne soit pas devenu un Mistral de la prose française, rêvant à la beauté grecque dans le paysage de *l'Étang de Berre*, « au flanc d'une colline couronnée d'un moulin qui a cessé de moudre » ? « L'Étang de Marthe et les Hauteurs d'Aristarchè » nous répondent. Dans le pays de Maurras, des pêcheurs ont, en 1801, retrouvé un tableau de marbre qui rappelle le souvenir d'Aristarchè, noble dame d'Éphèse (colonie athénienne, nous rappelle l'écrivain) ; elle vint aborder en Gaule, obéissante à un songe, avec les navigateurs de Phocée (autre colonie athénienne), y apportant la statue de sa déesse Diane. Mais Martigue tire son nom de la Syrienne Marthe, laquelle fut comédienne et sorcière : cette protégée de Marius personnifie les dissolvantes influences asiatiques que Rome a, pour sa honte, sauvées dans le même temps où, pour son honneur, elle conservait l'hellénisme pur. Cette opposition commande la pensée de Maurras ; elle n'est pas loin, parfois, de lui suggérer une vision du monde aussi antithétique que celle de Hugo ; car, ainsi qu'il l'a dit, « les théories philosophiques et esthétiques d'*Anthinea* forment le fondement même de ma politique ». Or, depuis trente-cinq ans, le mot d'ordre de sa vie a été : politique d'abord ! Du conflit entre Marthe et Aristarchè il a conclu qu' « aucune origine n'est belle. La beauté véritable est au terme des choses ». Principe théorique d'où découle aussitôt cette conséquence pratique : il ne faut pas rester « réduit au pauvre centre de son individu ». Dans l'avant-propos de 1920 à la nouvelle édition du *Chemin*, Maurras a dit combien ce devoir lui avait paru inéluctable : « Nos grands-pères avaient goûté un profond plaisir à détruire. Les douceurs et les majestés du passé perdu ont été plus ou moins sensibles à nos pères. Reconstruire a paru intéresser nos aînés. La vérité conservatrice s'est dessinée plus nette encore à nos yeux : il fallait la servir en fait si nous ne voulions manquer notre vie. »

Aux regrets des artistes il répliquera donc qu'il n'a point manqué sa vie. Aprement il a dénoncé toutes les forces de désordre dans la société contemporaine : le romantique à la

Chateaubriand qui « incarne surtout le génie des révolutions », le Juif « devenu un agent révolutionnaire », le protestant héritier de Rousseau et Kant, l'individualiste jacobin contre lequel il faut retourner le *Contr'Un* du XVIe siècle pour opposer à la déclaration des droits de l'homme la déclaration des devoirs de l'homme en société, la démocratie enfin qui, république conservatrice ou anarchiste, est également incapable de la continuité en politique extérieure que réclame l'auteur de *Kiel et Tanger*. En face de ces « nuées », il a redressé les vérités essentielles : et d'abord, « la plus grande des réalités naturelles, la déesse France » ; l'amour de son pays, son désir de lui assurer discipline et stabilité, l'a conduit jusqu'au « nationalisme intégral », c'est-à-dire au royalisme. Son éloquente prédication quotidienne a rallié autour de lui de jeunes et enthousiastes dévouements, sensibles peut-être avant tout à cette « volupté de faire quelque chose de difficile mais de grand » où les conviait *l'Enquête sur la monarchie*. La passion intellectuelle de l'ordre n'avait-elle pas amené leur chef à pardonner les égarements orientaux de la Rome antique en faveur de l'hellénisme sauvé par elle, à oublier l'Ancien Testament juif que la Rome moderne garde parmi ses livres sacrés pour ne plus voir en elle que la gardienne d'une tradition religieuse merveilleusement compatible avec l'idée d'un état bien réglé, à faire enfin cette profession de foi, paradoxale et profondément sincère : « Je suis Romain par tout le positif de mon être » ?

En choisissant de devenir, au lieu d'un conteur et du critique qu'il semblait promettre, un dialecticien, Maurras ne s'est pourtant point éloigné de sa chère Athènes : Thibaudet a finement marqué le parallélisme entre son *Enquête* et tel discours de Nicoclès dans Isocrate. Maurras préférerait sans doute qu'on évoquât à son propos le Socrate des dialogues. Mais ses adversaires objecteront qu'il lui manque l'aisance suprême de son prédécesseur en maïeutique, qu'il entreprend d'étudier Dante avec le dessein trop évident d'y découvrir « une utile leçon de vérité antiromantique », que *l'Avenir de l'intelligence*, résumé des diverses conditions de l'homme de lettres depuis trois siècles, affiche trop visiblement son but, qui est de persuader les tenants de l'intelligence que « toutes les espérances flottent sur le navire d'une contre-révolution ». On pense au jugement de Daniel Halévy : « Maurras est un Méditerranéen, un tragique ; son esprit conçoit des formes nettes terminées par la mort. » Le nombre et la nécessité des appendices à chacun de ses livres atteste la difficulté d'incorporer à sa pensée spontanée certains éléments hétérogènes. « Comtiste orthodoxe et catholique honoraire », selon la jolie définition de Thibaudet, il a bien décrit, dans le portrait de Charles Jundzill, son attitude personnelle : « Non seulement Dieu ne manquait pas à son esprit, mais son esprit sentait, si l'on peut s'exprimer ainsi, un besoin rigoureux de *manquer de Dieu.* » Des raisons d'homme d'État l'ont décidé à rechercher l'alliance du catholicisme qu'il se défend, honnêtement quoique subtilement, d'avoir attaqué dans *les Serviteurs ;* il n'en veut qu' « au Christ intérieur des gens de la Réforme » et il ajoute : « Je ne quitterai pas ce cortège savant des conciles, des papes et de tous les grands hommes de l'élite moderne pour me fier aux Évangiles de quatre Juifs obscurs. » Cet argument d'apologiste du dehors n'a pas convaincu tous les catholiques : maint d'entre eux songe moins ici à Socrate qu'à l'un de ces sophistes dont Socrate fut le rival et, d'un certain point de vue, le concurrent déloyal.

On a accusé Maurras de froideur ; il a véhémentement protesté : « Laissons de pauvres chicaneurs, inévitables, imaginer que nous rêvions un règne universel et barbare de la Logique. » Sa logique, il l'entend tempérer « par le jugement » et « par le sentiment exercé de la beauté, de l'ordre et de la poésie des lois, de leur humanité, de leur charité ineffable ». Selon lui, dans la *Divine Comédie*, « la sensibilité, sauvée d'elle-même et conduite dans l'ordre, est devenue un principe de perfection ». Il aime se pencher sur la réalité concrète, jusqu'à interrompre un article sur le bolchevisme pour féliciter Loriot de son joli nom si français, jusqu'à ajouter, pour les besoins de la polémique, quelques surnoms sans aménité à ceux que Léon Daudet lui fournit inépuisablement. Cependant il nous révèle, dans l'avant-propos au *Chemin*, une extraordinaire distinction de logicien, barrière forgée par lui-même et dont il resta longtemps prisonnier, entre la prose qui lui « paraissait naturellement préposée à dessiner l'aspect matériel du monde autant qu'à définir les divines idées » et le vers à qui seul « appartenait le privilège d'exprimer, douleur ou angoisse, les arcanes du sentiment ». Barrès le guérit de cette erreur et, s'il y avait lieu de pratiquer dans son œuvre une semblable coupe, nous inclinerions à penser qu'il y a beaucoup moins d'émotion dans les *Inscriptions* rimées de cet ami de Moréas que dans certaines pages de sa prose. Il est faux que Maurras soit froid ; il est exact qu'il est passionné, témoin cette stance de *Destinée :*

> Et tu sens dans la flamme torse
> De tous tes vœux les plus distincts
> Lutter le Soir et le Matin
> Et le rêve étreindre la force.

Mais sa passion ne porte que sur des objets intellectuels. Par où nous n'entendons point rabaisser celui qui a décoré le conservatisme d'une poésie virile, car « maintenir, c'est créer ; c'est aussi conserver aux créations de l'avenir le point de départ et l'assise dignes d'elles ». Il a su, en évoquant ces idées, égaler les mâles formules qu'il admire chez Auguste Comte et Pierre Corneille :« le bien qu'il veut, c'est celui de l'intelligence, et puis le bien de la cité». Il a, pour parler de ses guides intellectuels, des délicatesses tendres : « Si Dante n'est pas le roi des poètes, comme il faut bien en convenir, la mort dans l'âme... » ; quel mélange de lucidité et de regret dans cet aveu ! Pour rendre pleine justice à Maurras poète, il faut, au sortir de Lucrèce, relire l'essai où s'exhale sa reconnaissance envers son maître Comte qui se flatta de rendre l'homme « plus régulier que le ciel », envers le « saint » qui a dévoilé à ses disciples « le beau visage de l'Unité, souriant dans un ciel qui ne paraît pas trop lointain ».

Reprendrons-nous en conclusion l'antithèse de Péguy qui, selon ses idées favorites, voyait deux visages au royalisme, « la mystique étant naturellement à *l'Action Française* sous des formes rationalistes qui n'ont jamais trompé qu'eux-mêmes » ? On entend la réponse de Maurras qui sait, à l'occasion, sourire. Il a tracé de Dante une image dont certains traits s'appliquent fort précisément à lui-même : il le dépeint « éminemment raisonnable et sensible aux plus fines mesures du goût » mais prêt aussi à réfuter « à coups de couteau, *col coltello*... l'adversaire qui se laisse tomber au-dessous d'un certain niveau d'intelligence et d'honneur ». En même temps il exalte « son esprit voluptueux, accessible à tous les plaisirs ». La volupté intellectuelle de l'acharné logicien qu'est Charles Maurras fut, de tous temps, sa théorie de la bonne fortune. Elle lui vient de Grèce, comme tout ce qu'il chérit vraiment, et s'exprime déjà dans le salut d'Androclès à Criton : « Mais, ô cher maître, le visage de la fortune sourit dans ta venue. » Il en fait l'application à Ulysse pour la constater plus vraie d'avoir deux faces : « Le plus sage et le plus patient des hommes savait qu'il convient de ne pas être trop malheureux. C'est une espèce de devoir. Qui se sent trahi par les dieux et rejeté de la fortune n'a qu'à disparaître du monde auquel il ne s'adapte plus. Sans doute Ulysse persista et le héros supérieur aux circonstances par la sagesse éleva son triomphe sur l'inimitié du destin. » *L'Avenir de l'Intelligence* et *Mademoiselle Monk* tirent la leçon pratique de cette sagesse : « L'homme d'action n'est qu'un ouvrier dont l'art consiste à s'emparer de fortunes heureuses... toute la politique se réduit à cet art de guetter la *combinazione*, l'heureux hasard... tout désespoir en politique est une sottise absolue. » En termes modernes l'exemple d'Ulysse s'interprète ainsi : « Un moment vient toujours où le problème du succès est une question de lumières et se réduit à rechercher ce que nos Anciens appelaient *junctura rerum*, le joint où fléchit l'ossature, qui partout ailleurs est rigide, la place où le ressort de l'action va jouer. » Dans la politique journalière aussi bien qu'en ses heures d'enivrement devant les Propylées, Charles Maurras a proclamé que la suprême beauté du monde c'était « le pouvoir unificateur de la claire raison de l'homme couronnée du plus tendre des sourires de la fortune ». Lorsque nous aurons à définir son œuvre de poète et de polémiste après la guerre, nous pourrons citer les mêmes formules qui déjà servaient de mots d'ordre à ses disciples de 1913.

§ 2. — Esprit révolutionnaire et Internationalisme

Les discordes intestines de la fin du siècle divisèrent notre littérature en écrivains de droite et écrivains de gauche. La fameuse lettre de Zola et la protestation des intellectuels font un exact pendant à l'action politique de Coppée ou Lemaître. Et quand l'historien voudra juger cette période, deux monuments contraires s'offriront à son regard : *les Déracinés* de Maurice Barrès (complétés par *Scènes et Doctrines du nationalisme*) et l'*Histoire contemporaine* d'Anatole France.

Il suffit d'écrire ce titre pour qu'aussitôt défilent dans la mémoire charmée les multiples personnages dont FRANCE a peuplé *l'Orme du mail*, *le Mannequin d'osier*, *l'Anneau d'améthyste* et *M. Bergeret à Paris*. Toute la vie d'une grande ville provinciale y est peinte avec ses prolongements dans la campagne environnante et ses ramifications jusqu'à Paris. Cadre commode et que la satire du grand écrivain élargit à son gré. France n'ignore point que l'irréductible ennemie de la pensée libre, c'est l'Église ; inlassablement, impitoyablement, il décrit, dans le diocèse qu'administre le prudent Mgr Charlot, au milieu d'un grouillement d'ecclésiastiques dont chacun offre prise à l'ironiste par quelque faiblesse humaine, la lutte de deux prêtres représentatifs : M. Lantaigne, apôtre de l'unité, intransigeant à l'égard du siècle, et M. Guitrel, opportuniste et arriviste, qui, sous les habiletés d'une marchande à la toilette, conserve la même haine des institutions démocratiques et le prouvera dès qu'il n'aura plus rien à attendre de la République. A côté de ces hommes forts et dangereux le parti conservateur semble fait de fantoches. Les De Brécé représentent la haute aristocratie, inintelligente, monarchiste par tradition, antisémiste et antidreyfusarde par ordre, complètement désorientée lorsqu'une réalité comme la victoire des Américains sur les Espagnols vient bouleverser ses préjugés de fossiles. Ils ont des amis dans l'armée, tel cet « honnête et simple vieillard » qu'est le général Cartier de Chalmot ; de la magistrature ils groupent autour d'eux les mécontents comme M. Lerond, substitut démissionnaire. Dans la société capitaliste de Valcombe, chez le maître de forges Dellion, on singe ces nobles ; son titre y fait accepter le vieux chouan Gromance que trompe abondamment une femme dont les formes gracieuses enclosent une âme voluptueuse et pratique ; on y reçoit les politiques prudents, M. de Terremondre qui sait toujours se réserver et le Dr Fornerol « catholique d'état » ; on y redoute l'archiviste Mazure à qui des investigations ont livré les hontes secrètes que dissimulent ces noms et ces fortunes. La préoccupation vitale de ces coteries était de défendre leurs salons. Et voici que les événements les débordent. La baronne de Bonmont, juive convertie, s'introduit, par l'offrande d'un ciboire à Notre-Dame-des-Belles-Feuilles, dans la meilleure société ; elle sert ainsi les ambitions de son fils, corrupteur blasé ; elle apporte son argent à la bonne cause qui lui rend deux amants, le chevalier d'industrie Raoul Marcien, paladin du nationalisme, et Joseph Lacrisse, conseiller municipal de Paris, l'un des chefs des Trublions, ligue où une poignée d'arrivistes sans scrupules, unis à quelques banquiers juifs insondables en leurs desseins, ont rassemblé un ramassis de factieux, d'imbéciles, d'agités et d'aigrefins dans le but d'étrangler la gueuse et de rétablir le roi.

En face des désordres de ce prétendu parti de l'ordre, quelle est l'attitude des gouvernants ? France qui avait mené son lecteur chez le nonce, Mgr Cima, digne exemple de cette duplicité romaine dont nul ne sait si elle est profonde diplomatie ou parfaite insignifiance, le conduit aussi chez Loyer, président du conseil sans illusions, et chez le représentant de la République dans le département, le préfet Worms-Clavelin : cet israélite opportuniste maintient sa situation grâce aux intrigues de sa femme, née Noémi Coblentz et qui fait élever leur fille par les Dames du Précieux Sang, grâce aussi à sa maladroite bonhomie. Les élus du peuple, députés et sénateurs, ont pour unique obsession d'éviter les scandales et poursuites judiciaires que les Panneton de tous genres sauront exploiter contre eux. Sous ces maîtres nonchalants la vie continue son train et jusqu'à la première mention de l'Affaire, au début de *l'Anneau d'améthyste*, aucune manifestation ne trouble le calme de la ville : parfois seulement un crime suivi d'une exécution capitale, ou une infortune conjugale, ou les visions d'une inspirée viennent alimenter la conversation dans la librairie de M. Paillot.

C'est dans ce cadre qu'Anatole France a placé le personnage de M. Bergeret et il a apporté à le peindre le même art délicat qui rend inoubliable la figure de Jérôme Coignard. Professeur à la Faculté des Lettres, humaniste distingué, observateur pénétrant, M. Bergeret voit tout son mérite enfoui dans le sombre caveau où l'accompagnent deux ou trois fidèles disciples. Malheureux dans son particulier, réduit à un rôle public effacé, il est, dans *l'Orme du mail* et *le Mannequin d'osier*, le porte-parole d'une philosophie désenchantée. Il excelle aux analyses qui troublent ses auditeurs : « On ne sait jamais si tu plaisantes ou si tu es sérieux », lui dit sa femme ; « je ne suis pas comme vous un dilettante », lui oppose M. Mazure. Pauvre dilettante, habile surtout à se blesser lui-même, à décourager son effort, « il avait le malheur d'être assez intelligent pour connaître sa médiocrité ». Il affirmait que la vraie science de la vie, c'est « un bienveillant mépris des hommes » ; par instinct, « il pardonnait beaucoup à la misanthropie » car il croyait que la civilisation n'a fait que renchérir en cruauté sur la barbarie. En politique il préférait la république comme un moindre mal : « Elle n'est pas la justice, mais elle est la facilité » ; il se refusait à dépasser ce pessimisme désabusé. Pourtant M. Bergeret n'avait point une âme basse et les leçons de la vie allaient le sauver. Trompé par sa femme, après les quatre-vingt-dix minutes qui lui furent nécessaires pour parvenir à un état de sagesse relative, il lui advint encore de désespérer : « Je veux croire que la vie organique est un mal particulier à cette vilaine petite planète-ci. » Il n'en travailla pas moins à se libérer : dès les premiers chapitres de *l'Anneau*, sa verve atrabilaire a fait place à de délicieuses réflexions d'une mélancolie humaine, qu'elles lui soient inspirées par le souvenir d'Hercule ou par l'arrivée chez lui d'un pauvre petit chien. Devant la crise de conscience que pose l'Affaire il n'hésite point et prend parti pour la révision ; il est vrai qu'il défend la vérité sans illusion sur son triomphe. Mais France décida que M. Bergeret viendrait à Paris pour y goûter à nouveau le charme de la ville aimée, en déplorer les changements sacrilèges et y affirmer aussi une foi nouvelle en la cité future. Sans doute, au voisinage de sa sœur Zoé, exagère-t-il son esprit spéculatif ; il prêche un peu parfois ; qui oserait s'en plaindre lorsqu'il célèbre en nobles accents la toute-puissance de la pensée : « Rien n'est plus puissant que la parole. L'enchaînement des fortes raisons et des hautes pensées est un lien qu'on ne peut rompre. La parole, comme la fronde de David, abat les violents et fait tomber les forts. Sans cela le monde appartiendrait aux brutes armées. Qui donc les tient en respect ? Seule, sans armes et nue, la pensée. »

L'évolution de M. Bergeret correspond au progrès de la

pensée d'Anatole France. En l'accusant d'être « moins convaincu de l'innocence de Dreyfus que de la culpabilité générale », Barrès fermait les yeux sur ce changement. Certainement il y avait, chez le premier France, un esprit d'anarchie spontanée, presque instinctive : il se plaisait à souligner les promiscuités qui soudain bouleversent l'ordre social, qu'il s'agît de soldats ennemis fraternisant ou de l'archevêque se fournissant de gibier chez un braconnier ; il montrait M. Bergeret plus révolté que Pied d'Alouette et renvoyait dos à dos radicaux et conservateurs, « fidèles aux mêmes traditions, soumis aux mêmes préjugés » ; avant tout il était sensible à « l'immense ironie des choses ». Il n'en maintenait pas moins quelques croyances très vives ; de toutes ses forces il haïssait la guerre et ne désavouait point les paroles de M. Roux : « Je crois que la fraternité des peuples sera l'œuvre du socialisme triomphant. » Au rebours de Barrès ou Maurras, l'Affaire ne lui paraissait pas conserver une valeur strictement française ; il la soumettait à la conscience internationale et accueillait volontiers l'avis du commandeur Aspertini. Tout en raillant ses erreurs, il gardait pour Pecus « une profonde et douloureuse sympathie ».

Ce double aspect de sa pensée donne un extraordinaire attrait à l'*Histoire contemporaine*. Ce tableau d'une société, dont nous n'avons pu retracer que les grandes lignes, est peint avec la verve minutieuse d'un portraitiste enjoué : une galerie des figures d'Anatole France exigerait qu'ils fussent tous mentionnés jusqu'aux moindres silhouettes. Il excelle à nous les présenter au repos ; mais il sait aussi bien les montrer en action : qu'on se rappelle les chapitres de *l'Anneau* où le soldat Bonmont étudie l'égalité et l'inégalité à la caserne, où Mme Worms-Clavelin, s'étant abandonnée dans un fiacre à un petit jeune homme d'Etat, vient rendre visite à sa fille et achève son après-midi dans une bonne pensée pour son mari. Sans effort il fait saillir, d'un trait, ce qu'il y a de contradictoire dans ces pantins : « M. Mazure, qui était libre penseur, fut pris, à l'idée de la mort, d'un grand désir d'avoir une âme immortelle... » ; « M. de Terremondre était trop modéré pour se séparer des violents. » Il triomphe dans le déblayage psychologique : « Il chercha dans son esprit le nom d'un homme fort, mais soit qu'il n'en connût pas parmi ses amis, soit que sa mémoire ingrate lui refusât le nom qu'il voulait, soit qu'une naturelle malveillance lui fît repousser les exemples qui lui venaient à l'esprit, il n'acheva pas sa phrase. » Au même art se rattachent les petites phrases, en fins de chapitres, qui soulignent délicatement la concordance entre les opinions théoriques des héros et leurs ennuis privés. C'est dans la composition que se révèle le seul défaut de cette histoire, sa subordination à l'actualité que *M. Bergeret à Paris* exploite d'un peu trop près ; la polémique entraîne parfois France à des longueurs, tel le récit de l'élection Lacrisse, ou à des rapprochements forcés comme les deux attitudes de Guitrel avant et après sa nomination à Tourcoing ; mais ne devons-nous pas aussi à ces exigences batailleuses la plaisante fiction des Trublions qui « crevèrent pour ce qu'ils estoient pleins de vent » ?

Les passages brusques d'un milieu à un autre dans cette revue des folies du jour sont toujours soigneusement calculés : rien de plus savant que la description de Guitrel au théâtre entre deux images de M. Bergeret ; rien qui évoque mieux une atmosphère que les phrases aisées par lesquelles débute tout chapitre de France et ces perpétuels retours, à travers l'œuvre, de motifs symboliques ; pour un lecteur de l'*Histoire contemporaine*, « la nièce du grand Pouilly du dictionnaire », « ces sortes de meubles vulgairement appelés poufs » et « la page 212 du tome XXXVIIIe de l'*Histoire des Voyages* » demeurent des thèmes chargés d'une affectueuse moquerie.

Si grand que soit son talent à dessiner des types dans le décor qui leur sied, France atteint ses plus grands effets dans les conversations. Là s'unissent harmonieusement sa finesse psychologique, son érudition pittoresque et son ironie ; il dirige avec la même aisance deux méditations parallèles au fond de deux fauteuils, ou les propos d'une table où dix convives poursuivent et entre-croisent comiquement les thèmes les plus différents. Les dialogues de Lantaigne et Bergeret, de Worms-Clavelin et Guitrel forment d'excellentes scènes de comédies ; les discussions chez le libraire Paillot égalent les entretiens de Jérôme Coignard et de Jacques Tournebroche. Sans doute abondent-ils en gauloiseries ; mais, selon le mot d'Aspertini, « la vie serait vraiment trop triste si le rose essaim des pensées polissonnes ne venait parfois consoler la vieillesse des honnêtes gens. » Écoutons Maurras : « La tradition plastique, dit-il, anime l'œuvre entière d'Anatole France » ; faut-il lui reprocher que Mme de Gromance, image de cette tradition plastique, ait si souvent hanté la pensée de M. Bergeret ? Ce sont là divertissements. Carlo Aspertini a prouvé qu'il était capable d'un éloquent hommage à la France « amie du genre humain, concitoyenne des peuples » ; l'amertume de M. Bergeret s'est adoucie en tendre émotion quand il dut dire adieu à la ville où il avait souffert et quand il revit l'appartement de son enfance ; Anatole France a montré qu'il possédait, outre son élégante ironie, la force tragique qui décrit l'expulsion par Lantaigne du séminariste Piédagnel, l'indulgence qui répète à propos de Riquet cette vérité du *Lys rouge* que « les âmes sont impénétrables les unes aux autres » et la généreuse foi virile qui résume ainsi sa magistrale fresque d'une guerre civile : « L'Affaire a révélé le mal moral dont notre belle société est atteinte, comme le vaccin de Koch accuse dans un organisme les lésions de la tuberculose. Heureusement qu'il y a des profondeurs de flots humains sous cette écume argentée. Mais quand donc mon pays sera-t-il délivré de l'ignorance et de la haine ? »

On avait réveillé en lui le partisan : à son désir de charmer, il ajouta désormais la passion de servir. Devenu, comme Voltaire, un des maîtres de l'opinion en France et en Europe, il poursuivit ouvertement sa croisade contre « l'ignorance et la haine ». Son pouvoir de conviction était d'autant plus grand que l'orateur de *Vers les temps meilleurs* qui prolongeait le dialogue de Renan et Pallas Athéné était aussi le satiriste de *Crainquebille*, habile à souligner âprement les injustices sociales dans des contes d'une nonchalante ironie. L'historien qui appliquait à l'histoire de Jeanne d'Arc les principes de la critique scientifique publiait, la même année, *l'Ile des Pingouins* où, dans un raccourci bouffon digne de Swift, la vie d'une nation est décrite depuis sa période mythique jusqu'aux jours d'une actualité très contemporaine. *Sur la pierre blanche* unit les deux inspirations qui se partagent son esprit : une longue conversation, dans un printemps de Rome, entre amis cultivés qui parlent philosophiquement du passé et de l'avenir est coupée par deux lectures ; dans « Gallion », Nicole Langelier peint la rencontre du proconsul et de l'apôtre Paul, entourée de dialogues qui évoquent l'atmosphère de *Thaïs ;* dans « Par la porte de corne ou par la porte d'ivoire », Hippolyte Dufresne laisse errer sa rêverie sur la société future. Par la bouche de ce Nicole Langelier, dont le nom est cher à l'humaniste, France exprime sa foi : « La paix universelle se réalisera un jour, non parce que les hommes deviendront meilleurs (il n'est pas permis de l'espérer), mais parce qu'un nouvel ordre de choses, une science nouvelle, de nouvelles nécessités économiques leur imposeront l'état pacifique, comme autrefois les conditions mêmes de leur existence les plaçaient et les maintenaient dans l'état de guerre. » Il n'y eut aucun illuminisme dans son adhésion au socialisme pacifiste.

Jamais, d'ailleurs, il ne se fit le prisonnier d'un parti et *la Révolte des Anges* manifeste encore l'indépendance de sa fantaisie. On l'avait déjà vue dans *les Dieux ont soif* où se concilient ses deux talents d'historien et de romancier. Ce livre qui offre peut-être le résumé le plus complet de son génie artistique a pour point de départ l'idée, fréquemment exprimée dans toute son œuvre, même dans l' « anticipation » de *Sur la pierre blanche*, que les hommes qui ont présidé aux plus grands événements étaient des médiocres ; il présente donc Marat et

Robespierre tels qu'ils furent, dépouillés de leurs légendes contradictoires ; ce qu'ils perdent en fausse majesté, ils le regagnent facilement en intérêt humain. Pour mieux démontrer la psychologie des Terroristes il en invente un : Évariste Gamelin, peintre de second rang, âme sensible et ivre de philosophie optimiste, devient peu à peu l'un des plus farouches jacobins qui immole jusqu'à ses anciens amis « pour que demain tous les Français s'embrassent de joie ». Autour de ce personnage dont la plus minime maladresse eût fait un sot ou un monstre et qui demeure jusqu'en sa tragique folie un homme, France a peint la société du temps et la vie telle qu'il l'aime en cette fin du XVIIIe siècle voluptueux et artiste. Car les ombres sinistres de l'Ami du Peuple et de l'Incorruptible peuvent bien passer et courber un instant la tête que la guillotine menace : Élodie, Julie, la Thévenin, la Rochemaure n'en poursuivent pas moins leurs intrigues d'amour et d'argent ; Jean Blaise et Desmahis n'en courent que plus vite à l'assouvissement de leurs désirs ; le R. P. Longuemare continue ses dévotions et rien ne confond la sagesse épicurienne de Maurice Brotteaux des Ilettes. En ce dernier héros, ancien traitant ruiné par la Révolution, France nous a rendu un frère de Jérôme Coignard, frère dont le scepticisme est plus apaisé et plus délicatement orné, frère en qui la clairvoyance ironique n'exclut point la dignité généreuse ; et Brotteaux reste fermement fidèle, jusqu'au *Sic ubi non erimus...* de l'échafaud, au poète de la Nature qui a expliqué « le songe de la vie ». Ce songe, le maître écrivain Anatole France en a déroulé maints tableaux, depuis les souriantes comédies où se divertissait Sylvestre Bonnard jusqu'aux drames sanglants dont Brotteaux des Ilettes est le témoin ; tandis que d'autres trouvaient la gloire dans l'exaltation des passions que les idées et les mots excitent aussi puissamment que les désirs confus, il a réservé les attaques de ses flèches cruelles pour tous les fanatismes. Obéissant aux deux déesses qu'il invoquait jadis, à l'Ironie et à la Pitié, son ambition suprême a été, au cours d'une longue œuvre déjà classique, de faire entendre dans des temps troublés la voix persuasive de la Tolérance. Cette attitude lui valut, en 1924, une apothéose qui rappela celle de Voltaire. Puis ce fut l'entrée dans le « purgatoire de la gloire ». L'heure de la justice ne tardera pas.

Peut-être sa gloire de tribun risque-t-elle de faire tort à la renommée d'écrivain que mérite JEAN JAURÈS. La première image que son nom évoque est celle de l'orateur lançant à ses contradicteurs de virulentes apostrophes (« C'est nous qui sommes les vrais héritiers du foyer des aïeux ; nous en avons pris la flamme, vous n'en avez gardé que la cendre... ») ou orchestrant les grands thèmes de la sensibilité moderne, depuis « la vieille chanson qui berçait la misère humaine » jusqu'au vrai patriotisme qu'il définit : « le droit égal de toutes les patries à la liberté et à la justice, le devoir pour tout citoyen d'accroître en sa patrie les forces de liberté et de justice ». Pareille stylisation n'est point inexacte en ce sens que sa prose écrite garde, même dans ses passages les plus achevés, telle la page d'anthologie où il célèbre notre communion avec la terre, le même rythme oratoire ; Jaurès journaliste, historien ou philosophe, reste comme à la tribune un admirable créateur d'images, soit qu'il peigne cette fin de juillet 1914 où « chaque peuple paraît à travers les rues de l'Europe avec sa petite torche à la main, et maintenant voilà l'incendie », soit qu'il prophétise la révolte et les temps où « les peuples diront aux responsables : allez-vous-en et que Dieu vous pardonne ! » ou qu'il flétrisse en psychologue l'égoïsme conquérant : « Ceux-là n'ont point un regard vaste, quel que soit leur appétit, qui ramènent tout l'horizon à n'être qu'une proie. »

On ne saurait cependant accepter de réduire Jaurès à cette force et cette félicité verbales qui sont seulement deux traits d'une nature généreuse et complexe. Ce n'est pas une éloquence de hasard qui lui inspirait, en 1905, ce tableau : « Le monde présent est ambigu et mêlé. Il n'y a en lui aucune fatalité, aucune certitude. Ni le prolétariat n'est assez fort pour qu'il y ait certitude de paix, ni il n'est assez faible pour qu'il y ait fatalité de guerre. » Que l'enthousiasme de Jaurès fût toujours prêt à s'éveiller, rien ne l'a mieux prouvé que son intervention dans l'Affaire où il se précipita, bien que l'abstention fût préconisée par d'illustres chefs socialistes, obstinés à n'y voir qu'un drame bourgeois : « Dreyfus, répliquait Jaurès, n'est plus ni un officier ni un bourgeois ; il est dépouillé, par l'excès même du malheur, de tout caractère de classe... nous ne sommes pas tenus, pour rester dans le socialisme, de nous enfuir hors de l'humanité. » Certains adversaires, en le traitant de paysan madré, ont du moins rendu hommage à ce bon sens qui dénonçait le sophisme hervéiste : « Se révolter contre le despotisme des rois, contre la tyrannie du patronat et du capital, et subir passivement le joug de la conquête, la domination du militarisme étranger, ce serait une contradiction si puérile, si misérable, qu'elle serait emportée à la première alerte par toutes les forces soulevées de l'instinct et de la raison. » La clairvoyance de Jaurès, maints exemples l'attestent : délicat portrait de Lemaître en « coquette repentie », épigrammatiques lumières sur Hervé qui possède « le génie du malentendu » ou sur Taine « qui croyait savoir beaucoup de faits parce qu'il avait pris beaucoup de notes », vigoureuse dénonciation au Congrès d'Amsterdam de l'impuissance parlementaire de la Socialdémocratie. Aux fanatismes de ses ennemis et de ses amis il opposait l'affranchissement par la raison : « L'Église a façonné si savamment le joug qui pèse sur les nations, elle a si bien multiplié les prises sur l'esprit et sur la vie, que peut-être bien des hommes ont besoin d'aller jusqu'à l'outrage pour se convaincre eux-mêmes qu'ils sont affranchis. J'aime mieux pour nous tous d'autres voies de libération. »

Sa propre liberté, il ne la devait pas à la « révolte débile et convulsive », traduite dans un grossier couplet de la *Carmagnole* que Jaurès ne réprouvait pas moins que Bourget. Sa force avait deux piliers : la philosophie et l'histoire. Les études de *la Réalité du monde sensible* l'avaient amené à ces conclusions que « le réel c'est ce qui est intelligible » et « qu'il n'y a pas d'action sans réaction », soit à l'idée d'unité et de pénétration universelles, forme moderne du panthéisme. Des mêmes prémisses, certains tiraient une leçon de doute passif ; la tendance affirmative et incisivement plébéienne de Jaurès se marque dans son ironie pour ces dilettantes : « On supplée à la recherche par l'inquiétude ; cela est plus facile et plus distingué. » Pour lui, il proclamait la nécessité d'un effort, d'une foi en l'effort que réclame de nous cet univers dont toutes les parties sont solidaires. Dans le domaine historique il retrouva cette loi : l'évolution sociale forme un tout continu. Il entreprit donc de « ne rien retrancher de ce qui fait la vie humaine », et en ressuscitant l'épopée révolutionnaire, de « réconcilier Plutarque, Michelet et Karl Marx ». De là, dans son *Histoire de la Révolution*, outre des qualités de documentation qui n'ont point paru négligeables à un spécialiste comme Aulard, une prodigieuse animation du récit ; de là, de pénétrantes réflexions, cette vue sur les Girondins par exemple : « on dirait que le cœur de la Gironde ne coïncide pas exactement avec le cœur de la France » ; de là, ces magnifiques portraits de Robespierre et Danton que Jaurès dessinait en homme politique averti et en poète.

Une vaste culture philosophique et historique a nuancé d'humanité sa doctrine socialiste ; le rayonnement de sa personnalité attirait aux idées socialistes des sympathies qu'une minutie dogmatique aurait découragées. Prolongeant les idées exprimées dans *la Réalité*, Rappoport dit justement que l'idéal politique de Jaurès était « une sorte de démocratie cosmique » ; il visait à « l'harmonie continue du progrès mécanique et du progrès humain » qui permettrait aux prolétaires de « cesser d'être un mécanisme pour devenir une liberté ». Sur cette distinction bergsonienne l'agrégé de philosophie qui en Jaurès n'abdiqua jamais [*Tu es sacerdos in æternum*] construit son idéalisme : « Lorsque nous faisons jaillir dans l'univers aveugle et brutal cette possibilité, cette réalité de liberté et d'harmonie, nous jetons, nous, dans la réalité, le fondement d'une interprétation idéaliste du monde. » Il ne faut pas, ajoutait-il, « juger toujours, juger tout le temps » ; il faut, pour préparer l'avenir, comprendre le passé et le présent. Alors on s'apercevra que la révolution sociale peut être accomplie pacifiquement grâce à « la plasticité, l'élasticité de la puissance bourgeoise », que la persuasion y travaille plus efficacement que la violence, le « pessimisme absolu », « l'attente désespérée et farouche » des Guesdistes ; alors on reconnaîtra que « la patrie n'est pas une idée épuisée » et on dégagera mieux l'originalité du génie français où se mêlent « l'appel passionné à la justice humaine, le sérieux de la conscience hébraïque et la grâce, la force, la raison de la pensée grecque ». Mais pour que ce progrès vers la vérité telle qu'il la concevait fût possible, Jaurès réclamait la fin de cette paix armée où la France jouait entre Angleterre et Allemagne un rôle « d'otage », l'avènement d'une ère vraiment pacifique ; de là vient que la lutte contre la guerre occupe une si grande place dans son œuvre.

Il a consacré à ce problème le seul livre que les exigences de l'action quotidienne lui aient permis d'achever dans la vaste synthèse qu'il méditait sous ce titre : *l'Organisation socialiste de la France. L'Armée nouvelle* souffre encore, dans la forme sinon dans la pensée qui cristallise des années de discussions, de cette obligation d'écrire dans le tumulte des polémiques ; du moins présente-t-elle une image vivante de cet esprit généreux. Dans cet ouvrage qui devait primitivement s'appeler *la Défense nationale et la Paix internationale*, il combat la conception militaire de son temps qui, basée sur une fausse idée de revanche, met l'armée au service d'une classe, dissimule au soldat sous l'automatisme rigoureux la gravité de sa tâche et fait de la nation armée un leurre. Mais son analyse n'est point une attaque systématique : il estime le capitaine Gilbert dont il discute les principes, il s'attarde à contempler dans la campagne d'Alsace de 1674 « un beau drame de pensée et de volonté françaises », il rend hommage à la bourgeoisie parce qu'elle est « une classe qui travaille », il affirme que l'armée « ne doit pas être déclassée du haut niveau intellectuel où elle a été portée par l'immense effort de l'esprit humain ». Les mesures qu'il préconise lui sont dictées par un plan de défense intelligente, appuyée sur l'expérience révolutionnaire ; il rêve « une civilisation d'hommes libres » aussi belle que la société grecque fondée sur l'esclavage, et dont l'armée sera animée par une foi réfléchie, se battra avec enthousiasme pour tuer la guerre et conquérir cette paix internationale où « l'humanité nouvelle ne sera riche et vivante que si l'originalité de chaque peuple se prolonge dans l'harmonie totale et si toutes les patries vibrent à la lyre humaine ». Au cours de cette étude qui n'est jamais aride, Jaurès a, comme s'il pressentait que son œuvre serait prématurément interrompue, semé les larges aperçus historiques sur la Révolution et le rôle de l'armée dans la tradition intellectuelle de la France ; les événements ont vérifié la justesse de certaines de ses vues sur la guerre, sur l'idéalisme américain, sur l'unionisme impérialiste de lord Curzon. S'il témoigne à maintes reprises d'une émouvante sympathie pour le prolétariat sur qui pèsent la peine et l'ignorance, il n'en a pas moins protesté que « la démocratie n'a jamais signifié pour nous, socialistes, médiocrité uniforme et abaissement commun » ; fidèle à son principe de l'unité, il se résumait en une phrase : « Il y a une hiérarchie dans le monde des intelligences, mais il n'est pas brisé en deux. » Sa pleine compréhension du génie français, souple et fort, réaliste et chevaleresque, il l'a attestée dans les pages sur Montaigne et Rabelais ou dans cette définition de la patrie : « l'apprentissage de la vie collective et de la grande sensibilité humaine, non pas dans l'abstrait d'une humanité qui ne fut longtemps qu'à l'état de rêve et d'incertaine préparation, mais dans la réalité substantielle et historique d'un groupe humain ample et riche de vie, mais assez déterminé, concret et saisissable pour que le haut élan de l'esprit ait une base de nature ». Par cette alliance d'esprit concret et d'idéalisme Jean Jaurès, s'il n'atteignit point à la perfection artistique qu'il ne méprisait pas mais ne pouvait rechercher tant qu'une possibilité d'action s'offrait à lui, demeure un des animateurs de son époque.

Suprême souhait chez Anatole France d'un humaniste sans préjugé, postulat avec Jaurès d'une philosophie moniste, l'internationalisme devient pour ROMAIN ROLLAND une foi de moraliste. Sans doute la « divine musique » fut-elle pour lui comme pour son héros « la lumière qui devait illuminer sa vie » ; l'analyse de Gourmont n'en était pas moins incomplète lorsqu'elle s'arrêtait à « sa logique de musicographe » : la musique que Rolland préfère est celle dont la beauté se charge d'une signification morale. Il termine son étude sur Monteverdi par cette distinction : « Monteverdi était bien de la race des grands artistes latins qui savent toujours adapter leur talent aux circonstances pratiques, très différents en cela des grands musiciens allemands, qui écrivent sans se préoccuper si ce qu'ils écrivent pourra être exécuté ou non. » Entre ceux qui utilisent les ressources de leur époque et ceux qui lui imposent une « musique de l'avenir » on sent où le portent ses sympathies ; de là son affection pour les romantiques, pour Berlioz, Wagner et Hugo Wolf. Lui-même s'en est expliqué à la fin d'un article sur *Pelléas et Mélisande* : « Non pas que l'art de Debussy, pas plus que celui de Racine, suffise à représenter le génie français. Il y a un tout autre côté de ce génie, qui n'est nullement représenté ici : c'est l'action héroïque, l'ivresse de la raison, le rire, la passion de la lumière, la France de Rabelais, de Molière, de Diderot, et, en musique, dirons-nous (faute de mieux), la France de Berlioz et de Bizet. Pour dire la vérité, c'est celle que je préfère. Mais Dieu me garde de renier l'autre ! » Tout Rolland est dans ces lignes de 1907. Il a exalté en Beethoven, en Michel-Ange, en Tolstoï, les apôtres de cette « action héroïque » dont il ne trouvait dans l'art de son pays aucun représentant aussi caractérisé ; il a tenté de faire entendre à nouveau, dans *Colas Breugnon* et *Liluli*, le rire de Rabelais et de Diderot ; il a voué les protagonistes de ses romans, Jean-Christophe et Clérambault, à « la passion de la lumière ». Il est devenu une des voix respectées de l'Europe. Pour être un grand écrivain français il lui a manqué de goûter sans effort cette France de Racine et de Debussy, toute en nuances et en souplesses, triomphe d'une intelligence raffinée devant lequel son cœur est resté froid. Il lui a rendu pleine justice, mais, ne l'ayant point aimée, il n'a jamais pénétré le secret de cette perfection. Il admire bien « le doux ciel lumineux et voilé d'Ile-de-France » : cette harmonie-là, l'harmonie de *Pelléas* et de *Bérénice*, est absente de son œuvre.

On s'en aperçoit en lisant son théâtre. Dans *le Théâtre du Peuple* il dénonce les illusions des entrepreneurs de théâtres populaires et conclut en moraliste : pour un théâtre nouveau il nous faut un peuple nouveau, un peuple d'esprits libres. Sa dernière phrase est le mot de Gœthe : au commencement était l'Action. Il met donc la scène au service de convictions agissantes : les trois *Tragédies de la foi* et les trois drames du *Théâtre de la Révolution* valent surtout comme leçon d'enthousiasme. Or, le talent de Rolland n'est point de ceux qui dissimulent l'arbitraire d'un pareil parti pris. Il l'essaie cependant et mêle à la peinture de saint Louis, héros de « l'exaltation religieuse » que lui rend cher leur commune haine du scepticisme, un insupportable mélodrame, où la psychologie maladroite tombe dans le conventionnel, où le style oscille entre le vers blanc et la forme la plus prosaïque. Double écueil du théâtre purement idéologique : ou bien les personnages seront, comme dans *le Triomphe de la raison*, des symboles privés de vie personnelle ; ou bien le désir d'intéresser son public déformera la conception originelle d'*Aert*, et ce drame de « l'exaltation nationale », de l'énergie virile, aboutira à nous présenter sur les planches une jeune femme en travesti perdue dans une mesquine intrigue amoureuse. Les intentions éloquentes du *14 Juillet* et des *Loups* ne suffisent pas pour animer des êtres de chair ; quant au *Danton*, cette glorification du tribun ne pouvait prendre au théâtre que le relief violent d'une image d'Épinal. Les qualités et les défauts de Rolland s'unissaient pour lui interdire l'expression théâtrale. Cette expérience ne lui fut pourtant point inutile si elle lui enseigna quels sujets convenaient à son tempérament.

Il y eut, en effet, de 1895 à 1905, un renouveau du culte des héros dont témoignent des écrits aussi différents que ceux de Maeterlinck et Georges Sorel. L'Affaire avait exigé de certains hommes qu'ils prissent virilement position, avec des risques énormes ; même pour le sceptique Anatole France, le colonel Picquart était un héros ; Rolland invoquera cet exemple et celui des Boers dans la préface de son *Beethoven*. Le meilleur de son théâtre n'était-il pas une évocation de figures héroïques, saint Louis, Aert, Danton ? Gênées par les exigences scéniques, cette psychologie, cette exaltation de l'héroïsme allaient se déployer à loisir dans le livre. Un sûr instinct inspira à Romain Rolland ses vies des hommes illustres. L'introduction au *Beethoven* précise son dessein : « La vieille Europe s'engourdit dans une atmosphère pesante et viciée. Un matérialisme sans grandeur pèse sur la pensée... Le monde étouffe. Rouvrons les fenêtres. Faisons rentrer l'air libre. Respirons le souffle des héros. » On mesurera la distance franchie depuis le symbolisme où le héros se nommait pour les uns Mallarmé, pour les autres Ruysbrœck ou Novalis. A présent il s'appelle Beethoven : Rolland l'a choisi parce qu'« il se dégage de lui une contagion de vaillance, un bonheur de la lutte, l'ivresse d'une conscience qui sent en elle un Dieu », parce que son *durch Leiden Freude* est la « devise de toute âme héroïque ». Cette biographie enflammée qui célébrait à la fois « le premier des musiciens et la force la plus héroïque de l'art moderne » est certainement l'œuvre la plus achevée de Romain Rolland. Sa publication en 1903 fut, dans le langage de Péguy, « non point seulement le commencement de la fortune littéraire de Romain Rolland et de la fortune littéraire des *Cahiers de la quinzaine*, mais infiniment plus qu'un commencement de fortune littéraire, une révélation morale, soudaine, un pressentiment dévoilé, révélé, la révélation, l'éclatement, la soudaine communication d'une grande fortune morale ». Continuant à élever l'étendard rouge des héros, Rolland écrivit une *Vie de Michel-Ange*, basée sur la « contradiction poignante entre un génie héroïque et une volonté qui ne l'était pas », antithèse qui lui suggérait ces réflexions caractéristiques : « Qu'on n'attende pas de nous qu'après tant d'autres nous voyions là une grandeur de plus ! Jamais nous ne dirons que c'est parce qu'un homme est trop grand que le monde ne lui suffit pas. L'inquiétude d'esprit n'est pas un signe de grandeur. » Ce professeur d'histoire de l'art à la Sorbonne n'avait rien d'un esthéticien dilettante. Dix ans après le *Beethoven* il composait une *Vie de Tolstoï* : « La lumière qui vient de s'éteindre a été pour ceux de ma génération la plus pure qui ait éclairé leur jeunesse » ; il voyait en lui « le seul ami véritable dans tout l'art contemporain » : seul, en effet, il avait alors réclamé de l'artiste ce message moral et religieux que Rolland exigeait à son tour.

Les *Vies des hommes illustres* étaient des recréations passionnées ; Rolland entreprit dans le même temps une création originale. Il choisit le sujet où ses connaissances de critique pouvaient le mieux nourrir ses inventions ; il imagina la vie d'un grand musicien ; en huit ans il publia les dix volumes de *Jean-Christophe* qui mènent son héros depuis la naissance dans une ville de l'Allemagne rhénane jusqu'à sa mort dans l'évocation du fleuve aimé qui lui murmure : « Hosanna à la vie ! Hosanna à la mort ! » L'auteur décrit pas à pas ce chemin où se succèdent les révoltes, les chutes et les reprises d'énergie, où des amitiés, des amours, des querelles de cénacles, des préoccupations sociales interrompent une carrière que le génie finit pourtant par magnifier et qui trouve sa récompense dans un noble apaisement.

Jean-Christophe est donc un monument du roman français contemporain mais ressemble un peu à ces énormes constructions de Strauss ou Malher dont Rolland a lui-même signalé la faiblesse. Déjà des parties de l'œuvre s'effritent, telles la *Foire sur la place* où la polémique n'avait qu'un intérêt d'actualité et les descriptions des mouvements ouvriers dans *le Buisson ardent* qui donnent au récit un fâcheux tour mélodramatique. De plus cette histoire de Jean-Christophe Krafft est alourdie de digressions : tout le livre intitulé *Antoinette* est un hors-d'œuvre. Il y a beaucoup trop de femmes dans la vie de Krafft, depuis Sabine et Ada jusqu'à Anna et Grazia : elles encombrent d'autant plus le roman que Romain Rolland n'a jamais su dessiner un caractère féminin ; il lui manque précisément pour cela les qualités délicates de la France racinienne et debussyste. Dans le *Dialogue de l'auteur avec son ombre* il a revendiqué le droit de faire juger la France par un musicien allemand ; il n'en a pas moins senti la difficulté de ce point de vue et, pour y obvier, a placé près de Jean-Christophe un Français, son ami Olivier Jeannin. Mais à côté du vigoureux Krafft Olivier apparaît pâle et théorique ; le contraste accuse irréfutablement la pente naturelle du talent de Rolland ; une fois encore, il va au représentant de « l'action héroïque ». Dernier reproche et le plus grave : dans les moments où nul sentiment passionné ne lui inspire ces formules vibrantes qui sont les réussites du moraliste enthousiaste, *Jean-Christophe* contient des pages entières d'une écriture informe, de ce que Gourmont appelait « son style plâtreux ». En voici un exemple : « La famille, après avoir mis vainement son veto, se ferma tout entière à celui qui méconnaissait son autorité sacro-sainte. La ville, tous ceux qui comptaient, se montrant, comme d'habitude, solidaires pour ce qui touchait à la dignité morale de la communauté, prirent parti en masse contre le couple imprudent. » Cette citation suffira ; poursuivre serait sans profit.

Car l'examen de ce qui manque à Rolland n'est vraiment utile que pour mieux définir ce qu'il possède. Ses vertus sont la sincérité absolue, la haine de toutes les bassesses et de toutes les hypocrisies, l'amour de l'héroïsme et de la divine musique. Tout cela il l'a incarné dans Jean-Christophe Krafft et sa créature vit. Malgré les souvenirs des enfances de musiciens célèbres que Rolland a mis à contribution dans les premiers volumes, Jean-Christophe vit dès *l'Aube* où — en d'excellents tableaux pleins de sensibilité germanique — il découvre le monde, l'injustice, la majesté de « notre père le Rhin » et la lumineuse musique ; il vit, « petit puritain de 15 ans », dans *le Matin*, et, dans *l'Adolescent*, dépense sa fougue « en une succession de forces démentes et de chutes dans le vide » ; il vit intensément dans *la Révolte* où il s'insurge contre la bêtise de la ville allemande et aussi contre « le faux idéalisme » dont sont atteintes les idoles de son enfance, auquel Wagner n'a pas échappé. Ce qu'il y a en lui de plébéien, de solidement enraciné à la vie, se manifeste également au milieu des désordres de la société parisienne et dans sa révolte contre le suicide stupide que lui propose Anna Braun : il porte en son âme un artiste qui veut s'exprimer et qui y parviendra. Ses fièvres, sa sensualité, son union mystique avec Grazia, sa douleur après la mort d'Olivier, il transforme tout en musique. Rolland a magnifiquement rendu sensible cette puissance du génie créateur ; en la décrivant, cet homme, qui est moins un écrivain qu'un apôtre de l'héroïsme, s'est plusieurs fois élevé à une émouvante beauté littéraire, témoin le récit de la résurrection du musicien à la fin du *Buisson ardent* et la page de *l'Aube* où le génie de Beethoven hante Jean-Christophe endormi : « Cette âme gigantesque entrait en lui, distendait ses membres et son âme, et semblait leur donner des proportions colossales. Il marchait sur le monde. Il était comme une montagne, et des orages soufflaient en lui.

Des orages de fureur ! Des orages de douleur !... Ah ! quelle douleur !... Mais cela ne faisait rien ! Il se sentait si fort !... Souffrir ! Souffrir encore !... Ah ! que c'est bon d'être fort ! que c'est bon de souffrir quand on est fort !... »

Colas Breugnon ne fut publié qu'en 1919 ; il était imprimé dès 1914. Rolland invite à y voir « une réaction contre la contrainte de dix années dans l'armure de *Jean-Christophe* qui, d'abord faite à ma mesure, avait fini par me devenir trop étroite ». Œuvre de détente, qui n'en renferme pas moins une intention assez clairement révélée par cette phrase de *Clérambault* : « Il était traité couramment de sentimental par ses adversaires. Et certes il l'était. Mais il le savait et parce qu'il était Français il avait la faculté d'en rire, de se railler. » En contant cette histoire d'un Nivernais bavard du temps de Louis XIII, Rolland a voulu divertir ses contemporains : il ne semble point y avoir réussi. Il renouvela la tentative avec *Liluli*, triomphe de l'Illusion qui asservit à ses desseins de ruine un Maître-Dieu costumé en marchand arabe, une Vérité lourdement vêtue et bâillonnée, une Raison qui a volé son bandeau à l'Amour ; elle cause la mort des inoffensifs paysans Janot et Hansot comme des nobles amis Altaïr et Antarès, elle provoque la guerre des Gallipoulets et des Hurluberloches et entraîne Polichinelle lui-même dans la catastrophe finale. Pour corser la plaisanterie, Rolland, s'appuyant sur une citation de Rabelais, a cru devoir écrire *Colas* et *Liluli* dans un extraordinaire langage semé d'alexandrins et d'octosyllabes plus ou moins assonancés. On jugera sur deux échantillons si ce procédé augmente ou détruit l'effet comique qu'il a cherché :

« Breugnon, mauvais garçon, tu ris, n'as-tu pas honte ? — Que veux-tu, mon ami, je suis ce que je suis. Rire ne m'empêche pas de souffrir ; mais souffrir n'empêchera jamais un bon Français de rire. Et qu'il rie ou larmoie, il faut d'abord qu'il voie... » *(Colas Breugnon.)*

« Tout doux ! tout doux ! soufflez un peu ! quels dératés !

vous ruisselez ! Gare au déluge ! Vous le fuyez, de la vallée, et sur les monts, dans vos paniers, vous l'apportez !... Mon ami, tu vas éclater. » *(Liluli.)*

Dans *la Nouvelle Journée* Rolland avait écrit que « l'Europe offrait l'aspect d'une vaste veillée d'armes » : en 1914, la guerre éclata. Il se trouvait alors en Suisse, mieux placé que beaucoup pour garder l'esprit libre, moins bien peut-être pour discerner exactement où battait le cœur de la France ; ses ennemis purent sans trop d'invraisemblance l'accuser d'être si facilement au-dessus de la mêlée parce qu'il était en dehors d'elle. Son attitude pourtant fut, comme à l'ordinaire, loyale et courageuse. Dès le 29 août, sa lettre ouverte à Hauptmann dénonçait avec virulence la barbarie allemande coupable de l'incendie de Louvain. Mais dans le fameux article *Au-dessus de la mêlée* (qui a donné son nom au recueil où il figure), Rolland déplorait et semblait désavouer « ces combats singuliers, Eucken contre Bergson, Hauptmann contre Maeterlinck, Rolland contre Hauptmann » ; une semaine après la bataille de la Marne il proclamait son internationalisme : « Le devoir est de construire, et plus large et plus haute, dominant l'injustice et les haines des nations, l'enceinte de la ville où doivent s'assembler les âmes fraternelles et libres du monde entier. » Quand on relit aujourd'hui ces articles dont quelques phrases seulement, interprétées avec malveillance, filtrèrent alors en France, on comprend que le malentendu fut causé surtout par des inimitiés intéressées et par la sottise de la censure. Un contact plus proche avec les réalités de son pays aurait averti Rolland que son image : « il s'agit donc d'attendre, en se garant le mieux possible de la démence d'Ajax », n'avait pas le même sens à Paris et à Genève. La simple publication de la noble *Lettre à ceux qui m'accusent* aurait dissipé toutes les préventions en montrant que Rolland accusait non les peuples mais bien leurs guides, les intellectuels, d'avoir manqué à leur devoir le plus sacré. *Les Idoles* affirment cette continuité de sa méditation de moraliste : il reproche aux chefs de la pensée européenne de n'avoir pas été « des caractères ». Fidèle jusque dans la tourmente à l'idéal de *Beethoven*, de *Jean-Christophe* et de *Tolstoï*, cette honnêteté scrupuleuse qui avait fait de lui un des conseillers de l'âme européenne était incapable d'admettre une excuse au reniement.

Peut-être cette admirable rigidité d'une conscience de moraliste a-t-elle causé en partie cette absence de souplesse qui est sa réelle défaillance artistique. Son premier livre d'après-guerre était attendu avec impatience. *Pierre et Luce* n'est que le bref récit d'un amour parisien sous la menace des gothas, terminé par la catastrophe de Saint-Gervais le vendredi saint 1918. Mais *Clérambault*, « histoire d'une conscience libre pendant la guerre », écrit de 1916 à 1920, est un ouvrage compact ; il n'apporte malheureusement aucun rajeunissement. Rolland maintient ses conclusions ; au faux idéal de vie unanime qui a abouti à l'abdication devant la guerre il oppose la révolte héroïque des consciences individuelles. Il condamne également « les insanités des penseurs d'Allemagne et les extravagances des parleurs de Paris ». Sans refuser son hommage à Lénine et Trotsky, « les bûcherons héroïques », il repousse, autant que l'ancienne tyrannie, la dictature du prolétariat. Car le moraliste sait que les tares sont en nous aussi bien qu'en nos gouvernements ; sur le plan de l'action on se heurte toujours à un dilemme d'injustices : « Il y a là une *Diké* d'airain que reconnaît l'esprit, qu'il peut même honorer comme une Loi de l'univers. Mais le cœur ne l'accepte pas. Le cœur refuse de s'y soumettre. Sa mission est de rompre la Loi de guerre éternelle. Le pourra-t-il jamais ?... Qui le sait ? En tous cas, il est clair que son espoir, son vouloir, sortent de l'ordre naturel. Sa mission est d'ordre surnaturel et proprement *religieux*. » L'écrivain entend qu'on donne tout son sens à cet adjectif qu'il imprime en italiques. Le dernier mot de Clérambault est, en effet, une identification de Jésus et de l'Esprit libre, éternellement insurgés, éternellement crucifiés, éternellement renaissants.

Mais des pages éloquentes ne forment pas une œuvre artistiquement vivante. « Cette œuvre, annonce la préface, n'est pas un roman, mais la confession d'une âme libre au milieu de la tourmente... Qu'on n'y cherche rien d'autobiographique. » L'ensemble laisse pourtant une impression bien équivoque ; toute la fin du livre, au moins, est purement romanesque, et c'est la loi du roman qui impose à l'auteur l'assassinat de Clérambault ; s'il ne contient rien d'autobiographique quant aux faits, il n'en est pas moins difficile d'admettre que dans ses nombreux discours le seul Clérambault soit « occupé à répandre son moi débordant et diffus ». Clérambault n'est qu'une idée d'homme ; Jean-Christophe était un homme vivant. La voix de Romain Rolland nous semblera beaucoup plus persuasive quand il reprendra la parole pour son propre compte, lorsque nous l'entendrons retracer son itinéraire spirituel. C'est dire que nous pourrons admirer sans réserves sa haute probité « religieuse » quand nous citerons les essais de *Dix Ans de Combat* et de *Compagnons de Route* parmi les plus importants témoignages d'après-guerre.

§ 3. — Internationalisme et nationalisme

Les tendances internationalistes de Verhaeren s'étaient affirmées sans équivoque, dès 1898, dans *les Aubes*, « troisième et dernier cahier d'une série commencée par *les Campagnes hallucinées* et *les Villes tentaculaires* ». Ce drame où se heurtent l'imagination et le réalisme, où les couplets lyriques s'envolent d'une prose massive, a pour protagoniste le tribun Hérénien : « Nous vivons, déclare-t-il, en des jours formidables de terreurs, d'agonies et de renouveaux... L'utopie abdique ses ailes et prend pied sur la terre. » Hérénien a nourri le rêve de « tuer la guerre » et il réalise son projet : il réconcilie dans une paix fraternelle le peuple d'Oppidomagne et l'armée qui l'assiège ; les ennemis d'hier jettent et brûlent leurs armes. Sans doute Hérénien paie-t-il ce triomphe de sa vie ; mais « les aubes se lèvent », ces aubes dont *les Forces tumultueuses* prophétisent encore la venue :

O vous qui me lirez, dans les siècles, un soir,
Comprenez-vous pourquoi mon vers vous interpelle ?
C'est qu'en ces temps quelqu'un d'ardent aura tiré,
Du cœur de la nécessité même, le Vrai,
Bloc clair, pour y dresser l'entente universelle.

(Un Soir.)

Mais si, en de telles heures d'élan, son inspiration débordait les frontières, si Verhaeren apparaissait comme le Hugo du siècle nouveau, sonore écho de toutes les aspirations contemporaines, il n'oubliait cependant point sa patrie. Son génie ne consentait à s'élever jusqu'aux abstractions qu'après avoir repris son point d'appui dans une solide réalité concrète. Tout en devenant Européen, il restait passionnément Flamand. De 1904 à 1911 parurent cinq recueils, réunis sous le titre général de *Toute la Flandre ;* il y célébrait tour à tour les tendresses premières, la guirlande des dunes, les héros, les villes à pignons, les plaines. Récits des vieux temps héroïques, souvenirs d'enfance, paysages calmes ou hallucinés que traverse l'Escaut, « sombre, violent et magnifique », Verhaeren ressuscitait tout cela dans un hymne de splendeur et de tendresse filiale. Intensément Flamand, intensément humain, l'*Épilogue* de *Toute la Flandre* exaltait ses deux amours, l'un par l'autre soutenus :

Mon pays tout entier vit et pense en mon corps ;
Il absorbe ma force en sa force profonde
Pour que je sente mieux à travers lui le monde
Et célèbre la terre avec un chant plus fort.

Après *la Multiple Splendeur* dont nous avons signalé la haute valeur au confluent de son œuvre, et où il répétait sa foi en

> Quelque rêve futur qui serait la Justice,

le poète donna libre cours à son lyrisme dans *les Rythmes souverains* et *les Blés mouvants*. Son imagination, rançonnant les siècles, suscitait de magnifiques visions symboliques *(le Paradis, Michel-Ange)* ; ou bien, amicale et douce, elle s'attardait à contempler « la santé lumineuse des choses », dans un cadre familier *(le Chant de l'eau)*. Parfois il choisissait quelque humble passant de ses plaines chéries et, sous son verbe souverain, le vieux ménétrier se transfigurait sans cesser d'être réel :

> Doucement, lentement, le vieux ménétrier
> Se lève, et puis s'en va par le prochain sentier
> Et puis s'efface et disparaît dans le mystère
> Autoritaire.
>
> *(Le Ménétrier.)*

Parfois il décrivait un conducteur de peuples, « sincère et faux », fort et rusé, orgueilleux et solitaire,

> Laissant sa conscience et sa raison lui dire
> Qu'il était bien, en ce moment,
> Logiquement,
> Lui seul, l'empire ;
>
> *(Un Maître.)*

personnage qui a hanté sa pensée individualiste, qu'il a glorifié en Hérénien et en Jacques d'Artevelde, dont il a dénoncé l'ambition avec une hostilité mêlée de respect dans le Pollux d'*Hélène de Sparte.*

Il n'est guère de grand poète européen qui ait résisté à la

tentation d'interpréter à sa manière ces légendes grecques qui sont notre commun patrimoine. L'intérêt excité par l'effort de Verhaeren est suffisamment prouvé par ce détail que sa pièce fut traduite en allemand et en russe avant même d'avoir été révélée au public français. Nul essai de reconstitution historique, de couleur locale dans cette tragédie « lyrique ». Le dramaturge violent de *Philippe II* et du *Cloître* s'y reconnaît dans l'agencement de l'intrigue. *Hélène de Sparte* représente le retour de la reine, âme et chair pacifiées ; sa sobre tendresse adoucira la noble vieillesse de Ménélas. Mais une telle beauté ne peut paraître sans exciter l'amour sur ses pas ; Hélène est assaillie par la passion de son frère Castor et d'Électre qui eût dû être son ennemie. Le moteur du drame est le désir farouche qui ajoute deux meurtres à la longue liste des crimes, brise l'âme d'Hélène et livre le trône à Pollux. Le pathétique d'*Hélène de Sparte* réside beaucoup moins dans ces sombres visions que dans les commentaires lyriques qu'elles provoquent. On y retrouve successivement l'âpreté des premiers poèmes dans les imprécations d'Électre :

> Bras des hommes, étaux d'orgueil et de vertige...
>
> (Acte II, sc. 4.)

et la douceur des *Heures claires* dans les lamentations d'Hélène après la mort de son époux :

> Mes larmes, les dernières,
> Je te les donne à toi,
> O Ménélas, époux et roi,
> Qu'à cette heure recouvre et consume la terre !
>
> (IV, 1.)

Les Flammes hautes, recueil dédié « A ceux qui aiment l'avenir » et dont les épreuves étaient déjà corrigées avant la guerre, le montraient encore dans cette attitude d'accueil suprême à toute l'humanité, avec une rude fierté individualiste et panthéiste :

> Depuis que je me sens
> N'être qu'un merveilleux fragment
> Du monde en proie aux géantes métamorphoses,
> Le bois, le mont, le sol, le vent, l'air et le ciel
> Me deviennent plus fraternels
> Et je m'aime moi-même en la splendeur des choses.
>
> *(Orgueil.)*

avec une fraternelle tendresse dans la belle ode *Au passant d'un soir* :

> Je saisirai les mains, dans mes deux mains tendues,
> A cet homme qui s'en viendra
> Du bout du monde, avec son pas.

L'invasion de la Belgique par l'Allemagne fut un soufflet à son idéal. *Les Ailes rouges de la guerre* sont le seul livre de notre époque qui puisse se comparer aux *Châtiments*. Avec de splendides accents lyriques Verhaeren célébra la vaillance de ses compatriotes *(Ceux de Liége)* ; en des pages vengeresses il exalta la France et stigmatisa l'Allemagne *(France et Allemagne)* ; au-dessus des deuils il éleva son reproche suprême, proclamant ce qui demeurait à ses yeux le forfait inexpiable, l'attentat contre la pensée humaine :

> Car c'est là ton crime immense, Allemagne,
> D'avoir tué atrocement
> L'idée
> Que se faisait pendant la paix,
> En notre temps,
> L'homme de l'homme.
>
> *(Au Reichstag.)*

Il mit au service de son pays son talent de poète et d'orateur ; on sait que c'est au retour d'une conférence patriotique qu'il fut broyé par un train, en gare de Rouen, le 27 novembre 1916. Cette mort privait la Belgique de son plus grand poète français. Tragiquement la Destinée répondait au sublime cri d'amour d'*Un Lambeau de Patrie :*

> Jadis, je t'ai aimée avec un tel amour
> Que je ne croyais pas qu'il eût pu croître un jour.
> Mais je sais maintenant la ferveur infinie
> Qui t'accompagne, ô Flandre, à travers l'agonie,
> Et t'assiste et te suit jusqu'au bord de la mort.
> Et même il est des jours de démence et de rage
> Où mon cœur te voudrait plus déplorable encor
> Pour se pouvoir tuer à t'aimer davantage.

Le livre d'où sont extraits ces vers était dédié « à Maurice Maeterlinck, fraternellement ». On doit donner au mot un sens plein : avant la fraternité de la douleur patriotique, les deux nobles écrivains belges avaient lutté, chacun à sa manière, pendant des années, pour la fraternité humaine. *Le Trésor des humbles* et *la Sagesse et la Destinée* n'en appelaient qu'à l'expérience des hommes ; avec *la Vie des abeilles* MAETERLINCK explora les secrets de la vie animale, depuis ses humbles débuts patiemment suivis jusqu'à ses hauts mouvements poétiquement décrits dans « le vol nuptial ». Au terme de cette étude où il comparait à chaque instant l'intelligence et l'instinct, il inclinait à penser que les deux facultés ont peut-être après tout un semblable devoir : « Les abeilles ignorent si elles mangeront le miel qu'elles récoltent. Nous ignorons également qui profitera de la puissance spirituelle que nous introduisons dans l'univers. » Dans *l'Intelligence des fleurs*, après avoir cité et commenté de nombreux cas où les fleurs ont prouvé une extraordinaire ingéniosité d'adaptation aux difficultés de leur milieu, il concluait : « Le Génie de la Terre, qui est probablement celui du monde entier, agit, dans la lutte vitale, exactement comme agirait un homme. » Il se croyait autorisé par ses observations à pousser un peu plus loin : « Est-il vraisemblable, demandait-il, quand nous trouvons éparse dans la vie une telle somme d'intelligence, que cette vie ne fasse pas œuvre d'intelligence ? »

Interrogation dépouillée d'angoisse par la certitude d'une réponse affirmative. Maeterlinck était devenu une sorte de conseiller des âmes. Son attitude spirituelle était celle d'un Marc-Aurèle moderne répétant les paroles d'universelle bienvenue : « Tout me convient, qui te convient parfaitement, ô Monde ! Rien n'est pour moi prématuré ni tardif, qui est de saison pour toi. » Nul problème ne lui paraissait matériel au point d'exclure une beauté profonde. Dans *le Double Jardin* il parlait des jeux de hasard et de l'automobile, il faisait l'éloge de l'épée. Dans *l'Intelligence des fleurs*, écrite parmi les roses de Grasse dont il a dit les parfums, il envisageait avec la même gravité la mesure des heures, l'inquiétude de notre morale, la renaissance de la boxe et la valeur poétique de *King Lear ;* un essai moral à la manière anglo-saxonne *(le Pardon des injures)* était suivi d'une analyse minutieuse de psychologie scientifique *(l'Accident) ;* il étudiait avec une égale fermeté la question de l'immortalité et celle du devoir social. Sa parole, insinuante pour épouser la complexité des choses, retrouvait, quand il en croyait le temps venu, l'autorité du philosophe : « Il n'y a pour ceux qui possèdent qu'un seul devoir certain : qui est de se dépouiller de ce qu'ils ont, de façon à se mettre en l'état de la masse qui n'a rien. »

A cette époque il semblait réserver pour les drames les subtilités de sa pensée : l'échec de *Joyzelle* est très instructif. Cette pièce a contre elle une complète erreur artistique, l'emploi du vers blanc dont Maeterlinck abusait déjà dans *Monna Vanna.* Ils se succèdent ici par longues suites où, après des alexandrins nets, l'oreille trébuche sur de faux alexandrins : « Tu dors profondément, et tandis que tu dors, je perds toute ma science et redeviens semblable à mes aveugles frères, qui ne savent pas encore qu'il y a sur cette terre autant de dieux cachés que de cœurs qui palpitent. » Il est surprenant que Maeterlinck, maître d'une prose musicale, n'hésite pas à terminer un acte sur ce vers, cornélien mais boiteux : « S'il y va de sa vie, oui. — Et vous, Joyzelle ? — Non. » Mais *Joyzelle* a encore dérouté le public par la façon théorique dont le problème moral y est posé. Ici, comme dans *Monna Vanna*, Maeterlinck a cherché le cas limite, d'autant plus probant qu'il est plus anormal : dans les deux tragédies une femme est mise en demeure de se donner à un ennemi pour sauver ce qu'elle aime. Pourquoi le conflit assume-t-il toujours cette forme de la sensualité ? Maeterlinck affirmait que nous ne croyons plus à l'importance de la chasteté depuis que nous sommes affranchis du christianisme ; peut-être a-t-il voulu montrer que l'obsession survivait à la foi ? Quoi qu'il en soit, il est curieux de constater que trois de ses pièces se ramènent, en dernière analyse, au même sujet : une femme belle et soumise à une épreuve terrible qu'un vieillard contemple pour tirer de cette crise une leçon de sagesse. De ce point de vue le progrès est manifeste : Mélisande meurt et Arkël reste accablé sous la fatalité ; Vanna triomphe grâce à l'amour de Prinzivalle et Marco peut l'applaudir ; Joyzelle livre le combat sans aucun soutien extérieur et Merlin, à la fois acteur et spectateur, salue en son geste final la décision de la justice. La démonstration est éclatante ; mais elle est obtenue au prix d'une convention assez difficile à accepter et l'intérêt s'est déplacé. Le héros de *Joyzelle* c'est Merlin, Prospero dont la puissance « n'a rien de magique ni de surnaturel » ; à lui de proclamer la confiance de Maeterlinck en l'âme, « le murmure de la petite voix qui n'a rien à me dire mais qui seule a raison » ; à lui d'empêcher les généralisations hâtives : « Ne faisons pas de lois avec quelques débris ramassés dans la nuit qui entoure nos pensées. »

Cette prudence à affirmer devant l'inconnaissable, qui est le dernier mot de la « Tempête » maeterlinckienne, se retrouve dans un essai, *l'Inquiétude de notre morale*, où sa pensée s'interroge scrupuleusement. Il distingue trois morales : celle du « sens commun », celle du « bon sens » et celle de la « raison mystique ». Fuyant la première, il nous avertit de ne pas nous arrêter à la seconde ; il faut « aller plus loin que la simple justice. C'est par delà cette simple justice que commence la morale de ceux qui espèrent en l'avenir. » Très peu de préceptes sont nécessaires, et nullement complexes ; ceux qu'un enfant pourrait dicter ; mais il importe qu'ils aient réellement pénétré en nous, car « nous ne pouvons nous flatter d'avoir compris une vérité que lorsqu'il nous est impossible de ne pas y conformer notre vie ». Quotidiennement, nous devons profiter des plus humbles circonstances pour réveiller le sublime en nous : « C'est dans cette partie peut-être féerique mais non pas chimérique de notre conscience que nous devons nous acclimater et nous complaire. »

« Féerique mais non pas chimérique » : on ne saurait imaginer d'épigraphe mieux appropriée à *l'Oiseau bleu*. Entre les divers arrêts de sa méditation, Maeterlinck aime à laisser voir le lien, par un retour des mêmes gestes, des mêmes paroles symboliques. Les tendres phrases du *Double Jardin* (« L'amitié sans amour, comme l'amour sans amitié sont deux demi-bonheurs qui attristent les hommes », « Comment sauverait-elle la grâce de la femme si elle n'en avait pas les innocentes vanités ? ») sont sœurs de l'aveu d'*Alladine* : « Je t'aime... plus que celle que j'aime. » La rencontre de Joyzelle avec Lancéor est aussi mystérieuse que celle de Mélisande avec Golaud. La libération des étoiles et des nocturnes parfums dans *l'Oiseau bleu* rappelle la libération des captives d'*Ariane*. L'humour et la bonhomie que l'on retrouvera dans *le Miracle de saint Antoine* sont ici mêlés aux scènes dramatiques et philosophiques comme la révolte des êtres de la forêt... Jamais l'art de Maeterlinck n'avait déployé cette aisance qui amuse les enfants dans le moment même où elle force les hommes à méditer sur leur destinée. Jamais il n'a surpassé la profonde beauté pathétique du Cimetière et du Jardin des bonheurs.

Dans *les Dieux de la guerre* (1907) il avait dénoncé avec

épouvante la folie des hommes qui, seuls représentants de l'intelligence sur la terre, abandonnaient à des explosifs mal connus la mission de départager leurs causes : « C'est à ces monstres inclassables que nous confions la charge presque divine de prolonger notre raison et de faire le départ du juste et de l'injuste. » Pendant la guerre il servit sa patrie par la plume et par la parole ; *le Bourgmestre de Stilmonde* est un témoignage plus efficace que maintes déclamations enflammées. C'est dans le même esprit de sobre indignation qu'il résumait, dans la préface aux *Débris de la guerre*, son œuvre de militant : « J'ai essayé de m'élever au-dessus de la mêlée ; mais plus je m'élevais, plus j'entendais ses cris et mieux j'apercevais sa démence et son horreur, la justice de notre cause et l'infamie de l'autre. Il est probable qu'un jour, lorsque le temps aura lassé les souvenirs et réparé les ruines, des sages affirmeront que nous nous sommes trompés et n'avons pas regardé d'assez haut, qu'on peut tout oublier, tout expliquer et qu'il faut tout comprendre ; c'est qu'ils ne sauront plus ce que nous savons aujourd'hui et qu'ils n'auront pas vu ce que nous avons vu. »

Le problème de la mort avait toujours sollicité sa grave attention : elle emplissait d'effroi les premières pièces de son théâtre ; *l'Intelligence des fleurs* s'achevait par un essai sur l'immortalité. En 1913, il consacrait un livre à expliquer le « il n'y a pas de morts » de *l'Oiseau bleu*. Impossible d'en fuir l'idée, « elle offusque tout de son ombre » ; notre tort est que « nous la livrons aux mains obscures de l'instinct, et ne lui accordons pas une heure de notre intelligence ». Il entreprend donc l'investigation, par la raison lucide, des diverses hypothèses : anéantissement, survivance de la conscience, réincarnation néo-théosophique, communication néo-spirite. Il écarte les imaginations brutales, qui font, dans un sens ou dans l'autre, violence à ce que nous savons de la vie ; il propose pour « la plus vraisemblable de ces hypothèses d'attente » celle d'une « conscience modifiée » qui se résorbe sans s'y anéantir dans la conscience universelle. Appuyé sur tant d'expérience, il rassure les timides par cette consolation panthéiste : « l'Infini ne saurait nous vouloir de mal, attendu que s'il tourmentait éternellement le moindre d'entre nous, il tourmenterait quelque chose qu'il ne peut arracher de soi, et partant tout lui-même. » S'abandonner au désespoir serait démence : « l'inconnu et l'inconnaissable sont et seront peut-être toujours nécessaires à notre bonheur ».

Pâles certitudes, dirait-on volontiers, en les comparant aux affirmations de Marc-Aurèle et de Spinoza. Mais la comparaison achève de dégager l'originalité de la position occupée par Maeterlinck. S'il recherche, de même que les suprêmes philosophes, une morale, il a pris soin de distinguer entre « la morale de ceux qui se tiennent sur les rives du grand fleuve et la morale de ceux qui remontent le flot » ; où ils n'ambitionnaient que d'atteindre à la vérité, lui entend conquérir le bonheur ; enfin il s'est interdit d'invoquer cette idée divine qui soutenait tous leurs systèmes. Nous ne connaissons rien qui transcende l'homme, déclare-t-il encore dans *le Grand Secret* (1) où il a passé en revue toutes les formes de l'occultisme depuis les âges reculés jusqu'à nos jours ; si troublantes que soient « certaines apparitions posthumes presque scientifiquement démontrées », nous ne sommes pas autorisés à franchir le pas décisif : « Nous savons enfin qu'il n'y eut jamais de révélation ultra-humaine... et que tout ce que l'homme croit connaître au sujet de Dieu, de son origine et de ses fins, c'est de sa propre raison qu'il l'a tiré. » Tel était vers 1920 son point d'arrivée : « C'est peu si l'on aime l'illusion, c'est beaucoup si l'on préfère la vérité. » L'enquête qu'il poursuivait depuis trente ans dans ces royaumes voilés atteste du moins le progrès d'une intelligence qui s'est affermie sans diminuer la richesse de l'âme ; il avait montré comment un

(1) Nous n'avons pas à examiner ici la portée scientifique de cette enquête : on en trouvera une très intéressante discussion par PAUL SOUDAY dans *Le Temps* du 30 juin 1921.

homme de notre temps pouvait embellir sa « raison mystique » jusqu'à la magnifique transfiguration de la vie dans *les Jardins des bonheurs.*

§ 4. — Charles Péguy

Pour la clarté de l'exposé, il a paru nécessaire de marquer dès à présent les prolongements des conflits d'idées étudiés dans ce chapitre. C'est pourquoi nous avons suivi Barrès, France et Bourget jusqu'au terme de leur carrière ; pourquoi aussi nous avons indiqué les positions d'après-guerre de Maeterlinck, Maurras et Romain Rolland. Ce respect d'une durée vivante qui résiste aux divisions historiques nous était d'autant plus facile que CHARLES PÉGUY et ses *Cahiers de la Quinzaine* vont permettre d'évoquer directement toutes les préoccupations intellectuelles des quinze premières années du siècle.

La vie et l'œuvre de Charles Péguy sont le plus complet document de littérature sociale française entre l'Affaire et la guerre ; elles apportent le témoignage de ce qu'il a nommé « la génération sacrifiée ». Né à Orléans en 1873, Péguy passa par l'enseignement secondaire, l'École normale et la Sorbonne, échoua à l'agrégation et débuta comme écrivain, en 1897, avec la première *Jeanne d'Arc* dédiée « à toutes celles et à tous ceux qui auront vécu... pour l'établissement de la République socialiste universelle ». Il était alors socialiste marxiste et dreyfusard ; c'était l'époque de *Marcel, premier dialogue de la Cité harmonieuse.* En 1900, il fonda *les Cahiers de la quinzaine ; De la grippe* le montrait déjà en lutte avec les Guesdistes, et étudiant « la décomposition du dreyfusisme en France » ; bientôt il rompait avec Jaurès et le combisme où il voyait l'exploitation politique d'une victoire mystique ; il semblait hésiter entre l'anarchie et un socialisme dissident. En 1905, avec *Notre Patrie* et *les Suppliants parallèles* il prit position comme défenseur du patriotisme et des traditions, sans néanmoins s'affilier à aucun parti. Une évolution nouvelle le mena jusqu'à un catholicisme individualiste ; c'est dans ce dernier état d'esprit que furent composées, de 1910 à 1914, ses œuvres maîtresses de prose et la presque totalité de ses poèmes. Il partit à la mobilisation et fut tué en septembre 1914 à la tête de sa compagnie.

Pendant quinze ans, les *Cahiers* ont été un des centres de la pensée française. Ils eurent l'honneur de révéler au grand public les Tharaud, Benda, Halévy, Rolland, Suarès, Hamp ; France, Sorel, Vuillaume, Mille y collaborèrent. Malgré l'éclat de tels noms les *Cahiers de la quinzaine* restent le monument de Péguy. Et ce monument ne doit pas devenir une tombe mais bien un temple ouvert au cœur de la cité.

La difficulté de tracer un portrait de Péguy tient à l'abondance de la matière : pendant 15 ans il a empli *les Cahiers* de ses confidences ; depuis sa mort de nombreuses études lui ont été consacrées ; la piété de ses amis a révélé maints détails cachés durant sa vie (1). En puisant à toutes ces sources, on comprend mieux l'évolution de l'homme et de l'œuvre. Très justement Millerand indique pour sa passion dominante une soif de vérité. La chercher et la dire fut le programme de ses Cahiers, « cahiers de renseignements, sans esprit de parti » : « nous dirons entièrement la vérité », annonce-t-il. Sur cet article il n'admettait aucun ménagement : « Qui ne gueule pas la vérité, quand il sait la vérité, se fait le complice des menteurs et des faussaires. » Sa méfiance envers Jaurès a commencé du jour où il a soupçonné le tribun d'accepter « une vérité d'État ». Toujours il a dit brutalement ce qu'il considérait comme la vérité, dût-on l'accuser plus tard de contradiction. Croit-il à la vérité de l'internationalisme ? il s'affirme superbement « maçon de la cité prochaine ». En 1900, le catholicisme lui est fermé ; il le combat : « il n'y a pas seulement, des catholiques à nous, la

(1) Il faut signaler, en tout premier lieu, l'importance des *Entretiens* notés par son fidèle Joseph Lotte. Les études les plus récentes et les plus complètes sont celles de Roger Secrétain, Jean Delaporte et Romain Rolland

distance d'une imagination vaine à une sincère critique universelle ; mais vraiment il y a l'inconciliabilité d'une imagination perverse à une raison modeste, amie de la santé ». Jamais il ne s'arrête à mi-route : areligieux, il réclame la séparation de la métaphysique et de l'état. Jamais il n'hésite, s'il aboutit à une impasse, à faire un demi-tour brusque : « on ne saura jamais tout ce que la peur de ne pas paraître assez avancé aura fait commettre de lâchetés à nos Français. » Il écrivait cela en 1905 parce que, devant le menace d'une guerre, son humanitarisme s'était dissipé : « tout homme entendait en lui, retrouvait, écoutait, comme familière et connue, cette résonance profonde, cette voix qui n'était pas une voix du dehors, cette voix de mémoire engloutie là et comme amoncelée on ne savait depuis quand ni pourquoi ». Il dénonçait l'hypocrisie pacifiste qui maudit la guerre et tire de son idée des jouissances imaginatives ; lutte civile ou guerre extérieure, il n'y avait jamais apporté un demi-courage : « Cette seconde loyauté, qui est mentale autant que morale, consiste à traiter la guerre elle-même, après qu'elle est devenue inévitable, comme étant la guerre et non pas comme étant la paix. Tout bêtement elle consiste à se battre pour de bon, quand on se bat. » La vérité, à ses yeux, ne réside jamais dans un juste milieu ; elle est extrême, la parole doit l'égaler en brutalité ; le rêve de Péguy fut d'être

> Le plus hardi faucheur au temps de la moisson,
> Le plus hardi chanteur au temps de la chanson.

Devant la nécessité de la guerre, il s'y prépara, prévoyant même son épitaphe de soldat :

> Heureux ceux qui sont morts dans une juste guerre !

Lorsque la grâce l'eut touché, il se présenta fièrement « en chrétien et en catholique ». Lorsqu'il entreprit le bilan de sa génération, il ne masqua point ce qui lui apparaissait la vérité : « C'est nous qui comptons. C'est nous qui témoignons. C'est nous qu sommes la preuve... Nous avons été grands. Nous avons été très grands. » Volontaire de la vérité militante, il mérite l'éloge qu'il s'est décerné :

> Nous sommes ces soldats qui grognaient par le monde,
> Mais qui marchaient toujours et n'ont jamais plié.

« Grogner et marcher toujours » : ce fut la devise de Péguy. Toute sa vie il fut soutenu par une foi mystique, par une espérance mystique. Les proclamations socialistes de *Marcel* sont purement mystiques : « la cité harmonieuse a pour citoyens tous les vivants qui sont des âmes... les citoyens de la cité harmonieuse n'ont que les sentiments de la santé ». Avec la même sérénité dans l'affirmation Mme Gervaise fera parler Dieu et la Vierge, hiérarchisera les vertus théologales et les paraboles, décrira avec autorité l'émerveillement du Père Éternel devant le miracle de l'espérance. Cette puissance de mysticisme dicte à Péguy sa haine du monde moderne qui avilit tout, même la mort ; elle lui permet de rester jusqu'au bout, malgré les amertumes et les déceptions, « une âme républicaine » ; elle soutient sa croyance que « la métaphysique est peut-être la seule recherche de connaissance qui soit directe, littéralement ». Notez ce « littéralement » ; il est essentiel à l'intelligence de Péguy. Son mysticisme en effet est concret ; il est réaliste, volontiers populaire : « Je ne suis nullement l'intellectuel qui descend et condescend au peuple. Je suis peuple. » Cette phrase vaut dans plusieurs sens. L'Affaire Dreyfus lui est apparue comme « une affaire élue » ; dès 1902, il a formulé la distinction entre les Dreyfusistes politiques qui ont monnayé la victoire en faveur de leur sectarisme et les Dreyfusistes mystiques, les « Dreyfusards perpétuels » qui ont lutté seulement pour le triomphe de la justice et restent mobilisés à son service. Idée capitale qu'il a reprise et développée dans *Notre Jeunesse* (1). Si violemment que Péguy ait bataillé dans le monde de l'action, sa vraie patrie est ce réalisme mystique ; lorsque les deux univers s'opposent, le premier est oblitéré car il n'existe qu'en fonction de l'autre. Les dernières lignes de *Clio* attestent ce contraste et comment Péguy le résout : « Vous ne vous représentez pas présidant à la cinquantième série de vos cahiers. Mais vous vous représentez fort bien, et je me représente avec vous (mon enfant, me dit-elle avec une grande douceur), ce que vous penserez le jour de votre mort. »

Quel est le contenu de ce mysticisme ou, mieux, autour de quels objets cette disposition mystique a-t-elle cristallisé ? La première, la plus profonde aussi, des influences subies par Péguy est celle de Bergson, son maître de Normale, envers qui sa fidélité ne s'est point démentie. Sa dernière œuvre publiée, la *Note sur M. Bergson*, est un hommage de vassal au suzerain qui a trouvé la clef d'un « nouveau rationalisme », qui a imprimé à la philosophie un ébranlement tel qu'elle n'en avait point ressenti de semblable depuis Descartes. Ce dont Péguy loue Bergson, c'est d'avoir décrassé le vieil intellectualisme, d'avoir rendu à l'esprit une souplesse qui peut épouser les complexes sinuosités de la réalité. Qui ne sent que Péguy remercie, au fond, Bergson d'avoir libéré sa pensée et son style de toute discipline proprement intellectuelle ? Dans la *Note sur M. Descartes* il acquitte une autre dette en se félicitant de ce que, grâce à Bergson, nous sachions désormais ce que nous disons quand nous parlons « de l'habitude, du vieillissement, du durcissement ». Cette terreur du vieillissement inéluctable fait, comme l'a noté Michel Arnauld, la hantise tragique de *Clio*. Le problème de l'histoire préoccupait Péguy ; dans *Zangwill* il dénonçait

(1) Pour bien comprendre cette liquidation idéologique de l'Affaire dans *Notre Jeunesse* et *Victor Marie, comte Hugo*, il est nécessaire de lire, outre la *Révolution Dreyfusienne* de GEORGES SOREL, l'*Apologie pour notre passé* de DANIEL HALÉVY, ancien Dreyfusard, héritier d'une tradition libérale, historien et critique, qui après avoir fait revivre la figure de son ami dans *Charles Péguy et les Cahiers*, s'est fait son continuateur avec la série des *Cahiers verts*.

l'erreur de la méthode moderne, « méthode de la grande ceinture ». Son expérience lui avait prouvé « qu'il y a le réel et il y a l'historique... ils sont décalés l'un de l'autre, décalés de l'un sur l'autre », ainsi qu'il le dit dans le cahier *A nos amis, à nos abonnés*, une de ses nombreuses apologies personnelles. Le parti intellectuel moderne se représente, selon lui, « la succession des métaphysiques et des philosophies, — des religions — comme un progrès linéaire ininterrompu, continu ou discontinu ». S'il avait doublement raison, si vieillir était réellement durcir, si les plus chères idées de Péguy étaient menacées d'être classées à leur rang, dans un dossier historique, Péguy — dont l'idéal était de demeurer une influence vivante — mourrait tout entier. La violence avec laquelle son mysticisme s'est identifié à la doctrine bergsonienne est un geste instinctif de défense.

Du moins Bergson lui offrit-il une forteresse sûre : le philosophe n'avait-il pas professé qu'entre le génie et le talent il y a peut-être différence de nature et saut brusque ? Cette épée qui détruit toutes les explications « linéaires », comme Péguy la brandit dans *De la situation faite à l'histoire et à la sociologie dans les temps modernes :* « les œuvres essentielles, *Pèlerins d'Emmaüs*, la *Neuvième*, *Polyeucte*, les *Pensées*... on ne voit absolument pas comme elles sont faites, elles sont du donné comme la vie elle-même. L'intelligence y nuirait plutôt ». Principes d'une esthétique mystique qui permettent à Péguy de mieux accentuer les préférences de sa culture française et grecque, de louer Homère et les tragiques, d'écarter Racine de son trône pour y installer Corneille, de répéter que « *Polyeucte* est la plus grande œuvre et la plus parfaite que l'on verra jamais ». Pourtant, jusque dans ce domaine de coups d'état, son mysticisme demeure réaliste. L'exemple le plus curieux en est probablement l'insistance avec laquelle, dans divers ouvrages, il a commenté les poèmes de Hugo. Avec lui, Péguy est tout à fait à l'aise ; il n'ignore aucune de ses roublardises ; il les goûte au contraire, apprécie l'habileté de « l'emboîtement de Napoléon dans Hugo » grâce auquel le poète a empli de sa présence le XIXe siècle. Péguy, continuateur du *Roi Dagobert*, se sent frère du Hugo qui, dans *le Sacre*, a renouvelé la chanson de Malbrouck ; il se délecte de l'audacieux Jerimadeth qu'on chercherait en vain sur la carte. Et puis Hugo lui semble, en face du « vieillard » Leconte de Lisle, le type même du « vieux » qui sait vieillir sans que son âme s'encombre de bois mort, de « tout fait » ; il est le poète qu'il faut pour les Français, pour ce « peuple antithétique » mais toujours « accointé à l'espérance », comme il fait dire à Dieu dans *le Porche de la deuxième Vertu*.

Ne nous étonnons point qu'à travers Corneille, Hugo et les Français, Bergson nous ait conduits à Dieu : c'est le chemin qu'a suivi Péguy. Ajoutons-y un intermédiaire encore : Jeanne d'Arc, une Jeanne curieusement bergsonienne. Dans le long dialogue du *Mystère de la Charité*, Mme Gervaise a donné à Jeannette tous les arguments qui satisferaient une chrétienne ordinaire ; si elle n'en continue pas moins à rêver d' « Orléans, qui êtes au pays de Loire », n'est-ce point parce qu'elle exerce le privilège bergsonien ? Jeanne refuse d'entrer dans une série linéaire. Cette rupture violente se nomme, en esthétique, génie et, en religion, sainteté. Jeanne est une sainte,

> La sainte la plus grande après sainte Marie,

et le catholicisme de Péguy est aussi celui d'un saint. Sans doute est-il assez déroutant d'un point de vue strictement orthodoxe : « Je vis sans sacrements » dit-il à Lotte, « c'est une gageure ». Dans le *Descartes* il nous avertit qu'il a « pris au sérieux tout ce qu'il y avait dans le catéchisme. Quand il était petit. Cela l'a mené loin ». Mgr Battifol, étudiant ce catholicisme qui ne voulait accepter d'autre guide que son catéchisme, conclut : « Péguy a cherché la paix de son âme dans son *Porche* de l'espérance : il a arrangé ça tout seul, oui, mais ce n'est pas le plus sûr ! » Cet amical jugement souligne fort à propos le réalisme du mysticisme chez le Péguy d'*Ève* :

> Car le surnaturel est lui-même charnel
> Et l'arbre de la grâce est raciné profond
> Et plonge dans le sol et cherche jusqu'au fond
> Et l'arbre de la race est lui-même éternel.

Sa Jeanne invoquait la venue « d'une sainte qui réussisse ». Lui aussi, conformément à ce que le bergsonisme renferme de pragmatisme, il aspirait à réussir : or, n'avait-il pas réussi quand il avait eu la hardiesse de donner ses enfants à la Vierge ? Elle les avait acceptés et protégés. Il n'ignorait pas ce que sa position avait d'exceptionnel, lui qui refusait « de mettre ensemble morale et religion » ; mais il avait conscience de remplir un rôle exceptionnel aussi : « J'ai un office, j'ai des responsabilités énormes. Au fond, c'est une renaissance catholique qui se fait par moi. Il faut voir ce qui est, et tenir bon. » Il tenait parce qu'il était accointé à cette espérance où il a vu la plus miraculeuse des vertus. Il tenait, soutenu par le noble idéal qu'il a défini dans son *Descartes* : « Il ne suffit pas que le monde chrétien révèle son être et donne le plein de son amour et de son être devant Dieu. Il faut aussi qu'il donne une certaine haute image de lui au monde païen. » Et il ne cachait pas à Lotte son ambition de « couvrir dans le chrétien la même surface que Gœthe dans le païen ».

L'orgueil est-il donc le dernier mot de Péguy ? On pourrait le croire à l'entendre parler de sa *Jeanne d'Arc* : « Et quel art ! Il y a là dedans des résonances ! des harmonies ! on n'a rien fait de semblable comme prose musicale ! » L'analyse de Johannet décèle à bon droit quelque chose de Rousseau en lui. Dans ces *Entretiens* il se traite de grand écrivain. Mais lisez la suite : « C'est très joli, l'Académie française, mais je ne l'aurais pas avant dix ou quinze ans, et d'ici là il faut que j'élève mes enfants... J'ai eu plus de 50 articles depuis huit mois. Ça ne m'a pas donné un abonné... J'ai autant de peine à vivre qu'il y a dix ans... Je suis pauvre, pauvre. Il me faut l'Académie... Je n'ai pas de répit, il ne faut pas que j'aie de répit, alors je produis tout le temps, dans le train, en tramway. » Là est le drame qui a déchiré l'âme de Péguy, une âme de créateur, pleine de mépris pour « la gloire temporelle » et pourtant avide de cette gloire : parce qu'elle eût apporté l'argent dont sa pauvreté avait besoin et les honneurs dont son orgueil avait soif, que le monde accordait à bien d'autres auxquels il se sentait tellement supérieur. Il faut mesurer la force des prises que la tentation avait sur lui pour mieux admirer la beauté de sa résistance. Car jamais il ne céda, jamais il ne consentit à taire ce qu'il jugeait être la vérité afin de se concilier ou de se conserver des protecteurs. Il y a une sainteté dans cette scrupuleuse probité ; lui qui aimait tant les différenciations de mots et d'idées dut être particulièrement satisfait le jour où il distingua dans *Clio* « les petites gens » des « gens du commun » avec qui on les confond trop souvent. Son mysticisme bergsonien trouva du moins cette récompense qu'il échappa toujours à « cet épaississement, ce vieillissement qui d'un poète fait un homme du commun, et d'un homme nouveau fait un homme du commun, et d'un homme de cœur fait un homme du commun ».

Péguy a donc fait son salut temporel : en est-il de même pour son œuvre ? Il a souvent exprimé cette anxiété de ne laisser à l'histoire — qui juge seulement sur des preuves, sur du mesurable — aucun témoignage positif de la grandeur qu'il se reconnaissait. Il a éparpillé beaucoup de son talent en pamphlets d'actualité. Une verve extraordinaire anime ces cahiers où il se détend ; les abonnés ont gardé le souvenir des conversations où interviennent le Citoyen Docteur et le Citoyen Malade, Marcel et Pierre Baudoin et Pierre Deloire ; ils ne cesseront pas d'aimer les plaidoyers *pro domo* d'*Entre deux trains* et *Pour moi ;* la « prose de gérant » et les détails de cette émouvante comptabilité les toucheront toujours ; Péguy tout entier revivra pour eux dans ce titre : *Victor-Marie comte Hugo, à moi Comte, deux mots* ou dans cette parenthèse : « (Pour savoir à quel point les Invalides sont un monument parfait parfaitement, il faut les regarder, par exemple, des fenêtres du salon de l'appartement situé au cinquième du nº 2 de l'avenue de Villars) ». Mais le charme de ce débraillé familier passera vite : la bouffonne *Chanson du roi Dagobert* trouvera-t-elle grâce ? ou bien, de tous ces écrits de circonstance, l'avenir ne retiendra-t-il que quelques portraits admirables : Péguy, Zévaès, Clemenceau, Millerand, Bernard Lazare, « prophète d'Israël », l'homme qui a le mieux su que la conscience « est la suprême juridiction, la seule », et les éblouissantes descriptions de Jaurès qui culminent dans la parade épique de *Notre Jeunesse* ? Cette apologie pour un passé survivra-t-elle ou n'en surnagera-t-il que le Jaurès, quelques éloquentes protestations et les pages où Péguy montre ces Juifs dont il se flattait d'être le seul confident chrétien envoyant leurs prophètes à l'École des Hautes Études, section des sciences religieuses ? Réduira-t-on les trois *situations* à un portrait fouillé de Renan ? Dans 50 ans, lira-t-on encore *Clio*, ou seulement, après un rapide résumé de la plaisante parodie des procédés pseudo-scientifiques de la Sorbonne, la puissante analyse des optiques temporelles, des ménisques concaves et convexes ? Il n'appartient pas de choisir à ceux qui voudraient tout garder, le sachant impossible.

Car il y a chez Péguy un incomparable fouillis. Bergson qui l'a tant servi par ailleurs lui a rendu ici le mauvais service de l'autoriser à nommer ordre vivant ce qu'il faut bien appeler désordre. Non seulement ses titres sont trompeurs et *l'Argent* avec *l'Argent, suite* constituent, en même temps qu'un « porche du travail », une réfutation du pacifisme. Mais il a érigé en méthode de parler de tout à propos de tout. Il reste à la merci du premier texte qu'il rencontrera, depuis Hégésippe Moreau jusqu'à l'Évangile : s'il accroche une occasion de commentaire, tout son développement bifurque ; sans doute revient-il toujours à son objet, mais son lecteur l'a-t-il suivi dans cette excursion ? Qu'on puisse intervertir les étiquettes des deux notes où il parle pêle-mêle de M. Bergson et de M. Descartes, cela n'est point grave. Ce qui est dangereux, et dangereux pour sa propre gloire, c'est qu'il faille aller chercher dans un coin du *Descartes* la meilleure image de son orgueilleuse simplicité de paysan, petit-fils d'une illettrée, qui a franchi l'étape et se retourne vers son passé : « Il regarde vers sa race... Et il remonte et il se plonge non pas seulement avec joie dans cet énorme anonymat. Il s'y enfonce avec une joie secrète. Mais il s'y enfonce aussi avec une sorte d'accomplissement, de couronnement, de plénitude d'humilité. Et ne s'y enfoncerait-il pas avec un couronnement et une plénitude d'orgueil. Et plus encore peut-être avec on ne sait quel goût et quelle réussite et quelle plénitude d'anéantissement. »

Voilà qui est beau et grand. Péguy est grand chaque fois qu'il concilie en lui les deux inspirations qu'il a opposées à la fin du *Dagobert :* celle des « scolaires » et des « frais, des ignorants » qui n'ont rien appris par les livres. Son style est celui d'un scolaire qui a voulu redevenir ignorant ; de là qu'il fait songer tantôt au bruit d'un moteur qui ne parvient pas à se mettre en route, tantôt, selon l'ingénieuse définition de Johannet, « au style que Bergson devrait avoir et qu'il n'a pas ». Son unique procédé est la répétition obstinée. Sa pensée ne s'ébranle qu'à coups de mots : « Telle est notre maigre situation. Nous sommes maigres. Nous sommes minces. Nous sommes une lamelle. Nous sommes comme écrasés, comme aplatis entre toutes les générations antécédentes, d'une part, et d'autre part une couche déjà épaisse de générations suivantes ». Il tient que les idées sont des réalités aussi concrètes que les choses ; le langage doit se glisser jusque dans leurs moindres anfractuosités pour être sûr d'avoir tout exploré. « Le même manquement, deux manquements mutuellement complémentaires, deux manquements mutuellement contraires, mutuellement inverses, mutuellement réciproques, deux manquements le même, un manquement conjugué » : troublant mélange de précision et de bafouillage, de simplicité et de raffinement. On le retrouvera (deux raffinements mutuellement complémentaires, le même) dans sa typographie. Il se flattait de manier les caractères d'imprimerie comme les mots, de leur faire rendre tout leur sens. Il pourchasse les points d'interrogation et joue en virtuose de la parenthèse : « un peu de vérité (s) »... « c'est comme s'il (n'y) avait pas de dimanche... maintenant il faut travailler (dans) la semaine » ; on voit d'ailleurs fort bien pourquoi il écrit que « toute l'éternité est (comme) un instant dans le creux de la main divine » ou que Rembrandt a trop souvent répété » le(s) même(s) dessin(s) ». Avec de telles recherches le bergsonisme qui veut garder à l'expression abstraite tout le concret de la vie rejoint l'extrême intellectualisme de Mallarmé.

Mais le procédé caractéristique de Péguy est l'énumération par série d'oppositions massivement additionnées, formant une suite de coups de bélier : « Vous, Chartres, ville unique du pays de France, cathédrale unique au monde, Chartres, diocèse, ville unique au royaume de France, Chartres, qui êtes dévouée à Notre-Dame, Chartres, qui êtes dévouée, dédiée, donnée à Notre-Dame, Chartres qui êtes vouée... » Ses vers abusent de cette tendance à la litanie ; la majeure partie de *la Tapisserie de Sainte Geneviève* est construite sur deux énumérations : « les armes de Jésus... les armes de Satan » ; l'ensemble atteint une monotonie puissante, mais que de faiblesses dans le détail, que d'improvisations qui ne semblent guidées que par le désir d'épuiser les rimes en ure, en esse, ou en ri ! Il pousse la perversité jusqu'à choisir la forme la plus rigoureuse, celle du sonnet ; elle paraît devoir lui interdire les bavures ; alors il invente (*Sainte Geneviève* 1 et 2) d'écrire deux sonnets dont le second ne sera qu'un décalque, une amplification du premier. Au début du *Mystère de la Charité*, Jeannette récite le *Pater Noster* ; cela fait, elle le reprend, au négatif. De même la vie de Jésus est peinte d'un double point de vue : dans sa réalité et comme négation de tout ce qu'un fils doit à sa mère. Intentions subtiles mais vite noyées sous un intarissable bavardage.

La part du fatras est énorme chez Péguy. Tout y concourt ses qualités et ses défauts. Veut-il être simple ? il fera parler Hauviette d'« ouvrage bien faite » et d'un événement « rigolo » ; Mme Gervaise nous entretiendra de « la vierge et son garçon » et du monde qui fit à Jésus « des embêtements » ; parfois le comique l'emporte :

> Ainsi, dit Dieu, tout se joue trois fois. Le prophète parle avant.
> Mon fils parle pendant.
> Le saint parle après.
> Et moi je parle toujours.
>
> *(Mystère des Saints-Innocents.)*

Il y a en effet 200 pages qu'il parle, comme seul Péguy sait le faire parler, et la mesure est comble. Non qu'il bavarde au hasard ; il y a toujours une construction dans ses immenses monologues et tous les épisodes du *Porche* sont internement soudés par l'idée commune de l'Espérance. Il reste quelque chose de moyenâgeux chez Péguy ; on doit regarder ses trois mystères comme trois porches de cathédrale avec de grandes figures : Jeanne qui mêle à sa sainteté un idéal de « chevalier français », Mme Gervaise, étrange mélange d'exaltation mystique et de réalisme stylisé, Hauviette, « petite Française têtue ». Un œil attentif y discernera de délicates figurines, tel l'excellent portrait de Joseph d'Arimathie. Et dans ce flux verbal il retiendra et isolera de saisissantes trouvailles : vie de Jésus encadrée dans le suprême mystère, celui de la damnation éternelle ; tragique imagination d'un Dieu humain, « père entre les pères » qui ne peut ensevelir son fils, qui s'émerveille sur la gratuité de l'espérance, qui demeure « confondu d'avoir été tant aimé » ; inoubliable commentaire de la parabole de la brebis perdue, symbolique de l'espérance au point de l'avoir fait pénétrer au cœur même de la divinité. Depuis le *Saül* de Browning nul poète n'avait ressuscité ce frisson sacré :

Par cette brebis égarée Jésus a connu la crainte dans l'amour.
Et ce que la divine espérance met de tremblement dans la charité même.
Et Dieu a eu peur d'avoir à la condamner.

« Il vaut mieux s'adresser à Dieu qu'à ses saints », disait Péguy. Qui voudra vraiment connaître le poète qu'il fut, en dépit de tant d'imperfections, devra lire, dans *la Tapisserie de Notre-Dame*, cette *Présentation de la Beauce à Notre-Dame de Chartres* qui domine son œuvre, comme le long pèlerinage qui revit dans ces quatrains robustes domina sa vie ; l'homme s'y est défini tout entier : paysan,

Nous sommes nés au bord de votre plate Beauce
Et nous avons connu dès nos plus jeunes ans
Le portail de la ferme et les durs paysans
Et l'enclos dans le bourg et la bêche et la fosse.

satirique et polémiste,

Nous arrivons vers vous du lointain Parisis.
Nous avons pour trois jours quitté notre boutique,
Et l'archéologie avec la sémantique.
Et la maigre Sorbonne et ses pauvres petits.

rudement fraternel au désespoir,

Nous venons vous prier pour ce pauvre garçon
Qui mourut comme un sot au cours de cette année (1).

catholique sans sacrements,

Voici le firmament, le reste est procédure.

(1) Allusion à l'infortuné « petit B. », l'ami d'Alain-Fournier.

profondément mystique pourtant,

> Quand nous aurons quitté ce sac et cette corde,
> Quand nous aurons tremblé nos derniers tremblements,
> Quand nous aurons râlé nos derniers râlements,
> Veuillez vous rappeler votre miséricorde.

et capable de traduire en son lyrisme la beauté du plus précieux sanctuaire de la chrétienté :

> Un homme de chez nous, de la glèbe féconde
> A fait jaillir ici d'un seul enlèvement
> Et d'une seule source et d'un seul portement
> Vers votre assomption la flèche unique au monde...
> C'est la pierre sans tache et la pierre sans faute,
> La plus haute oraison qu'on ait jamais portée,
> La plus droite raison qu'on ait jamais jetée,
> Et vers un ciel sans bord la ligne la plus haute.

Cette plénitude de sens et de son, Péguy l'a retrouvée en certaines pages de la *Note sur M. Bergson*, pleine d'aperçus ingénieux sur « la raison raide et la raison souple », sur la réalité cartésienne, « ville bloquée », sur les « paniques en avant » de la pensée humaine. Là, cette forme lourde d'armée en marche avec tous ses auxiliaires lui a permis de dire des choses que nul autre peut-être n'aurait su exprimer avec une telle force : « Il faut renoncer à cette idée que la passion soit trouble (ou obscure) et que la raison soit claire, que la passion soit confuse et que la raison soit distincte. Nous connaissons tous des passions qui sont claires comme des fontaines et des raisons au contraire qui courent toujours après les encombrements de leurs trains de bagages. On ne peut même pas dire que la passion est riche et que la raison et que la sagesse est pauvre, car il y a des passions qui sont plates comme des billards et il y a des sagesses et il y a des raisons qui sont pleines et mûres et lourdes comme des grappes. »

Péguy est mort avant d'avoir constitué son « parti des hommes de 40 ans » ; le temps lui a manqué pour ériger sa morale en une « civique » ; il n'a jamais connu le recueillement où naissent les grandes œuvres qui s'imposent à l'histoire. En 1909, dans le plus émouvant de ses cahiers, adressé *A nos amis, à nos abonnés*, il dénonçait l'ironique fatalité qui poursuivait devant une histoire intellectualiste, soucieuse seulement des résultats précis, les bergsoniens qui avaient dépensé leurs forces dans une lutte au jour le jour, dont les traces s'aboliraient vite : « Nous y avons jeté notre destinée tout entière. Mais cela sans aucun rendement historique... Mais le mécanisme était petit... Nous avons été grands dans la réalité... Nous ne l'avons pas été dans l'enregistrement, dans l'appareil d'enregistrement. Dans l'histoire... Nous n'irons jamais jusqu'à l'audience. » Or, l'Intelligence, celle qui aura profité des critiques bergsoniennes pour étreindre plus souplement la vie, saura, même quand elle se fera historienne, accueillir tous ceux qu'une haute passion de vérité anima. Comme s'il prévoyait la mort prompte, Péguy, de 1910 à 1914, entassa volumes sur volumes ; il voulait créer, entrer violemment dans l'histoire. Malgré cet effort têtu, il tomba avant d'avoir pu s'enorgueillir d'un chef-d'œuvre absolu. Il ne se présente néanmoins pas les mains vides et il serait suprêmement injuste qu'il n'allât pas « jusqu'à l'audience (1) ».

(1) Quelques ouvrages à consulter : CHARLES SEIGNOBOS, *L'évolution de la troisième République* ; JACQUES BAINVILLE, *Histoire de trois Générations* ; JOSEPH REINACH, *Histoire de l'Affaire Dreyfus* ; DANIEL HALÉVY, *Charles Péguy et les Cahiers de la Quinzaine* ; RENÉ JOHANNET, *Itinéraires d'Intellectuels* ; LÉON BLUM, *Souvenirs de l'Affaire.*

CHAPITRE VIII

DE L'ART PUR AU TÉMOIGNAGE

Dans le chapitre précédent nous avions groupé les principaux écrivains qui, après l'ébranlement moral causé par l'Affaire Dreyfus, ont incarné le conflit des idées dans la France de l'avant-guerre. Si bien que nous aurions pu intituler ce chapitre : Les maîtres des jeunes gens de 1913. A cette série de portraits correspondra une autre galerie, celle des maîtres reconnus, une dizaine d'années plus tard, par les nouveaux débutants. Pareilles récapitulations des influences prépondérantes sont indispensables pour expliquer la différence d'attitude de deux générations successives. Mais elles paraîtraient d'arbitraires coupures dans une durée toujours mouvante si nous ne les complétions par un vaste panorama des œuvres poétiques et romanesques durant le premier quart de ce siècle. A côté d'écrivains prématurément disparus on en rencontrera ici d'autres dont l'activité ne s'est pas ralentie : n'est-ce point la preuve la plus éloquente de cette continuité de la vie littéraire à laquelle nous voulions d'abord rendre hommage ?

§ 1. — Symbolistes et Romantiques

« La magnifique frondaison lyrique que l'on a nommée le Symbolisme — il vit toujours — ... » ainsi parlait Jean Royère, en avril 1920, dans un discours à Paul Fort. Le symbolisme vit toujours : Verhaeren fut jusqu'au bout entouré d'un égal respect par toutes les écoles ; Viélé-Griffin et Kahn ont conservé leurs admirateurs ; Jammes est resté Jammes, vrai poète de la Grâce jusque dans l'artificieuse simplicité qui marque parfois *De tout temps à jamais ;* Henri de Régnier a réconcilié le symbolisme avec l'académie, voire durant la guerre avec l'académisme, se vengeant de ce « durcissement » par une suite de romans artistes et libertins.

Mais le symbolisme ne vit pas seulement en ce sens qu'il se survit, ni même parce que nombre de poètes révoltés contre sa doctrine subissent, consciemment ou à leur insu, les influences de Rimbaud et de Mallarmé. Le symbolisme fut une force agissante à *la Phalange* et chez JEAN ROYÈRE. Celui-ci, dans la préface d'*Eurythmies*, se déclarait partisan d' « une poésie qui contraignît le lisant à autant d'initiative que l'écrivain » ; il se réclamait de Mallarmé et c'est bien un doux écho mallarméen que nous retrouvons dans ces vers :

Sous l'yeuse, où se traîne un jour décoloré,
Cherche, silencieux, quelque rive hagarde :
Là brise au roc poli qu'un doigt fantôme garde
Le reflet pâlissant du ciel transfiguré.

Sa conception personnelle, Royère l'a de nouveau exposée pans *Clartés sur la Poésie :* c'est un nominalisme esthétique qu'il appelle un « symbolisme ou mysticisme verbal ». Par amour de la musique et haine du « système de concepts », il regarde avec méfiance l'intelligence et la sensualité. Ses disciples de *la Phalange*, Emmanuel Lochac et André Mora, le suivent avec talent dans cette voie rigoureuse qu'Armand Godoy élargit sous l'influence de Baudelaire et Verlaine. Un égal mépris de la rhétorique inspire le groupe des haïjin dont Julien Vocance a résumé l'art poétique en un expressif haï-kaï :

Le poète japonais
Essuie son couteau ;
Cette fois l'éloquence est morte.

Continuateur du symbolisme aussi est le titre qui convient à Léon Deubel, le poète d'*Ailleurs* et du *Chant des Routes et des Déroutes.* Il ne s'est point dégagé de ses modèles, Baudelaire, Laforgue, Verlaine, Samain et Mallarmé, et nous savons qu'il n'était jamais satisfait de ce qu'il avait écrit. Ses vers (réunis par Pergaud dans *Régner*), témoignent trop souvent de cette attitude factice qu'il a décrite :

Le jour est fané comme une tenture
Et je prie dans l'ombre un dieu d'élection
De laisser venir à moi l'impression,
Car je ne suis plus que littérature.

Dans *le Tombeau du Poète* et les *Stances au Poète*, au contraire, une voix ferme s'entend qui promettait d'exprimer des vérités neuves. Mais Deubel s'est suicidé à 34 ans.

Guy Lavaud est un disciple de Mallarmé chez qui une inspiration d'amour détend la rigueur de son maître : d'où la grâce un peu molle du *Livre de la Mort :*

Et tu disais : Mon mal est comme un grand Amant...

et sa nonchalante préciosité, évocatrice de Vielé-Griffin, lorsqu'il peint, dans *Des Fleurs, pourquoi ?* les fleuves,

Lacets, vive moire aux mailles du paysage,
Et dont l'été tout blond, pareil à un beau page,
Se sert pour agrafer au monde un vêtement
De champs rouges avec les saisons le brochant.

Symboliste, Théo Varlet le fut par certains de ses maîtres. Homme du « Nord chrétien » il a, se souvenant de Laforgue, abreuvé d'ironies sa « Psyché-Bovary ». Mais déjà, en ces sombres pays dont il traçait de violents tableaux, il enviait la fugue de Rimbaud, il aspirait à se dévouer, corps, cœur et cerveau, « au grand matin païen ». Il rejoint ainsi le romantisme, un romantisme haut en couleurs, grossi par cette assimilation de toutes les découvertes scientifiques qu'il utilisa dans les romans planétaires : *les Titans du ciel* et *l'Agonie de la Terre*, grandiose épopée des Martiens embarqués à la conquête du soleil, dont Octave Joncquel lui fournit le thème. Même s'il renchérit sur les plus dures duretés de Verhaeren, ses abstractions sont toujours charnelles, qu'il s'agisse des méditations exaspérées où, « analyste sectaire », un peu trop enclin à

> Ruminer ce cher vieux poison : Littérature,
>
> *(Joies rustiques.)*

il s'enfièvre dans l'attente du jour

> Où l'on saura tous les Comment,
> Où l'on tiendra le grand Pourquoi finalement.
>
> *(Spleen.)*

ou bien d'une ascension dans la lumière méridionale,

> Escorté par le peuple énorme de ma joie.
>
> *(Par les routes.)*

Au creux d'une aisselle, il a poursuivi des rêves baudelairiens ; les contes de *la Bella Venere* le montrent séduit par les paradis artificiels, avide des frissons de la vie farouche, brouillant à dessein le monde antique avec le moderne, déchaînant le grotesque et la sensualité sacrilège, imaginant les miracles d'un Villiers païen. Mais en Hollande il a rencontré Descartes et Spinoza qui l'ont haussé

> Au cœur essentiel et blanc de l'Unité.
>
> *(L'Autre Vie.)*

Aux rives siciliennes et dans sa retraite de Cassis, il s'est éveillé

> Au terrible soleil béant de la Beauté.
>
> *(L'Autre Vie.)*

Son paganisme lui inspire des rêves virgiliens, et il en décrit les paysages avec une sobre musique aux accents presque classiques :

> Quant à moi, ces roseaux jaunis que la tempête
> D'équinoxe a chassés au fond secret de l'antre,
> Je les veux ajuster d'une main patiente,
> Selon le rite des divinités champêtres.

Son unité est cette dualité, manifeste dans *Aux Libres Jardins* (1) où se lisent cette *Idylle* et l'*Éthique* aux rythmes heurtés. Car, même alors qu'il orchestre, dans *la Belle Valence*, les cocasses inventions qu'inspire à ANDRÉ BLANDIN la machine à explorer le temps, Varlet reste d'abord un vrai poète, celui qui, dans les symphoniques *Évasions*, retrouve « aux formules d'un Newton » le

> Sourire, en ce matin lyrique, du grand Pan.

FAGUS, dont l'œuvre complète forme un ensemble sous l'argument général *Stat Crux dum volvitur orbis*, a touché le grand public avec la *Danse macabre*, poème composé, dit-il, comme tous ses autres ouvrages, « dans l'arrière-pensée d'une glose musicale ». La victime de cette danse macabre est l'amour humain dont les héros, les héroïnes légendaires et les poètes défilent, emportés dans un mouvement d'une énergie rutilante. Deux stances montreront la richesse verbale de cette double inspiration, ironiquement sensuelle et mystiquement symboliste, celle de la *Prière des quarante heures* ou de la sonate dans

(1) Ouvrage précédé d'une étude sympathique par JOSEPH BILLIET, fondateur de la revue *L'Art Libre* (1909-1911), qui, après deux livres, *Introduction à la Vie Solitaire* et *Les Visages de l'Egypte*, où alternent les impressions lyonnaises et les notations du Caire, a poussé, dans *Paix sur les Hommes*, le cri d'une éloquente révolte.

Jeunes Fleurs, qui entraîne comme un vent d'orage toute la littérature de l'amour :

O toison si rousse,
O ventre si blanc,
Velouteuse mousse
Et buisson ardent ;
Mais, suprême extase
Où tout nous conduit,
Un... oui ! — qui s'évase
Comme un double fruit.
. . . .
Séraphique dictame,
Liqueur, glace, or et flamme,
Pour que mon cœur en pâme,
Enivrez-moi ;
Terrestre Notre-Dame,
Réconfort à mon âme,
Emblème de la femme,
Exaltez-moi !

Dans la *Guirlande à l'Épousée* on le voit tour à tour prolonger et parodier les thèmes des chansons populaires ou de ses maîtres, Villon, Verlaine, Baudelaire, Rimbaud : car il y a en Fagus un musicien qui aime inscrire des variations sur un motif donné, comme il a orchestré en vers réguliers le *Jeu-parti de Futile* traité en vers libres par François Bernouard. Mais ce qui fait sa durable originalité, c'est toujours l'impitoyable rappel :

Mourez de terreur et de joie,
L'une en l'autre, chairs trop aimées,
Amour et mort, prenez vos proies,
Ici-bas tout est consommé,
Et l'heure de vivre a sonné !

(Guirlande.)

Son *Frère Tranquille* est, dans la folie de la raison et l'hallucination des spectres, un long dialogue avec la mort,

L'horreur d'un monde mort où la pensée n'est plus.

D'aucuns lui reprocheront — qu'il passe d'un appel vers Jésus à une ronde chez les filles — une certaine monotonie : mais elle n'est comparable qu'à celle de Léon Bloy, et cette pensée obsédante lui a dicté telle extraordinaire méditation :

Les mêmes figurants ! répétons-nous cela...

ou ces accents déchirants qui sont d'un grand poète :

O vous tous, mes frères, mes sœurs,
O mes amis, je dois mourir ;
Heure par heure, tout se meurt,
Et vous n'y pouvez rien et rien.
C'est en vain que je vous appelle :
— Tourne, tourne, ma cervelle,
Viens et va et bats, mon cœur !

D'une voix plus humble, Charles Grolleau a dit cette alliance du mysticisme et de la sensualité :

J'ai mis dans les cheveux de tous mes mauvais anges
Ces roses de clarté qui me venaient du Ciel...

mais ni les souvenirs symbolistes ni l'influence de Khayyam n'ont entamé la foi du poète des *Reliquiæ* en

Celui qui vient toujours quand l'homme le réclame.

Les *Ballades françaises* de Paul Fort furent dès le début favorablement accueillies par les guides de l'opinion. Gourmont saluait en lui « la figure la plus curieuse de la seconde génération symboliste ». Critiques indépendants et critiques officiels, si souvent opposés, se sont toujours accordés pour constater qu'il n'avait pas obtenu la réputation qu'il méritait ; ni la fondation du *Théâtre d'Art*, ni son rôle à *Vers et Prose*, ni le titre de Prince des Poètes qu'il porte depuis 1912 n'ont pu lui conquérir tout le public auquel il avait droit. On en a rejeté la faute sur son style qui est bien, selon la définition de Pierre Louÿs, « un style nouveau ». On a tiré de la prose où il les maintient des stances parfaitement régulières :

> L'herbe de la prairie où glissait l'or de l'air
> Soulevait des vapeurs et grisait mon émoi ;
> La luzerne et le thym, par flots lissant la terre,
> Venaient, flots de senteur, s'éperdre jusqu'à moi.
>
> *(Les Bœufs.)*

On éprouve, en effet, quelque gêne à transcrire sous la forme que lui a donnée le poète cette admirable stance classique : « Oui, le ciel a frappé deux fois le même lys du même éclair fidèle ! J'irai cueillir, je veux aider Amaryllis à cueillir l'asphodèle. » Le sacrifice est d'autant plus pénible que le vers de Paul Fort est celui d'un symboliste très souple, qu'il concilie l'éloquence romantique et le bon sens gaulois, que ce poète sait rythmer une stance avec l'art du plus fin ciseleur de la Pléiade.

Mais il faut s'incliner devant les motifs qu'il a donnés, dès 1898, dans la préface au *Roman de Louis XI :* « Quant à la forme, j'ai tenté de marquer la supériorité du rythme sur l'artifice de la prosodie. Exactement j'ai cherché un style pouvant passer, au gré de l'émotion, de la prose au vers et du vers à la prose : la prose rythmée fournit la transition. Le vers suit les élisions naturelles du langage. Il se présente comme prose, toute gêne d'élision disparaissant sous cette forme. La prose, la prose rythmée, le vers ne sont plus qu'un seul instrument gradué. » On voit clairement le dessein essentiel de Fort : il entend, par l'emploi de la prose rythmée, sauvegarder l'unité de sa pensée, et ces constants passages d'un registre à l'autre qui enchantent son lecteur. Si nos hésitations ne sont point toutes injustifiées (car « toute gêne d'élision » ne disparaît pas aussi vite qu'il l'affirme et ses élisions ont provoqué de savantes controverses), il n'en a pas moins raison dans l'ensemble et la conclusion de Gourmont demeure juste : « Le talent de Paul Fort est une manière de sentir autant qu'une manière de dire. »

Des amis de Paul Fort l'ont félicité de n'exister point, de n'être qu'un personnage mythique, une sorte d'Homère où maints rhapsodes auraient collaboré ; manière ingénieuse de souligner sa prodigieuse mobilité. Combien dut-il sourire de cet éloge, en sa conscience d'une vigoureuse personnalité qui se manifeste dans l'échec aussi bien que dans le succès. Car il n'ignore point que les symbolistes *Répons de l'Aube et de la Nuit* ou *les Voiles de mon navire* ne représentent pas le meilleur de lui et que le Henri III de sa *Vision romantique* est assez médiocrement mélodramatique. Non qu'il soit incapable d'animer des personnages humains ; il a fait revivre les héros de la chevalerie et l'enchanteur Merlin dans la forêt de Brocéliande ; il a évoqué un inoubliable Louis XI : « Curieux homme... fin matois... mon doux petit Louis XI... Cher marchand de marrons, que tu sus bien tirer les marrons de Bourgogne ! » L'auteur de ces fresques grouillantes et bariolées qu'il nomme *Chroniques de France*, surtout de *Louis XI, curieux homme* et des *Compères du Roi Louis*, est certainement le meilleur champion du théâtre historique à notre époque. Son goût pour l'imagerie populaire, qui l'avait conduit à Jeanne d'Arc, lui servit pendant la guerre à glorifier Joffre et à invectiver von Plattenberg. Dans *la Guirlande au gentil William* il a réussi à faire parler sans ridicule le Shakespeare du *Songe*, celui auquel il ressemble par tant d'inventions comiques dont la meilleure est *Coxcomb ou l'Homme tout nu tombé du Paradis*. En contant cette histoire où Dieu jure : « Nom de Moi », où Coxcomb, qui a dérobé les sept âmes « de Messires Socrate, Hamlet et Triboulet, Galilée, Confucius, César et Mahomet », vient, au terme de ses célestes aventures, choir en Normandie où deux gendarmes le ramassent, Paul Fort s'est vraiment « envolé sur l'aile de la Fantaisie » ; il faudrait bien de la mauvaise humeur pour refuser de l'y suivre ou d'entendre, de sa bouche, le récit de *la Piteuse Bataille de Montlhéry* ou de *la Pêche miraculeuse.*

Le sentiment dominant de Paul Fort est l'amour de la nature. Les *Idylles antiques* témoignent qu'il en a su aimer les plus larges perspectives,

Toute la nuit d'étoiles est sur le promontoire. Viens ! nous aurons assez d'étoiles pour nous deux. Serre bien sur ton cou ton voile au vent du soir. Vois comme sous nos pas les ajoncs sont frileux.

(Le Dialogue nocturne.)

la peuplant de divinités qui ne sont point pour lui des imaginations glacées :

Et Pan, au fond des blés lunaires, s'accouda...

(Visions.)

Les pétales volettent. La terre se soulève. Et, le corps sous les roses bleuies de clair de lune,

L'éternelle déesse, la puissante Cybèle, douce et levant le front, écoute Philomèle.

(Philomèle.)

Mais ses paysages préférés sont ceux de l'Ile-de-France ; il a chanté, aussi inlassablement que son ami Jammes faisait la campagne d'Orthez, Coucy-le-Château, et Gonesse, et la Ferté-Milon, et « Senlis aux tourterelles ». Il a consenti à aimer la Normandie, la Touraine, le Blésois et le Vendômois. Le centre de sa tendresse est pourtant ce *Paris sentimental* où il suivit Manon au Luxembourg, à Bullier, sur le pont au Change :

Sur les jolis ponts de Paris, les quais et les ponts, garde-fou, garde-folle, sur les ponts de Paris joli, les quais et les ponts, gardez votre folie.

(Sur le pont au Change.)

Cet amour de la Nature a nuancé sa conception de l'amour ; il en a inspiré les délicatesses :

Tremble comme un tremble. Contre mon cœur sois un rayon qui tremble doux comme la soie.

(Clair de lune.)

Il a aussi dicté la conclusion de la *Vision sentimentale :* « Le malheur s'efface comme une ride sur l'onde » et de ce *Lien d'amour* qui est un de ses chefs-d'œuvre :

Pourquoi renouer l'amourette ? C'est-y bien la peine d'aimer ? Le câble est cassé, fillette, et c'est toi qu'a trop tiré.

La certitude de joie dans la nature vivante qui se reflète dans *Montagne*, *Forêt*, *Plaine*, *Mer* donne à Paul Fort une philosophie : « Je voudrais de mes doigts caresser la nature, comme un bel instrument qui réponde à mon rêve », écrit-il dans *les Hymnes de Feu.* « Il ne faut pas croire à la mort », avait-il dit dans la *Berceuse pour les agonisants ;* il le répète dans la *Vision cosmique.* Le poète refleurit comme la nature et lui oppose une égale force de création :

Contemple, sois ta chose, laisse penser tes sens, éprends-toi de toi-même épars dans cette vie. Laisse ordonner le ciel à tes yeux, sans comprendre, et crée de ton silence la musique des nuits.

(Ballade de la nuit.)

Son penchant à l'ironie narquoise pourra bien l'engager à intituler un recueil *Chansons pour me consoler d'être heureux ;* cela ne doit point nous masquer la sereine gravité de l'affirmation qui domine *l'Aventure Éternelle :*

Poète je le suis. Uniquement poète. Autrement dit rêveur, créateur conscient. Autrement dit *surtout* dieu créant, dieu rêvant. Et l'un des plus créant, rêvant de la planète.

(Vivre en Dieu.)

« Créateur conscient », Paul Fort ne l'est jamais plus que dans les moments où il exprime une pensée généreuse sous la forme d'une ballade populaire, à l'accent véridiquement « français » :

Si toutes les filles du monde voulaient s'donner la main, tout autour de la mer elles pourraient faire une ronde.

Si tous les gars du monde voulaient bien êtr' marins, ils f'raient avec leurs barques un joli pont sur l'onde. Alors on pourrait faire une ronde autour du monde, si tous les gens du monde voulaient s'donner la main.

(Ronde.)

Parmi ceux que la préface de G. Lanson à une *Anthologie des poètes nouveaux* (Figuière, 1913) donnait pour les continuateurs de l'effort symboliste, signalons encore : PAUL CASTIAUX, directeur de la revue *les Bandeaux d'or* (1907) qui s'apparente à Théo Varlet par *la Joie vagabonde* et a, dans *Lumières du monde*, conté en vers libres harmonieux sa recherche de la joie à travers les paysages de Bretagne et d'Italie ; ÉMILE COTTINET qui enferme dans la forme symboliste une inspiration romantique ; FLORIAN-PARMENTIER, dont le témoignage sur la guerre nous touchera plus que ses poèmes ; HENRI HERTZ dont les vers ont l'âpreté familière que l'on a depuis retrouvée dans ses *Sorties ;* LOUIS MANDIN qui a essayé d'être brutal tout en proclamant que

Le poète vibrant et sage
Fait de sa force l'eurythmie
De l'ordre conscient et du génie et de la vie.

GEORGES PÉRIN a subi beaucoup des influences ambiantes, mais il montre une tendre sensibilité dans son domaine des *Émois blottis ;* on retiendra de sa *Lisière blonde* quelques jolies chansons pour célébrer « la rencontre humaine des hommes » et de charmantes qualités d'émotion contenue dans ses *Rameurs*, roman où une petite institutrice de province s'éveille à la beauté de la vie. Avec la même discrétion, sa femme, CÉCILE PÉRIN, a dit, dans *la Pelouse*, la force de l'amitié et la complexe beauté de l'épouse et de la mère. JEANNE PERDRIEL-VAISSIÈRE se souvient parfois un peu trop de ceux qui ont trouvé lorsqu'elle cherche à peindre *Celles qui attendent* ; mais certains de ses poèmes sont bien

Une goutte d'essence au creux de mes deux mains...

et ses *Pochades* bretonnes ont une poétique précision. GABRIEL MOUREY a modestement intitulé un de ses volumes *le Miroir* : on y découvre en effet surtout des reflets douceâtres et l'on préférera à ces perpétuels « effeuillements de roses roses » ses études sur l'art anglais ou les agréables notations du *Village dans la Pinède*.

§ 2. — Les poètes traditionalistes

Le retour aux formes traditionnelles avait été pour Moréas une nécessité littéraire ; il fut, pour d'autres, la conséquence d'une conviction politique. JEAN-MARC BERNARD se posa en type de poète partisan. Il publia *Sub tegmine fagi* et des *Pages politiques des poètes français*, où ce disciple de Maurras révélait surtout la pauvreté de l'inspiration royaliste chez nos classiques. Dans son recueil d'*Amours, Bergeries et Jeux* la parodie tenait une large place : un quatrain assez attendu plaçait *Sub tegmine fagi* sous l'invocation de Fagus, après un avant-dire (« Ceux qui virent tout de mauvais œil estiment que du temps probablement vient d'être perdu. Pas. Stéphane Mallarmé ») qui était de beaucoup la page la plus spirituelle du volume, très supérieure assurément aux froides railleries des exclamations symbolistes et à une traduction sans couleur des quatrains d'Omar Kheyyam. Henri Clouard félicitait J.-M. Bernard d'avoir composé « des poèmes qui ne montrent peut-être que du talent, mais où ne s'entend l'écho d'aucun mauvais maître » ; les meilleurs de ces vers en effet sont seulement des pastiches fidèles de Moréas :

Je puis enfin penser à toi sans te maudire :
Le calme est revenu dans mon cœur déchiré.
Aujourd'hui que je peux, comme autrefois, sourire,
Je ne sais plus si j'ai pleuré.

Les premiers recueils de PAUL DROUOT, *la Grappe de raisin* et *Sous le vocable du chêne* renfermaient de belles promesses. Il trouvait pour traduire la mélancolie qu'il avait apportée de ses Ardennes natales

Où comme un ancien trésor
Luit le soleil de l'infortune

des accents dont, comme chez Moréas, la fièvre se disciplinait en images :

Maintenant couchez-vous dans vos sombres manteaux
Et dormez, car jamais n'entrerons dans ce havre
Ni vous, ni moi — à moins qu'un soir les belles eaux
N'y viennent jeter nos cadavres.

La lecture de l'inachevé : *Eurydice deux fois perdue*, poème en prose où la passion atteint à des traits aussi pénétrants que celui-ci :

Amie, amie, je ne puis plus me taire ! Je me donne à toi comme la cloche, tout entière dans chacun de ses battements, se donne au soleil qui va disparaître sous l'horizon noir...

devait aviver les regrets qu'inspirait la perte de ce poète, mort pour la France.

Jean-Louis Vaudoyer n'ignore point les charmes de son époque, à preuve *les Papiers de Cléonthe* où la fantaisie nonchalante soutenue pendant les deux tiers de ce roman sans action cède brusquement le pas à une étude de « cristallisation sur le néant », dont la nudité surprend un peu après tant de pages d'une grâce fardée. Même inspiration double dans son œuvre poétique ; *Rayons croisés* contient un émouvant hommage à la mémoire de Drouot et de jolies évocations de Thamar Karsavina dans ses divers rôles. La muse de Vaudoyer a la voix d'un Chénier qui aurait lu Baudelaire et triomphe dans les vers d'élégie noble :

Nous ne chercherons pas à troubler le silence
Qui s'élargit en nous après la volupté.
Les anges du bonheur chérissent l'indolence
Qui semble épanouir ton jeune corps dompté...

Roger Allard, admirateur d'Angellier, critique primesautier, a, depuis *le Bocage amoureux* jusqu'aux *Élégies martiales* en passant par *l'Appartement des Jeunes filles*, chanté la jeunesse et la santé juvénile avec la verve enjouée qui convient à des plaquettes de luxe mises sous l'invocation de Baudelaire, Tristan l'Ermite et Du Bellay. La grâce de pastiches lettrés comme l'*Épigramme à une Inconstante :*

Il n'est plus dur faix que le temps,
Nulle épaule ne s'y résigne.
Madame, à votre col de cygne,
Roi de tant de charmes contents,
C'est le seul que les dieux désignent...

est d'un poète adroit, capable de badiner jusque dans ses *Élégies Martiales*. Car même les traditionalistes ne sont pas enchaînés à un dogme unique en un temps où l'on vit Alfred

Droin rester fidèle à l'inspiration qui dédiait à Sully-Prudhomme *la Jonque victorieuse*, Lucien Dubech s'appliquer sagement selon la tradition de Malherbe, Alexis Couet insinuer l'inquiétude d'Anatole France dans les rythmes de Leconte de Lisle et Robert Maurice traiter en modèle classique le Verhaeren des tableaux flamands.

La personnalité de Joachim Gasquet, son amour pour toutes les formes de « l'art vainqueur » lui avaient gagné d'unanimes sympathies. Ce néo-classique restera associé à un réveil de l'éloquence romantique. Les *Hymnes*, essais d'odes pindariques, commentaires chaleureux de la *Marseillaise* et du *Chant du Départ*, présentent un lyrisme assez officiel :

Une blanche clarté se lève
Au fond des yeux transfigurés...
C'est le Travail qui tient le glaive,
La Paix tonne aux forts azurés.

Une indéniable force populaire gronde dans *le Chant du Retour* et *l'Hymne au Vin*. Pourtant Gasquet n'obtient pas toujours, en enflant la voix, le transport lyrique où il vise :

Ah ! j'ai beau me pencher sur les sombres remous de ces pompes funèbres,
Je suis seul. C'est ma mort qui viendra respirer ce printemps des ténèbres,
Il est doux de marcher sous la lune, d'aller vers Dieu, le cœur rompu,
Et quand l'amour s'endort, de pouvoir murmurer : j'ai fait ce que j'ai pu.

Respectons la naïveté de ces vers de 18 syllabes où les alexandrins s'isolent si facilement. L'enthousiasme provençal de Gasquet est sincère : *Il y a une volupté dans la douleur*, histoire fougueuse d'une volupté sans amour, contient de belles pages d'un panthéisme sensuel avec des rappels de Valéry et de Cézanne, les deux maîtres que Gasquet a si noblement compris et imposés. *Le Bûcher secret* procède de la même veine ; toutefois, à travers le romantisme grandiloquent de ces évocations de Tristan et Roméo qui donnent à la passion vraie une injuste apparence d'insincérité, on distingue les accents d'un art épuré, comme averti, par la souffrance :

> Il fait triste... Une lune inquiète s'enlace
> Au cou de mes cyprès qui ne la sentent pas.
> C'est encore un jour vain, un de mes jours, qui passe.
> Je l'entends dans mon ombre, ô ma mort... Parle bas.

Il conviendrait ici de réserver le coin des poètes sages : AUGUSTE DORCHAIN, auteur de *l'Art des vers ;* ANDRÉ DUMAS, né pour les à-propos du Théâtre-Français ; XAVIER DE MAGALLON, si candidement impétueux ; ALBERT ERLANDE dont le *Poème royal*, ambitieux thrène d'amour aux accents un peu trop prévisibles, éveille plus d'échos dans le passé que dans l'avenir ; CHARLES DORNIER qui monnaye gentiment Samain ; MAURICE LEVAILLANT qui écrit *Des Vers d'amour*. Les revues qui publient les œuvres de ce genre — *la Muse française*, de A.-P. GARNIER, et *la Revue des poètes*, fondée en 1898 par ERNEST PRÉVOST, dirigée par EUGÈNE DE RIBIER — ont la prudence de les bien signer pour éviter toute confusion.

Parmi les traditionalistes se range aussi LOUIS MERCIER dont les nobles poèmes religieux, *Lazare le Ressuscité* et *Pilate,* visent à une simplicité évangélique plutôt qu'aux luxuriances de l'Ancien Testament et, plutôt qu'au lyrisme, à cette éloquence qui ne se moque de l'éloquence qu'après en avoir honnêtement épuisé les ressources ; par où son œuvre catholique forme contraste avec les *Poèmes visionnaires* et les *Poèmes expiatoires* de LOYS LABÈQUE qui retrouve parfois, à travers bien du verbiage, l'âpreté de Corbière. Et de même il serait bon qu'une anthologie recueillît, de CHARLES DE SAINT-CYR, inventeur de « l'intensisme », quelques émouvantes effusions chrétiennes, chansons octosyllabiques selon le rythme de son patron, François Villon :

Toi sous le gibet et qui songes
Que, hors mourir, tout est mensonges,
Combien ton émoi est l'émoi
D'un moi qui vit au fond de moi.

(Le Livre d'Iseult.)

ADOLPHE LACUZON fut le prophète de l'Intégralisme. Il définissait la poésie comme « la volupté de la connaissance ». Malheureusement son lyrisme tend plus à la connaissance qu'à la volupté : il fait, dans *Éternité*, du sur-Leconte de Lisle, et, dans *Élévation sur le siècle*, oppose à Vigny

La solidarité de la terre et des cieux...
Et la pitié, frisson de l'être au grand mystère.

ALBERT LANTOINE, poète hanté par la Luxure et la Mort, prosateur d'une somptuosité uniforme dont Huysmans vantait « la langue d'émail », a construit, dans *l'Aveugle aux colombes*, trois récits qui ressemblent à des sarcophages. Pour rompre le morne ennui des pastiches classico-parnassiens, il faut le sentiment de la *Perséphone* de CHARLES DERENNES ou l'ingéniosité de LÉON VERANE et de GEORGES GABORY qui rejoignent les fantaisistes, ou bien l'attachement à une petite patrie de LÉON BOCQUET, fondateur du *Beffroi* lillois, MARC LAFARGUE et EMMANUEL DELBOUSQUET, représentants du groupe « toulousain ». Entre tous se détache PIERRE CAMO, élève de Baudelaire pour la sensualité et de Régnier pour la musique, dont la sympathie artistique va de Ronsard à Gauguin, chantant la beauté sarrasine, ornant de roses de France la beauté imérinienne, toujours ramené à l'amoureuse jeunesse :

Et je reviens, sur ta poitrine chaleureuse,
Poser mon front exempt de trouble et de souci,
Et retrouver, au sein du bienfaisant oubli,
Le silence et l'odeur de la mort ténébreuse.

(Les Beaux Jours.)

De nos poètes mondains Paul Géraldy est le plus réputé. *Toi et Moi* est le cantique d'un amour qui quelquefois badine :

> Otons les coussins, s'ils te gênent,
> Tâchons de nous installer bien,
> et donnez-moi vos mains, vilaine...

mais, en des heures de nervosité, aspire à dépasser ce jeu :

> Oui, tu m'aimes. C'est vrai, tu es très, très gentille.
> Mais il y a des jours, tu sais,
> où je me sens las, agacé,
> de t'écouter jouer à la petite fille.
> Rire toujours, toujours plaisanter, c'est charmant,
> mais insuffisant tout de même.

Alors les amants de *Toi et Moi* atteignent à la pensée et méditent :

> C'est de cette erreur profonde
> que maintenant nous souffrons.
> On ne fait pas tenir le monde
> derrière un front.

Tant que l'équilibre est ainsi maintenu entre cette poésie et son objet, nous aurions mauvaise grâce à protester ; mais lorsque ce papotage s'exerce autour d'un des grands thèmes amoureux que les génies ont placés sous la sauvegarde du bon goût, l'indécence commence ; il est pénible d'avoir à rappeler à l'auteur du morceau intitulé *Dualisme* que ce sujet a été traité dans le deuxième acte de *Tristan et Isolde*.

Maurice Magre n'a point connu un succès comparable à celui de Géraldy. Il le méritait pourtant par ce que Duhamel définit « une sorte de courageux mépris de l'art », par son obstination à chanter

> Le mouvement qui fait de tout corps féminin
> un élan de beauté vers des nuits ténébreuses.

Mais l'indélicatesse de ses évocations :

Dans cette solitude où vous ne craignez rien,
Dans le plaisir des draps, devant le feu qui flambe,
Auprès du cher amant qui seul vous connaît bien,
Que n'avez-vous pas fait entre les murs des chambres ?

a peut-être contribué à dégoûter de telles expériences des femmes que n'aurait point rebutées le prosaïsme de :

Elle mêle l'audace à la timidité ;
elle est pressée, hélas ! elle se donne toute...
Elle fait bien valoir tout l'art de sa beauté,
mais son pouvoir décroît, car, au fond, elle en doute.

En ce sens Maurice Magre a fait œuvre de moraliste avant de broder dans *Priscilla d'Alexandrie* des variations assez inutiles sur l'histoire d'Hypathie, la noble martyre. Il nous a touchés davantage en retraçant dans ses *Confessions* le chemin qui, par l'opium, le conduisit à la sagesse bouddhique.

Les poèmes de François Porché n'échappaient pas aux critiques que soulèvent ceux de Coppée : prosaïsme et mièvreries, fausse ingénuité dans l'expression de la vie intime. Dans les drames allégoriques, *Les Butors et la Finette* et *La Jeune Fille aux joues roses*, il semblait imiter Rostand sans posséder sa virtuosité. Depuis lors, il s'est imposé à notre estime par des pièces comme *Tzar Lénine*, fermement construite et qui atteste une sincère générosité, ainsi que par ses scrupuleuses biographies de Verlaine et de Tolstoï.

§ 3. — Le romantisme féminin

Sous ce titre, Charles Maurras groupait, en 1903, « quatre doux monstres à têtes de femmes ». S'il avait plus tard élargi ce quatuor en un septuor, il manifesterait sans doute quelque indulgence pour la Minerve sage de Mlle Charasson que Marcel Boulenger a calomniée en comparant son *Attente* aux *Chansons de Bilitis.* Le *Cœur magnifique* de Mme Jane Catulle-Mendès, d'une inspiration purement livresque, ne trouverait pas grâce à ses yeux, mais il s'inclinerait devant la sincérité pathétique de la *Prière sur l'Enfant mort.* Quant aux *Heures d'hiver* de Mme Burnat-Provins et à son *Livre pour Toi*, poèmes en prose dédiés à Sylvius « en souvenir de nos heures de volupté », où l'amour féminin entonne la louange du corps masculin, il n'est pas besoin d'être Maurras pour y saluer surtout la manifestation d'un tempérament généreux, et ses *Poèmes troubles* sont en somme assez clairs.

Ils rappellent parfois, tout en le simplifiant, le romantisme de Renée Vivien. Celle-ci se complaisait dans une atmosphère d'exotisme et de magie :

> Mon cœur est las enfin des mauvaises amours,
> Des songes de mes nuits et des maux de mes jours.
> Mon cœur est vieux autant qu'un très ancien grimoire
> Et, désespérément, j'appelle l'Heure Noire.

Dans ce palais baudelairien, Renée Vivien est à l'aise ; dès qu'elle s'aventure au dehors, toute inspiration l'abandonne et la facilité de :

> Nous voici toutes deux mortes, car tout survient

est aussi dangereuse que la cacophonie de :

> Car, en ce monde où la fatigue se prolonge,
> Chacun sait que rien n'est si parfait que le songe.

« Moi, je parle bizarre, comme d'autres parlent français » : en prêtant ces paroles à Mme Delarue-Mardrus, Maurras soulignait les défaillances de métier qui offusquent ses plus sincères inspirations. Cet à peu près dans l'expression gâte un peu les tableaux de sa Normandie aimée :

> Notre bien s'étendra du côté de Rouen.
> La cathédrale au loin dépassera la haie,
> La Seine imbibera notre herbage en jouant,
> Et nous aurons à nous une petite haie.

Il ralentit aussi les mouvements éloquents de *la Figure de Proue* où s'exhale le désir contraire et peut-être complémentaire, celui des départs aventureux. Lucie Delarue-Mardrus réussit plutôt le beau vers que la stance complète :

> Tout le Printemps tiendra dans une violette...
> Ah ! je ne guérirai jamais de mon pays !...

Outre l'amour de la nature, elle a célébré l'amour, tantôt en poèmes intimes, tantôt en amplifications romantiques comme le *Chant de la Passion.* Et parfois, à propos d'une sensation fugitive, elle a, en parlant complaisamment d'elle-même, associé l'humanité à sa rêverie :

> Le beau temps délicat chauffe ma gorge nue
> Où repose ma voix, douce comme un pigeon.
> Je sens avec mon cœur, au fond de l'étendue,
> Le pauvre cœur humain claquer comme un bourgeon.

On a surnommé ANNA DE NOAILLES « la Muse des Jardins » et on l'a comparée à Francis Jammes. Elle a dit maintes fois son amour de la Nature :

> Les forêts, les étangs et les plaines fécondes
> Ont plus touché mes yeux que les regards humains.

Dans *le Cœur innombrable* elle ne craignait pas d'affronter le ridicule en s'identifiant aux choses naturelles :

Et ce sera très bon et très juste de croire
Que mes yeux ondoyants sont à ce lin pareils,
Et que mon cœur, ardent et lourd, est cette poire
Qui mûrit doucement sa pelure au soleil...

mais devant cette magnifique affirmation de *l'Ombre des Jours :*

Nature au cœur profond sur qui les cieux reposent,
Nul n'aura comme moi si chaudement aimé
La lumière des jours et la douceur des choses,
L'eau luisante et la terre où la vie a germé...

qui songerait encore à sourire ? Et de même son intense amour de la vie :

J'écris pour que, le jour où je ne serai plus,
On sache comme l'air et le plaisir m'ont plu,
Et que mon livre porte à la foule future
Comme j'aimais la vie et l'heureuse nature...

(L'Ombre des jours.)

s'il lui a dicté parfois des images d'un goût contestable :

Je vous laisse, dans l'ombre amère de ce livre,
Mon regard et mon front,
Et mon âme toujours ardente et toujours ivre
Où vos mains traîneront...

(Les Éblouissements.)

aura paré d'une poignante beauté cette évocation de la mort :

Le souffle un jour me manquera :
En vain j'agiterai les bras !
Je songe, ardente et solitaire,
Au dernier objet sur la terre
Que mon regard rencontrera.

(Les Forces Éternelles.)

Toute la poésie d'Anna de Noailles est une musique à grands

intervalles ; il serait vain d'y déplorer l'absence de qualités moyennes qu'elle n'a jamais recherchées.

Retrouver dans son œuvre des influences, depuis Villon jusqu'aux symbolistes, serait chose facile, et ces deux vers :

> Le soir tombait, un soir si penchant et si triste...
> L'harmonieuse paix des germinations...

prouvent qu'elle n'a oublié ni son Verlaine ni son Hugo. Parler de son romantisme n'est utile que si le mot doit définir, non blâmer, l'éloquence de la prière devant le soleil :

> Et pourtant, je le sens, vive et lasse de pleurs,
> J'ai vécu si profonde et si haute en douleurs,
> J'ai, dans les soirs pensifs, sous les blanches étoiles,
> Des bords de mon esprit écarté tant de voiles,
> J'ai fait de mes deux bras, dans l'aube et dans le soir,
> Des gestes d'un si vif et si doux désespoir,
> Que dans l'éther divin où monte toute image
> Mes désirs se feront un éternel passage...
>
> *(Les Éblouissements.)*

Discuterons-nous cette attitude de prêtresse de la Vie quand elle nous vaut des élans d'une si sincère ardeur ? Nous plaindrons-nous qu'elle recrée lyriquement le calculateur Julien Sorel ? Et pour son exotisme, si nous le regrettons lorsqu'il vient intempestivement gâter une noble formule :

> Le visage est sacré quand il est âpre et fier
> Comme les sables de Tolède.
>
> *(Les Vivants et les Morts.)*

nous l'accepterons volontiers lorsqu'il nous apportera le parfum de Constantinople :

> L'immense odeur du musc, du cèdre et de la rose,
> Glisse comme le vent ;
> Mais l'Amour, de ses doigts divins, la recompose
> Au creux d'un chaud divan.
>
> *(Les Éblouissements.)*

Au surplus, le *Poème de l'Ile-de-France* a montré que Mme de Noailles demeurait sensible à une beauté plus familière :

> Ah ! si j'ai quelquefois désiré voir la Perse,
> Si Venise me fut le dieu que je rêvais,
> De quel autre bonheur plus tendre me transperce
> La douceur d'un beau soir qui descend sur Beauvais.
>
> *(Les Éblouissements.)*

Poésie de pur sentiment, inapte à l'expression de la pensée abstraite ; quand on ne s'est pas donné pour mission de rétablir l'ordre en France, il y a quelque absurdité à lui reprocher ce qu'elle avoue fort bien :

> Le goût de l'héroïque et du passionnel
> Qui flotte autour des corps, des sons, des foules vives,
> Touche avec la brûlure et la saveur du sel
> Mon cœur tumultueux et mon âme excessive.
>
> *(Le Cœur innombrable.)*

Elle l'avoue parce quelle ne s'en trouve nullement diminuée, parce qu'elle a défini la poésie « la forme lyrique, pénétrante et affirmative de la pensée », parce qu'elle se sent le droit d'inscrire en épigraphe aux *Forces éternelles* le mot d'Eschyle : « J'ai voulu dire tout à qui m'entend. » Assurément elle dit tout, la grandeur de Jaurès et des morts pour la patrie dans les poèmes de guerre aussi bien que, dans les *Poèmes de l'Esprit*, l'inquiétude humaine, la splendeur de l'étonnement, « cette immensité de soi-même »,

> Et ma vie, accident somptueux, vain et triste.
>
> *(Les Forces éternelles.)*

Mais elle proclamait là encore qu'

> Il n'est rien que les sens de l'homme et que la terre.
>
> *(Les Forces éternelles.)*

et son ombre nous pardonnera si, répondant à son *Appel* :

J'ai mérité d'être choisie,
— Perpétuité des humains ! —
Par votre tendre fantaisie...
(Les Forces éternelles.)

nous insistons plutôt sur ce qu'elle apporte d'entièrement neuf, si, entre les stances de *Tristesse de l'Amour* que Baudelaire n'eût point reniées, nous choisissons précisément celle que Baudelaire n'aurait jamais pu écrire, celle qui livre le dernier secret du corps des femmes et de leur âme :

Lorsque leur turbulent et confiant désordre
S'abat entre vos mains, dans leurs instants sacrés,
C'est l'immense univers qui leur donne des ordres,
Et vous n'êtes jamais qu'un répit préféré.
(Les Forces éternelles.)

Ses romans attestent la toute-puissance de la sensation ; elle l'affirme dans *la Nouvelle Espérance :* « Sabine se représentait le plaisir et la mort d'une manière aiguë et simple, par le goût qu'elle avait de la tiédeur et par la peur du frisson... Il n'y a pas d'avenir, il n'y a que le présent, toujours le présent... Il n'y a qu'un plaisir, c'est ce qui fait mal... L'héroïsme est la plus âpre sensualité... » *Le Visage émerveillé* accentuait cette naïve anarchie : « La conscience, c'est une tristesse qu'on éprouve après un acte qu'on vient de faire et qu'on referait encore. » Spontanément, elle vit dans le paganisme voluptueux et poétique qu'évoque *la Domination :* « Tous les poètes, et, mon cher Pan, il est beaucoup de poètes, t'attendent dans les jardins ; ne les crois pas lorsqu'ils se pensent mystiques et convertis aux religions de Judée. S'ils disent que leur âme est altérée de mystère, c'est parce qu'ils te cherchent et qu'ils ne t'ont point trouvé. » Le cœur peut, aussi bien que le raisonnement, mener à la constatation de l'universel écoulement : « Il savait bien que Venise ment, que tout ment, qu'il n'est pas de bonheur, seulement une fuite rapide du temps et des souvenirs qui s'usent. » Parfois elle espère en l'amour, mais au fond elle n'ignore pas que

L'Amour n'est ni joyeux ni tendre

et n'assouvira point son éternelle attente : « Le contour de l'âme des femmes est comme leur regard, tout cerné de langueur et de désir. »

Puisque rien au monde ne lui semblait égaler en réalité la flamme de ce désir, Mme de Noailles a du moins ambitionné d'en imposer aux vivants et à ceux qui naîtront une inoubliable image. Audacieusement elle a élevé le cri de la sensualité jusqu'en ces régions chimériques où nulle précision ne le brise, où d'amples échos le répètent :

Et ceux-là resteront, quand le rêve aura fui,
Mystérieusement les élus du mensonge,
Ceux à qui nous aurons dans le secret des nuits
Offert nos lèvres d'ombre, ouvert nos bras de songe.
(Le Cœur innombrable.)

Sans doute a-t-elle, dans *l'Honneur de Souffrir* où sa douleur s'exhale en ardents sanglots et en hymnes révoltés, protesté farouchement contre l'illusion d'une survie dans l'au-delà :

Je ne commettrai pas envers votre bonté,
Envers votre grandeur, secrète mais charnelle,
O corps désagrégés, ô confuses prunelles,
La trahison de croire à votre éternité.

Nous n'en continuerons pas moins à l'évoquer telle qu'elle se peignait en ces heures d'exaltation où elle prétendait apparaître jusque dans l'avenir comme une femme vivante et jalousement avide d'amour :

> Pour qu'un jeune homme alors, lisant ce que j'écris,
> Sentant par moi son cœur ému, troublé, surpris,
> Ayant tout oublié des épouses réelles,
> M'accueille dans son âme et me préfère à elles.
>
> *(L'Ombre des jours.)*

Ne séparons point ce qu'elle a uni si passionnément et reconnaissons à *l'Image* la gloire d'être, en même temps qu'un très beau poème, la victoire sur le temps perfide d'une femme « petite et claire » qui charge le faune expirant de son plus précieux message aux « morts pensifs » :

> Tu leur diras que je m'endors,
> Mes bras nus pliés sous ma tête,
> Que ma chair est comme de l'or
> Autour des veines violettes...
> Et dis-leur que dans les soirs lourds,
> Couchée au bord frais des fontaines,
> J'eus le désir de leurs amours
> Et j'ai pressé leurs ombres vaines.
>
> *(Le Cœur innombrable.)*

Pendant quelque temps il fut de mode parmi les néo-classiques de citer ces deux vers de GÉRARD D'HOUVILLE :

> Le rameur qui m'a pris l'obole du passage
> Et qui jamais ne parle aux ombres qu'il conduit.

afin de louer cette poétesse qui n'avait pas pour le vers libre les complaisances de son mari, Henri de Régnier, et dont la stance la plus souple gardait une allure classique :

> Mais sur l'onde où déjà le charme de cette heure
> Est effacé,
> La rame qu'on relève et qui s'égoutte, pleure
> L'instant passé.
>
> *(Les Eaux douces du Songe.)*

Il semble pourtant que la construction d'un poème tel que *Consolation* ou ce début de *l'Offrande funéraire* :

> Viens. Le soir assombrit le fleuve aux calmes eaux
> Et la berge est humide où nous cueillons encore,
> Au murmure plus frais du vent dans les roseaux,
> Les fleurs du crépuscule après les fleurs d'aurore...

révèle entre les deux arts une parenté de culture. Ce rapprochement précise l'originalité de Gérard d'Houville, toute en nuances féminines comme les notations délicates du *Temps d'aimer* ou ces impressions de nature, moins hautainement composées que rêveusement égrenées par le souvenir :

> Le goût et la saveur succulente d'un fruit,
> Le rayon de soleil qui me dore la joue,
> Et l'heure paresseuse où le rêve se joue,
> Et le petit croissant de lune dans la nuit.
>
> *(Le Regret.)*

On retrouvera ce charme dans *On ne saurait penser à tout*, comédie-proverbe à la Musset dans une Italie de Régnier, où cette douceur féminine et la foi en la puissance de l'amour renouvellent le cadre de pure fantaisie artistique. Comme ses sœurs inspirées, Gérard d'Houville a dit la vie menacée,

> Le charme douloureux de ce qui doit mourir ;

elle a célébré la nature et

> L'arome fraternel des fleurs consolatrices.

Elle a, elle aussi, gardé à son œuvre un attrait de confidence ; il est piquant d'entendre, dans *Tant pis pour toi*, la fille de Hérédia affirmer que « quand, par-ci, par-là, un homme a du génie, cette autre forme de l'amour, eh bien ! ce génie lui vient de sa mère » ; il est émouvant que son « multiple regret » mêle la vision d'un être précis aux paysages d'un climat brûlant :

Et vous, naïf orgueil de mon jeune visage,
Et vous, souple fraîcheur de mes bras ronds et nus,
Et vous, lointains pays, charmes ressouvenus
Du départ, du retour et du changeant voyage !

(Le Regret.)

§ 4. — Les intimistes

Pour qui souhaiterait, avant de connaître les théories nouvelles de notre époque, en goûter la complexe sensibilité, il serait indispensable de rassembler sur un rayon de sa bibliothèque quelques poètes par ailleurs fort différents, mais dont la collection, arbitrairement réunie, formerait une excellente préparation à l'étude des œuvres qui ont prétendu renouveler cette sensibilité. L'un des mérites des intimistes est, en effet, de nous renseigner sur les influences ambiantes qu'ils reflètent et nuancent.

Les poèmes en grisailles de René Salomé attestent la survivance du symbolisme, au sens de Jammes :

Il a purgé de colimaçons les feuillages
Des arbustes fruitiers qui sont rangés, bien sages,
Près des chemins bordés de cerfeuil et d'oseille...
Il a pris un panier, n'ayant pas de valise...

(Par le chemin des souvenances.)

et de Samain :

Tu piquais dans la soie des épingles ténues ;
L'Automne aux alentours et sur les avenues
De notre âme estompait des formes surannées.

(Plus près des choses.)

La fascination éloquente du romantisme a touché Léo Larguier, lui inspirant, outre un ambitieux *Jacques* dans la tradition de *Jocelyn*, quelques délicates évocations, telle la *Rêverie* XVIIIe siècle, justement dédiée à Mme de Noailles :

Et Rousseau, souriant, regardait son amie,
En feuilletant, distrait, un petit livre gris,
A côté d'un panier plein de cerises blanches,
Un petit livre simple et sans ors sur les tranches
Que Denis Diderot envoyait de Paris.

(La Maison du Poète.)

C'est aussi à Mme de Noailles qu'ÉMILE DESPAX dédia une des plus belles pièces de *la Maison des Glycines ;* mais le romantisme de cette invocation n'est pas son ton habituel. Il a rendu un noble hommage à Jammes ; on pourrait relever dans son œuvre des souvenirs de Samain et Rodenbach. Il possédait la première qualité du poète intimiste, la passivité :

Comme un étang, comme un miroir, mon âme est lisse.
Le grand jour n'y vit pas, n'y meurt pas ; il y glisse.
Comme un étang, comme un miroir qui se complaît
A ne jouer que de reflets. Et ces reflets
En sont la caressante et paresseuse vie..

(Le Rêve.)

Cette traduction immédiate de la sensation en mots ardents fait palpiter tragiquement la flamme qui éclaire son unique recueil :

Sur votre robe et vos yeux noirs un ciel trop bleu
Sourit. J'en souffrirais. Fermez cette croisée.
Que de larmes sont dans mes yeux ! Que de rosée
Pèse sur ce rosier et pend à ce rameau !
Silence. Je sais tout. Silence. Pas un mot.
Je sais tout. Que, sur vous, rose en feu, se balance
L'amour d'un autre à qui vous parlerez. Silence.

La poésie de FRANÇOIS-PAUL ALIBERT atteste une grande maîtrise des diverses techniques. Héritier du symbolisme, il sait manier le vers libre et retrouve, en des heures de bonheur, quelque chose de la lumineuse densité mallarméenne :

> Peuple dépaysé qui s'exhale, ah ! roseaux
> Vous penchez et tenez, de sa fuite enivrée,
> A chaque pointe errante une nymphe expirée.
> C'est vous qui, tout froissés d'un musical exil,
> Exhaussez, sur un mode équivoque et subtil,
> A l'accès de l'azur ce rustique trophée...
>
> *(Le Buisson ardent.)*

Mais, par delà *l'Après-midi d'un Faune*, Alibert veut rejoindre Virgile et il a défini son emblème :

> J'aime ce dur laurier qui pousse vers la gloire
> Hérissé de sa feuille étincelante et noire
> Une tête hautaine et l'orgueil d'être seul.
>
> *(Le Buisson ardent.)*

Ce classicisme où il reste du Vigny et du Leconte de Lisle semble par instants un peu artificiellement ému :

> O Mère toujours vierge, ô Courage, ô Beauté,
> J'élèverais tout haut vers ton cœur indompté
> Mon cœur trempé trois fois à ta vertu profonde,
> Substance incorruptible et divine du monde !
>
> *(A la source Fontélie.)*

Aussi préférera-t-on les passages où le poète désarme un peu, l'ardente *Ode érotique* qui dépasse de beaucoup le « chéniérisme » à la mode, les fines touches impressionnistes de *l'Hôtesse inconnue* :

> Sous les branches où perce une humide sueur,
> Des pruniers aux fruits bleus vernissés de fraîcheur...

et les rêveries des *Élégies romaines* où le vers, fluide et plein, porte sans effort la richesse d'une double tradition :

> Car l'amour le meilleur est cet amour furtif
> Qui ne traîne après lui qu'une image effacée,
> Et de qui l'apparence entre nos doigts pressée
> Ne laisse pour seul charme et pour tout souvenir
> Que les traits renaissants d'un immortel désir,
> Et sa jeune chaleur à nos lèvres brûlante.
>
> *(Musiques anciennes.)*

Par des vers d'une telle qualité Alibert marque un progrès dans la renaissance classique de Moréas à Valéry.

Au reste, qu'un poète intimiste puisse observer scrupuleusement les règles de la prosodie traditionnelle, PHILIPPE CHABANEIX l'a prouvé dans toute son œuvre. On n'en saurait donner de meilleur exemple que *Comme le Feu* où vingt-quatre poèmes de huit alexandrins forment un seul hymne d'amour avec ses silences et ses reprises, où chaque quatrain semble une nouvelle caresse :

> Parlons tout bas. Je t'aime. Une étoile nous guide
> Ensemble vers la nuit secrète des sous-bois.
> Ton âme comme l'onde est fuyante et limpide
> Et seul ton cher silence est plus doux que ta voix.

TRISTAN KLINGSOR n'a point renié le symbolisme et continue, avec un art plus raffiné, la tradition de Laforgue. Mais ici nul bégaiement ; cette fantaisie est sûre d'elle-même ; elle connaît ses limites. Elle se complaît dans l'exotisme et nous entraîne en Bohême quand

> Les Bohémiens qui ont des fleurs de neige
> Dans leur barbe noire, ce soir, sont passés...
>
> *(Poèmes de Bohême.)*

ou bien en Chine

> Contempler à loisir des paysages peints
> Sur des étoffes en des cadres de sapin
> Avec un personnage au milieu d'un verger.
> *(Shéhérazade, Asie.)*

Exotisme purement littéraire, d'ailleurs ; une musique de Gluck, un souvenir de Jammes, une lecture de Ronsard donneront aussi bien le branle à cette imagination de mandarin subtil. Le pinceau de Tristan Klingsor, poète et critique d'art, garde la même sûreté quand il propose à Maurice Ravel une vision lointaine :

> L'ombre est douce et mon maître dort
> Coiffé d'un bonnet conique de soie
> Et son long nez jaune en sa barbe blanche..
> *(La Flûte enchantée.)*

ou un paysage de chez nous, paysage « gris souris » :

> Paysage ouaté, que tu étais joli
> Sous la pluie !
> La jument grise trottinait tranquillement
> Et berçait ma mélancolie
> Dans ce décor charmant.
> La route s'en allait de colline en colline ;
> Tout s'estompait et dans le ciel gouaché
> Le vieux village aimé dressait la ligne fine
> De son clocher.
> *(Poèmes de France.)*

Le poète des *Humoresques* apporte en amour aussi cette précision malicieuse, et tous ses voyages n'ont qu'un but :

> Et puis m'en revenir plus tard
> Narrer mon aventure aux curieux de rêves
> En élevant comme Sindbad ma vieille tasse arabe
> De temps en temps jusqu'à mes lèvres
> Pour interrompre le conte avec art.
> *(Asie.)*

« Puis quand la douceur se fut insinuée peu à peu, comme une femme fait entendre une raison spécieuse, alors les mers siluriennes cessèrent de valser, s'étendirent, et commencèrent leur sombre grossesse » : dans cette phrase de *Vieux Monde* une oreille exercée reconnaîtra, entre les souvenirs de Rimbaud et Laforgue, la note personnelle de LÉON-PAUL FARGUE. Elle était discernable déjà dans *Tancrède*, confession voilée tout imprégnée de symbolisme et d'impressionnisme avec des traits incisifs qui se souviennent de La Bruyère et rejoignent certaines phrases de *Paludes* (1). Analyse et fantaisie ne se contrarient point chez Fargue. « Sa passivité est évidente » observe Duhamel qui cite ce fragment des *Poèmes :* « Un soir, j'avais trouvé — il me semble que j'avais trouvé — une chose pour être heureux... J'y pensais dans une rue noire et grasse, à la rampe infinie de lampadaires, et telle qu'un grand rire silencieux et sombre. » Tancrède doit nous infliger quelques plaisanteries d'enfant gâté avant de nous révéler son émotion :

Comme la vie fait souffrir,
Sans reproche, sans mot dire,
Pour un rien, pour le plaisir.

Encore lui faudra-t-il marquer de cet ironique sous-titre « sept variantes faites pour scander la marche ou calmer les nerfs » les confidences de *Tremblant :*

Amour tenace. Amour tremblant.
Tu t'es posé sur le rebord
De l'âme la plus misérable,
Comme un aigle sur un balcon !
Amour tenace, Amour tremblant.
. . . .
Mais veuille surveiller nos yeux.
Quand nous souffrons, fais-nous pleurer.
Lorsqu'on pleure, on est presque heureux.
Amour tenace. Amour tremblant.

(Tancrède.)

(1) Sur cette correspondance subtile, voir l'épigraphe à *Tancrède :* « Les capitaines vainqueurs ont une odeur forte. André Gide. » et ce passage de *Paludes :* « C'est ce que mon jeune ami Tancrède a tâché d'exprimer dans ce vers :

Les capitaines vainqueurs ont une odeur forte ! »

Cette émotion toujours prête à percer le distingue des fantaisistes, ses amis, qu'il a évoqués dans la *Conversation* avec Valery Larbaud. Sa pleine douleur il l'a laissé parler sans contrainte dans *Æternæ Memoriæ Patris*. Mais son domaine personnel est la pénombre visionnaire où il jouit mieux de la vie que dans la réalité dure : « Les Héros n'ont que leurs joies mates de bataille et de théâtre... Mais nous ! Tant de paysages gonflés de musique l'échangent avec celle que notre âme pense. » Là il peut souhaiter de faire retraite « avec un ami qui sache tout de moi-même, qui me reproche tout — et qui me pardonne ». Dans son demi-rêve musical passent des souvenirs de villes et d'amours, bonheurs dont sa nostalgie exaspère la fragilité, petits tableaux nets embués de mélancolie : « Et je pense à quelqu'un que j'aime et qui est si petit d'être si loin, peut-être, par delà des pays noirs, par delà des eaux profondes. Et son regard m'est invisible. » Il y vit dans une éternelle attente de « l'idylle », sans illusion pourtant : « Qu'est-ce donc que toute notre tendresse ? Rien — qu'une petite vague qui racle sur la rive et s'en retourne à la haute mer. » Toujours il se retrouve, détaché, solitaire : « Ce qu'on va aimer se sauve tout de suite, à tire-d'aile, du côté de l'ombre... Mais ce qu'on aime finit toujours par se décider à vous quitter... On est seul... On est toujours seul... Tout a pour but la solitude. »

Dans cette solitude musicale qui n'est pas sans charme, Fargue écrit ses poèmes, qui sont des Études à la Chopin, études de rythmes et de sensibilité. Et c'est le privilège de cette sensibilité nerveuse, si curieuse de toutes les nuances poétiques, que de donner à ces rythmes, tantôt une fermeté qui devance Romains :

Dans une maison qu'on ignore
Le soir monte au bras du danger
Et s'arrête sur un palier
Devant une porte marquée.

(Pour la Musique.)

tantôt une nonchalance de lied mélancolique et souriant :

Mon cœur frappe à la porte
Dans l'ombre...
J'aime trop pour le dire...
Il passe dans mon verre,
Comme des ailes claires,
Ses gestes, son sourire...

(Pour la Musique.)

§ 5. — Les fantaisistes

L'invasion de la fantaisie dans la poésie est un des traits caractéristiques de cette période. Non que les autres époques en aient manqué. Mais aucune ne semble, même en faisant sa part aux grossissements qu'exige l'actualité, avoir réclamé si instamment qu'on la divertît, suscité tant de fantaisistes indépendants, et paradoxalement groupé les fantaisistes en écoles.

Ici encore nous trouverons des traditionalistes. L'humour d'HENRY SPIESS dans les *Rimes d'Audience* a la sagesse qui caractérise son lyrisme dans *le Silence des Heures* (1) ; les cocasseries de FRANC NOHAIN amènent le journalisme à une manière de poésie ; VINCENT MUSELLI même dans ses grandes odes bachiques ne renie pas ses ancêtres, les poètes libertins. C'est d'eux aussi que relève FERNAND FLEURET qui, non content d'éditer les satiriques du XVIe siècle, en a donné, avec *le Carquois du sieur Louvigné du Dézert*, un pastiche qui sent le musc de Régnier et l'ambre de Théophile. RAOUL PONCHON a toute une lignée de prédécesseurs et sa *Muse au cabaret* cultive avec une

(1) L'œuvre d'Henry Spiess, poète genevois, a été mentionnée ici pour la commodité du classement ; mais on accordera bien volontiers au critique Paul Seippel que les méditations du *Silence des Heures* sont plus importantes que les juvéniles fantaisies de *Rimes d'Audience*. Parmi les autres poètes suisses contemporains, signalons R. L. PIACHAUD, F. ROGER-CORNAZ qui est ausis un essayiste et PIERRE GIRARD, auteur du *Pavillon dans les Vignes*.

verve robuste et une plaisante monotonie le domaine qu'il s'est choisi (1) :

Que si j'ose élever la voix
Dans le tumulte de la Vie,
Ce n'est que pour
Célébrer le Vin et l'Amour,
Et l'amour de ma mie,
O gué !
Encor suis-je bien fatigué !
(Chanson d'Automne.)

Tristan Derème ne nous pardonnerait pas de le ranger parmi les élégiaques ; il a chanté Montmartre, la bohème, et multiplié les cabrioles à la Banville :

Tes bras ont une courbe adorable et malgré que
Ton cœur n'ait que dédain pour la grammaire grecque...

Cependant le sujet du *Poème de la pipe et de l'escargot*, c'est le triste sort du poète dans la vie contemporaine ; son apparent prosaïsme se justifie parce que

L'ombre émouvante est dans les choses minuscules

et le *Poème des Chimères étranglées* (titre éloquent !) avoue un mécontentement qui pourrait assombrir ce badinage :

Un beau regard, s'il te sourit,
Tu le railles, mais tu regrettes
Ces printemps morts où ton esprit
Était plein d'étoiles secrètes (2).

(1) Domaine dont Georges Docquois semblait aussi se contenter jusqu'au jour où les sonnets du *Poème sans nom* ont révélé en lui de plus hautes ambitions.

(2) Signalons que, dans la préface à *la Verdure dorée*, Derème note cette condition du poète « en perpétuel désaccord avec ce qui l'entoure : comme avec lui-même » et justifie, pour exprimer ce « malaise », l'emploi de la contre-assonance :

Blouses, manchons, serviettes, jupes...
Ah ! laissez-nous bourrer nos pipes!

Mais ce malicieux Béarnais se garde de devenir un « Tantale imaginaire ». Avec la même aisance qu'il conta aux enfants l'histoire de *Patachou petit garçon*, il expose aux adultes sa philosophie dans les chroniques, mi-figue, mi-raisin (entendez : mi-prose, mi-vers) du *Poisson Rouge* et de *l'Escargot Bleu*. S'il y prêche quelquefois un optimisme un peu facile, c'est qu'il part de ces postulats que tous ses lecteurs sont des poètes et que nul argument ne vaut une guirlande de citations quand il l'a tressée avec les plus beaux vers de ses devanciers.

Les auteurs de parodies se sont multipliés, mais leur charme est d'un temps. En relisant *la Négresse blonde* de GEORGES FOUREST on est surtout frappé par la grossièreté des trucs employés. Pareil vieillissement menace-t-il les *A la manière de...* de PAUL REBOUX et CHARLES MULLER ? Il semble que la fine critique littéraire qui se dissimulait sous ces pastiches doive les en préserver. Et de même *le Jardin de Marrès*, par Bérénice et VICTOR SNELL, est un excellent appendice barrèsien. Pour PIERRE BILLOTEY, sa verve semblait un peu grosse dans *les Grands Hommes en liberté* et sa matière bien menue dans *le Pharmacien spirite ;* mais son *Raz-Boboul* offre la meilleure parodie du roman d'aventures : un roman d'aventures narquoisement réussi.

JEAN PELLERIN avait aussi publié un recueil de pastiches, *le Copiste indiscret*, qui atteste la souplesse de sa fantaisie. Les alertes dizains de *la Romance du Retour* plaisantaient agréablement le bric-à-brac à la mode ; Pellerin décrivait ingénieusement le décor moderne, les autos, les bars, fustigeant bourgeois et snobs, traçant au passage de jolis tableaux :

Mais Peter, marchand de son ombre,
N'ose offrir le chèque maudit
Où le diable a mis son paraphe.
Cependant, la dactylographe
L'agrafe d'un œil enhardi...

dessinant d'exquises silhouettes :

Tes cheveux tordent une flamme.
Tes genoux ouvrent une femme.
Un sourire vient se loger
Au plus tendre coin de ta bouche.
Lève ton visage que touche
Le bonheur au crayon léger.

La mort nous a enlevé prématurément Jean Pellerin ; mais l'histoire littéraire retiendra une œuvre de débutant qui suscitera des imitateurs.

Il serait plus injuste encore que de multiples contrefaçons fissent oublier l'originalité d'HENRY LEVET, mort à 32 ans. Car, dans le mince recueil qu'a publié la piété d'amis fidèles, si *le Drame de l'Allée* et *le Pavillon* sont seulement les essais d'un jeune homme qui cherche sa voie entre l'imitation et la parodie des maîtres symbolistes, les dix *Cartes postales* restent d'un précurseur. Pour évoquer les paysages exotiques où il promène

La fleur de sa mélancolie anglo-saxonne,

pour peindre des voyages sous des ciels torrides, quand

Le soleil se couche en des confitures de crimes,
Dans cette mer plate comme avec la main...

pour décrire la vie ardente et factice des cosmopolites, Levet a inventé les raccourcis gouailleurs et les rythmes déhanchés d'un observateur lucide à force de fièvre :

Je vais me préparer — sans entrain ! — pour la fête
De ce soir : sur le pont, lampions, danses, romances
(Je dois accompagner Miss Roseway qui quête
— Fort gentiment — pour les familles des marins
Naufragés !) Oh ! qu'en une valse lente, ses reins
A mon bras droit, je l'entraîne sans violence
Dans un naufrage où Dieu reconnaîtrait les siens...

(Outwards.)

Les lecteurs de romans qui ne connaissent de FRANCIS CARCO que *Jésus la Caille*, les scènes de Montmartre et de Belleville, les conversations en savoureux argot, le drame pittoresque et solidement charpenté de *l'Équipe*, éprouveront quelque surprise, en ouvrant ses *Petits Airs*, de tomber sur ce *Madrigal :*

Vous n'aimez pas qui vous aime
Ni qui vous saurait aimer
Et ne donnez de vous-même
Que ce que vous voulez donner.

Mais bientôt ils reconnaîtront, dans un décor stylisé par les souvenirs de Degas et Toulouse-Lautrec, leurs héros familiers :

La musique des tziganes
Fait rêver d'amour,
Mais Julot, dit Sarbacane,
Arrive à son tour...

Carco fut en effet l'un des fantaisistes qui s'insurgèrent contre « le désordre des pseudo-romantiques et le fatras du symbolisme », comme le dit sa préface au *Bouquet inutile* de Jean Pellerin. Il aurait donc dû s'inscrire parmi les écrivains subjectifs. Dans quelle mesure il est objectif, nous essaierons de le déterminer en étudiant son œuvre romanesque. Mais nous pouvons être certains de n'avoir aucune peine à concilier l'image du romancier de *Ténèbres* et de *Brumes* avec l'auteur de *la Bohême et mon cœur* ou, dans sa *Petite Suite Sentimentale*, de tel « poème flou » :

Où va la pluie, le vent la mène
En tintant sur le toit
Et je me serrais contre toi,
Pour te cacher ma peine.

Depuis la mort de Paul-Jean Toulet, en septembre 1920, sa réputation n'a pas cessé de grandir : elle était demeurée jusqu'alors restreinte aux milieux littéraires où elle provoquait des imitations dont *la Jeune Fille aux pinceaux* de Jean Pellerin. Pour le public Toulet restait le chroniqueur de *la Vie parisienne ;* certains de ses livres entretenaient ce malentendu. En dépit de mots exquis, tel ce post-scriptum : « Ne cherche pas d'obscénités dans ma lettre : il y en a », *les Tendres Ménages* ont beaucoup vieilli ; la part de l'actualité est très grande dans *Béhanzigue* et

Mourir comme Gilbert en avalant sa clé

(Contrerimes.)

est un idéal qui peut grandir le poète mais menace la durée de l'œuvre : il faut se hâter de lire *Behanzigue* et de savourer la crème fouettée de *Mon amie Nane* avant que leur argot ne soit démodé. Cela conduira d'ailleurs à découvrir un autre Toulet, un poète sous le fantaisiste, l'auteur de *l'Étrange Royaume*, celui qui, dans *Béhanzigue*, scande deux lignes de prose en trois alexandrins (« Soit dit sans offenser à M. Debussy, qui sut tirer du *Faune* une chanson divine, et de sa vaine grappe, un prestige précis ») ; celui qui, dans *la Princesse de Colchide*, continue, avec moins de verbiage philosophique et plus de drôlerie, *les Moralités légendaires*, parsemant de contrerimes l'histoire de Jason et Médée, retrouvant le ton fringant du Baudelaire dandy des *Causeries*. « Beaucoup de gens acquièrent le dégoût ; mais blasé, il le faut naître », écrit-il dans *les Trois Impostures*, almanach aux trois divisions *(Mulier-Amicique-Necnon Dii)*, où se succèdent épigrammes pessimistes, ferventes évocations de paysages basques et tropicaux, alertes crayons parisiens (1), avec cette capricieuse mobilité qui fait aussi le charme de la *Correspondance* avec René Philipon.

(1) Eugène Marsan s'en est souvenu pour écrire, avec une préciosité appliquée, ses *Passantes* qui sont, pour le lecteur, surtout des fugitives...

Si Toulet n'avait été qu'un prosateur, il compterait des admirateurs qui le tiendraient pour une manière d'Henry Beyle qui ne serait jamais devenu tout à fait Stendhal. On colporterait des anecdotes sur son noctambulisme ; on chercherait chez ses héros, Béhanzigue et M. du Paur, « à la fois plein d'irritabilité, de nonchalance et de désinvolture », les échos de « sa parole tour à tour incisive et voilée » ; on lui restituerait les mots qu'il leur a prêtés : « Les sages jettent leur vie au plaisir comme Tiépolo son argenterie à l'Adriatique : après avoir tendu des filets sous les fenêtres. » Dans son premier roman, *M. du Paur, homme public*, l'influence de La Rochefoucauld se mêle à celle de Stendhal dont il a combiné d'amusants centons épistolaires. Toulet a pour la lourdeur masculine le mépris stendhalien ; il a pour la beauté féminine la chaude admiration qui convient : sur ce point la conviction du disciple ne le cède en rien à celle de son maître. Mais il a profité des expériences de Beyle : il évoque Nane et Lætitia dans l'atmosphère d'ironie et de sensualité qui donne aux *Ombres chinoises* leur parfum âpre et doux.

L'exotisme tient une grande place dans son œuvre. Ses parents avaient quitté l'île Maurice pour qu'il naquît en France, mais son adolescence a connu « la savane en fleurs »,

> Douce aux ramiers, douce aux amants,
> Toi de qui la ramure
> Nous charmait d'ombre et de murmures,
> Et de roucoulements.
>
> *(Contrerimes.)*

Il n'a jamais oublié « l'ombre légère des filaos » ; l'Espagne du *Mariage de Don Quichotte*, Londres, Alger, l'Extrême-Orient qu'il a visités lui furent sources d'inspiration. En même temps le Béarnais de *la Jeune Fille verte* était passionnément Français ; il entrait du patriotisme dans son orgueil de « grammairien » : l'avant-propos de *M. du Paur*, telle lettre de Sylvère à l'Ange gardien, ou le carnet de Mme des Cypres attestent la virtuosité de ce styliste raffiné.

Toutes ces qualités sont réunies dans les *Contrerimes*. Ce recueil doit son nom à la stance que Toulet a employée dans le plus grand nombre de ces pièces (type : 8 a, 6 b, 8 b, 6 a). Sans nier le charme des dixains et des coples qu'il y a ajoutés, on reconnaîtra dans ces épigrammes la partie la plus éphémère du volume et que

Ciel ! Isadora Duncan
Va danser. F...ons le camp.

et improvisations analogues auront le même sort que les tics de sa prose, les « voix en fer de lance » et les inversions de participes passés dont il abuse. Mais dans les contrerimes proprement dites on ne relèvera pas une défaillance. Toulet les a polies amoureusement ; elles témoignent d'un métier parfait. Toute son existence y revit ; la blague parisienne qui lui dictait ce cople :

Deux amis vrais vivaient au Monomotapa
Jusqu'au jour où l'un vint voir l'autre et le tapa.

se nuance de fantaisie artistique dans cette contrerime :

Est-ce moi qui pleurais ainsi
— Ou des veaux qu'on empoigne —
D'écouter ton pas qui s'éloigne,
Beauté mon cher souci ?

L'exotisme qui renouvelait cette imagination se fixe ici en évocations nettes :

Telle, à la soif, dans Blidah bleu,
S'offre la pomme douce
Ou bien l'oronge sous la mousse
Lorsque tout bas il pleut.

ou se joue en inventions exquises comme la chanson des trois princes Pou, Lou et You. Les héroïnes de ses romans y passent, voluptueuses, Badoure, Doliah, Nane et Floryse ; Béhanzigue, Jan Chicaille et Fô mènent cette ronde d'ironie émue :

> Tel Fô, que l'or noir des tisanes
> Enivre ou bien ses vers,
> Chante, et s'en va tout de travers
> Entre deux courtisanes.

De même que le poète a de toute cette fantaisie fait son miel, ainsi le « grammairien », disciplinant cette richesse exotique, l'a rapportée au pays natal, lui offrant les plus délicats « haï-kaïs » de notre langue :

> Me rendras-tu, rivage basque,
> Avec l'heur envolé
> Et tes danses dans l'air salé,
> Deux yeux clairs sous le masque ?
> . . . .
> Mourir non plus n'est ombre vaine.
> La nuit quand tu as peur,
> N'écoute pas battre ton cœur :
> C'est une étrange peine.

L'idée de la mort obsède l'imagination de JACQUES DYSSORD, compatriote de Toulet, que Carco désigne aussi parmi les précurseurs de l'école fantaisiste. Le premier recueil de Dyssord s'appelait *Le Dernier Chant de l'Intermezzo* et justifiait ce rappel de Heine par une sensibilité douloureuse qui se voilait d'ironie. *On frappe à la porte* forme une sorte de danse macabre en l'honneur de celle qu'il nomme « la Certaine » ; dans les savantes cristallisations d'*Intermèdes* et les *Chansons de la Bonne et*

Malencontre Dyssord livre le secret de sa poésie hautaine et mélancolique :

> Est-il (dans quel prestige ? et serait-ce la gloire ?)
> De clarté plus secrète et de soin plus jaloux
> Que de joncher le seuil usé de sa mémoire
> Des fleurs que l'on aurait cueillies à deux genoux ?

§ 6. — Les conteurs

Dans la multitude des romanciers il faut d'abord mettre à part ceux dont le principal souci a été de polir le miroir qu'ils devaient tendre à la nature. Si différents que soient le romantique Villiers, l'érudit Schwob et le sceptique Anatole France, ils ont ce trait commun que leur façon de donner vaut mieux encore que ce qu'ils donnent : ils sont au plus haut point des stylistes et des conteurs.

Jules Lemaitre fut successivement un universitaire distingué, un poète distingué, un critique distingué, un dramaturge distingué et un politicien distingué : dans aucun domaine il ne se maintint longtemps au premier plan. Plusieurs fois il sembla près d'atteindre à la grandeur ; mais de son maître Renan il gardait seulement le scepticisme qui paralyse la puissance créatrice du romancier des *Rois* et limite vite la sympathie du critique des *Contemporains ;* l'ironie qui ouvrait devant Anatole France un monde à explorer et conquérir n'était pour lui qu'un vêtement d'humaniste. Sa sagesse restait celle d'un bourgeois cultivé qui n'abdique point ses préjugés ; mais il y ajoutait, en ses meilleures heures, la finesse narquoise d'un paysan de la vallée du Loir. Cela lui permit de paraître plus éloigné de Coppée et de Sarcey qu'il ne l'était réellement. Il reconnaissait d'ailleurs ses limites et s'efforça de cultiver ce jardin du goût délicat plutôt que d'affronter longtemps les surprises de la création.

Ses volumes de contes, *Myrrha*, les deux séries d'*En marge des vieux livres* complétées par *la Vieillesse d'Hélène*, contiennent le meilleur Lemaître. Il n'entreprend point d'évoquer les grands événements de la légende et de l'histoire mais prolonge aimablement des récits assez classiques pour que son esprit, ennemi des aventures, s'y sente à l'aise : en ce genre, *Réveil d'ombres* et *la Sirène* sont excellents. *L'Innocente Diplomatie d'Hélène* et *Thersite* montrent les deux dangers, platitude ou emphase, qui apparaissent dès que la fantaisie prétend se changer en psychologie. Aussi Lemaître préfère-t-il le plus souvent tirer de ces vieilles histoires une leçon de scepticisme amusé, dilettantisme politique de *l'École des Rois*, dilettantisme religieux du *Premier Mouvement* qui se plaît à rapprocher les deux carrières contraires d'*Un Critique* et d'*Un Idéaliste* ou à ressusciter pour une vision ironique les sept dormants d'Éphèse. Il aime les réhabilitations et les vengeances, invente une suite à Grisélidis et corrige les contes de fées. Mais ce sourire cache mal un désenchantement d'autant plus manifeste à mesure que ses illusions politiques s'envolent et que la vieillesse approche : *la Vieillesse d'Hélène* exhale avec une monotonie un peu lassante le regret de l'amour éphémère ; on souhaiterait à l'inquiétude une cause moins obstinément précise et on relit volontiers, après ce défilé grimaçant, les pittoresques histoires qui composent *Au Son des cloches* de GEBHART. Lemaître reprend l'avantage dans les récits qui sont, sous un déguisement transparent, des études d'histoire littéraire : *Mère et Fille* fait saillir chez la joyeuse Sévigné la douleur maternelle ; le *Journal du duc de Bourgogne* est une analyse de Fénelon à laquelle Lemaître n'ajouta ensuite qu'un gros livre inutile. Dans de tels contes sa prose charmante, habile à se parfumer d'archaïsmes discrets, fait merveille ; là il trouve ce détachement indulgent qui fut sans doute sa plus haute ambition.

JÉROME et JEAN THARAUD ont poussé l'art du conteur jusqu'au point où le récit se suffit à lui-même sans nécessiter aucun ornement. Auteurs de nombreux ouvrages, ils n'ont composé que trois romans : encore sait-on ce que leur *Dingley* doit à Kipling et assurent-ils que *la Maîtresse servante* est « un récit véridique ». Même dans *les Bien-Aimées*, le plus complexe de leurs récits romanesques, c'est d'une anecdote vraie qu'ils ont tiré une féerie, puis un drame et finalement une idylle. Or, les frères Tharaud sont d'admirables narrateurs. Avec un bonheur presque égal ils ont touché à plusieurs problèmes importants de l'histoire contemporaine : l'impérialisme anglais, le nationalisme français, notre œuvre de colonisation dans l'Afrique du Nord, la défaite turque dans les Balkans, l'influence juive en Europe orientale. Ils ont fait entrer dans la littérature un genre nouveau : le reportage. Avec quelle habileté, on le voit dans *la Bataille à Scutari d'Albanie* où deux épisodes, une visite au Monténégro et une autre au mont Athos, leur suffisent pour évoquer la fin de cinq siècles de domination islamique. *Marrakech dans les palmes* est le triomphe de cette virtuosité : deux paysages saisis au cours d'une randonnée en auto pour encadrer les récits que leur ont faits les officiers du Protectorat, de cette maigre matière ils ont tiré un livre plein d'animation. Cette méthode de reportage, ils l'ont appliquée au passé jusqu'à l'austère pastiche de *la Chronique des Frères Ennemis ; la Tragédie de Ravaillac* est un modèle de journalisme historique.

Le secret de cette force est une infaillible sûreté de métier. Même lorsqu'ils s'attaquent au sujet le plus touffu, les Tharaud excellent à délimiter leur cadre. Ils ne cherchent point à tout dire ; ils isolent l'épisode essentiel, le racontent avec une sobriété puissante, marquent fermement toutes les conséquences que l'on en peut déduire ; jamais ils ne souffrent un empiétement. Dans *Un Royaume de Dieu* ils peignent seulement, perdue dans un coin de l'immense Russie, la petite communauté juive de Schwarzé Témé ; l'abondance de leur information se discipline en un récit impeccable souligné d'humour discret ; et pourtant, le livre fermé, quel lecteur échappera à la pensée qu'il a vu passer, dans ce Ghetto grouillant, quelques-uns des Juifs qui seront bientôt les maîtres de la Russie, peut-être même du monde ?

Ce talent de composition également apparent dans l'ample fresque de *A l'ombre de la croix* et dans la brièveté brutale des *Hobereaux*, les Tharaud le savent subordonner aussi bien qu'à un effet pittoresque à un déroulement psychologique : une comparaison des deux *Dingley* aux deux dénouements strictement opposés montre jusqu'où va cette souplesse. Leur style possède exactement les mêmes qualités. Lorsqu'ils ne le surveillent point, il rappelle assez spontanément les coupes de phrases chères à tous les admirateurs de leur maître Barrès : « Près de leurs puits rouillés, dans leurs cours intérieures, j'entends bien mieux que dans le faux décor moyennâgeux le murmure que fait l'histoire autour de l'antique citadelle » : cette phrase se lit dans *Quand Israël est roi*, dédié à Barrès, et qui est au reste un des livres les plus passionnés des Tharaud. Ordinairement ils se dominent davantage et leur prose réussit ce paradoxe d'une perfection impersonnelle ; peut-être la collaboration de deux esprits impitoyables l'un pour l'autre explique-t-elle ce résultat qui est de laisser le regard appréhender son objet au travers d'une vitre incolore afin de mieux respecter les couleurs de ce qui est décrit, style volontaire, dépouillé d'adjectifs, éteignant l'éclat des mots étrangers qu'il s'incorpore pour, littéralement, photographier la vie.

Perfection lassante quelquefois. Certains ont pensé que cette forme des Tharaud, qui proscrit l'originalité avec ses risques de déformation, annonçait le début d'un académisme nouveau. Et on accueille avec une joie malicieuse, vers la fin de *la Maîtresse servante*, cette phrase que termine une cadence barrèsiste : « Mariette m'a souvent fait penser à ces sources captives ; elles sont là fidèles, abondantes, toujours prêtes pour les soins domestiques, et l'on y voit le ciel. » Mais ce plaisir conduit assez vite à une découverte plus importante. Il est faux de supposer que les Tharaud ont cessé d'être des romanciers en assumant ce masque d'historiens ; ils ne sont point si absents de leur œuvre qu'ils l'ont voulu, qu'ils l'ont du moins voulu faire entendre. Pour eux, le Limousin de *la Maîtresse servante* n'est pas plus un décor commode que l'Angoulême si semblable à l'âme de Ravaillac ; ils ne se sont point acquittés d'un éloge officiel en écrivant leur *Déroulède ;* les deux *Dingley* permettent de mesurer quelle déception leur causa Kipling ; *la Fête arabe* est un réquisitoire sans impartialité tandis que leur vision humoristique des « bourgeois de l'Islam » s'accorde fort bien avec leur glorification de Lyautey. Plus probante encore est une récente expérience. Au problème juif qui les préoccupait dès les temps de *Bar-Cochebas* (1907), ils ont consacré maints ouvrages jusqu'à la pittoresque *Jument Errante.* Ceux qu'a surpris l'antisémitisme de *Quand Israël est roi*, et cette dénonciation de l'éternel Ahasvérus, du « peuple de charlatans et de dupes » toujours prêt à troubler la paix du monde pour réaliser le rêve messianique, ceux-là avaient eu tort de croire à la froideur des Tharaud. Et il est salutaire que ce talent si robuste et en apparence si désintéressé dévoile parfois, derrière sa lucidité disciplinée, une passion humaine ; car nous lui devons ces deux portraits qui sont aussi d'émouvants témoignages : *Notre Péguy* et *Mes Années chez Barrès.*

Les lecteurs que son titre de « prince des conteurs » valut à HAN RYNER ont dû être déçus s'ils cherchaient dans son œuvre des histoires aux péripéties haletantes ; mais ils ne l'ont point regretté s'ils étaient sensibles à la révélation d'une noble pensée. Han Ryner qui a consacré un livre à la vie de Jésus *(le Cinquième Évangile)* et un autre à celle de Pythagore *(le Fils du Silence)* est nourri de toute la sagesse philosophique et mystique du passé. Comme ces Rosny pour lesquels il a dit son admiration, il a peint dans *la Tour des peuples* une vaste fresque de préhistoire ; dans *les Pacifiques*, ressuscitant l'Atlantide engloutie, il a imaginé son île d'Utopie, stigmatisé les vilenies de la vie moderne et donné corps à son idéal. Au service du libre et clair Amour qu'il prêche il a mis une dialectique ingénieuse, aux inventions poétiques multiples. Nulle part il ne l'a fait plus heureusement que dans *les Paraboles cyniques* avec pour porte-parole le philosophe Psychodore, disciple de Diogène : « soit pour affirmer ses certitudes pratiques, soit pour chanter le flottement des rêves que demain clergés et universités enlaidiront et paralyseront en systèmes, le sage conte volontiers... la parabole ». Certes Han Ryner connaît le but où il aspire et qui est de rendre « plus conscient et plus volontaire le sacrifice de Dieu mourant pour la vie des mondes, le sacrifice des mondes mourant pour la vie de Dieu ». Mais il entend garder à la pensée toute l'ampleur de son rayonnement : « Je ne reproche jamais à une pensée d'avoir des ailes et d'être un songe. » Il dénonce les fanatismes comme autant d'esclavages à une formule étroite, « car nul mot n'est un vase assez large et assez profond pour contenir toute la vérité ». Il ne redoute point les contradictions si elles épousent la souplesse de la vie. Aussi préfère-t-il vêtir ses certitudes pratiques et ses anticipations métaphysiques des tissus changeants de la parabole. Là Han Ryner rejoint fraternellement les poètes que hante le désir exprimé par Baudelaire « d'une prose poétique, musicale, sans rythme et sans rime, assez souple et assez heurtée pour s'adapter aux mouvements lyriques de l'âme, aux ondulations de la rêverie, aux soubresauts de la conscience ».

§ 7. — **Le roman artiste**

Dans la préface aux *Vacances d'un jeune homme sage* Henri de Régnier explique par « un goût qui m'est naturel de me divertir à des événements et des personnages » sa vocation de romancier qui « raconte certaines façons de vivre, soit du temps passé, soit de notre temps ». Il pourrait ajouter qu'il n'a cédé à ce penchant qu'en poète dont les créatures imaginées ne sont pas plus importantes à ses yeux que l'effeuillement d'une rose rouge en quelques flaques de sang. Aussi ne l'offensera-t-on point en notant que ses grandes qualités de conteur apparaissent mieux dans le « trèfle rouge » formé par les trois nouvelles des *Amants singuliers* que dans le long récit traînant de *la Pécheresse.* Encore à ce dernier livre l'évocation du passé garde-t-elle un peu du charme nonchalant qui séduisait les lecteurs de *la Double Maîtresse.* Mais ses « romans modernes » valent surtout par des détails, comme on le voit dans *l'Amphisbène :* il ne retrouve point pour peindre l'amour distinct du plaisir la perfection qui les représentait unis dans *l'Amour et le Plaisir*, « histoire galante », perle du volume *Couleur du temps* où *Tiburce et ses Amis* montre aussi un Régnier fort peu à l'aise dans les allégories symbolistes où se mouvaient Urien et Monelle. *Romaine Mirmault* débute dans un Paris de restaurants et d'autos et s'achève sur un mélodrame baroque où son goût délicat ne se reconnaît qu'à la précaution d'exiler à Rome une héroïne qui ne doit point assister à un si fâcheux dénouement. Faut-il dire que dans *la Peur de l'amour* les deux protagonistes nous intéressent moins que la description de cette Venise à qui Henri de Régnier réserve toute la tendre mélancolie que Versailles n'a pas suffi à étancher ?

Pour parler du présent, époque à qui le temps n'a pas encore imposé un « style », Régnier est contraint de se rabattre sur des accessoires ; au mieux, il peut avoir recours à l'artifice du *Passé vivant* ou faire revivre, comme dans *les Vacances*, « quelques-uns des petits événements qui, à 15 ans, nous émeuvent le plus et qui, plus tard, nous font sourire, comme on sourit du passé, avec regret et mélancolie ». Lorsque ce passé est vraiment du passé, lorsque les âmes, les objets et les mots qui les évoquent peuvent porter une même date, alors Henri de Régnier affirme sa maîtrise. C'est le cas du *Bon Plaisir*, chronique du règne de Louis XIV que complète un ingénieux pastiche. Toute une époque y revit avec sa guerre empanachée, ses intrigues de cour, son entente du plaisir : et pourtant ce récit ne prétend être que l'histoire de M. de Pocancy, lequel « ne joua d'autre rôle dans son siècle que d'y avoir vécu, comme nous vivons dans le nôtre, ce qui risque fort d'être assez indifférent aux temps à venir et aux gens qui viendront ». Phrase mélancolique où le poète reparaît qui, dans son dernier recueil, avouait :

J'augure d'aujourd'hui ce que sera demain
Et je suis fatigué d'être ce que nous sommes,
Sachant ce que fut vivre et combien vivre est vain,
Quand on n'est rien de plus que l'un d'entre les hommes.
(*Vestigia Flammæ.*)

Ses vers, où la tradition hellénique s'incorporait les conquêtes symbolistes, ont dit l'amour ; sa prose, toute tournée vers des modèles classiques, a dit plus volontiers le plaisir (1) ; la même tristesse hautaine inspirait les stances fluides et les périodes sinueuses. Certes, il faut beaucoup d'orgueil pour donner à un roman de tour confidentiel ce titre : *Moi, Elle et Lui.* Mais il faut avoir bien souffert pour inscrire en tête d'un recueil d'aphorismes ces deux mots désespérés : « Vivre avilit ». Sous cette armure de hautaine fierté battait un cœur vulnérable. Jusqu'au bout Régnier demeura fidèle à ce paganisme lucrétien où s'unissent l'odeur de la fleur et le goût de la cendre. *Vestigia Flammæ* qui évoque encore Versailles et Venise, qui rappelle en poèmes d'une égale perfection le souvenir des premières *Odelettes*, nous livre l'ultime conclusion du poète et du romancier dans l'émotion complexe du *Départ* et dans ce portrait d'un bonheur sans illusion :

Aussi bien que les pleurs le rire fait des rides.
Ne dis jamais : Encore, et dis plutôt : Assez...
Le Bonheur est un Dieu qui marche les mains vides
Et regarde la vie avec des yeux baissés.

(1) Celui qui, trompé par l'aisance de ce libertinage, le croirait facile, serait condamné en expiation à lire *la Libertine*, de NONCE CASANOVA.

Les idées maîtresses de Pierre Louÿs ont été exposées dans la préface de son *Aphrodite*. En tête de ce roman, histoire d'une courtisane qui a l'originalité de ne se point convertir, Louÿs rappelle la beauté de « la grande sensualité grecque » les droits de l'amour physique et du corps humain ; il affirme que la morale du peuple qui a bâti l'Acropole « est restée celle de tous les grands esprits ». Un de ses meilleurs contes, *Une Volupté nouvelle*, déclare que l'humanité n'a pas avancé d'un pas depuis Démocrite, Parménide et Pythagore ; laid et barbare, le monde moderne serait impitoyablement condamné s'il n'avait inventé la cigarette. Aussi Pierre Louÿs s'est-il efforcé de ressusciter, au moins par l'imagination, les heureuses époques antiques. Il l'a fait en érudit, avec un tel bonheur que les *Chansons de Bilitis*, où revivent les aventures amoureuses d'une courtisane du VIe siècle avant notre ère en Pamphylie, à Mitylène et à Chypre, furent prises par certaines autorités pour la traduction qu'elles prétendaient être. Il l'a fait surtout en poète, le poète d'*Astarté* ou de ces vers que Régnier pouvait amicalement jalouser :

> Rappelez-vous qu'un soir nous vécûmes ensemble
> L'heure unique où les dieux accordent, un instant,
> A la tête qui penche, à l'épaule qui tremble,
> L'esprit pur de la vie en fuite avec le temps.
>
> (*L'Apogée.*)

Le poète est partout présent dans l'œuvre de Louÿs : sienne est, dans *Bilitis*, la grâce souriante des Bucoliques, la sombre ardeur des Élégies, le pittoresque incisif des Épigrammes. C'est lui qui compose la fresque bariolée d'*Aphrodite*, ordonne les mouvements des personnages jusqu'à la grandiose ascension de Chrysis, jette sur les dénouements cruels la pieuse pitié de Timon, pare son récit d'une souple prose musicale aux retours de motifs wagnériens, et, s'il ne conduit point son héroïne aux pieds d'un moine, la fait néanmoins « fille de Iérouschalaïm » pour marier les accords des deux grandes sources de lyrisme.

« La sensualité est la condition mystérieuse, mais nécessaire et créatrice, du développement intellectuel » : ainsi parle la préface d'*Aphrodite*. *La Femme et le Pantin* apporte la confirmation négative de cette affirmation : si Mateo n'est qu'un jouet pour Concha, la faute en est à sa lâcheté ; il ne sait point utiliser la sensualité pour son développement intellectuel. Que n'a-t-il médité la leçon de Démétrios ! Ce dernier tombe, lui aussi, un instant, dans l'erreur qu'il faut séparer ses deux vies : alors devient-il l'esclave de Chrysis et commet-il pour elle trois crimes. Mais bientôt il se ressaisit, assez pour refuser à la belle courtisane l'amour et les coups qu'elle implore avec une même ferveur ; simplement, il exploite pour une de ses statues ce corps admirable. La passion est un esclavage (le premier titre d'*Aphrodite* le proclamait) ; il faut s'en libérer pour égaler les dieux et créer. Car la création de l'artiste est supérieure à tout, répétera Louÿs dans *l'Homme de pourpre*. De là son détachement hautain, assez différent, quoi qu'il en dise, de l'ironie antique : Louÿs ne renie le monde moderne qu'après lui avoir emprunté son anarchie la plus raffinée ; à certaines phrases de Démétrios, dans la dernière partie du livre, il manque très visiblement l'accompagnement d'une bouffée de cigarette parfumée.

Aussi *les Aventures du roi Pausole* nous transportent-elles hors du temps, dans une contrée dont le nom évoque la Tryphè de l'apologue qui préfaçait *Aphrodite*. Ce livre conte le triomphe du spirituel Giglio sur le puritain Taxis ; il fait l'éloge de la volupté nue qui rejette même les draps sous lesquels Régnier cache le plaisir ; et si, méditant le conseil de l'auteur, l'on a su « ne jamais prendre exactement la Fantaisie pour le Rêve, ni Tryphème pour Utopie, ni le roi Pausole pour l'Etre parfait », on comprendra comment Louÿs a, dans toute son œuvre, dépassé l'alexandrinisme érotique par le sourire d'une intelligence lucide et un culte ému de la beauté.

La fécondité de PIERRE MILLE risque d'obscurcir l'estime qu'il mérite. Grand voyageur, il est aussi un explorateur d'âmes et ambitionne d'apporter, ainsi qu'il le dit dans la préface du *Monarque*, « une modeste contribution à la science toute moderne de la géographie sociale ». Mille s'est vu comparer à Kipling : le rapprochement admis, on avait beau jeu à montrer que ses descriptions aimables, son bon sens discrètement narquois n'avaient pas le relief qui impose les créations lyriques ou humoristiques de son prétendu modèle. Mille a, d'autre part, composé, de *Quand Panurge ressuscita* et *l'Enfant et la Reine morte* à *le Bol de Chine* et *les Mémoires d'un Dada besogneux*, toute une suite d'ouvrages où il se contente d'inscrire, en marge de l'actualité, un conte souriant ou un preste essai de critique littéraire et artistique : il n'en fallait pas plus pour que d'aucuns le réduisissent à n'être qu'un journaliste rehaussant ses fabliaux d'une pointe d'anglomanie.

Les trois livres les plus solides de Pierre Mille — *Barnavaux et quelques Femmes*, *Caillou et Tili*, *le Monarque* — ont un trait commun : le personnage central, soldat d'infanterie coloniale, petit garçon de cinq ans, méridional mi-Tartarin, mi-Don Quichotte, y est toujours un poète dont l'imagination transfigure la réalité. Chacun d'eux est là, pareil « au témoin que les peintres placent au pied du monument qu'ils peignent. Il est tout petit, mais il en donne la mesure, il n'est rien, et rien n'est sans lui » ; leur présence assure le lien nécessaire entre les diverses histoires de « la vaste terre » que raconte l'auteur. Il leur cède volontiers la première place, mais ne disparaît point : son expérience personnelle renforce les intuitions de Barnavaux sur la politique coloniale et internationale ; il confirme la sagesse de Caillou par sa méfiance envers une éducation qui consiste généralement « à faire perdre aux petits Français leur personnalité et leurs instincts » ; il détourne par une série de contes du Nord l'ironie qui menaçait *le Monarque*. L'art de Mille associe ainsi la vie et la fantaisie : parfois l'équilibre se rompt, à preuve *Louise et Barnavaux* où le héros s'est laissé engluer dans le réel. Mais, dans toutes les œuvres réussies, une saine poésie change insensiblement le sourire en émotion : il reste une mélancolie dans l'adieu au Monarque vieillissant et nous avons mieux compris la grandeur et la servitude militaires lorsque nous quittons Barnavaux qui a « réellement fait du pain, de la vie, de la gloire ».

L'Espélunque où se déroule l'action du *Monarque* n'est pas très éloignée de Grasse, Aix et Marseille où FRANCIS DE MIOMANDRE a situé plusieurs de ses romans ; Miomandre aussi aime l'Extrême-Orient. Mais il n'éprouve nul besoin d'y aller voir. Quelques bibelots lui suffisent à l'évoquer et la table de travail d'Auteuil, si complaisamment décrite dans *les Voyages d'un sédentaire*, lui est un monde : ne possède-t-il point cette imagination toujours en éveil qu'il a prêtée à Pierre de Meillan dans *Écrit sur de l'eau* et au Simon de Torville de *le Veau d'or et la Vache enragée*, Provençaux sans argent mais si riches en projets qu'ils vivent dans l'illusion d'une fortune fabuleuse ? De tels acteurs le romancier n'est pas indigne qui évoque, avec le minimum de moyens romanesques, la fantaisie de *la Cabane d'amour* et le drame du *Journal interrompu*, qui définit l'un de ses ouvrages « un modèle du genre décousu », ne prétend viser dans un autre qu'à préserver « les droits sacrés de l'invraisemblable » et inscrit au seuil d'un troisième cet avertissement : « Si tu connais les charmes du loisir et de la divagation, tu goûteras mon livre. » Et l'auteur des fines critiques du *Pavillon du mandarin* n'a-t-il pas trouvé sa récompense lorsque l'Extrême-Orient vint à lui, avec l'*Aventure de Thérèse Beauchamps*, sous la forme de deux Chinois dont la politesse lisse et mystérieuse dissimule avec la même perfection l'amour et la sensualité, le dévouement et l'égoïsme, l'extraordinaire et la banalité ?

§ 8. — Le roman d'analyse

Le genre du roman d'analyse a produit, de *la Princesse de Clèves* à *la Porte étroite*, une telle suite d'admirables modèles qu'on l'imagine difficilement négligé à aucune époque. La nôtre s'est distinguée par un effort pour renouveler ses cadres, afin d'éviter la lourdeur dogmatique qui en est l'écueil.

Dans *l'Empreinte*, ÉDOUARD ESTAUNIÉ a étudié la prise de possession par les Jésuites d'un esprit qui leur échappe, perd la foi et tente de vivre affranchi mais qui, ayant échoué, se décide à se faire le prêtre du Seigneur auquel il ne croit pas ; on pouvait reprocher une certaine rigidité protestante à ce récit catholique, notamment dans le dilemme (homme ou prêtre) qui impose le dénouement. Sans renoncer à la puissante conviction de *l'Empreinte*, Estaunié élargit son horizon avec *les Choses voient ;* dans un grenier du vieux Dijon, contés par trois de ces meubles qui sont « la vie des morts », trois récits forment l'histoire de trois générations : celui de l'Horloge où le drame psychologique est brutal comme un roman policier, celui du Miroir où la chose s'identifie si tragiquement à l'être paralysé dont elle reflète le visage, celui du Secrétaire beaucoup plus conventionnel. Et si cette tentative ne va point sans lourdeurs et sans invraisemblances, la figure de Noémie Clérabault en sort avec un relief intense. Déjà s'y formule l'idée directrice de tout l'œuvre d'Estaunié : notre vie avouée n'est qu'une façade derrière laquelle se cache notre vie profonde, seule importante. Il l'a développée dans *la Vie secrète*, où sept personnages découvrent en même temps qu'ils n'ont rien de commun avec leur image publique, et dans *l'Ascension de M. Baslèvre*, où l'amour éveille en un homme médiocre une grande âme mystique. Sans doute cette saillie de la vie intérieure n'est-elle obtenue que par l'arbitraire du romancier dont les coups d'État sont parfois maladroits ; mais chez Estaunié le procédé même demeure franc et honnête ; son emploi est justifié par d'émouvantes pages où les problèmes de la conscience tourmentée sont exposés avec une rare loyauté. On a retrouvé ces nobles qualités dans *l'Appel de la route*, récit vigoureux où trois témoignages s'accordent à prouver que la souffrance, pour ne point naître d'une fatalité aveugle mais de la vie même des êtres conscients, n'en reste qu'une plus douloureuse énigme.

En couronnant ÉMILE BAUMANN, l'Académie et un jury littéraire ont voulu rendre hommage à la profonde conviction qui inspire son œuvre, sans réussir jamais à l'animer. Depuis l'*Immolé*, histoire d'une famille de dégénérés dont le dernier héritier devient « un doux martyr », jusqu'à *Job le Prédestiné*, drame aisément prévisible d'un Job hésitant dans une librairie du Mans, Baumann n'est point sorti du sectarisme le plus étroit. Son catholicisme intransigeant lui a dicté la dureté du *Fer sur l'enclume* et l'a conduit à démontrer, dans le *Baptême de Pauline Ardel*, qu'une jeune fille ne saurait trouver ailleurs que chez des croyants une bonne et un fiancé convenables. Tous les personnages y sont de simples porte-parole du scepticisme, du latitudinarisme et du mysticisme. Rien ne rompt la monotonie de cette atmosphère, sauf quelques peintures de la luxure, seule échappée sur l'humanité d'un conteur qui se réserve le droit providentiel d'accommoder les événements, de susciter les miracles, selon les besoins de sa thèse. Tout encombrés de descriptions plus pesantes que puissantes, trop lourdement bâtis pour atteindre à l'effusion mystique, ces romans demeurent dans leur ensemble les conférences dogmatiques d'un perpétuel candidat à une morne agrégation de théologie.

Dans ses trois livres qui n'eussent été probablement que le début d'une œuvre plus ample, ÉMILE CLERMONT (tué à l'ennemi en 1916) reste le romancier du scrupule. Par là il s'insère dans une tradition française : « Cette histoire, écrit-il de sa *Laure*, est presque sans âge et sans date, elle pourrait s'être accomplie il y a deux siècles, et c'est à peine s'il s'y trouve un certain frémissement qui la fait d'aujourd'hui. » Ce qui gêne dans *Laure* n'est pas ce frémissement, mais bien le décor en faux marbre barrésien où Clermont a situé ce beau drame de « l'enveloppement de l'infini ». Laure déconcerte son fiancé, le détourne vers sa sœur, violente son père agonisant, revient troubler le ménage qu'elle a uni et, après avoir dirigé plusieurs destinées, se voit réduite à cet aveu : « Ce que moi-même j'ai fait dans ma vie toujours s'est décidé au-dessus de moi. » Son haut désintéressement mystique cependant donne un rayonnement aux vies banales qu'il trouble. Déjà dans *Amour promis*, André ne trouvait de vraie joie qu'en la vie intérieure analysée avec « un mélange de passion et d'irréparable nonchalance » ; obsédé par « le déchet des désirs » et aussi par « l'attrait d'une volupté plus souffrante et plus rare », il communiquait à Hélène sa hantise de l'absolu et elle en mourait. Encore dans cette *Histoire d'Isabelle* où il voulait aborder le problème social, Clermont présentait deux figures surhumaines : Geneviève, intacte et pure, « ennoblissant la vie par son renoncement » ; Isabelle, fiévreuse et désordonnée « dont l'âme n'est pas juste à la mesure de ce qui l'entoure, mais ajoute quelque chose au monde ». Personne n'a exprimé avec plus de fraternelle pénétration cette emprise de l'idéal qui décolore le visage de la vie (1).

L'Espoir en Dieu de Louis Thomas (1910) était placé sous l'invocation de Musset : un chapitre où ce rhapsode est érigé en penseur et un dénouement bassement mélodramatique gâtent malheureusement ce beau livre dont le ton méprisant reste puissant quand le dédain demeure massif et ne se gaspille pas en détails monotones. L'auteur y conte comment un jeune homme qui a connu trop tôt le plaisir s'élance vers le ciel par dégoût de la terre ; ne pouvant reconnaître un Dieu qui ne

(1) Pour un portait complet de Clermont, avec son évolution du dilettantisme à la sainteté, voir le livre, riche de fragments inédits, que lui a dédié sa sœur, Louise Clermont.

satisfait ni son cœur ni sa raison, il se plonge dans cette calme désespérance qui est aussi le dernier mot de *Confession de la Mort* (1923), bréviaire de sobre nihilisme.

L'inquiétude est le domaine naturel de l'analyste. André Obey, auteur du *Gardien de la ville*, a décrit, dans l'*Enfant inquiet*, cette terreur de vivre chez un enfant trop sensible, qui avait déjà préoccupé Gilbert de Voisins. Dans *l'Enfant qui prit peur*, de Voisins avait montré l'enfant initié trop tôt à la douleur humaine (1) sans le contrepoids d'une explication intelligente ou mystique ; son *Esprit impur* présente le même démon de la peur attaquant un adulte sur qui pèse une hérédité d'alcoolisme et de folie. De Voisins sait évoquer le problème moral jusque dans cet excellent roman d'aventures violentes qu'est *le Bar de la Fourche :* parmi les chercheurs d'or du Far West aux passions déchaînées, l'influence de la Bible s'exerce étrangement ; elle domine encore, paradoxalement et efficacement, *la Conscience dans le mal* où le puritain Randal, directeur de cirque, condamne à la vie les deux amants qui l'ont trahi. Et ne serait-ce pas à cette inquiétude religieuse qu'il faut attribuer l'énorme succès de *Réincarné* et *Hanté ?* En ces deux « romans de l'au-delà » qu'il se refuse à nommer des romans d'imagination, le Dr Lucien Graux, auteur des *Fausses Nouvelles de la grande guerre*, s'est montré un conteur entraînant.

D'autres ont cherché dans des voies moins anormales les secrets de l'âme humaine. Le premier livre d'Edmond Jaloux, *l'Agonie de l'Amour*, étudiait, déjà dans le double décor parisien et provençal, le cas du jeune homme incapable de s'abandonner au grand amour qu'il appelle. Dans une partie de son œuvre romanesque il s'est plu à déployer les délicatesses de pastel qui font le charme de *l'Incertaine* et de *le Reste est silence*, histoire

(1) Un enfant qu'effraient les réalités de l'amour et qui se sent chargé d'une mission historique, tel est encore le héros de Benjamin Crémieux dans son *Premier de la classe* où la résurrection d'une hérésie albigeoise concilie un thème barrèsiste avec un motif d'André Walter.

d'un ménage mal assorti observé par l'enfant, tout en exaltant « cette vie à la fois spirituelle et romanesque qui nous a toujours paru la plus belle de toutes » ; il aime suivre ces « débuts d'un sentiment auquel il ne manque que les circonstances ou une certaine chaleur intérieure pour se développer tout à fait » ; il choisit pour *Fumées dans la campagne* le cadre d'Aix, pour *la Fin d'un beau jour* celui de Versailles et y déroule avec une lenteur attendrie des drames où les velléités héroïques se résorbent dans une fine mélancolie.

Car ce méridional, grand connaisseur des littératures étrangères, est particulièrement séduit par celles de leurs qualités que possèdent rarement les écrivains français : instinctive collaboration avec la durée vivante chez les romanciers anglais ; goût pour les domaines les plus mystérieux de l'imagination chez les romantiques allemands. Sans doute a-t-il très souvent besoin, comme dans *le Dernier Jour de la Création* ou *la Chute d'Icare*, de faire appel à un symbolisme artistique pour soutenir ses fines arabesques de psychologue et de moraliste. Aussi ses ouvrages les plus pénétrants sont-ils ceux où il affirme complètement son anti-réalisme : le lecteur du roman *la Balance Faussée* ou de la nouvelle *Sur un Air de Scarlatti* assiste vraiment à ce que Gérard de Nerval nommait « l'épanchement du songe dans la vie réelle ». Toutefois le « supranaturalisme » qui l'emporte chez Nerval demeure pour les héros de Jaloux un des éléments de leurs conflits intimes quand ils se sentent différents des autres hommes. Plutôt encore que Nerval, c'est Charles Nodier qu'Edmond Jaloux nous rappelle lorsqu'il se livre tout entier.

Le Diable à l'hôtel d'ÉMILE HENRIOT est un voyage imaginatif (« car l'imagination est le trésor des pauvres ») dans une ville de province où « l'espace est pour rien » et le temps aussi. Ses flâneries à travers Aix lui inspirent d'aimables poèmes et de spirituels portraits sous l'invocation de Stendhal et de Sterne et il réunit ces « plaisirs imaginaires » par le lien fragile d'un délicat roman sentimental autour d'un petit soulier mordoré.

Dans *l'Instant et le Souvenir*, roman d'une âme inquiète d'amour et incapable de bonheur, et dans *les Temps innocents*, souvenirs d'enfance formant « un roman dont l'intrigue est nulle mais qui n'est pas sans unité », la verve semble moins spontanée, l'analyse y garde la même grâce ténue et souriante.

Charles Géniaux a placé ses livres dans les cadres les plus variés, depuis *la Bretagne vivante* jusque *Sous les Figuiers de Kabylie*. Son sujet favori est le roman d'un amour irréalisable, qu'il soit bâillonné par l'orgueil lamennaisien de *la Passion d'Armelle Louanais* ou condamné au désespoir, dans *les Cœurs gravitent*, par les lois qui gouvernent le monde des âmes comme celui des corps. André Beaunier a hésité entre la critique et le roman : ses livres tentent souvent d'unir les deux genres sous une seule couverture. Il a témoigné aux jeunes de *la Poésie Nouvelle* (1902) une sympathie qui s'est un peu émoussée dans *les Idées et les Hommes :* il avait entre-temps découvert cette « nécessité de n'avoir en fin de compte fortifié sa raison que pour la soumettre » sur laquelle il a basé la peu convaincante fiction de *l'Homme qui a perdu son moi*. La transition est facile entre ses alertes biographies des amies de Chateaubriand, de Mme de la Fayette, de Sidonia de Lenoncourt et le plus ingénieux de ses romans, *Suzanne et le Plaisir*, qui n'est pas une grande fresque d'après-guerre, mais le délicat portrait d'une jeune femme menée du plaisir à l'amour et à « une triste gaieté, romanesque et déçue ».

L'exemple de Balzac a obsédé Binet-Valmer, lui inspirant un groupement cyclique pour ses divers tableaux d'un monde où lui-même passerait en observateur, à la manière de son Dr Batchano. La partie solide de son œuvre n'est pourtant point celle où l'actualité se survit plutôt qu'elle n'y revit, à preuve *les Métèques*, livre plus confus que touffu où le machiavélisme du romancier rend plus éclatante l'insuffisance des personnages. Dans *la Passion* l'intérêt psychologique l'emporte ; le parallélisme un peu artificiel des deux créations, par l'esprit et par la chair, mène à un drame bien charpenté. Binet-Valmer y continue cette étude de l'envers du génie, déjà amorcée dans *Lucien* où il penchait hardiment sur un héros anormal la lumière d'une analyse que n'égarait aucun mensonge, pas même ceux de la guerre dont tous ses protagonistes ont subi l'épreuve dans *l'Enfant qui meurt.*

Edgar, amusant kaléidoscope de vie parisienne frelatée, montre comment HENRI DUVERNOIS rajeunit, par le vaudeville, le roman d'analyse ; *Crapotte* fait admirer ce que le bavardage nonchalant d'une petite femme entretenue peut couvrir d'observation et de fantaisie ; *la Brebis galeuse* laisse voir, dans son immédiate utilisation de l'actualité, l'ingéniosité de cette monotonie comme la monotonie parfois de cette ingéniosité. Parmi les plus jolies réussites de cette verve narquoise figurent les brèves nouvelles de *Fifinoiseau :* là, un hasard opportun, un décor, une minute de vigilance ou d'abandon, suffisent à Duvernois pour fixer le détail imprévu qui achèvera la simplicité d'un caractère ou révélera sa complexité. Car, s'il traite avec une « sorte de désinvolture amère » les types caricaturaux qu'il a groupés dans *les Sœurs Hortensias*, Duvernois a retracé avec une poignante justesse de ton la tragédie d'*A l'Ombre d'une Femme.* Présentant une galerie de « destinées calquées », l'auteur de *la Maison Camille* confesse sa foi en la pitié qui « ne passe de mode qu'à la façon des cheveux raillés par les chauves ». Et ce fut bien pour nous donner une leçon d'indulgence autant qu'un ironique divertissement qu'il fit renaître le Paris de 1897 dans le conte philosophique de *l'Homme qui s'est retrouvé* (1936).

§ 9. — Les romancières

On a maintes fois constaté que, de tous les genres littéraires, le roman était celui où les femmes réussissaient le mieux. Nous avons vu que *le Visage émerveillé* et *le Temps d'aimer* n'étaient pas indignes des poèmes d'Anna de Noailles et de

Gérard d'Houville. LUCIE DELARUE-MARDRUS aussi a connu des succès de romancier depuis *le Roman de six petites filles*, souvenirs d'enfance tour à tour plaisants et sentimentaux, jusqu'à *l'Ex-Voto* où elle évoque dans Honfleur, sa ville natale, les amours sauvages d'une « petite pirate ».

MARCELLE TINAYRE se contente trop souvent de fournir à ses lectrices le roman agréable et facile qu'elles attendent, et l'on ne s'étonnera pas de relever dans la liste de ses œuvres des titres prévus : *l'Amour qui pleure*, *Avant l'amour*, *l'Ombre de l'Amour*, *la Vie amoureuse de François Barbazanges*. Son style reste inexorablement convenu et pare d'un manteau banal une pensée qui s'efforce d'être libre et compréhensive. *Hellé* contient en effet des aspirations à la beauté et à la justice qui dépassent l'ordinaire roman d'amour ; le paganisme encore entoure de grands souvenirs l'aventure assez médiocre de *Perséphone ; la Maison du péché* mériterait de survivre si, dans ce vibrant récit d'un amour traversé par le jansénisme, le psychologue n'était pas si fréquemment desservi par l'écrivain. Cette absence de style est d'ailleurs la plus sensible défaillance dans de nombreux romans féminins. Ce défaut a laissé un caractère provisoire aux tableaux les plus consciencieux de DANIEL LESUEUR ; il rend insupportables les bavardages de MARCELLE VIOUX, les commérages de GABRIELLE RÉVAL, les inoffensives grivoiseries de RENÉE DUNAN ; il gâte même les fraîches évocations algériennes de MAGALI BOISNARD *(Mâadith* et *l'Enfant taciturne) ;* il arrête encore le lecteur de la *Mer Rouge*, dramatique roman des mœurs juives à Alger par MAXIMILIENNE HELLER. On ne blâmera donc point BALKIS de s'être, dans *Personne* et *En Marge de la Bible*, mise à l'école de Gide puis des symbolistes truculents pour mieux colorer ses fictions orientales.

Car la sensibilité féminine ne pouvait rester sourde à l'attrait de l'exotisme. JUDITH GAUTIER a été une des révélatrices de l'Extrême-Orient. Traductrice de *la Marchande de sourires* et de *l'Avare chinois*, elle a conté dans *les Parfums de la pagode* quelques-unes des plus jolies légendes de la Chine et du Japon. Jules Lemaître découvrit jadis en MYRIAM HARRY qui a dans les veines du sang juif, du sang slave et du sang germain, dont le français est la langue d'adoption, une « Aïssé du roman de ces dernières années ». Longtemps elle a peint, de *la Conquête de Jérusalem* à *Tunis la Blanche*, des toiles impressionnistes ; les aventures de l'*Ile de Volupté* et *la Divine Chanson* se liaient aussi à des paysages exotiques. Elle a prêté sa propre évolution sentimentale et intellectuelle à la *Siona* de sa trilogie dont le premier volume est, ainsi qu'il convenait, dédié à Lemaître « qui m'a exorcisée du romantisme ».

LUCIE COUSTURIER a, au contraire, dans *des Inconnus chez moi*, entrepris de prouver combien notre civilisation était inférieure à l'imagination fraîche et neuve des tirailleurs sénégalais dont elle traçait de jolis portraits. ÉLISSA RHAÏS a montré, dès *Saâda la Marocaine*, qu'elle ne retenait de l'exotisme qu'un pittoresque superficiel : aussi ne s'est-elle point élevée au-dessus du journalisme alerte qui anime certaines descriptions dans *les Juifs ou la Fille d'Éléazar ;* en revanche, elle est tombée dans la plus médiocre araberie de bazar avec les trois contes mélodramatiquement prosaïques du *Café chantant*. On y chercherait en vain l'accent pénétrant, la communion spontanée avec les choses et les êtres de l'Afrique du Nord qui feront survivre l'œuvre d'ISABELLE EBERHARDT : musulmane et russe, l'auteur de *Trimardeur* et *Dans l'ombre chaude de l'Islam* (1) concilie sans effort le fatalisme arabe et la pitié slave : « Nous sommes tous de pauvres bougres et ceux qui ne veulent pas nous comprendre sont encore plus pauvres que nous. »

NEEL DOFF fait une transition naturelle entre les exotiques et les révoltées. *Jours de famine et de détresse :* ce titre résume

(1) Livre dont la pieuse reconstitution honore VICTOR BARRUCAND qui a apporté dans le roman et dans l'histoire les mêmes qualités de sincérité et de réalisme poétique.

toute son inspiration. Ses *Contes farouches* relatent avec une brutalité sauvage des vies misérables et tragiques à Amsterdam, dans l'île de Walcheren et dans la Campine. Dans *Keetje* l'héroïne sort parfois de son Amsterdam et de son Bruxelles pour des voyages en Allemagne et en France, et de même le réalisme s'y attendrit parfois d'une noble émotion artistique et d'une pitié à la Dostoïevski.

Universellement connue comme polémiste, SÉVERINE fut l'auteur des *Pages rouges*, des *Notes d'une frondeuse* et de maints articles virulents. Nul livre ne dévoile mieux son talent et son grand cœur que sa *Line* dédiée « à tous ceux-là que la révolte baisa au front dès le berceau » ; cette histoire d'une petite fille, « d'un canard sauvage éclos au poulailler », lui permet d'évoquer avec humour et passion, dans un style vibrant et volontiers gavroche, ses propres souvenirs, les premiers éveils d'une âme qui fut toujours avide de justice, pitoyable à tous les opprimés et dure seulement pour les ennemis de la vie et de la pensée libres.

Les livres de MAGDELEINE MARX ont été jusqu'à présent les romans de la femme qui se cherche, dans *Femme* à travers l'amour voluptueux, l'amour maternel (1) et la Mort, dans *Toi* à travers les hommes, les foules et Dieu. La confusion de cette queste est augmentée par une fièvre lyrique assez artificielle même si elle est, comme tout le donne à croire, artificielle avec spontanéité.

Plus simple mais non moins convaincue, MARGUERITE AUDOUX — qui fut élevée par les sœurs dans un orphelinat, puis bergère en Sologne et enfin couturière à Paris — a raconté sa vie dans *Marie-Claire* et *l'Atelier de Marie-Claire* avec une remarquable sobriété et un sens du détail choisi qu'admirèrent

(1) Le complexe problème de la maternité, résolu dans *Femme* en quelques apostrophes, a été étudié plus longuement et plus humainement dans *Tu enfanteras...* de RAYMONDE MACHARD avant sa conversion à une littérature retentissante.

Philippe et Mirbeau. Son dernier livre peint tout l'envers de « Paris, paradis de la femme », et son naturalisme est un vrai réalisme parce qu'il est basé sur une chose vraie : l'âme même du métier plus durable que les créatures éphémères qui l'exercent.

« Je me suis trompée en tout si j'ennuie, car c'est le seul droit que je ne me sois pas cru. » Cette phrase d'AUREL dans la préface aux *Jeux de la flamme* posant franchement la question, il est loyal de répondre que ce prétendu roman est terriblement ennuyeux. La monotonie du ton jusque dans les lettres et dialogues, le didactisme puéril d'un écrivain pour qui tout ce qui tombe de sa plume est également sacré, ont tôt fait de tuer l'intérêt qu'excite d'abord la promesse d'un livre « écrit dans l'ardeur d'être vraie ». Et qui voudra lire jusqu'au bout *le Couple, essai d'entente*, où sont décrits du même style énervé l'amour-décor, l'amour-force et la puissance de la femme qui réconcilie Jésus et Nietzsche, — son effort ne devra attendre d'autre récompense que le pervers plaisir d'avoir été, à chaque page, impitoyablement convaincu d'inutilité.

Il y a toujours eu chez RACHILDE un candide appétit de violence, manifeste dès *Monsieur Vénus*, « roman matérialiste » où une jeune fille joue au mâle dont elle se sent les instincts envers un homme-femme : livre très pareil à ces épouvantails dont, lorsqu'on les approche, on découvre avec regret qu'ils ont usurpé leur renom. Dans *l'Heure sexuelle*, un amoureux de Cléopâtre la retrouve sous la forme d'une prostituée qu'il ne sait pas arracher à son ancien amant sorti de prison : abandonné, il ne lui reste plus qu'à faire « un peu d'art avec toute ma douleur » ; mais cet art se borne à accommoder les restes du romantisme et du symbolisme. *Le Dessous* oppose la bourgeoisie et l'anarchie en un conflit vraiment enfantin, comme est enfantin le tableau de croquemitaines des *Hors Nature* qui semble plaqué de parodies de Villiers par Péladan. Rachilde s'est voulue le Villiers d'une aristocratie perverse : elle en apparaît surtout le Bourget dans *le Grand Saigneur*, roman d'un vampire qui justifie terriblement la boutade d'un de ses personnages : « On se demande pourquoi les femmes préfèrent les histoires de l'autre monde aux plaisirs de celui-ci. »

Entre ces truculences d'atelier et la prose anodine des *Rageac* prennent place les ouvrages qui montrent en Rachilde un robuste conteur. Tel est *le Meneur de louves*, récit du temps de Chilpéric, en marge de Grégoire de Tours, épopée des deux filles royales Basine et Chrodielde, de Harog « le premier des chevaliers français » qui vécut, batailla et mourut pour sa dame. Et nul ne contestera la sombre beauté de *la Tour d'Amour* où est puissamment décrite la vie angoissante des deux gardiens du phare d'Ar-Men dans une atmosphère d'affolement sexuel et de cauchemar forcené : là l'effort tendu de Rachilde a véritablement atteint son but, la création d'un envoûtement.

En regard de ces constructions massives, l'art de Colette (1) peut d'abord sembler grêle qui n'est inspiré que par la sensation. Mais ses sensations sont si profondes et si subtiles, elle les traduit avec un bonheur si précis, dans un dépouillement si complet de tout ce qui n'est point sensation, que cette œuvre s'impose bientôt pour une des plus originales de notre époque : « La terre appartient à celui qui s'arrête un instant, contemple et s'en va ; tout le soleil est au lézard nu qui s'y chauffe. » Aussi faut-il placer au premier rang de ses personnages les créatures les plus instinctives, les animaux. Les *Sept Dialogues de bêtes* et *la Paix chez les bêtes* leur appartiennent ; avec une spirituelle et clairvoyante tendresse Colette a immortalisé Toby-Chien et Kiki-la-Doucette, et les chats qui « jouent un peu féroce », si pareils à nous dans la volupté et le mystère ; elle a recueilli les confidences des animaux savants et des bêtes transformées en

(1) Des nombreuses études consacrées à ce poète dionysien de la sensation, la plus complète est celle de Jean Larnac, *Colette, sa vie, son œuvre* (1927).

bibelots ; elle a suivi « les cercles brisés de la rate-volage qui crisse en volant, comme un ongle sur une vitre ». Elle a partagé leur farouche désir d'indépendance ; quand la Lola de *l'Envers du music-hall* s'écrie : « Je ne suis pas une princesse enchaînée, mais une chienne, une vraie chienne, au cœur de chienne », elle exprime la révolte de toutes les bêtes de Colette.

De toutes ses femmes aussi. Car si Colette retrouve des ressemblances entre les bêtes et « les Deux-Pattes », ce n'est point pour travestir les animaux en hommes à la façon des fabulistes. Elle excelle, au contraire, à doubler l'un par l'autre, à réunir la femme et la chienne jalouses dans un éveil d'instinct, à évoquer « bras et pattes mêlés, une brève, une furtive et fraternelle étreinte ». Ou bien elle suggérera la rivalité de deux forces féminines et la tragédie de *La Chatte* se parera d'une sorte de magie. Un de ses grands mérites est d'avoir peint la volupté physique sans tricher, sans la glorifier ni la honnir (1). Cette aspiration, unique et complexe, fait le charme de ses héroïnes : Minne qui « lève vers son mari la flatteuse meurtrissure de ses yeux d'où s'est enfui le mystère » ; la Claudine de *la Retraite sentimentale*, « celle qui détourne ses yeux attentifs et confus, dans le moment où elle abandonne tout d'elle-même » ; la Renée de *la Vagabonde*, « renard las d'avoir dansé, captif, au son de la musique », qui, dans *l'Entrave*, avoue connaître « des heures où je me plais assez en femelle » ; Mitsou dont on s'étonne avec le Lieutenant Bleu « qu'une petite fille, volontiers nue, puisse tant cacher d'elle-même ». Ce mouvement voluptueux, « la joie intelligente de la chair qui reconnaît immédiatement son maître », est le grand ressort des livres de Colette.

Doit-on nommer romans ces récits de vie romancée où les

(1) Le vice littéraire, le seul sérieux, des *Claudine* est une attitude de commande envers le plaisir physique ; la différence de *Minne* et *les Egarements de Minne* à *l'Ingénue libertine* marque le progrès de Colette « collaboratrice » à Colette auteur. Voir d'ailleurs, dans *Mes Apprentissages*, son terrible portrait de « Monsieur Willy ».

hommes, dès qu'ils sont amoureux, c'est-à-dire unifiés par le désir et « leur rouerie un peu catin », n'existent guère que pour leurs différences physiques ? Maxime, Jean ou Chéri ne sont que des prétextes à aimer et souffrir pour Renée et la touchante Nounoune. Ils ne reprennent un relief que s'ils sont dégagés de l'amour, si, tels le mime Brague ou l'équivoque Masseau, ils font partie d'un décor. Colette peintre de décors a prouvé son talent dans les genres les plus divers. « Comme s'il n'y avait d'urgent au monde que mon désir de posséder par les yeux les merveilles de la terre », elle a dessiné dans *la Retraite sentimentale* et *les Vrilles de la vigne* des paysages délicatement harmonieux à sa sensualité ; elle a trompé par de fins croquis le vide des *Heures longues ;* elle a décrit le café-concert pittoresque, les coulisses lamentables, les tournées enfin, mêlant dans les départs une tristesse de petite bourgeoise casanière « avec l'élan brillant du serpent qui se délivre de sa peau morte ».

Rien de moins classique, en apparence, que cette inspiration sauvage sur qui le style pose son fard : « Un peu de kohl bleu entre les cils, aux joues le nuage de poudre écrue couleur de ma peau, un coup de dents pour aviver la bouche. » Mais Colette possède une autre arme que le dérisoire bâton de rouge : « Point d'autre délire que celui de mes sens. Hélas ! il n'en est pas dont les trêves soient plus lucides. » Sitôt libéré, le bras « couleur chair de banane » saisit une plume d'écrivain-né ; l'art guide le souvenir ému qui fait trembler la phrase infaillible : « Un baiser presque immobile, long, assoupi, — le lent écrasement, l'une contre l'autre, de deux fleurs où vibre seulement la palpitation de deux pistils accouplés. » La prose de Colette a des rythmes souples comme des lianes, et son caprice renie les monuments qu'il vient de construire avec ses sensations : « Fais un signe, le vent s'asseoira sur la dune, léger, et s'amusera, d'un souffle, à changer la forme des mouvantes collines. » Des mouvantes collines que la vagabonde a dressées, plus d'une est déjà soustraite à l'arbitraire du vent errant.

C'est que la maîtrise de Colette ne se manifeste pas seulement dans les pages d'anthologie ou les phrases exquises qui abondent, par exemple, dans ses chroniques théâtrales de *la Jumelle Noire*. Elle possède aussi un art de la composition que l'on retrouvera, sous des formes diverses, dans les évocations de *Ces Plaisirs...* (« ces plaisirs qu'on nomme, à la légère, physiques »), dans les confidences de *Mes Apprentissages* (« ce que Claudine n'a pas dit »), dans tels portraits d'Anna de Noailles et de l'adorable Sido. Art subtil qui se laisse mieux analyser dans des romans comme *la Seconde* et dont le lucide *Duo* est probablement le chef-d'œuvre. Art que l'on ne diminuera point en le disant plus proche de celui du musicien que des procédés de la littérature descriptive. Dans un livre de Colette les rapports mutuels des personnages et des idées sont délicatement subordonnés à leurs rapports avec l'atmosphère générale de l'œuvre. Elle construit moins par caractères et développements que par thèmes et modulations. Pour la qualité de sa sensibilité comme pour la saveur de ses images, l'auteur de *la Naissance du Jour* est un écrivain impressionniste ; par son sens de la composition symphonique non moins que par l'harmonieuse fermeté de sa prose, elle apparaît déjà aux contemporains comme un grand écrivain classique (1).

§ 10. — Le roman provincial et régionaliste

En dédiant à Loti sa *Robe de laine*, HENRY BORDEAUX place sous l'invocation de Sand et de Fromentin ce roman où, renchérissant sur la médiocrité de Tennyson, il enseigne qu'une femme pauvre n'épouse pas sans danger « un de ces impitoyables

(1) Signalons encore parmi les contributions féminines à notre littérature le *Journal* de MARIE BASHKIRTSEFF, passionné témoignage d'une époque et d'une âme, ainsi que les *Pensées d'une Amazone*, où NATALIE CLIFFORD BARNEY a réuni des maximes dont l'ingéniosité verbale sent un peu trop « l'ouvrage de dame » et des réflexions sur l'amour qui, révolutionnaires pour un puritanisme anglo-saxon, paraîtront moins originales au lecteur français.

vainqueurs des hautes classes qui ne tolèrent pas d'être gênés par les lois, ni par les autres hommes, du moment qu'ils ont ou qu'ils croient avoir les moyens d'y échapper ». Tout entière écrite de ce style, son œuvre copieuse oppose au vicaire de Rousseau la profession de foi d'un marguillier savoyard ; et elle est si bornée qu'on n'en discerne guère que les limites. Son contenu positif, l'auteur l'a défini dans la dédicace à Bourget de *la Neige sur les pas :* « Il me semble que, si quelque lien rattache mes romans les uns aux autres, ce lien serait le sens de la famille. » Parfois il a voulu forcer son talent dans des livres de guerre qui sont trop habilement ou trop candidement hâtifs et dans *la Nouvelle Croisade des enfants* où la fausse naïveté mène à la niaiserie. Mais de même que la Savoie est son cadre favori et « gentiment » son adverbe le plus caractéristique, la défense de la maison est son thème, qu'il s'agisse de la montrer hiérarchisée à l'image de la maison éternelle *(la Maison)*, sauvée par son chef après une crise factice *(les Roquevillard)*, ou reconstruite après un adultère *(la Neige sur les pas)*. On aura rendu pleine justice à Henry Bordeaux en ajoutant qu'il est catholique au sens où ce mot s'oppose à universel et que nul n'a plus contribué à associer à l'idée de roman provincial celle d'ennui.

René Bazin l'y a aidé avec une abnégation littéraire qui est peut-être une vertu. Deux ouvrages ont fait connaître son nom : *la Terre qui meurt* raconte, dans le marais de Vendée, la fin d'une famille de métayers dont les fils abandonnent la terre et que sauve le mariage de leur fille avec un valet venu du Bocage ; *les Oberlé* montre une famille alsacienne divisée dont le fils déserte l'armée allemande pour passer en France. Ces livres empruntaient alors aux circonstances un certain accent dramatique ; René Bazin a encore écrit *le Blé qui lève* et une longue liste de romans.

Il y a d'autres qualités d'écrivain dans l'effacement volontaire de René Boylesve : « Mes goûts sont si ordinaires que je serais désolé de n'être pas mis comme tout le monde », affirme-t-il dans la préface à son premier roman, *le Médecin des dames de Néans :* il y décrivait l'éveil à la vie et à l'amour d'une morne petite ville d'Anjou. Les deux aspects de son talent s'y voyaient déjà qui lui inspirent de commenter ainsi le titre de son recueil de contes, *Nymphes dansant avec des satyres :* « Le balancement qu'il exprime entre la grâce de formes pures et le rictus souvent désolé ou amer de cette malignité que je vois à la face du monde, me paraît caractériser une disposition d'esprit qui se retrouve dans tous mes livres (1). » De là, qu'il nous invite parfois à écouter des variations littéraires sur tous les sujets chers à l'alexandrinisme du premier France ou bien cette jolie intrigue libertine des bords de Loire, *la Leçon d'amour dans un parc*, qui est d'un Régnier inégal. Convaincu, d'autre part, qu'il faut être « historien fidèle et bon poète... deux qualités sans lesquelles il est bien vain d'écrire des romans », il a entrepris de peindre, dans *la Becquée*, « les scènes et les figures communes à la famille provinciale française », de réhabiliter « l'ingrate beauté du conservatisme ». Les mesquineries du conservatisme, *l'Enfant à la balustrade* les regarde défiler dans la ville que domine la statue de Vigny, et *Élise*, déclassée par amour, s'y heurte encore dans le monde des irréguliers. Mais la beauté de ce conservatisme rigide revit aussi dans *Mademoiselle Cloque*, évocation dans le décor de Tours d'une vieille fille ultramontaine et héroïque. Et c'est l'œuvre la plus forte de René Boylesve.

Deux écrivains tués à l'ennemi avaient apporté leur contribution à la littérature régionaliste. LOUIS PERGAUD avait dû à sa Franche-Comté l'inspiration des « nouvelles villageoises »,

(1) Les études de GÉRARD-GAILLY et les documents qu'il a publiés ont révélé le double drame de la vie de Boylesve : homme, il a détesté l'amour qu'il comparait à « un satrape ivre » ; écrivain, il a refoulé, par admiration pour le roman « esthétique » de Flaubert, les tendances profondes qui, dans ses premiers livres, en faisaient un précurseur de Marcel Proust.

contées avec un humour sain exempt de stylisation et de réalisme outrancier, qui composent *les Rustiques*. Ses histoires de bêtes, *De Goupil à Margot*, insistaient surtout sur la vie dramatique et menacée des animaux, prenant leur parti contre l'homme ; *le Roman de Miraut* retraçait la vie d'un chien, ses méfaits dans la vie domestique, ses triomphes à la chasse, son indéracinable affection pour son maître : et ce pittoresque atteignait l'émotion sans tomber dans la sensiblerie. LOUIS CODET avait peint, dans *César Capéran*, un bien sympathique Gascon et dans *la Fortune de Bécot* les aventures romanesques du Chérubin gai et bien musclé d'un Roussillon léger et voluptueux : ces récits pleins d'allant promettaient un romancier original (1).

Plusieurs ont ainsi attaché leurs noms à une de nos provinces. L'entrée de POL NEVEUX chez les Goncourt fut un hommage à la grave simplicité et à l'honnêteté artistique de son *Golo* marnais. La Bretagne a CHARLES LE GOFFIC et ANATOLE LE BRAZ ; PAUL ARÈNE a appris et répété ses histoires (dont la meilleure est la passionnée *Chèvre d'or*) « au bon soleil » de Provence ; JEAN VARIOT a conté délicatement et porté à la scène, dans *la Rose de Roseim*, la touchante légende d'Alsace. ÉMILE MOSELLY, l'auteur de *Jean des Brebis* et *le Rouet d'ivoire*, s'était fait une spécialité de décrire les terres lorraines ; on a constaté avec *les Grenouilles dans la mare*, tableau d'une élection provinciale, qu'il savait apporter à des sujets différents la même facilité superficielle. JEAN PIOT, avant de consacrer son activité à un journalisme batailleur, avait donné dans *le Village* une image réaliste et lyrique d'un coin de Haute-Marne. Dans le spirituel *Nono* de GASTON ROUPNEL ressuscite la malicieuse

(1) On a retrouvé cette aimable verve libertine dans *Cantegril* où RAYMOND ESCHOLIER a narré les exploits d'un joyeux drille des Pyrénées ariégeoises, y dessinant maintes silhouettes curieuses dont celle d'un vieux padre carliste qu'il a eu la cruauté de tuer dès le second chapitre ; on la chercherait en vain dans les timides truculences de *Castagnol* où ANDRÉ LAMANDÉ se souvient trop d'avoir écrit *Sous le clair regard d'Athéné*.

bonhomie bourguignonne. Le *Cauët* de MICHEL YELL fait grimacer des monstres du Nord sous la lumière sinistre d'une caserne. Dans *Filles de la Pluie*, ANDRÉ SAVIGNON a décrit Ouessant, « île perdue », ou plutôt quelques figures d'Ouessantines. Les romans sociaux de MARC ELDER ont moins de relief que ce *Peuple de la mer* où il évoque les drames de l'envie, de la sensualité et de la mort parmi les pêcheurs de Noirmoutier.

Dès 1911, ALPHONSE DE CHATEAUBRIANT avait obtenu le Prix Goncourt et connu un succès de bon aloi avec *Monsieur des Lourdines*, émouvante histoire d'un gentilhomme campagnard dans le bocage poitevin vers 1840. La forte et rude *Brière* lui valut, en 1923, le Grand Prix du Roman de l'Académie. Dix ans plus tard, *la Réponse du Seigneur* devait nous décevoir, bien que l'on reconnût la noblesse de son inspiration : on y voyait, en effet, une idéologie longuement méditée par un solitaire envahir le récit romanesque et le transformer en une suite de conférences. Aussi a-t-on accueilli avec une joie particulière le recueil de nouvelles de *la Meute :* en peignant d'après des souvenirs de famille les gentilshommes provinciaux de la Restauration, en associant librement le monde animal aux passions humaines, Chateaubriant donnait à la réalité le prestige d'une légende.

HENRI POURRAT figure au premier rang de ceux qui ne se tinrent pas pour satisfaits après un premier tableau. Le livre des vaillances, farces et gentillesses de *Gaspard des Montagnes* marqua le début d'un cycle : Pourrat sut y évoquer, autour d'un héros pittoresque, toute la poésie du folklore aux veillées d'Auvergne. Plus fiévreux et réticent, son *Mauvais Garçon* atteste le même art, robuste et loyal, qui tire du réel toutes ses résonances spirituelles. Sur les mêmes thèmes celui que Boylesve nommait « le prince incontesté des écrivains régionalistes » a entrepris, avec *Monts et Merveilles*, une nouvelle série de romans où il promet de mêler la fantaisie et la satire.

PIERRE VILLETARD avait suivi pas à pas, dans *Monsieur et Madame Bille*, la vie d'une famille de Pont-sur-Loir à laquelle il n'arrive rien que les menus incidents de la vie provinciale ; il a conduit ensuite son héros, type du petit bourgeois, à travers la tourmente sans que cette satire menue ajoute beaucoup à notre connaissance de la guerre ; il a enfin prouvé avec *le Château sous les roses*, qu'il était aussi capable que n'importe qui de brosser, dans le cadre du Lavandou, un petit roman sentimental. HENRI BACHELIN est le peintre du Morvan où se dresse la probe figure du *Serviteur*, où se déroulent, avec *Juliette la Jolie* et *le Petit*, les aventures d'une fille mère qui éprouve, sans quitter sa petite ville, toutes les diversités de l'amour. ERNEST PÉROCHON avait débuté par *les Creux de maisons*, sombre tableau de la misère paysanne sous la « buée honnête » de Bressuire et des alentours ; sa *Nêne* le rendit célèbre, histoire d'une servante qui découvre l'ingratitude des hommes et des enfants, récit en grisaille relevé par la description de la curieuse secte des Dissidents du Bocage vendéen ; il est difficile de prendre au sérieux son *Chemin de plaine*, journal agressivement primaire d'un instituteur mélodramatiquement caricatural. En revanche, on louera volontiers *Barberine des Genêts*, roman de la Vendée victorieuse et *les Endiablés*, chronique de cette Vendée écrasée par les Bleus. Écrite dans une prose qui semble une stylisation du parler paysan, cette geste des « cœurs perdus » montre vite les limites du langage populaire. Mais cette pauvreté colorée s'accorde avec l'atmosphère générale, notamment dans les belles pages qui retracent l'aventure des Vendéens outre-Loire, « course folle d'un troupeau dévoyé ».

A côté des romans rustiques où l'intrigue paraît souvent bien factice, il convient de rappeler quelques livres de nature qui se passent de cet artifice. On ne peut qu'applaudir au succès du *Livre de Raison*, tout ensemble « manuel agricole et code moral » : JOSEPH DE PESQUIDOUX y a montré comment un chef de maison provinciale réalisait, loin du tumulte, un idéal de dignité virile. Il est donc excellent que la faveur du public soit allée tour à tour aux sobres tableaux de Gascogne que Pesquidoux a dessinés dans *Chez nous* et *Sur la Glèbe* (on y pourra comparer les récits d'EMMANUEL DELBOUSQUET), à la *Vie de Grillon* narrée en philosophe par CHARLES DERENNES, aux *Souvenirs entomologiques* de H.-J. FABRE, minutieux jusqu'à l'épopée, à l'alerte *Roman de la Rivière* de GEORGES PONSOT, aux délicats *Paysages littéraires* français et italiens de GABRIEL FAURE.

Les écrivains belges ont eu leur part dans cette floraison du roman régionaliste. « Ces Gaulois... ne sont pas étrangers en dépit de la frontière », dit Rosny, parlant des personnages de CAMILLE LEMONNIER. Sans doute est-il prudent de prévoir, dans cette œuvre énorme, un déchet considérable : le naturalisme brutal de *Happe-Chair*, le mysticisme charnel de *l'Hystérique* et quelques traits violents épars dans *l'Amant passionné* ne sauveront point ces livres ; il y a quelque artifice dans l'horreur du *Mort* et des fresques comme *la Fin des Bourgeois* ne vont point sans un peu de trompe-l'œil. Où il excelle, c'est à recréer l'atmosphère de Furnes dans le *Petit Homme de Dieu*, à retremper dans une nature lumineuse les instincts séculaires (*Au Cœur frais de la forêt*, *l'Ile vierge*). Et nul ne contestera la force du paysagiste du *Vent dans les moulins* ni l'âpre grandeur d'*Un Mâle*. Là se déroule entre le braconnier Cachaprès et la fermière Germaine un sauvage drame d'amour ; avec ses kermesses, ses rixes, ses vieux paysans lents et retors, ses jeunes gens vigoureux et batailleurs, avec son ample symphonie des champs et de la forêt, ce roman est vraiment le poème de la Wallonie.

Comparée à celle de Lemonnier, l'œuvre de GEORGES EEKHOUD pâlit quelque peu. L'auteur de *Mes Communions*, *Kees Doorik* et des *Libertins d'Anvers*, pénétré de l'influence des Élizabéthains dont il a traduit des drames, a consacré à la Belgique une série d'études historiques et de romans. Peut-être l'érudit en lui fait-il parfois tort au créateur. Dans *le Cycle patibulaire* sa partialité pour les belles brutes instinctives s'exprime tantôt avec une brutalité candide, tantôt avec des raffinements de poème en prose symboliste, et la fièvre de l'inspiration ne suffit pas à fondre ces éléments disparates. Il n'en a d'ailleurs pas moins, dans *la Nouvelle Carthage*, dressé à la gloire d'Anvers une statue massive mais impressionnante et mérité l'éloge de Gourmont : « il représente une race et un moment de cette race ».

Aucune lourdeur chez ANDRÉ BAILLON, plutôt un perpétuel sautillement qui rappelle, dans *Histoire d'une Marie*, la manière de Ch.-L. Philippe et dans *En Sabots* celle de J. Renard. Mais ce récit d'une humble existence passive est conté avec une tendresse exacte et ces croquis de vie anti-intellectuelle dans les Flandres mettent bien au point de savoureuses observations ; sans emphase sentimentale, cet art est pénétrant comme le sont — à l'antipode du naturalisme — les notations rimbaldiques d'*Avec la Nuit* de P. DESMETH. Qu'une inquiétude persistât chez ce réaliste, on le vit bien quand Baillon poussa jusqu'aux tragiques aveux du chalet d'isolement : *Un Homme si simple* vide ainsi le fond d'une âme en cinq confessions concentriques, cinq remâchements d'une poignante intensité.

§ 11. — Le roman social, observation et satire

Le roman social fait partie de l'héritage naturaliste ; il se rattache aux Goncourt et à Zola autant qu'à Flaubert et Balzac. L'exemple d'HENRY CÉARD montre cette filiation. Son œuvre la plus caractéristique, l'énorme *Terrains à vendre au bord de la mer*, fait défiler, dans un paysage de Bretagne déshonoré par l'incurable bassesse de ses habitants, toutes les classes de la société contemporaine : tous les personnages, depuis les plus héroïques jusqu'aux plus vils, y marchent vers l'écroulement de leurs désirs. Et cette fresque pessimiste liquide dans la fange le naturalisme et le wagnérisme.

GUSTAVE GEFFROY a donné dans *l'Enfermé* une biographie vivante de Blanqui ; son *Apprentie*, récit vraisemblable de la jeunesse d'une honnête fille de Belleville pendant la guerre de 1870, la Commune et les premières années de la République, est dédié « aux filles de Paris en témoignage d'une époque barbare». Geffroy est aussi l'auteur des contes du *Pays d'Ouest* ; son volume *Notre Temps* inaugura une série de scènes d'histoire, portraits et récits, qui contribuent utilement, selon son désir, à établir « un bilan du XIXe siècle ». Malheureusement Gustave Geffroy semblait avoir tendance à estimer la littérature plutôt selon sa valeur de propagande sociale que selon des mérites strictement littéraires. On s'explique ainsi qu'en 1921 son suffrage de président ait fait décerner le Prix Goncourt à *Batouala*. RENÉ MARAN y posait la question sociale nègre en un jargon que l'on croyait réservé à la parodie des traductions de romans russes et qui gâte encore certaines pages du *Livre de la Brousse* dont plus d'une scène s'impose néanmoins par sa farouche beauté.

L'art de PAUL et VICTOR MARGUERITTE est plus souple. Sous le titre *Une Époque* ils ont tenté — la dédiant à leur père, le général Margueritte — une vaste peinture des événements de 1870-71 où le roman se mettrait au service de l'histoire ; leur *Désastre* oppose à la sombre épopée de *la Débâcle* une suite de tableaux dont l'éparpillement n'est pas infidèle à son dessein. Séparés, les deux frères ont décrit leur temps en maints romans et recueils de nouvelles sans retrouver, même dans l'ambitieux *Jouir* et *la Garçonne* qui veut être « osée », l'émotion contenue qui distinguait *la Force des choses*. La faiblesse des Margueritte est l'absence en leurs livres d'une forme originale : ils ne cessent jamais d'écrire « comme tout le monde » ; leur meilleur livre qui est incontestablement *Poum*, histoire d'un petit garçon, possède les mêmes qualités aimables qui ont assuré un public à *Mon Petit Trott* d'ANDRÉ LICHTENBERGER ; dans *Poum* la verve est plus jaillissante, libérée d'arrière-pensées moralisatrices ; jamais n'y paraît ce fade attendrissement, plein d'artifice et vide d'art, qui fait du *Décadi* de PAUL CAZIN le type du livre à ne pas introduire dans une bibliothèque d'enfant.

Cette étude de la vie humaine dans le microcosme enfantin, Margueritte et Lichtenberger l'ont tentée d'un point de vue « bourgeois ». D'autres ont essayé d'en donner une image plus populaire. *La Maternelle* de LÉON FRAPIÉ a pour héroïne une institutrice qui écrit « le journal de sa vie à l'école dans un quartier pauvre assez différent d'un quartier ouvrier proprement dit » ; mais les rêveries sentimentales et la description des rivalités entre castes universitaires y étouffent malencontreusement les observations précises. Sous le titre général de *l'Épopée au Faubourg*, ALFRED MACHARD s'est fait l'historien de Bout de Bibi, enfant terrible, de Trique, Pancucule et leurs associés, de Trinité Thélémaque et des filles de la Communale de la rue Plumette ; dans *la Guerre des Mômes* il a montré les plus tragiques événements utilisés par leur imagination féconde ; dans *Popaul et Virginie* il a raconté l'idylle d'un faubourien de dix ans et d'une petite Belge. Et l'on trouve bien, dans tous ces ouvrages, le dosage prévu d'humour et de sentiment — mais on y chercherait en vain le relief par où Poil de Carotte s'égale aux plus vivantes images de Poulbot. A cette création d'un type GASTON CHÉRAU n'a pas davantage atteint dans son long et mélodramatique *Champi-Tortu* qui vaut surtout par des détails d'atmosphère vendéenne et ces qualités d'observation menue qui rendent agréables *Monseigneur voyage* et *les Grandes Époques de Monsieur Thébault* assez ambitieusement dénommées « essais de psychologie bourgeoise ». Ce titre pèserait moins sur *Valentine Pacquault*, le meilleur roman de Chérau pour la peinture fidèle, autour d'une Bovary inégale, de plusieurs milieux provinciaux. On cherchera une traduction plus fidèle de l'âme enfantine dans son *Petit Dagrello*. Mais les lecteurs de l'avant-guerre la trouvaient déjà dans *l'Élève Gilles* d'ANDRÉ LAFON, où l'ombre d'un drame familial aiguise sans la fausser la sincérité du narrateur et surtout dans *le Grand Meaulnes* d'ALAIN-FOURNIER, roman provincial si l'on veut, roman d'aventures aussi, qui évoque avec une délicatesse émouvante les mystérieuses aspirations d'une adolescence dont les scrupules vont jusqu'à immoler à son rêve le bonheur enfin conquis. Et on y ajoutera le *Sourire blessé* où ALBERT THIERRY a décrit avec une dureté tendre les troubles et les révoltes de cet âge exigeant devant la vie impure et complexe (1).

On a souvent reproché au style de PAUL ADAM, sa massive violence où se combinent l'impressionnisme exaspéré des Goncourt, le désir de traduire d'un seul coup les multiples détails qui chargent une imagination visuelle, la volonté d'imprimer au roman un mouvement de cinématographe. Adam s'en est expliqué dans une lettre à Faguet : « Quand vous me reprochez d'employer quarante mots pour un, c'est que vous refusez de constater que j'ai tenté de traduire en même temps le geste, la pensée, la vision, le réflexe de l'inconscient, la divination du futur prochain ou immédiat, les sentiments perçus chez les interlocuteurs du personnage, et selon sa perception particulière, enfin les lignes du décor, du paysage ou l'agitation de la foule, etc., etc. » Justification loyale puisqu'en ajoutant à son énumération deux etc., Adam reconnaît le nécessité pour l'écrivain de suggérer encore par delà ce qu'il exprime. Ayant défini le style « le pouvoir d'évoquer », il est en droit de compter que son lecteur ne le chicanera pas sur ses moyens d'évocation. En revanche, nous sommes autorisés à espérer qu'il les variera selon les diverses réalités qu'il prétendra évoquer. Or Paul Adam, prisonnier de son style qui était probablement moins volontaire que spontané, use des mêmes procédés pour peindre une foule et une conscience : on ne s'étonnera point que le puissant évocateur d'*Irène et les Eunuques*, du *Trust* et de la

(1) Nous étudierons au chapitre IX l'importance du *Grand Meaulnes* comme type du roman féerique et au chapitre X la fortune du « roman de l'adolescence » dans les années de l'après-guerre.

tétralogie de *la Force* ait si complètement échoué dans le roman psychologique de *Stéphanie.*

Adam avait débuté, avec *Chair molle*, dans le groupe naturaliste ; il traversa aussi le symbolisme (1). Il se jeta dans la politique, fut boulangiste, anarchiste et socialiste. Il doit sa valeur de romancier social à cette double expérience ; *les Cœurs nouveaux* et *le Mystère des Foules* racontent ses déceptions politiques ; le second de ces livres expose aussi sa théorie de « l'émotion de pensée » par où il rompt avec l'école de Zola. Car, tout en peignant, lui aussi, de larges fresques populaires, il ambitionnera de montrer les foules évoluant sous l'influence des Idées et des Forces. *Le Trust* dévoilera ainsi le formidable pouvoir des puissances d'argent, des Nombres qui accablent jusqu'à leurs prétendus maîtres. Il entreprendra de prouver que la force doit et peut être la servante des aspirations généreuses qui ont édifié la civilisation.

Après son échec électoral en Lorraine, Adam se retourna vers le passé, il interrogea ses morts. Il retrouva dans sa famille les souvenirs militaires qu'il romança dans *la Force*, *l'Enfant d'Austerlitz*, *la Ruse*, *Au Soleil de Juillet*. *Le Temps et la Vie*, épopée du libéralisme français, retraçait « l'histoire d'un idéal à travers les âges », montrait comment « la tâche de Rome a été reprise par la Révolution et menée à bien par l'Empereur » grâce aux « soldats de Mithra » dont son ambition de parvenu a rendu vains les efforts. Défaite provisoire, puisqu'à travers les luttes sournoises de la Congrégation et des Carbonari, malgré le triomphe apparent du « prince des banques », Omer Héricourt a discerné enfin « ce que sa race latine devait à la mémoire de Rome et à la divinité de la Loi ».

Dès lors le romancier social se changeait en prophète de l'Esprit latin. En même temps il reprenait la suite de Flaubert ;

(1) Le *Paul Adam* de Mauclair est un guide indispensable à qui veut s'orienter parmi la soixantaine de volumes qu'a produits un labeur de quarante ans.

il cherchait en Byzance une Carthage, transposant au roman la grande pensée d'Irène : « Il faut que l'Empire d'Orient et celui d'Occident s'épousent » ; il magnifiait dans *la Ville inconnue* l'œuvre de nos troupes coloniales et de leurs chefs. Auteur de cinq volumes d'essais sur les problèmes de la morale, il prêchait un idéal d'amour-communion : « Sentir que, si l'on meurt, on continuera de vivre en l'autre. » Contre Nietzsche dans *le Serpent noir*, contre Molière dans *Stéphanie*, il dressait la grande idée latine, la conception du « solidarisme et du patriotisme de l'union raisonnée », du sacrifice de l'individu à la race, déjà affirmée dans *la Bataille d'Uhde :* « Il ne faut plus considérer l'homme, mais la race. La race reste le seul individu dont importent la vie et la gloire. »

Telles sont les idées maîtresses de cet esprit curieux et nourri de doctrines ésotériques, de cet infatigable travailleur. Il n'est pas un de nos grands romanciers : ses plus zélés partisans oseraient-ils relire *la Ruse* aussitôt après *le Rouge et le Noir ?* Mais il s'est efforcé de sortir le roman social de l'ornière naturaliste et y a réussi tantôt — comme Zola — par le récit épique, tantôt, comme dans *la Bataille d'Uhde*, par l'effort constructeur d'une invention à la fois ample et minutieuse, assez analogue à l'imagination des chefs militaires qu'il a célébrés. Et ses victoires, comme les leurs, traînent toujours, derrière leur barbare magnificence, le poids de vastes sacrifices.

En groupant les livres de Lucien Descaves sans tenir compte de l'ordre de leur publication, on obtiendrait aussi l'histoire d'un idéal — de l'idéal révolutionnaire à travers le XIXe siècle (1). *L'Imagier d'Épinal* peint la survivance sentimentale de l'enthousiasme napoléonien sous la Restauration,

(1) Sur l'histoire de cet idéal révolutionnaire, les vibrants *Cahiers Rouges* de Maxime Vuillaume apportent un témoignage documenté. Quant à son avenir, A. t'Serstevens a cru pouvoir prédire, dans *Les Sept parmi les Hommes* et *Un Apostolat,* que les plus généreuses aspirations échoueraient toujours devant l'incompréhension de la masse ou les charmes d'un lit parfumé.

la Monarchie de Juillet et le second Empire, tout en retraçant la carrière d'un graveur d'images qui ne fut pas un artiste mais un honnête artisan. *La Colonne* est dédiée « à la descendance des héros de la Commune » qui jetèrent bas la colonne Vendôme, comme un « encouragement à recommencer ». Ces vétérans de la Commune, Descaves les assimile aux grognards de l'Empire et aux demi-soldes : « On revient toujours d'un pèlerinage à la Colonne quand on a le culte d'un drapeau, quel qu'il soit », écrit-il dans *Philémon, vieux de la vieille*. *Sous-Offs* est un tableau sinistre des horreurs de la vie des sous-officiers en temps de paix : on y voit la dureté, la basse crapule, l'exploitation des femmes, le chantage et le vol, « les turpitudes que peuvent engendrer le sabre au fourreau et le galon gratuit, l'espèce d'immunité qu'ils confèrent à leurs détenteurs ». *Oiseaux de passage* marque le point de rencontre entre la révolte de l'idéalisme occidental et la révolte du mysticisme slave.

Parmi tous ces récits passionnés et fougueux, sobres d'ornements pourtant et puisant leur tragique dans un réalisme qui ne déforme point la réalité, il faut tirer hors de pair *Philémon, vieux de la vieille*. « A tes vieux de la vieille, République des travailleurs, ces bulletins de leur grande Armée », annonce l'auteur. Avec une sympathie ardente et lucide il a recueilli les souvenirs des humbles communards sur la lutte de 1871 et l'exil où ils furent condamnés durant des années ; il a rendu ainsi le plus impressionnant hommage à leur foi révolutionnaire, à la dignité de leur vie obscure. Aucune noble cause ne réclamait davantage chez son défenseur cette fermeté du style et de l'émotion par où Descaves a fait mentir la double légende du naturalisme cacographe et ordurier.

Le meilleur tribut à la mémoire de JOHN-ANTOINE NAU (1860-1918) est la préface de Lucien Descaves à la réédition de *Force ennemie* qui obtint le premier prix Goncourt (1903). Nau est en effet, un élève des naturalistes : son *Prêteur d'amour* conte la monotone série des coucheries d'un de ces ratés qu'ils aiment peindre ; *Christobal le poète* retrace l'éducation d'un petit filou dans le milieu interlope d'Alger avec des ironies à la Huysmans. *Force ennemie* reste le plus intéressant de ces ouvrages : c'est, dans une maison de santé où évoluent des types d'un naturalisme féroce, l'histoire frénétique et sensuelle d'un fou qui sent s'éveiller en lui l'ennemi que chacun de nous contient ; Nau a incarné cet adversaire en un être fantastique, du même genre que la Gennia qui a fourni le titre d'un autre de ses romans où l'on trouvera quelques beaux paysages.

Le roman social est protéiforme. Son étiquette a pu couvrir les récits mélodramatiques, tels *Nini Godache* et *la Chèvre aux pieds d'or*, où se complaît CHARLES-HENRY HIRSCH que l'historien de la littérature omettrait volontiers si *l'Enchaînement*, pot pourri de tous les poncifs de l'action et de tous les clichés de la phrase, n'avait affiché des prétentions à continuer la *Phèdre* de Racine. Le roman social n'est qu'un paravent pour les grivoiseries lourdement commerciales de GASTON PICARD, mais il permet à JEAN GAUMENT et CAMILLE CÉ d'entourer de leur sympathie, dans les *Chandelles éteintes*, les humbles créatures que la vie écrase et dans la *Grand-Route des Hommes* la lente existence médiocre de deux intellectuels qui ne sont ni des génies ni des ratés. En contraste avec cette grisaille volontaire, ERNEST TISSERAND réunit dans *Un Cabinet de portraits* vingt brèves évocations violentes où défilent, depuis les maîtres des hommes jusqu'aux assassins, tous les êtres modernes troublés dans leur conscience ou dans leur chair : sa méthode est un effort de « lucidité terrible » qu'il a renouvelé pour ses souvenirs de la guerre dans *Contes de la Popote*.

Appellera-t-on romans sociaux les livres à clé du genre des *Maritimes* d'OLIVIER SEYLOR, dépositions de témoins passionnés, œuvres de circonstance destinées à un succès de scandale, ou les chroniques légères de MAX et ALEX FISCHER qui amusent le lecteur d'aujourd'hui comme, dit-on, les monotones productions de GYP délassèrent celui d'avant-hier ? Il convient, en tout cas, de mentionner LUCIEN MUHLFELD dont *la Carrière d'André Tourette* laissait un délicat arrière-goût d'ironie voilée et méprisante ainsi que le poète helléniste MAURICE BRILLANT qui, dans les *Années d'apprentissage de Sylvain Briollet*, sous le prétexte de peindre les milieux ecclésiastiques dont il ramène, d'ailleurs, de bien jolies silhouettes, a donné à Jérôme Coignard un frère moins étincelant mais plus orthodoxe : les monologues paresseux de l'abbé Joseph Boisard, ses digressions sur l'archéologie, la littérature ou le journalisme, ont un charme auquel nul « honnête homme » ne résistera.

Une partie de l'œuvre d'EDMOND HARAUCOURT constitue aussi une critique de son temps. Poète, auteur du fameux :

> Partir, c'est mourir un peu,
> C'est mourir à ce qu'on aime...

il est resté fidèle, dans *l'Ame nue*, *l'Espoir du Monde*, et plusieurs drames en vers, aux procédés romantiques et parnassiens, justifiant un peu trop sa propre affirmation :

> Je suis le jardinier des fleurs qui ne sont plus.

Romancier, il a prouvé dans *Trumaille et Pélisson* des qualités d'observateur minutieux, entreprenant dans la longue fantaisie lyrique de *Dieudonat* une ample satire de cette humanité dont *Daâh le premier homme* analyse le fond éternel et *Vertige d'Afrique* les vibrantes fureurs.

ABEL HERMANT s'est fait une spécialité des fantaisies satiriques ; le biographe de *Courpière* affectait de décrire une aristocratique immoralité en des tableaux nonchalants où le style de la blague contemporaine se pimentait d'archaïsmes choisis ; *le Cavalier Miserey* et *la Carrière* apportaient, à leur manière, des documents pour l'historien futur ; les bouffonneries énormes des *Transatlantiques* et de *Trains de luxe*, même si elles ne constituaient point de très sûrs mémoires pour l'étude d'une époque, étaient irrésistibles jusqu'en leurs réussites les plus faciles. Dans les ouvrages qui suivirent et qui forment une ambitieuse synthèse, Hermant ne semble point avoir échappé à ce vieillissement d'un talent aimable qui veut faire retraite parmi les grands sujets : peut-être aura-t-il ainsi mis à nu les procédés qui lui avaient valu une renommée de conteur alerte plutôt que révélé l'ampleur inspirée d'un véritable romancier social.

Par cette mégalomanie se manifeste chez les humoristes le démon de midi. Il est souhaitable qu'elle épargne longtemps RÉGIS GIGNOUX dont les chroniques, dans *le Tabac du Bouc*, sont d'autant meilleures qu'elles sont moins prétentieuses et GEORGES DE LA FOUCHARDIÈRE, l'auteur des inépuisables « hors-d'œuvre » qui a créé avec le Bouif un héros caractéristique et durable. GASTON DE PAWLOWSKI n'avait-il pas dans son *Voyage au pays de la quatrième dimension* offert à l'esprit agile un délassement plus utile que la lecture de maints volumes « sérieux » ? Et qui, ayant lu la préface au *Parapluie de l'escouade*, pourrait abandonner les *Œuvres Anthumes* d'ALPHONSE ALLAIS ?

Chez LÉON DAUDET le romancier est asservi au pamphlétaire et il poursuit sur un double plan sa tâche d'« historien des mœurs de mon temps ». Il a publié, de *Fantômes et Vivants* jusqu'à *l'Hécatombe*, six tomes de souvenirs où se trouvent décrits d'après nature les personnages qu'il a transportés dans ses romans et qui en paraissent les seules figures vivantes. Car la stérilité de son invention est compensée par un extraordinaire pouvoir de vision où le carabin collabore avec l'artiste : nul n'appréhende d'un regard plus aigu la personne physique d'un adversaire, ne déforme avec une verve plus cocasse cette image en caricature. Quant aux âmes, Daudet implique qu'on a toujours plus ou moins l'esprit de son corps. Conception assez simpliste, mais tout le charme de Daudet réside dans cette simplicité : il n'est donc ni aussi amusant que le feraient supposer les mieux venus de ses articles ni aussi ennuyeux que le laisseraient croire ses livres dogmatiques si on les prenait au sérieux. Il ne faut pas être plus dupe que lui, ni proclamer que *les Morticoles* ressemblent à du Swift et *les Primaires* à du Barrès. Daudet n'est ni un écrivain, ni un politique ; il ébranle de ses hennissements, de ses ébrouements, le monde de la littérature et celui de l'action parce que cela est nécessaire à sa santé ; il fait des injures, chaque matin, ainsi que d'autres font des haltères. Aussi n'est-il point surprenant qu'après avoir contre-attaqué le freudisme dans *le Rêve éveillé*, jeté en pâture aux imaginations les anticipations du *Napus*, élevé dans *Écrivains et Artistes* les autels de son culte, Daudet ait trouvé pendant son exil le cadre le plus favorable à son riche tempérament : son *Courrier des Pays-Bas* forme un monologue historique et satirique, lyrique et gouailleur, philosophique et anecdotique, toujours intensément vivant en sa truculence.

Il a inventé à son usage ce qu'on appellerait volontiers le roman hygiénique. Un vieux penchant naturaliste l'incline à décrire des scènes énormes, des viols, des incestes et des adultères. Afin de concilier ce qu'il doit à son parti et la fascination de tels sujets, Daudet attribue ces exploits à quelque médecin matérialiste et athée : ainsi les pires feuilletons, *Suzanne* ou *l'Entremetteuse*, aident à la défense de l'ordre social et s'achèvent sur le spectacle d' « une croix humaine où expire l'amour de la chair ». On retrouvera cette naïve roublardise dans le plus complet de ses ouvrages, *l'Hérédo*. S'étant avisé que le royalisme ne possédait point une psycho-pathologie originale, Daudet a comblé cette lacune par une théorie pseudo-scientifique basée sur ses souvenirs vibrants et sur son interprétation personnelle des créations de la tragédie et du roman. L'auteur du *Voyage de Shakespeare* y prouve une fois encore la variété de sa culture ; celui des *Morticoles* y redit sa haine pour ses maîtres de l'École et la nécessité d'une discipline où le *moi* le cède au *soi*. Chez lui le triomphe du *soi* a été absolu ; rien en Daudet qui révèle un de ces *moi* chargés d'hérédités auxquels nous devons, dit-il, Hamlet, Macbeth et Lear ; il est un *soi* pur ; il a — sur son tréteau — réconcilié Maurras avec le narcissisme.

Mirbeau a présenté Léon Werth au public sous les espèces d'un « fauve ». Werth débuta par des campagnes en faveur de peintres avancés et d'opinions sociales non moins avancées. *La Maison blanche*, description de « la vie en blanc » dans une maison de santé, satirisait les fausses attitudes des prétendues élites en face de la souffrance. Son ton était d'un Mirbeau moins prodigue ; il semblait s'exercer à condenser en dures épigrammes les bavardes vociférations du maître. *Clavel soldat* et *Clavel chez les majors* attaquent sous toutes ses formes l'idéal militariste fondé sur la veulerie des masses et la dégradation de l'individu ; Werth y laisse parler jusqu'à la monotonie sa misanthropie et son dégoût. Car Werth est avant tout un logicien tranchant menant sa croisade contre la bêtise qui « suppose la parole et le pouvoir de s'habiller l'esprit avec des laissés pour compte », ainsi qu'il l'écrit dans les *Voyages avec ma pipe* où on le voit pourchasser la haïssable banalité dans les paysages de Bretagne ou de Hollande aussi bien que dans les rues de Paris. Dans *Yvonne et Pijallet*, il a confessé une désillusion : « depuis la guerre il aimait moins le peuple, parce que le peuple avait fait la guerre » ; il a en même temps posé l'un des problèmes les plus pressants pour sa génération : comment un cerveau lucide peut-il harmoniser dans l'après-guerre sa pensée d'avant-guerre et sa pensée de pendant la guerre ? Le pamphlétaire, dans *Yvonne et Pijallet*, s'effaçait souvent derrière le psychologue ; il lui abandonne tout le terrain dans *les Amants invisibles*, récit d'une liaison où les deux êtres ont prolongé d'anciennes habitudes sentimentales sans créer de leur rencontre un amour nouveau. Peut-être est-ce dans cette voie de l'analyse sèche et impitoyable que Léon Werth est destiné à affirmer définitivement sa maîtrise.

Daudet et Werth ont, de même que Rochefort et Drumont, trouvé facilement un auditoire parce qu'ils exprimaient les rancunes d'un parti. LÉON BLOY n'appartenait à aucun parti ; il en a porté l'orgueilleuse rançon : « Je chemine en avant de mes pensées en exil, dans une grande colonne de silence. » Il eut des maîtres : Barbey, Villiers, Hello (1), Carlyle surtout, « Carlyle qui paraît être, en littérature, mon cousin germain ». Il servit à la formation de plusieurs illustres contemporains, Huysmans notamment. Et pendant trente ans il lutta contre la misère et « la conspiration du Silence ». Cet « entrepreneur de démolitions » vécut donc en guerre avec toute son époque. Son œuvre énorme est le récit de cette longue lutte, racontée dans ses deux grands romans autobiographiques, *le Désespéré* et *la Femme pauvre*, aussi bien que dans les huit volumes de journal : *le Mendiant ingrat*, *Mon Journal*, *Quatre Ans de captivité à Cochons-sur-Marne*, *l'Invendable*, *le Vieux de la Montagne*, *le Pèlerin de l'Absolu*, *Au Seuil de l'Apocalypse*, *la Porte des Humbles*.

« Un très humble et très ingénu vociférateur » : c'est ainsi que Bloy définit Bloy. « Je ne suis pas de ce siècle », écrit-il à Mirbeau. Et encore : « Vous me jugez humainement sans prendre garde que je suis précisément hors de tous les points de vue humains et que c'est là toute ma force, mon unique force. La vérité bien nette et qui éclate dans tous mes livres, c'est que je n'écris que pour Dieu. » Il se considérait comme « un promulgateur d'absolu... établi dans la vie surnaturelle ». Son catholicisme était apocalyptique ; semblable à son Caïn

(1) A ERNEST HELLO, auteur de *L'Homme* et des *Contes extraordinaires*, Bloy a rendu pleine justice dans *Belluaires et Porchers*, montrant comment « son indigence le condamnait au sublime à perpétuité » et quels admirables cris mystiques transcendent parfois « son style eunuque ».

Marchenoir, « il regardait comme fort prochaine la catastrophe de la séculaire farce tragique de l'homme ». Toute sa vie il a guetté les signes précurseurs du suprême bouleversement ; de 1914 à 1917, il attendit « les Cosaques et le Saint-Esprit ». Il était « missionné pour le témoignage », pour rappeler à ses contemporains l'omniprésence de la liberté et de la solidarité chrétiennes : « Tout homme qui produit un acte libre projette sa personnalité dans l'infini. S'il donne de mauvais cœur un sou à un pauvre, ce sou perce la main du pauvre, tombe, perce la terre, troue les soleils, traverse le firmament et compromet l'univers. »

Par cet élargissement constant de la vision, Bloy est un grand poète en prose. On a beaucoup insisté sur le caractère injurieux de son œuvre, sur « l'énergie stercorale de ses anathèmes ». Mais il savait bien que toute concession affaiblit et il se refusait à transiger : « Tout ce qui n'est pas exclusivement, éperdûment catholique n'a d'autre droit que celui de se taire, étant à peine digne de rincer des pots de chambre d'hôpital ou de racler le gratin des latrines d'une caserne d'infanterie allemande. » Or c'est parmi les prétendus catholiques que sa recherche de « prêtres qui soient fraternels aux intelligences » rencontrait les pires ennemis : « Jamais il n'y eut rien d'aussi odieux, d'aussi complètement exécrable que le monde catholique contemporain. » Ils l'avaient repoussé, lui, « le pauvre », l'homme « admirablement malheureux », le « désespéré magnanime », proclamant qu' « il n'y a rien de plus grand que de mendier ». Il se vengea dans *l'Exégèse des lieux communs*, en ruinant la facile morale de la bêtise, en jetant au bourgeois cet avertissement : « Nous sommes cela, toi et moi, et rien que cela, des abîmes ! » Il se vengea en restituant à la plus banale réalité son caractère mystique : « Les histoires vraisemblables ne méritent plus d'être racontées. Le naturalisme les a décriées au point de faire naître, chez tous les intellectuels, un besoin famélique d'hallucination littéraire. » Les contes de *Sueur de sang*, les fresques farouches de *la Femme pauvre* et du *Désespéré* qui « n'est pas un pamphlet d'occasion ou d'actualité, mais véritablement une satire sociale », accomplissent ce prodige de « naturaliser l'Infini dans les conversations les plus ordinaires » ; avec les *Histoires désobligeantes*, également lyriques dans le grotesque ou le macabre, il exhale toutes ses rancunes de « concentrateur effrayant » et de « cannibale céleste ».

Parfois il s'est élevé au-dessus de cette lutte, s'abandonnant à son génie visionnaire. Dans *l'Ame de Napoléon*, il a révélé en l'Empereur « la Face de Dieu dans les Ténèbres, le Mendiant de l'Infini » et il l'a replacé à son rang dans la solidarité universelle : « Si donc je pense que Napoléon pourrait bien être un iota rutilant de gloire, je suis forcé de me dire, en même temps, que la bataille de Friedland, par exemple, a bien pu être gagnée par une petite fille de trois ans ou un centenaire vagabond demandant à Dieu que sa volonté fût accomplie sur la terre aussi bien qu'au ciel. » Dans *le Salut par les Juifs*, « le seul de mes livres que j'oserais présenter à Dieu », il a apporté son témoignage à la Race Aînée, repris le dilemme du moyen âge, interprété les paraboles, célébré « l'Amour créateur dont le souffle est vagabond ». Dans ces grandioses effusions mystiques, toute sa dureté se fond : « Quand on parle amoureusement de Dieu, tous les mots humains ressemblent à des lions devenus aveugles qui chercheraient une source dans le désert. » Car jusqu'au bout ce vociférateur méprisant, cet artiste si conscient de son rude génie, resta celui qui osait avouer : « en présence de la mort d'un petit enfant, l'Art et la Poésie ressemblent vraiment à de très grandes misères ». Là, il atteignit vraiment la gloire qu'il se promettait : « Tes livres étouffés et permanents, qui ressemblent à des nuits d'amour, ont consolé trois ou quatre désespérés. »

§ 12. — Le roman d'imagination : visions et mythes

Le roman d'imagination est le domaine où se peut le mieux assouvir le goût des constructions grandioses. Les ennemis du naturalisme eurent à cœur de dresser des édifices aussi vastes que *les Rougon-Macquart*. De cet ambitieux effort nous constatons déjà les ruines. Les livres de JEAN LOMBARD, *l'Agonie* et *Byzance*, sont franchement illisibles et leurs ornements coruscants dissimulent mal la cacographie. Quant à *la Décadence latine*, ample « éthopée » de JOSÉPHIN PÉLADAN, du Sar Péladan, grand maître de la Rose Croix, elle n'offre plus guère d'intérêt que pour les curieux patients : ceux-là y trouveront, à côté de pittoresques « potins » du temps, un document sur les influences wagnériennes et mystiques à l'époque symboliste, voire même des pages spirituelles ou éloquentes. Mais il y faut beaucoup de curiosité et beaucoup de patience. Car on retrouvera jusque dans les *Dévotes d'Avignon* le même mélange de pétrarquisme exaspéré et de toc wagnérien, d'aspiration à la chasteté passionnée et d'incontinence verbale.

ÉLÉMIR BOURGES accuse les naturalistes d'avoir « rapetissé et déformé l'homme » ; il s'est mis à l'école de Shakespeare et des élizabéthains dont les rappels sont fréquents dans son œuvre et lui donnent parfois un air de mosaïque poétique. Le romancier de *les Oiseaux s'envolent et les Fleurs tombent* retarde bien longtemps, à travers les aventures d'un grand duc russe dont le tragique monotone est assez peu convaincant, le moment où s'exhalera son hymne « d'adoration à l'absolu Néant ». *Le Crépuscule des Dieux*, large fresque dont le centre est un principicule allemand détrôné en 1866, combine curieusement le *Götterdämerung* et *'Tis a pity she's a whore*. Un noble souffle lyrique traverse *la Nef*, poème en prose dont l'hellénisme se parfume d'anglicisme et qui dépeint « après la fièvre convulsive de la vie » le triomphe de Prométhée, semblable à la nef Argo qui, « ignorant le gouvernail caché, et le vent qui souffle dans sa voile, croit qu'elle se dirige elle-même ».

En collaboration ou séparément, J.-H. Rosny aîné et J.-H. Rosny jeune ont abordé à peu près tous les genres du roman : roman social *(l'Impérieuse Bonté)*, tableau de mœurs populaires *(Marthe Baraquin)*, vastes synthèses contemporaines *(les Pures et les Impures)* ; depuis *le Termite* jusqu'à *Torches et Lumignons* la vie littéraire a trouvé en eux ses annalistes. Mais leurs livres les plus captivants sont ceux où se déploie leur imagination, tels *les Xipéhuz* et *le Cataclysme* qui justifient ce mot de J.-H. Rosny aîné : « La science est chez moi une passion poétique. » Leur domaine est la préhistoire où se déroulent *Vamireh*, *le Félin géant* et *la Guerre du feu*, « roman des âges farouches » qui est, en son genre, un chef-d'œuvre. Dans un style que l'on dirait volontiers quaternaire, ils évoquent les forces élémentaires, les bêtes énormes et les êtres primitifs, indiquant dans la brute l'ébauche de l'homme et montrant chez Naoh ou Aoûn l'éveil de la pitié mystérieuse et des tendresses humaines.

Que la part de Rosny aîné ait été prépondérante même dans les livres qu'ils signèrent en commun, on ne le sait pas seulement par la liste des œuvres que chacun put revendiquer lorsque cessa leur collaboration. Depuis cette séparation, Rosny aîné a témoigné des mêmes qualités et d'une égale diversité : créateur d'envoûtements préhistoriques dans *Helgvor du Fleuve bleu* ou *le Trésor dans la Neige*, il reste un verveux satiriste dans *les Arrivistes... et les autres* et s'affirme à nouveau le philosophe du « pluralisme » quand il compose la vaste fresque des *Compagnons de l'Univers*. Sans doute est-ce là le titre qu'il faut joindre à son propre nom. Car son génie de visionnaire a réellement fait de lui « un compagnon de l'univers », un romancier qui possède le privilège d'avoir repensé, depuis « les âges farouches », toute l'évolution de l'humanité.

C'est à J.-H. Rosny aîné que Maurice Renard dédia

sous une épigraphe d'Edgar Poe le *Brouillard du* 26 *octobre*, description d'un mirage dans le temps. La grande qualité de cet « amateur d'insolite et scribe de miracle » est la logique de ses inventions, tirant les plus rigoureuses conclusions de postulats scientifiques, assimilant le crime à une expérience de laboratoire, menant imperturbablement le sinistre récit de l'*Homme truqué* ou la poétique rêverie de la *Rumeur dans la montagne* ; aussi peut-il, dans le *Voyage immobile*, dénoncer la mystification sans nuire à l'anticipation. Car partout en ses fictions, hâtives mais entraînantes, on discerne « un bon ordre parmi la feinte cohue des péripéties ».

Le brillant conteur de *Saint-Cendre* et *Blancador l'Avantageux*, MAURICE MAINDRON, ne s'égare point en des âges si ténébreux. Il aime le XVIe et le XVIIIe siècles, chers aux romanciers de cape et d'épée, et narre avec une verve entraînante les exploits de *Ce Bon Monsieur de Véragues* et *la Filleule de Monsieur le Prince*. Sans doute a-t-il écrit *l'Arbre de science*, roman moderne, mais on trouvera sa vraie profession de foi en tête des deux volumes *Dans l'Inde du Sud* : « L'amour singulier que je porte aux temps passés est peut-être trop exclusif pour m'inspirer vis-à-vis du présent, un sentiment autre qu'une indifférente équité. » Les six contes du *Carquois* forment une sorte d'anthologie de ses goûts et d'abrégé de son œuvre aimable.

Les débuts de CLAUDE FARRÈRE furent accueillis avec enthousiasme : une fois encore, un officier de marine allait renouveler l'exotisme. Très différent du lyrique Loti, Farrère se révélait un maître du roman dramatique. *Fumées d'opium* offrait, à travers son déroulement des « époques », la diversité de fortes et tendres légendes, la grandiose fresque navale où triomphe M. de Fierce et les cauchemars en crescendo des extases. Dans les œuvres qui suivirent, Farrère brossait de vigoureux décors orientaux — Indo-Chine, Japon, Turquie : chaque livre était un éventail cosmopolite ; les traits de ce pinceau étaient si sûrs que la peinture des attitudes extérieures suffisait à évoquer la plus complexe psychologie, à marquer entre l'Orient et l'Occident de subtiles analogies par-dessus un abîme énorme. Capable de passion dans les pages épiques qui terminent *les Civilisés*, Farrère excellait à réveiller le sens du mystère : bien plus que le pittoresque hara-kiri ou les descriptions de Stamboul, le vieux Chinois de *la Bataille* et le vieux Turc de *l'Homme qui assassina* rendaient sensible l'énigmatique puissance des civilisations immobiles auprès desquelles nos fièvres apparaissent enfantines. Au sortir de ces romans on répétait les paroles de Louÿs après *Fumées d'opium* : « On peut tout attendre du jeune écrivain capable de composer de tels tableaux. » (1904.)

Farrère voulut se dépouiller de ce prestige exotique. Du moins, dans *Mademoiselle Dax, jeune fille*, gardait-il la solidité de son métier : la satire d'une bourgeoisie « respectable » au point de jeter Alice Dax à la rue relève agréablement le récit fort bien conduit d'une aventure assez banale. Mais *les Petites Alliées* (suite de *Mademoiselle Dax*) rompent malencontreusement l'équilibre : dans le cadre de Toulon, qu'il décrit avec sa netteté habituelle, Farrère tente de nous convertir à une éthique bavarde ; or, pour être très différente de celle d'Henry Bordeaux, sa morale n'en alourdit pas moins le récit.

Faut-il attribuer à cet échec dans le genre didactique la réaction qui rejeta Farrère vers le roman d'aventures ? *La Maison des hommes vivants* mêlait assez curieusement à des souvenirs d'Edgar Poe et à l'inspiration de la dernière partie des *Fumées* une intrigue de roman-feuilleton. Le succès qu'il a rencontré dans ce domaine semble avoir décidé Farrère à n'en plus sortir. Qu'il exploite la chronique des Frères de la Côte dans *Thomas l'Agnelet, gentilhomme de fortune*, ou la récente guerre dans *la Dernière Déesse*, qu'il conte intarissablement des histoires de marins et de soldats, il ne paraît plus viser qu'à en tirer des effets de mélodrame trop faciles. A force de côtoyer le journalisme, il finit par écrire et penser en jargon : témoin ces *Condamnés à mort* dont la comique grandiloquence désarme... Et, dans *les Hommes Nouveaux*, tous les clichés du reportage gâtent le solide portrait d'Amédée Bourron, mercanti africain.

L'œuvre de LOUIS BERTRAND, Messin d'origine et Algérien d'adoption, présente une remarquable unité. Ses ouvrages de critique, *la Grèce du soleil et des paysages* et l'important manifeste qui s'intitule *le Mirage oriental*, dénoncent « la débâcle de la couleur locale » dans un Orient qui n'est « ni le pays féerique que nous ont décrit nos poètes, ni le pays avide de civilisation moderne dont rêvent nos utopistes ». S'il sonne le glas d'une illusion poétique, c'est pour faire place à une réalité qui est « la renaissance des races latines dans l'Afrique française ». Bertrand est fondé à se rendre, dans la préface aux *Villes d'or*, ce double témoignage : « J'ai apporté une conception nouvelle de l'Afrique du Nord, laquelle n'est en somme que l'ancienne province romaine d'Afrique... J'ai écarté le décor islamique et pseudo-arabe. » Les *Villes d'or* et *le Jardin de la mort* décrivent le cadre où se sont déroulés tous les drames du « vieil impérialisme latin » depuis les Romains jusqu'aux aventures du roulier Rafaël ou du pêcheur Pepete. Son *Saint Augustin*, vie d' « un Latin d'Occitanie, type idéal du Latin d'Afrique », montre que le héros latin en Afrique du Nord « n'a jamais cessé de vivre, même aux époques les plus troubles et les plus barbares ».

Si dans notre Afrique du Nord Bertrand rencontre à chaque pas les souvenirs de Rome, il y retrouve aussi ceux de Flaubert qui a visité ce pays et en a laissé d'admirables descriptions, « psychologiques » plutôt que réalistes, dit Bertrand dans son *Gustave Flaubert* (1). Et l'auteur du *Sang des races* ne dissimule

(1) Commentateur et éditeur de Flaubert, Louis Bertrand a jugé qu'il pouvait sans irrévérence conjurer l'ombre de son maître : le pamphlet *Flaubert à Paris ou le Mort-Vivant* est, pour la franchise et la verve, le meilleur hommage qu'ait suscité la célébration du centenaire.

point sa dette envers celui de *Salammbô* : « Il y avait là des hommes de toutes les nations. » Ce grouillement des races latines dont notre empire africain est le creuset, voilà ce que Louis Bertrand excelle à rendre dans de larges fresques. Ailleurs son métier est moins sûr, qu'il s'agisse des *Bains de Phalère* dont l'héroïne gréco-française ne parvient pas à être énigmatique, de la pesante histoire d'une vieille fille lorraine contée dans *Mademoiselle de Jessincourt*, du *Rival de Don Juan* où les descriptions de Séville ne réussissent pas à galvaniser un mélodrame traînant, de cette *Infante* enfin, délayage d'un incident de l'histoire de Cerdagne sous Louis XIV. Les sujets adaptés au talent de Bertrand sont ceux qui réclament non une concentration mais une dispersion de l'intérêt : autour du charretier Rafaël qui fait la route d'Alger à Laghouat, du pêcheur Pepete le bien-aimé, du tribun Carmelo, de la chanteuse Cina, de Mgr Puig, il construit de vastes romans picaresques ou tragiques, *le Sang des races*, *Pepete et Balthasar*, *la Cina* où se heurtent tous les représentants du monde méditerranéen. Et tout ce « cycle africain » est animé par l'espérance que la vieille civilisation française entendra, derrière le pittoresque de ce spectacle, la leçon de rajeunissement que lui apporte cette robuste barbarie (1).

Très diverse est l'activité des frères Marius-Ary Leblond mais subordonnée à une idée centrale. Qu'ils publient une anthologie coloniale ou une étude sur Leconte de Lisle, les *Sortilèges* (roman des races de l'océan Indien) ou l'*Oued* (roman de l'Oranie), leur but essentiel est de mieux faire aimer nos colonies. Nés à la Réunion, la revue qu'ils dirigent s'appelait *la Grande France* avant de se nommer *la Vie*, et le héros d'*En France* (prix Goncourt de 1909) a passé son enfance à la Réunion

(1) Barbarie que peint avec moins de complaisance, dans son âpre *Rafaël Galouna*, *Français d'occasion*, Maurice Larrouy, l'auteur des *Vagabonds de la Gloire* et de *L'Odyssée d'un transport torpillé* dont la précision vibrante fit sensation parmi tant de fades récits de la guerre maritime.

avant de partir pour Paris. Beaucoup de leurs livres sont terriblement touffus, écrits avec une hâte qui n'exclut ni les faux goncourtismes ni les banalités ; mais leur conviction est souvent persuasive, leur *Ophélia* contient des épisodes d'une réelle poésie dramatique et leur *Kermesse Noire* offre un bien savoureux documentaire.

Sous ce titre collectif *l'Épopée française*, GEORGES D'ESPARBÈS a retracé les exploits des gens de guerre depuis Henri IV jusqu'à *Ceux de l'An* 14. De cette douzaine de volumes pleins d'allant et de panache les plus justement réputés sont *la Guerre en dentelles, la Légende de l'Aigle* et *les Demi-Solde.*

D'Esparbès se borne à souligner l'éclat pittoresque du métier militaire, ERNEST PSICHARI entreprit d'en dégager la mystique. L'œuvre de cet écrivain tué à l'ennemi dans sa trente et unième année constitue un document sur la génération qui, avant d'être « sacrifiée », voulut, sous l'influence de Barrès et de Péguy, opposer à l'absence de conclusions pratiques chez ses devanciers immédiats quelques fortes affirmations basées sur la tradition renouée. De cette association des termes France et Chrétienté, de cette lutte *ense et cruce*, nul champion ne fut plus représentatif que le petit-fils de Renan, « prenant contre son père le parti de ses pères ». Et pour définir cet antiintellectualisme épris d'aventures il faudrait encore citer parmi ses maîtres Bergson et Jules Verne dont une phrase sert d'épigraphe à *l'Appel des armes*.

Le protagoniste de *l'Appel des armes* est un capitaine d'artillerie coloniale que le « charme atroce et voluptueux du Sahara », la fierté d'être un conquérant, ont arraché à la mélancolie de Vigny et de Timoléon d'Arc ; son exemple gagne au même idéal le fils d'un instituteur internationaliste qui découvre à la caserne et dans une expédition africaine que la grandeur militaire en dépasse la servitude (1). Psichari peint les mouve-

(1) Un antimilitariste converti par son lieutenant, tel est aussi le sujet du *Soldat Bernard* de PAUL ACKER, roman dramatiquement mené mais qui déjà date un peu. De même à l'œuvre « marocaine » de Psichari on comparera utile-

ments de ces deux esprits en un style qui se souvient de Péguy (à qui le livre est dédié) et surtout de Barrès auquel il emprunte, dans les réflexions psychologiques, cet âpre présent de l'indicatif où se reflète la volonté tendue d'un observateur qui mène inexorablement ses créatures vers le but qu'il leur a assigné.

L'Appel des armes n'était d'ailleurs, Psichari en avertissait son lecteur, que « la première étape d'une route qui devait le conduire vers de plus pures grandeurs ». *Le Voyage du centurion* habille en roman l'expédition en Mauritanie et le progrès d'une conversion au catholicisme dont *les Voix qui crient dans le désert* sont le journal. Le héros, Maxence, y renie son père voltairien. Ému sensuellement par « l'odeur de l'Afrique », il se sent plus encore touché spirituellement : « devant l'Arabe il est un Franc » ; sa fierté est « une fierté catholique ». Le rayonnement d'amour qui émane de la personne de Jésus et qui était déjà l'argument suprême du Mystère pascalien achève d'emporter ses résistances. Le dialogue mystique qui termine ce livre résume l'évolution de Psichari ; émouvant par son ardente simplicité, il autorise à croire que son auteur avait obtenu de la littérature le seul service qu'il lui demandât, celui de mettre en pleine lumière ses raisons de vivre et de mourir.

§ 13. — Les témoignages sur la guerre

L'œuvre « militariste » de Péguy et de Psichari n'était point inhumaine mais évoquait avec gravité des problèmes urgents. De même, le roman de guerre ne fut point, dans l'ensemble, belliqueux. Il aurait fallu être aveugle à la durée et à l'immensité du carnage pour oser s'en réjouir. Les livres qui, de 1914 à 1918, connurent la faveur du public montrent assez bien les

ment les *Gens de Guerre au Maroc* d'Emile Nolly, officier d'infanterie coloniale qui a encore, dans *Hiên le Maboul*, conté avec un pathétique facile l'affection d'un officier pour un pauvre tirailleur annamite, lequel meurt d'avoir voulu connaître la vie compliquée.

fluctuations de l'opinion durant cette période : aucun d'eux n'est coupable de sacrilège envers l'humanité.

Gaspard ne dépasse pas la facilité superficielle qui caractérise les autres productions de René Benjamin ; tout y est conventionnel : la guerre et ses à-côtés, les combattants et leurs infirmières. Mais le caractère de Gaspard, marchand d'escargots rue de la Gaîté, Parigot blagueur et héroïque, est de ceux auxquels depuis Gavroche toutes les sympathies sont acquises. En 1915, on réclamait une détente : on la trouva dans ce journalisme sans prétention.

En 1916 parut le livre qui fut le plus grand succès de librairie de notre temps : *le Feu* d'Henri Barbusse. Vingt ans avant, Barbusse avait débuté avec un recueil de poèmes, *les Pleureuses*, où se manifestait une sensibilité prompte à s'émouvoir devant les nuances les plus fugitives de la réalité moderne, mais qui ne parvenait point à les traduire sous une forme définitive. Le poème *la Lettre*, si proche encore d'Henry Bataille :

> Je t'écris et la lampe écoute.
> L'horloge attend à petits coups
> Je vais fermer les yeux sans doute
> Et je vais m'endormir de nous...

montre assez clairement les bornes de ce lyrisme familier. Dans *l'Enfer* Barbusse se posait en successeur de Zola, et ce roman renfermait de vigoureuses descriptions. Mais l'écrivain avait en même temps cédé au désir d'y dresser une espèce de somme philosophique de son époque. C'était là de sa part un contre-sens sur son propre talent : s'il existe des esprits pour qui les idées ne comptent que selon leur valeur abstraite, Barbusse représentait l'autre extrême. Il appréhende des idées leur rayonnement sentimental ; en face d'une notion intellectuelle, il déploiera toutes les réactions d'un cœur généreux, jamais il ne la peindra dans son impartiale nudité. La pensée de l'auteur de *l'Enfer* égalait en simplicité celle de la *Couturière* qu'il a chantée :

> Elle croit à la beauté,
> Elle croit à l'harmonie,
> Elle se sent infinie,
> Les lèvres dans la clarté.

Nous avons rappelé l'énorme succès du *Feu :* peut-être le dut-il d'abord à son extraordinaire accent de sincérité ; pour la première fois un écrivain apportait à ses lecteurs, sans aucune interposition littéraire, la vérité, une description exacte de la vie dans les tranchées. Mais cette popularité ne fut point un triomphe de surprise : *le Feu* réunit en effet toutes les qualités du réalisme humanitaire de Barbusse. Dans ce « journal d'une escouade », il s'est presque toujours interdit de dépasser son expérience personnelle et le point de vue du simple soldat ; de là, l'intensité des pages où, racontant une journée sans incident, une corvée ou une attaque, il évoque avec le relief de leur précision concrète la durée, la boue, les instincts élémentaires. Son émotion, assez vibrante pour dédaigner tout artifice, ressuscite, avec une sympathie virile ou un humour attendri, ses compagnons de combat qui ne furent point des héros, mais, plus glorieusement, des hommes. Même l'âpre satire qui stigmatise la division de la patrie en « deux pays étrangers, l'avant et l'arrière », n'est point une opposition factice : elle naît de cent petits faits qui gardent leur force. Surtout elle est dominée par le sentiment poignant que, si les civils oublieront vite ce qu'ont souffert pour eux les combattants, ces derniers eux-mêmes n'en garderont point une mémoire intacte : « On est plein de l'émotion de la réalité au moment, et on a raison. Mais tout ça s'use dans vous. »

Le Feu représentait la guerre dans toute son horreur, plus haïssable encore d'être peinte avec cette tragique sobriété.

Barbusse eût failli à l'honnêteté en ne cherchant point quel remède éviterait le retour « des choses épouvantables faites par 30 millions d'hommes qui ne les veulent pas ». Quelques pages du *Feu* indiquaient nettement sa volonté de pacifisme : une aube d'espoir se levait sur ce champ de bataille sinistre. Il était donc inévitable que Barbusse apparût à beaucoup d'anciens combattants comme un guide et qu'il lui fût impossible de se soustraire à cet honneur. Persuadé par l'exemple de Zola que le roman peut devenir un instrument d'apostolat politique, il écrivit *Clarté* où l'affabulation romanesque voile mal son dessein de démontrer que, selon la conclusion des *Paroles d'un combattant*, « la seule voix humaine qui s'harmonise avec la nature elle-même, la musique pensante de l'aube et du soleil, c'est le chant de *l'Internationale* ». Tout jugement sur la portée d'ouvrages comme *Élévation* ou sa biographie de *Staline* dépend de l'opinion que l'on professe envers l'activité de militant à laquelle il a tout subordonné ; mais ses plus violents adversaires ont dû reconnaître la générosité avec laquelle Henri Barbusse a servi jusqu'à sa mort la cause du progrès humain qu'il prenait déjà l'engagement de défendre dans les admirables *Lettres à sa femme* (1914-1917).

Ce fut l'absence d'esprit partisan que l'on aima d'abord chez Georges Duhamel dont la *Vie des martyrs* confondit tous ceux, « membres de l'Institut, actrices de café-concert, politiciens et vedettes de la prostitution » qui « ont travaillé à nous donner de la guerre une image littéraire congrue et définitive ». Il leur opposait « la seule chose certaine à cet instant du siècle » : la souffrance humaine ; il montrait la mort, « intimement mêlée aux choses de la vie ». Il était à la fois le médecin (« sous leurs pansements, il y a des plaies que vous ne pouvez pas imaginer ») et le poète pour qui rien n'est sans importance : « Ne perdons rien de leurs humbles propos, décrivons leurs moindres gestes. » Sans déclamation il peignait les tragédies et les délicatesses de l'hôpital ; sans généraliser, il montrait toutes les nuances de l'émotion jusqu'au « frêle pont » tendu entre lui et un blessé allemand par un motif de l'*Eroïca*. Avec une puissante sobriété il réclamait seulement que la mémoire de tant de douleurs ne mourût pas ; il appelait de ses vœux « l'union des cœurs purs pour la rédemption du monde malheureux ». *Civilisation* faisait plus que continuer *Vie des Martyrs :* il le complétait. Le comique, dans *Un Enterrement* et l'admirable *Cuirassier Cuvelier*, y paraissait plus macabre ; la révolte, dans *les Maquignons* et *Discipline*, plus âpre. Duhamel y posait plus catégoriquement le problème de la civilisation : « Si elle n'est pas dans le cœur de l'homme, eh bien ! elle n'est nulle part. » Dix ans après l'armistice, il publia *les Sept Dernières Plaies*, recueil formé d'éléments très divers qui vont de la brève méditation au long récit dramatique : de toutes ces pages montait la même émotion, le même rappel de la fraternité humaine devant la souffrance.

Les Croix de bois de Roland Dorgelès apparurent comme une sorte de mise au point du roman de guerre : aucun témoignage de combattant n'avait offert pour ses héros, chefs et soldats, intellectuels et ouvriers, la large impartialité qui distingue les robustes récits de ce livre et du *Cabaret de la Belle Femme*. Les chapitres qui décrivaient la vie dans les tranchées et les attaques égalaient les pages tragiques du *Feu ;* mais jamais l'auteur ne prétendait généraliser rien ; il n'excluait point « la blague divine qui faisait plus forts » ses camarades. Ses traits les plus vigoureux ressuscitaient le réalisme des combattants : « la Marne, c'est une combine qu'a rapporté quinze sous aux gars qui l'ont gagnée ». Courageusement il soulignait la « terrible grandeur » de cet aveu de Sulphart : « J'trouve que c'est une victoire, parce que j'en suis sorti vivant. » On trouverait difficilement dans toute la littérature de guerre un résumé des sentiments qu'elle provoqua chez les poilus plus simple et plus complet que les 30 pages de *Victoire* qui retracent l'assaut, la descente des tranchées, le défilé glorieux, le sursaut d'orgueil enfin qui justifie un bref commentaire : « Allons, il y aura toujours des guerres, toujours, toujours. » Ce sobre réalisme est bien la qualité maîtresse de Dorgelès : le *Saint Magloire* où il raconta l'échec d'un apôtre dans la société d'après-guerre verse dans le journalisme dès que l'auteur n'y observe plus cette discipline qui a donné aux *Croix de bois*, livre si spontané, une manière de style.

Après ces œuvres maîtresses, le lecteur accueillant ne refusera pas d'entendre d'autres témoignages. *La Flamme au poing* d'Henry Malherbe lui apportera les notes d'un combattant cultivé groupées autour de trois thèmes : Souvenir, Amour et Mort. Dans *Nach Paris*, Louis Dumur, auparavant connu pour d'amusantes peintures du calvinisme genevois, a dressé un réquisitoire contre les atrocités allemandes. Jean des Vignes Rouges a voulu, dans *André Rieu, officier de France*, exposer le point de vue des chefs, tandis que Raymond Lefebvre et Paul Vaillant-Couturier, auteurs de *la Guerre des soldats*, renchérissaient sur l'antimilitarisme de Barbusse. Adrien Bertrand, dans les récits et conversations de *l'Appel du sol* ainsi que dans les dialogues de *l'Orage sur le jardin de Candide* a livré les confidences d'un agrégé de philosophie, disciple d'Anatole France, qui se sent « une cellule de la nation », entend « l'appel de la terre française » et meurt en héros « pour que la France continue ». Paul Reboux, dont l'inspiration versatile s'était tournée successivement vers Paris, Naples, la Bretagne et l'Espagne, composa en deux volumes les *Drapeaux*, œuvre de propagande antimilitariste qui tente d'annexer au roman la science des statistiques : peut-être y apporta-t-il à piper les dés un peu de cette adresse qui lui fit baptiser « roman nègre » son *Romulus Coucou* dont le héros est un mulâtre. Dans *Indice* 33, Alexandre Arnoux a construit un récit dramatique ; sa verve de conteur s'atteste aussi bien dans les histoires militaires du *Cabaret* que dans *la Nuit de Saint-Barnabé*, alerte document sur l'imagination des gosses parisiens de 1920. MARCEL BERGER, dont l'*Homme enchaîné* avait traité gauchement mais loyalement un problème complexe, raconta dans *Jean Darboise* la vie en grisaille des hommes du service auxiliaire ; avec *les Dieux tremblent*, il essaya de matérialiser la haine vengeresse d'un blessé pour ceux que la tourmente a épargnés mais noya cette idée intéressante sous des péripéties mélodramatiques.

PAUL GÉRALDY avec cet art de ramener tout haut sujet à un dialogue de salon dont ses *Noces d'argent* font la démonstration, décrivit, dans *la Guerre, Madame*, une journée à Paris pendant l'automne 1915, suggérant la grandeur des événements, représentant avec une fidèle facilité le snobisme de certains milieux ; il n'épuisa point son sujet puisque MAURICE LEVEL put écrire *Mado ou la Guerre à Paris*, qui tient ce que promet son titre. On aurait pu attendre de l'expédition à Salonique un renouveau d'orientalisme : *A Salonique, sous l'œil des Dieux* de J.-J. FRAPPA ne nous leurre d'aucun mirage poétique. Quant au passage des Anglo-Saxons en France, MARCEL PRÉVOST prit soin qu'il en demeurât au moins un souvenir comique : *Mon Cher Tommy* leur légua une image de jeune fille française à leur usage, en n'omettant point, il est vrai, de leur apprendre qu'en de certaines épreuves « on a besoin de faire appel à toute sa fermeté britannique pour se raidir contre l'arrêt de la volonté divine ». BENJAMIN VALLOTTON est le créateur de Potterat, commissaire de police en retraite, porte-parole du bon sens vaudois, de sa révolte contre la violation de la neutralité belge et contre la consigne de neutralité suisse. Outre *A tâtons*, roman sur les aveugles de guerre, il a décrit, dans *Ceux de Barivier*, l'histoire tragique d'un village savoyard pendant la lutte. On retrouve l'humeur narquoise de *Ce qu'en pense Potterat* dans son *Achille et Cie*, satire d'une famille de nouveaux riches installés dans un château historique avec leur singe symbolique. Les ouvrages de Vallotton sont des articles d'exportation.

Il y a dans ces derniers livres beaucoup de littérature, parfois assez inutile. On en rendra donc mieux justice au sobre réalisme du caporal GEORGES GAUDY dans *l'Agonie du Mont-Renaud*, au mélange aimable d'humour et d'esprit des *Silences de Colonel Bramble* et *Discours du Docteur O'Grady* par ANDRÉ MAUROIS, à la verve savoureuse de PIERRE CHAINE, auteur des *Mémoires d'un Rat* et des *Commentaires de Ferdinand*, et aux ironiques récits de la vie dans un dépôt que JEAN GALTIER-BOISSIÈRE, l'un des rédacteurs du *Crapouillot*, a réunis dans *Loin de la Rifflette* (1).

Parmi les récits de combattants, signalons encore *Ma Pièce* de PAUL LINTIER et *Sous Verdun* de MAURICE GENEVOIX ; on pourra y ajouter, pour les territoriaux, les *Pépères la Victoire* du critique JEAN VALMY-BAYSSE et l'*Héroïque pastorale* de LOUIS VUILLEMIN, variations d'un musicien au grand air de la guerre. La vie populaire pendant la guerre a été peinte dans la *Maison à l'Abri* par MARCEL MARTINET qui est aussi un poète véhément et l'apôtre d'un « art prolétarien » ; les problèmes moraux de l'immédiate après-guerre ont été évoqués avec une rare loyauté par JEAN SCHLUMBERGER dans le *Camarade infidèle*. Mais il faut tirer hors de pair cet extraordinaire manuel d'attention mentale qu'est le *Guerrier appliqué* de JEAN PAULHAN : devant ce livre où le décor de la guerre apparaît renouvelé par une totale absence d'interprétation, par une exacte vision de ce qui fut, non colorée d'enthousiasme ou de découragement, plus d'un lecteur confessera que son esprit, esclave de trop de préoccupations étrangères, a véritablement manqué la guerre et sentira se réveiller en lui la faculté d'observation précise que tous possèdent et que nul n'a su exercer avec cette infaillible maîtrise.

Au surplus, pendant les années qui suivirent, les échos de la

(1) Au roman de guerre plutôt qu'à la poésie se rattachent les pittoresques récits où l'Angevin MARC LECLERC présente un portrait fidèle de *Notre frère le Poilu*.

guerre n'ont pas cessé de retenir dans la sensibilité contemporaine, témoin *le Sel de la terre* de Raymond Escholier, carnet de route féroce et mystique sous la morne lumière de Verdun, ou cet implacable cauchemar, *Ils étaient quatre*, d'Henry Poulaille. Avant les reportages romancés et précis des *Captifs* et des *Cœurs purs*, Joseph Kessel avait prêté, dans *l'Équipage*, un intense relief dramatique au roman de l'aviation. Joseph Jolinon a conduit ainsi un héros qui fut d'abord un jeune athlète à travers l'enfer, évoqué dans l'atmosphère de cauchemar sarcastique du *Valet de gloire*, jusqu'aux vilenies de l'après-guerre stigmatisées dans *la Tête brûlée*. Les nouveaux problèmes ont encore inspiré à Léon Bocquet son émouvant *Fardeau des jours*, reprise de la vie dans un village des Flandres, à André Lamandé la grande fresque des *Enfants du siècle* et *Ton pays sera le mien* qui peint avec une généreuse loyauté, dans une demeure familiale du haut Quercy, le poignant débat d'un cœur allemand et de l'esprit français. Thierry Sandre a été lui aussi marqué par la tourmente : heureux traducteur ou renouveleur d'ouvrages injustement oubliés, éditeur de *l'Anthologie des écrivains morts à la guerre*, il a conté avec une sobre sincérité ses souvenirs de prisonnier dans *le Purgatoire*. Surtout, il a réussi à démêler et exprimer dans *Mienne*, confession d'un être en qui les ressorts de la volonté sont brisés, et dans *le Chèvrefeuille*, douloureux monologues sur la fragilité de l'amour, une attitude originale de l'homme façonné par la guerre.

Un moment arriva pourtant où il fut admis par la majorité des éditeurs que le public ne s'intéressait plus aux ouvrages sur la guerre. La riposte fut le prodigieux succès, en 1929, de la traduction du livre de Remarque, *A l'Ouest rien de nouveau.* Vers le même temps Norton Cru provoquait un scandale en publiant ses *Témoins :* les âpres reproches qu'il adressait aux auteurs de livres de guerre étaient souvent justifiés ; mais il méconnaissait le droit qu'a l'artiste de faire des peintures, non des photographies et il refusait d'admettre que le vrai n'est pas toujours vraisemblable. Parmi les livres qui échappaient à ses critiques citons les *Carnets d'un fantassin* de CHARLES DELVERT, l'un des défenseurs du fort de Vaux. Sous le bombardement Delvert écrivait : « cette guerre a tué le romantisme de la guerre ». La phrase pourrait servir d'épigraphe aux trois témoignages parus en 1930 : l'inexorable *Ce qui fut sera* d'Henri Barbusse, épilogue et synthèse du *Feu* ; *la Peur* de GABRIEL CHEVALLIER où l'accumulation des « petits faits vrais », jugés par un disciple de Stendhal, aboutissait au plus cruel réquisitoire ; les tragiques « prises de vues » qui font ressembler le *Noir et Or* d'ANDRÉ THÉRIVE au film de Pabst, *Quatre de l'Infanterie*, et laissent la même impression d'une atroce épreuve subie par les hommes mais reniée par l'esprit. « *Le Feu*, c'est un beau bouquin. Il est presque vrai. Y a qu'une chose, c'est trop romantique, trop en théâtre » : ainsi parle un des personnages d'Henry Poulaille dans l'hallucinante et minutieuse reconstitution du *Pain de Soldat* (1937). En nous livrant, la même année, ses *Souvenirs de Guerre*, le philosophe ALAIN affirme que ces expériences renforcèrent sa conviction que la tâche la plus urgente était, selon les exemples de Socrate et Descartes, de « massacrer d'abord les lieux communs ». Assurément tous les anciens combattants n'exprimeraient point aujourd'hui le sentiment d'une gigantesque duperie avec la verdeur rabelaisienne que déploie Jolinon dans *Fesse-Mathieu l'Anonyme* (1936). Mais on ne saurait étudier la littérature des années 1920-1935 sans tenir compte de ces deux faits : elle est pour la plus grande partie l'œuvre d'hommes qui ont connu les souffrances de la guerre ; l'immense majorité de ces hommes est arrivée tôt ou tard à la conclusion que leurs souffrances auraient pu être évitées et qu'elles n'avaient même pas assuré le triomphe des idées pour lesquelles ils avaient lutté.

TABLE DES MATIÈRES
DU TOME I

1953. — Imprimerie des Presses Universitaires de France. — Vendôme (France)
ÉDIT. N° 23.385 IMP. N° 13.210